法律理论的前沿
FRONTIERS OF LEGAL THEORY
By Richard A.Posner
Copyright © 2001 by the President and
Fellows of Harvard College
All Rights Reserved

波斯纳文丛 5

Collected Works of Richard A. Posner

法律理论的前沿

FRONTIERS OF LEGAL THEORY

理查德·A·波斯纳 / 著
Richard A. Posner

武欣　凌斌 / 译

中国政法大学出版社

Frontiers of Legal Theory By Richard A.Posner
根据哈佛大学出版社 *2001* 年英文版翻译

《波斯纳文丛》总译序

一

这套译丛是一个很长过程的积淀。

我从 1993 年开始翻译波斯纳的著作，这就是 1994 年出版的《法理学问题》。此后多年也读了他的不少著作，但是这位作者的写作速度实在是太快了，范围实在是太广了，因此至今没有或没有能力读完他的全部著作。但是自 1996 年起，鉴于中国的法学理论研究的视野狭窄和普遍缺乏对社会科学的了解，缺乏人文学科深度，也鉴于希望中国的法官了解外国法官的专业素养和学术素养，我一直想编一部两卷本的《波斯纳文选》。在这种想法指导下，同时也为了精读，我陆陆续续选译了波斯纳法官的少量论文和许多著作中的一些章节，包括《超越法律》、《性与理性》、《法律与文学》、《司法的经济学》等著作。到 1998 年时，已经译了 80 万字左右。也联系了版权，但最终没有落实，乃至未能修改最后定稿。初稿就在计算机的硬盘上蛰伏了很久。

1998 年，我感到自己《法理学问题》的译文问题不少，除了一些令自己难堪的错失之外，最大的问题是由于翻译时刚回国，中文表达比较生疏，加之基于当时自己有一种奇怪的观点，希望保持英文文法，因此译文太欧化，一定令读者很头痛。我为此深感内疚，并决定重译该书，到1999年上半年完成了译稿。

1999年10月，我到哈佛做访问学者，更系统地阅读了一些波斯纳的著作；并同样仅仅是为了精读，我翻译了他当年的新著《法律与道德理论的疑问》。此后，由于《美国法律文库》项目的启动，中国政法大学出版社又约我翻译波斯纳的《超越法律》全书，我也答应了。诸多因素的汇合，使我决心把这一系列零零碎碎的翻译变成一个大的翻译项目。

2000年5月，在耶鲁大学法学院葛维堡教授和欧文·费斯教授的大力安排下，我从堪布里奇飞到了芝加哥，同波斯纳法官会了面，其间也谈到了我的打算和决定。临别时，波斯纳法官同意了我的请求。

2000年8月回国之后，就开始了一系列工作。中国政法大学出版社社长李传敢、编辑张越、赵瑞红等给予了积极并且是很大的支持。会同出版社一起，我进行了很麻烦的版权联系和交易。而与此同时，我自己也忙里偷闲，特别是利用寒暑假，进行翻译，并组织翻译。因此，才有了目前的这一套丛书，完成了多年来的一个心愿。

二

从上面的叙述来看，这套文丛似乎完全是一个机会主义过程的产物，甚至，挑剔一点说，未必我就没有减少自己的"沉淀成本"（sunk cost）的意图。但是，总的说来，这套书的选择是有策划的，有斟酌的。

如同上面提到的，我的选译是有针对性的，一是针对法学研究，特别是法理学研究；二是针对包括法官在内的读者群。

中国目前的法学研究有不少弱点。首先是自我限制，搞法理学就是搞一些传统的概念，例如法治、宪政、正义、公正之类的，加一点时下流行的各种具有或多或少甚至是很强意识形态意味的话语，依法治国、司法改革、现代化、全球化、人权等等。这种"高级理论"、"大词法学"其实与作为实践的法律，特别是部门法很少有直接的关联；乃至于近来我听到有搞部门法的学者半开玩笑半嘲笑的说：你们搞法理的人似乎如今全都搞司法改革了嘛！这种情况，固然反映了司法改革的重要性已日益为法学研究者关注；但另一方面，这也说明了一个问题，法理学可能确实面临着某种困境。也许这种境况就如波斯纳说30年前美国法理学那样，已经进入了它的"暮年"（《超越法律》）。法理学必须探求新路。司法改革的话题也许会带来一个刺激，形成一个"新的学术增长点"，但我们必须注意，这不是全部。我们必须开拓理论法学的研究视野。

当代中国法学研究的另一个重大弱点是缺乏社会科学指导的研究，缺少经验的研究。国内的法经济学、法社会学、法人类学诸如此类，大都一直停留在介绍的水平或应然的层面上。既缺少量化的研究，也缺少细致精密的个案研究，甚至常常没有一个不带个人意气的如实生动的描述。大约是在中国人心目中文字本身就是神圣的，因此如果你用文字客观描述了某种不那么理想的东西，而这种客观又对"法治的理想"或"公认的原则"提出了质疑，那你的政治立场可能就有问题，你就"需要提升价值"，必须把你的描述调整到符合这些理想和原则上来。在这种心态和氛围下，文字成了一个过滤和筛选可研究和不可研究的、可言说和不可言说的设置。"政治正确"已经在中国学界迅速本土化了，一些学者一方面不无一点道理地反对滥用本土资源的说法，但另一方面，又迅速利用了在中国历来占强势的道德话语，开掘出了政治正确的"本土资源"。"法学是一个古老的学科"这样的事实描述由此变成了法学应坚持修辞学和决疑术的老传统、拒绝强化社会科学研究新传统的规范理由，成了拒绝法学"与时俱进"的信条。对于中国法治发展非常必要的法学专门化在某种程度上成了创造知识神秘、故弄玄虚、拒绝普通人进入、以期获得因垄断而发生的高额货币和非货币租金的一种工具。当然，这还不是普遍现象，只是这种现象正在扩展。更普遍的情况则是法学家就"法律问题"笼统的发发感慨，提提看法。尽管这些感慨、看法并没有多少法学的或其他学术的意味，但由于在许多现实的交易中，值钱的并不都是货品的质量，而往往是货品的商标品牌，因此法学圈内也就不可能例外。而在我看来，真正能减少这种现象的可能就是学术的竞争，包括并特别是来自其他社会科学知识和方法的竞争。也就是要"超越法律"。

因此，这套书的读者也许首先是法学研究者、部分有些理论兴趣的法律实务者，其中也包括一些法官。中国法官的状况一直是我的一个关切。中国法官目前就总体而言其知识和专业素质都是很不足的，即使少数有较高学历的法官，但要适应一个现代社会、一个工商社会，也还有很大距离。这种状况不可能在短期转变，哪怕是对目前开始的统一司法考试我们也不可能指望过高。因为中国的法学教育本身就面临着一个急迫的知识转型问题。我当然不可能指望读一点书就会改变法官的状况。但是至少，这些著作会给某些法官甚至未来的法官一些提醒，因为中国的法官也都可能或迟或早在不同程度上遇到波斯纳法官遇到过的一些问题。

这套书最多的、最认真的读者最终也许是如今在校的学生，因为，由于种种原因，今天的中国法学家大都已经与真理共在了，因此也就大都很少甚至根本不读书的了。但即使是为了学生,翻译这套书也是值得的。甚至,我预期这套书的潜在读者将不完全是法学院的学生,有可能是社会学、政治学、经济学乃至文史哲的学生。确实,波斯纳的著作做到了他的追求,大意是,法学应当使外行人也感兴趣。

也正是为了这些目的和这些读者。我在选书时,大致坚持了三个相互关联的标准。一是尽可能涵盖波斯纳所涉猎的领域,反映一个全面的波斯纳;因此,其二,也就尽可能包容广泛的读者,而不是局限于法学的读者;以及第三,希望这些著作能够展示法学的交叉学科研究以及法学对其他学科的可能的贡献。最后这一点也许还应多讲几句。近年来,一些法学家和学生都感到了经济学和社会学的帝国主义,一些喜欢思考又有一定哲学爱好的学生往往喜好读其他学科的书,甚至感到在现在的知识体制中,法学的贡献很少。但我相信,波斯纳的著作可以消除人们的这种错觉。法学是可以有趣的;也许法学没有为其他学科的发展提供什么总体思路上和方法论上的贡献,但是,我相信,读了波斯纳的这些书后,读者会感到法学家的知识传统同样可能对理解其他学科做出贡献,特别是在对细节的理解和制度处理上。也许法学由于其实践性、世俗性,其知识贡献就注定不是宏大理论,而是微观的制度性理解和处置;就是要把事办妥(而不是好)。

因此,尽管这里所有著作都与法律有关,却也都还与其他某些学科和问题相关。《法理学问题》、《超越法律》和《道德与法律理论的疑问》,是波斯纳法理学著作的"三部曲",与诸多法理学流派,与法哲学、法社会学、政治哲学和道德哲学有关。《正义/司法经济学》有很大一部分与初民社会以及一些非正式社会控制有关,其余部分则与私隐、歧视有关。《法律理论的前沿》则更是涉及到了经济学、历史学、心理学、认识论、统计学。《法律与文学》不仅涉及文学，包括经典文学和大众文学，而且涉及到阐释学，甚至知识产权法。《性与理性》从问题上看，与性、家庭、婚姻、同性恋、色情读物有关；而另一方面，作为知识传统，它汲取了社会生物学许多洞识。《衰老与老龄》则分别与老人、老龄化和社会学有关。《反托拉斯法》与经济学有很大关系。《联邦法院》不仅研究了一个具体的司法制度，而且同政治学、特别是司法政治学、制度理论有关。《公共知识分子》与（特别是与法学）知识分子和知识社会学有关。当然，所有这些所谓"有关"都是相对的，其实几乎每一本书中都涉猎了不同的学科知识。这些都是真正的交叉学科的研究。比较而言，前六部著作的主要关切更多是法学理论；后五部著作尽管同样涉猎广泛，但相对说来更侧重于法学理论在特定领域的运用。当然，其中的研究结论不一定都对，因此不要将之作为结论、作为权威、作为真理来引证，而应当是作为进一步研究的甚或是批判的起点。它们也都未必是其他学科最前沿的，它们也没有坚持一个融贯一致的学科理论体系；但也许这就是法学的要求和命定。法学强调实践，法官必须在有限时间内处理问题，他们不能等所有的知识都齐备了再按部就班地作出惟一正确的决断，不允许他等到"黄瓜菜都凉了"。司法更多的是，用概括了波斯纳的话来说，要"头脑清醒地对付或糊弄过去"。因此调动一切知识资源，在现有的制度框架中不但是要干事，而且是要干成事。

而这就是实用主义，至少是波斯纳牌号的实用主义，这是一种新的法理学。

三

对于波斯纳，许多中国法律人都已经熟悉了他的名字和一些著作，但有不少误解。因此，我要多几句嘴，做一个尽可能简洁的介绍。

波斯纳，1939年元月11日出生在纽约的一个中产阶级犹太家庭，父亲是律师，母亲是一位"非常左倾"（波斯纳语）的公立学校教师。他1959年以最优生毕业于耶鲁大学英文系，1962年以全年级第一名毕业于哈佛法学院。在法学院期间，他担任过《哈佛法学评论》主编（president）。他没有拿过 Ph. D，但他曾获得过包括耶鲁、乔治城等国内外大学的荣誉法学博士。1962年毕业后，一直到1967年，他曾先后在联邦最高法院担任大法官布冉能法律助手一年，并任职在其他政府机关，同时波斯纳开始接触并自学经济学，形成了他的学术思想。1968年，他加入斯坦福大学法学院，成为副教授；次年，他来到了芝加哥大学，担任教授；1973年一部《法律经济学分析》，给整个法律界带来了一场"革命"（《纽约书评》语）；1978年以后又成为法学院讲座教授。1981年，里根总统提名他出任联邦第七上诉法院（在芝加哥）法官至今，并在1993年到2000年间因资深担任首席法官（院长），兼管该法院的一些行政事务。

任法官期间，波斯纳还一直担任芝加哥大学法学院的高级讲师；每年至少上两门课。同时，他每年平均撰写80件以上的上诉审判决意见（这意味着每周近2件），这个数量之多位居撰写司法意见最多的美国联邦上诉审（包括最高法院）法官之列（比美国联邦上诉审法院法官撰写的司法意见年平均数大约高出两倍）。重要的是，不像绝大多数法官，波斯纳从不用法律助手捉刀代笔，他总是自己披挂（或赤膊？）上阵。他说出来的话，用我遇到的一位他的前法律助手说，打出来就是一段文稿，几乎不用修改。他不仅产出数量多，而且质量很高。他的上诉审判决意见也是为其他联邦上诉法院引用最高的（大致高出平均数3倍）。而他的学术著作也是如此，据1999年的几个研究分别发现，1978年以后出版的引证最多的50本法学著作中，波斯纳一个人就占了4本（并属于前24本之列），数量第一；他的总引证率也是有史以来最高的（7 981次），比位居第二名的学者（德沃金，4 488次）高出近80%。[1] 无怪乎，一个有关波斯纳的幽默就是，"谣言说，波斯纳每天晚上都睡觉"。

数字也许太枯燥了，而有关波斯纳的才华、勤奋、博学的趣闻轶事也很多。这里就说两件吧！一是，他在联邦最高法院当法律助手期间，有一次，全体大法官们投票对某案做出了决定，并指定由大法官布冉能撰写司法意见。按照习惯，司法意见都至少由法律助手撰写初稿。但不知是由于布冉能说反了，还是波斯纳听反了，甚或其他，波斯纳反正是撰写了一份与最高法院的决定完全相反的司

---

[1] 关于波斯纳的司法意见的引证率，请看，William M. Landes, Lawrence Lessig, and Michael E. Solimine, "Judicial Influence: A Citation Analysis of Federal Courts of Appeals Judges", *Journal of Legal Studies*, vol. 27, 1998, pp. 288, 298；以及，David Klein and Darby Morrisroe, "The Prestige and Influence of Individual Judges on the U. S. Courts of Appeals", *Journal of Legal Studies*, vol. 28, 1999, p. 381. 在前一研究中，波斯纳名列第一；后一个研究中，波斯纳由于种种原因而名列第三。关于最常引用的法学著作以及著作引证率的研究，请看，Fred R. Shapiro, "The Most - Cited Legal Books Published Since 1978", *The Journal of Legal Studies*, vol. 29 (pt. 2), 2000, pp. 397-406, tab. 1; Fred R. Shapiro, "The Most - Cited Legal Scholars", *The Journal of Legal Studies*, vol. 29 (pt. 2), 2000, pp. 409-426.

法意见。然而,这份意见不仅说服了布冉能大法官,而且说服了最高法院。最后的决定也就顺水推舟按着波斯纳的意见办了。[2]我们当然可以赞美大法官们的平等待人,从善如流,但这足以证明波斯纳的真正是才华横溢(当然不同的人还可能从中得出许多其他正面、负面甚或是解构主义的感想:令人怀疑被——特别是被一些中国学者——神化了的大法官们的责任心、智慧和勤勉程度,案件的不确定性等等,随便想去吧!)。记得张五常曾记述了他所谓的"经济学历史上最有名的辩论聚会"——科斯为《联邦通讯委员会》一文同包括弗里德曼等15位大经济学家展开论战,最后让对手统统缴械的学术佳话。[3]而波斯纳的这一轶事足以同科斯的故事媲美;如果仅仅就知识事件本身而言,这个故事不仅毫不逊色,甚至更有过人之处:因为波斯纳是生活在一个具有政治性和等级性的领域,他是作为一个下属,而不是如同科斯是作为平等的学者参与了各自的论战,而我们知道不同领域内的游戏规则是不一样的。并且这是对一个已经初步决定了的案件。也许这个案子就学术意义并不像科斯的论战那么重大,但其具有更大的直接的实践意义。

另一件也就发生在去年。在波斯纳所在的联邦第七巡回区的一个决定中,多数派法官否决了波斯纳临时充任地区法院法官时作出的一个裁决。[4]但就在这一司法意见开头的第一个脚注中,作为波斯纳同事的这些法官写道:

---

〔2〕 James Ryerson, "The Outrageous Pragmatism of Judge Richard Posner", *Lingufeature*: *The Review of Academic Life – Online*, May, 2000, vol. 10, no. 4 (http://www.linguafranca.com/0005/posner.html).

〔3〕《五常谈学术》,香港:花千树,2000年,页196-198。

〔4〕 Bankcarp America, Inc. v. Universal Bancard Systems, Inc., 203 F. 3d 477 (7th Cir. 2000).

"当时，联邦地方法院急需新增法官决定此案，我们的首席法官波斯纳自愿承担了这一地方法官的工作，听审了此案，这充分证明了他对工作的献身精神。当然，法官波斯纳同时也承担了他在本院的全部工作。并且，作为我们巡回区的首席法官，他还完成了大量的行政管理职责。他所做的甚至还远不止这些。他撰写的书要比许多人毕生阅读过的书还多。更重要的是，当时，他正用业余时间，在联邦政府针对微软公司的反托拉斯大案诉讼中，作为某法院任命的特别调解人，努力工作。很显然，波斯纳法官的工作实在是太多了，远远超出了人们的承受能力。这充分证明了波斯纳法官的才华，他能同时处理这么多的角色，并且还是如此的严密、杰出和潇洒。"（着重号为引者所加）

由衷的赞美和敬佩之情，可谓溢于言表。（当然，这里也足以让我们看到我们大力赞美的美国法官的判决书的另一侧面。）

波斯纳的思辨极为精细，文风非常犀利，可以说是锋芒毕露，在学术批评上毫不留情，只认理，不认人。但在日常生活中，所有同他有过哪怕是简短交往的人都认为他是一位非常绅士的人，对人非常礼貌、周到，说话谦和、平等、幽默。上面引用的他的同事在司法意见中的言辞，就是一个明证。

也许是——但显然不是——因为做了法官，波斯纳是一位务实得近于冷酷的人，与那些高唱人文精神的浪漫主义的、理想主义的学者似乎形成强烈反差。但是在一次午餐间，波斯纳告知了知名女学者努斯鲍姆一个发现：其实，他波斯纳自己是一位浪漫者，而努斯鲍姆等所谓的浪漫者其实是功利主义者。为什么？波斯纳以功利主义世界观闻名，努斯鲍姆甚至称波氏是狄更斯小说《艰难时世》中把一切关系都货币化的葛擂硬。波斯纳的发现在于，努斯鲍姆同其他许多浪漫主义的道德哲学家一样，从本质上认为"人应当幸福，这是生活中最重要的"。而波斯纳本人，如同尼采，认为生活的一切都是挣扎和痛苦，并不存在什么最大多数的最大幸福，因此对于一个人来说，只有英雄的和创造性的成就才重要。是的，波斯纳是这样一个尼采式的浪漫主义者，视人生为一个不断创造和突破自己过程，要在人生的苦役和虚无中创造意义；相反，那些认为人生仅仅是不受限制地满足自己情感、希望、意欲的浪漫主义者在这个意义上恰恰是最务实的人。难道一定要到一个叫"前面"的地方去（《过客》）的鲁迅不是比"在康桥的柔波里，我甘做一条水草"（《再别康桥》）的徐志摩更具浪漫主义和英雄主义吗？！

甚至，波斯纳对自己和他人的这一发现的意味又何止这些？仅仅从这一发现中，难道我们不就可以感到波斯纳的对人生哲学的高度抽象思辨能力，他对语词与事物关系的把握，以及他对人和事物的总体把握和平衡？！

这确实是一个绝顶聪明的学者。

四

1999年底，《美国法律人》杂志年终刊评选了100位20世纪最有影响的美国法律人，自然有霍姆斯、汉德、卡多佐等已故法官、学者、也有不少实务律师、法律活动家，其中有13人有专文介绍，其中之一就是波斯纳。当时的哈佛法学院讲座教授、现任斯坦福法学院讲座教授理查德·莱西格（曾担任过波斯纳的法律助手）撰写了一篇极为精炼且很有意味的、题为《多产的偶像破坏者》的波斯纳简介,也许有助于我们理解一个全面、复合的法官、学者波斯纳。经莱希格教授同意和杂志社的授权,我将这一短文翻译如下,作为这一文丛译序的结尾,在必要的地方我还加了脚注。

> 理查德·波斯纳自 1981 年以来一直是美国第七巡回区上诉法院法官,自 1993 年以来一直担任首席法官。他是著述最丰的联邦法官,前无古人。任职上诉法院、却仍属最多产的法学家之列,同样前无古人。如果引证率可以测度影响力,那么当仁不让,波斯纳是在世的最有影响的法学家,他的 30 本书、330 篇论文以及 1680 篇司法意见[5]都是引证最多的;同时也属于受批判最多之列。
>
> 人们称波斯纳为保守主义者,但真正保守主义者也许会质疑他是否忠诚(因为他怀疑原初意图论,批评反毒品战)。他是法律经济学运动的创始人,但他对法律经济学的影响不限于此。他既是这一运动的詹姆斯·麦迪逊,又是亨利·福特[6]:他把一套关于法律规则与社会结果之间关系的实用主义见解(规则如何影响行为;行为如何更能适应相关的法律规则)都投入了生产,他把这套方法运用于无穷无尽的法律题目,运用于一切,从合同和反托拉斯到宪法的宗教条款以及法官行为。
>
> 法律经济学运动的前沿看上去很怪,但任何学科前沿

---

[5] 虽然只过去了两年,这些数字都已经大大过时了。到 2001 年时,波斯纳仅著作数就已经增加到 37 本。

[6] 詹姆斯·麦迪逊是美国宪法的主要设计者之一;而亨利·福特美国汽车大王,推动了汽车的产业化。

的特征从来都是让常人觉得"怪",尽管这个运动的特征并不怪。也许,哲学家对法律经济学进路的基础会很气不过,但随着这一运动的成熟、挣脱了其早期的政治影响,法律经济学如今已改变了法律的全部领域。

如今,我们全都是法律经济学家了!今天的公司法和反托拉斯法已经令它降临之前的法学院毕业生"相见不相识"了;如今40多岁的人也许受了很多管教,对法律经济学的简约论、反再分配的倾向疑心重重,尽管如此,法律经济学的见解如今已是常规科学。当年罗伯特·鲍克的《反托拉斯的悖论》第一版运用了许多法律经济学的论点(其中有许多都来自波斯纳),他嘲笑联邦最高法院有关反托拉斯法的学理;而到了第二版,鲍克就不得不承认,尽管还有点扭扭捏捏,最高法院基本上已得到拯救。但波斯纳厌倦常规科学。尽管他的如今已经出了第五版的《法律的经济学分析》涵盖了法律的全部地带,但波斯纳晚近的兴趣却还是挂在其边沿。

在过去的几年里,波斯纳写作的题目有些与性的规制相关,其中还包括一本有关艾滋病的著作。他还把经济学镜头对准了老龄化。他考察了引证率,努力测度了另一位非同小可的法官本杰明·卡多佐的影响。他还是"法律与文学"运动的一位中心人物,并就法理学、道德理论和司法行政管理问题有大量著述。在他1995年的著作《超越法律》中,他坚定确立了一个承诺,很可以抓住他的个性:没有单独哪种进路,包括法律经济学,能永久地捕获法律的复杂性。

但波斯纳心目中的英雄并不是经济学,也不是美国联邦党人；而如果还有的话，那就更多是霍姆斯。霍姆斯作品的特点，也就是波斯纳作品的特点，具有朴素、直率之美（波斯纳在司法意见中从没用过脚注）。他的司法哲学的风味是实用主义，并且怀疑高级理论。

而这也就是波斯纳手笔的标志，并且波斯纳是确实真有手笔。与大多数法官不一样，波斯纳从来都是自己动笔撰写司法意见。雇来的法律助手只管批评挑剔，而他自己动手写作。在一个法官有如此巨大权力的制度中，这是一种伟大的德性。写作会制约人。当一篇司法意见"不管怎样，就是写不下去"时，波斯纳就会改变他的思路。

因为波斯纳有他自己的生活。波斯纳的童年是左翼的（一个著名的故事是，他曾把自己的电动玩具火车送给了卢森堡夫妇[7]的孩子），此后他逐渐右转。当年，他的本科教育是英国文学；如今，他的影响却是在经济学。他当过法官亨利·弗兰德利和大法官威廉·布冉能的法律助手，后来又出任过瑟古德·马歇尔的下属，[8]但波斯纳的思想属于他自己，似乎没有受这些导师的影响。他无论是主动的还是被动的变化，都出于他的问题，或来自他对对象的质疑。没有谁可以声称波斯纳属于自己这一派。

波斯纳法官的杰出之处还不仅这些。波斯纳写作就不是想让人舒舒服服（他最新的著作，有关弹劾克林顿的

---

[7] 卢森堡夫妇50年代初因被指控为苏联的原子间谍而处死；成了美国历史上惟有的被处死的白领人士。

[8] 这些人都是著名法官。尤其是后两人都曾长期担任联邦最高法院大法官，是自由派大法官的"灵魂"人物和中坚；同时马歇尔还是是美国历史上第一位黑人大法官。

《国家大事》，肯定不会让任何人舒服。)，当然，这倒也不是说他写作就有意让人不快，或是要让人犯难。仅此一点就区分了他的语词世界与那个以符合民意调查为宗旨的语词世界；也就区分了他与公共生活领域内的几乎任何其他人。也因此，哪怕有种种更好的理由，波斯纳也完全不可能被任命为联邦最高法院的大法官。波斯纳从没想过要保持智识的诚实，他只是诚实而已。他让过于简单的分裂双方都很失望。他写作严肃且涉及广泛，目的只在参与。这是位不懂得算计的经济学家和公众人物，在他身上，确实有些世所罕见的和非同寻常的东西，或许还有点反讽。但这正反映了波斯纳最深刻的信念：一个学者——进而一个法官——的最大罪过就是循规蹈矩。

我们的制度并不奖赏他的这种德性。但，它仍然是一种德性。

希望本丛书的出版不仅仅是有助于我们理解波斯纳和与他相关的学科，而且还有我们自己以及我们的事业。

苏　力

2001 年 9 月 8 日

于北大法学院

追求理论的力量
(代译序)

一

波斯纳的著作名历来都很直白,清澈透底,直达著作的主题或问题。但也不要掉以轻心——"以往的失败就在于轻敌哟";在像他这样的文字老手的手中,直白中说不定隐含了某些机智和诡黠,反映出他对文字的敏感和精细。

例如,《性与理性》和《法律与文学》,这样的书名就通过一个"与"字,把两种在一定层面上看无法兼容甚至完全对立的"现象"硬拉在一起,从而造成了一种强烈的张力,很容易激发起读者的好奇心。

又例如,1999年关于克林顿"拉链门"事件的著作《国家大事》,英文名为"An Affair of State",加上副标题——"克林顿总统的调查、弹劾和审判",就点出了这本书的主题和意义。但是熟悉英文的细心读者也都知道,英文词"affair"还有婚外恋、不正当男女关系的意味。波斯纳巧妙利用了这个英文词的双关,点出了这本是美国发生的一件不正当男女关系,但闹来闹去成了举国瞩目,甚至成了一件国家大事。这本书的书名因此获得了一种温和的讽刺意味,而讽刺对象则是普遍的,不仅有克林顿,而且有共和、民主两党以及两党的意识形态活跃分子。而这些意味，中译很难传达。香港的一位朋友曾建议——为引起读者的关注——干脆将之翻译成《国之私情》，同时也与《国之事情》谐音；但这种译法毕竟又太"露"了一点，有悖波斯纳欣赏的那种"英人文笔"，可能反不如《国家大事》更含蓄一些。但当下市场上的译本将之译为《国家事务》，[1]在我看来，实在是过于庄严了一点。

本书的书名《法律理论的前沿》，同样大有讲究。中译名同样不得不遗弃一些寓意，成为一个无法信、达、雅的翻译。本书的英文书名是"Frontiers of Legal Theory"，"前沿"一词为复数，法律理论一词为未加定冠词的单数。如果将复数换一个位置，意思就会是多种法律理论各自的前沿研究。一个没有或不追求融贯统一理论的作者，写作内容相似的这样一本书，完全可能是介绍分析法律经济学、法律史研究、法律心理学等研究的最新成果。但这不是波斯纳的追求。波斯纳在本书中追求的不只是介绍和包容多个学科的前沿研究发现，更重要的是要将这些研究成果整合起来，希望在此基础上建立统一的法律理论，使之成为一种统一的科学。因此，本书题目中两个关键词的单复数置放，就不仅点明了本书的内容，更重要的是强调了本书的主题和理论追求。波斯纳不愧为一位本能的经济学家，即使在这些不起眼的地方也力求成本最小，收益最大。

这种法律理论追求之发生是因为自20世纪60年代以后，美国的法学研究，特别是法律交叉学科（law and social sciences）的研究，呈现了一种蓬勃发展的势头，促使了美国法学研究的转型（可参看本译丛《超越法律》一书的第2章）。其中法律经济学占据了最显著的地位。但是"木秀于林，风必摧之"，经济学也受到普遍

---

[1] 理查德·A·波斯纳：《国家事务：对克林顿总统的调查弹劾》，彭安等译，蒋兆康校，法律出版社2001年版。

的批判和抵抗。这种现象的普遍主要倒不是因为学者的嫉妒（这是一种道德化的解释，但不是法律家更应关注的制度的解释），甚至也不完全是因为各学科的路径依赖以及各学科学者的积淀成本不同。从制度的角度来看，这是学术竞争的特征，是学术之必然。如果一个学者或学科都像波普尔所说的那样，遇到反例（证伪）或失败就放弃了自己的观点，那么这个学者就注定是"见异思迁"，很难有所贡献。我们通常赞美的"有志者事竟成"，其实不过是对成功者"认死理"乃至成功的另一种说法而已。学者有时的确必须有点"一棵树上吊死"的劲儿，走自己的路，批评或不理睬相反的观点，说不定才从中走出了新路。如果一个学科或一个学者轻易就放弃了自己的理论内核或研究纲领，那么学术世界就不可能"百花齐放，百鸟争鸣"，而坐大的学科尽管可能显赫一时，但终究会因失去竞争、失去挑战而失去活力，停止发展。"独孤求败"其实无论对学者还是学科都是一种悲凉的情境和心境。任何思想都是社会的。在这个意义上，"一将功成万骨枯"，也是学术战场的描述；学术竞争的失败者是以其失败为成功做出贡献的。当然这是一种历史视角中宏观格局，是事后的反观。在微观中和在当下，"天下英雄谁敌手"并不清楚，因此表现出来的势必更多是各学科的相互竞争、抵抗、拒绝；而且专业化也便利了抵抗者——毕竟强龙压不过地头蛇嘛！

尽管如此，经济学在过去数十年中已经大规模侵入、渗透甚或殖民了许多学科，展示了它强大的解说力；因此，有没有这样的可能：所谓的经济学的基本逻辑并不仅仅是经济学的，而只是我们习惯称之为经济学的学者最早予以系统阐述的？而所谓的经济学的基本原理会不会就是有关一切人类行为的逻辑？

这只是一个猜测。重要的是要验证这一猜测，而这一验证不是一次理论的短促突击就可以完成的，而是必须把现有的其他学科经验研究的发现予以整合，做出经济学的解释。这是一种归纳，一种普遍化的过程。这是一个巨大的工作，也许最终会失败；但这是一个值得追求的工作。值得甚至不仅仅因为可以扩展经济学的解说力，还因为这种普遍化也是一个证伪的过程。

《法律理论的前沿》，就是波斯纳的这样一个努力。

二

意志是无限的，但行动起来总会受到种种制约。因为，这首先涉及到对其他相关学科基本知识和研究成果的了解，如果没有足够的并且有一定深度的了解，就很难对之做出令人信服的经济学解说。而说到了解，则必须阅读至少相当数量的前沿文献，并且熟悉这些学科的基本概念、命题以及解说方式；然后必须对这些成果都要予以经济学的处理和解说，还必须表现出经济学的一贯性，表现出经济学的简洁有力。因为，就理论而言，除了一种解说更为简洁有力外，人们不会接受它的。

这个困难没有让波斯纳畏缩。凭着他大量的阅读以及对经济学理论和方法的娴熟，在这本著作中，波斯纳除了在第一编介绍了他的老本行法律与经济学的新近发展外，在余下的几编中，他分别从经济学的角度试图对法律的或与法学有关的历史研究、心理学研究、认识论研究和行为主义研究的部分成果予以解说；扩展了经济学理论的解说力。

例如，在历史学这一编中，波斯纳就用经济学理论解说了为什么法律是所有学科中最重视、最依赖历史的一个学科。首先，借助了尼采的《历史的用途与滥用》[2]一书的观点，波斯纳区分了两种重视历史，为了历史的历史以及为了未来的历史。波斯纳考察发现，由于法律的工具性和功能性的特点，法律往往是以而且——在他看来——应当以第二种方式使用历史；但表现出来的，法律却似乎常常是以牺牲当前和未来为代价来尊重历史的。最典型的例子就是英美法上的先例制度。先例制度是英美法的核心制度。按照这一制度，对于先例，一般都要求予以遵循，有时即使先例是错误的，不完善的，也仍然予以坚持。原旨主义强调尊重先例是因为尊重立法者（包括先前的法官——在英美法中，他们是另一类立法者），是尊重他们的意图。但为什么要尊重立法者的意图呢？今天常常回答是民主或立者的智慧。但是，许多法律当年都不是民主制定的，例如美国宪法制定时就剥夺了黑人、印第安人以及妇女的投票权。而且，即使是民主制定的，为什么过去的民主又应当约束今天的人民呢？为什么今天的人们无权改变呢？为什么可以剥夺后代人的民主呢？立法者的智慧同样也不能令人信服，因为我们没有理由假定先前的立法者的智慧一定并总是高于今人。也许是为了保持法律的统一和始终一致？但这种解释还是有点儿似是而非，为什么法律的统一在这里要比法律的"完美"更值得重视呢，为什么不能在完美的基础上构成新的统一呢？法学教义派告诉我们，这就是法律的"价值"或者其他诸如此类的抽象概念。但诸如此类的回答都不能在经验上令人满意，虽然不敢完全不信，却也让叫真的学人不敢全信。

波斯纳从经济学的路径依赖理论对先例原则做出了一个比较令人信服的解说。他认为这种对于历史的尊重可能仅仅反映了"转换

---

[2] 参见，尼采：《历史的用途与滥用》，陈涛、周辉荣译，刘北成校，上海人民出版社2000年版。

成本"（页157），其目的却仍然是为了未来。依据路径依赖理论，任何改变如果成本高于其收益时，人们就会情愿接受那种不那么完善的事物，包括法律。波斯纳特别举出了目前使用的英文键盘，当初采纳时并不因为其为最佳，但由于人们已经习惯了这种键盘，如果要追求最佳，就会带来巨大的成本，构成了一个不可逾越的障碍。在司法上，如果仅仅就个案公正而言，有时也许应当修改规则，但是就制度的公正和效率而言，就只有在极特殊的情况下，才能考虑推翻先例。因此遵循先例作为规则隐含了经济学的原理。[3] 是的，人类常常必须"将错就错"，而不能也不可能事事都从头开始的。

但是，千万不要把波斯纳的这一分析视为简单的保守主义。作为某种"主义"的保守主义其实恰恰是他坚决反对的。他的分析之寓意其实是双面的：因为路径依赖另一方面已经表明，为了未来，只要收益大于成本，那么先例就可以推翻，绝对的遵循先例是没有道理的。法官一般要遵循先例，但并没有法定的义务并总是要遵循先例。

心理学是波斯纳试图整合的另一个领域。心理学家一直都论辩，经济学的理性人在这个领域不适用，因为在现实世界中人的行为都不总是理性的，特别是人的行为往往伴随着强烈的感情，无论行为者、司法者均如此。波斯纳承认情感的存在并且会影响行为，但他认为，这并不影响经济学的分析。他指出传统的情感/理性之

---

[3] 注意，这一论证其实与我们熟知的马克思的观点是完全一致的。在经典的《路易·波拿巴特的雾月十八日》一文中，马克思就曾精辟并雄辩地指出："人创造他们自己的历史，但是并不是如同他们喜欢的那样创造历史；他们并不是在他们自己选择的条件下，而是在他们直接遭遇的、给定的并且是往昔传留下来的条件下创造历史。"《马克思恩格斯选集》，第一卷，人民出版社1972年版，页603。

区分并把情感作为理性的对立面是有问题的,因为情感并不是独立的,情感往往是信息刺激的产物,情感因此具有评价的功能。没有情感的人并不意味着其理性能力强,相反证明了他的理性有缺陷。事实上,日常生活中,当我们说某人太情绪化时,其实我们并不是说他不应当有情绪,而只是说他的决定某一个因素的影响太大,忽略了其他因素。

在此基础上,波斯纳把心理学的因素延伸到对具体司法问题的分析,对法官、陪审团的分析。例如,心理学研究发现了有一种称之为"有效启发"(availability heuristic)的现象,即人们在做出复杂决定时,他的直接感受和印象往往会起更大的作用。用我们习惯的话来说,这种现象就是"会哭的孩子有奶吃"——哭得多会引起决策者的更多注意,决策时也会自觉不自觉的更多考虑会哭的孩子的利益。许多人为什么总是"密切联系领导"或"混同于一般领导",也就是看到了作为人的领导也都具有这种心理特点。在司法审判中,这种情况同样存在。在刑事审判中,出席法庭审判的人的感受、利益、陈述、表情,相对于不出庭的相关者而言,往往对法官、陪审团的影响更大。特别是在刑事诉讼中,往往受害人、受害人家属不出庭,因此在司法中,如果法官或陪审团仅仅就刑事被告痛哭流涕的悔改表现作出判决,判决显然会不利于受害人(特别是死者)及其家属。辩护律师往往就利用了这种心理学原理。当然,这种情况并不仅限于对受害人不利。在另外一些时候,如果受害人作为证人出庭的惨状也往往会对法官和陪审团的判决造成重大影响;数年前河南郑州的"张金柱案"就是一个明显的例子。在有关司法的心理学研究中一直都发现有这种现象。

波斯纳认为,尽管这种心理学现象凸现于刑事司法,却是司法中相当普遍的现象。例如,法官可能过分看重了保护房客的利益,因此限制房租，结果伤害了房东；判决给某些艰难挣扎的公司免税或缓税，但实际上是增加了其他公司的纳税额；为保护某些特定的消费者而过分严厉惩罚商家的实际后果只是使商家把罚款平摊到其他消费者身上，因此损害了更广大的消费者。一个典型的例子就是一味地支持对知假买假者要求的"双倍返还"。诸如此类，不一而足。

波斯纳对这种现象做出了"经济学的"解释。他指出，这种现象之所以发生，其实是因为对任何一个人来说，观察与想像相比，前者更容易，因为想像是需要花费某种努力的。这种花费就是"成本"（在一个相关问题的讨论中，波斯纳在《性与理性》中猜测性地追溯这一点到原始人类的生活条件——更多直观感受，较少符号交流和想像力——以及在这种环境中的人类生物进化养成的本能）。例如，当把交通肇事涉嫌间接故意杀人的张金柱处以死刑时，我们很难设想这一判决将给张金柱特别是对其家庭、孩子的无法弥补的代价；当我们要求发生有争议的医疗事故的医院作出巨额赔偿时，我们很难想像这些赔偿最终可能是由其他不知名的医疗消费者承担的，更想不到会影响医院和医生在以后遇到危急病人可能拒绝治疗或大量使用"防卫型治疗"措施（defensive medicine）。因此，在这样的时刻，在司法上，就必须有而且有时事实上也有一些制度对此予以弥补。也因此，法律总是要求法官和陪审团必须保持一种"超然"，而不是满怀激情。但是，这里的超然并不是"冷漠"，而是为了保持距离以便创造一个空间，有了这样一个空间，才有可能想像一下其他可能受法官或陪审团判决或裁定影响的人的利益、感受。

特别应当指出的是，波斯纳在这一解释中所运用的理论以及在其他章节分析讨论的理论实际就是或在相当程度上是2002年诺贝尔经济学获得者心理学家丹尼尔·卡尼曼（Daniel Kahneman）的研究成果，尽管波斯纳在著作中并没有明确提及卡尼曼及其主要合作者的名字。但是，鉴于波斯纳的这本书出版于 2001 年（该文初稿最早发表于 1998 年《斯坦福法学评论》），因此，我们可以看出波斯纳不仅阅读极为广泛，并且对其他社会科学的研究成果始终保持高度的敏感和独到眼光，同时也非常善于把这些学科的最新研究成果纳入或整合进入法学理论的研究中。[4]

应当说，诸如此类的分析，正如在波斯纳的其他著作中一样，在本书中是大量的。无需我在此饶舌。正是通过诸如此类的大量分析、整理，波斯纳不仅展现了这些知识的生动和活泼，而且展现了知识的相关性以及与"经济学"逻辑的一贯性。

三

但是，问题是，这种知识的整合有必要吗？为什么不能让各个学科的知识各在其位，各守其职，各自发挥其作用呢？这样的知识整合是否会破坏知识生产的专业化和职业化，出现一个经济学的或其他什么学的"帝国主义"呢？

尽管在我看来，知识的生产至少在现代必须是专业化的、职业化的。但是，"话说天下大势，分久必合，合久必分"；理论的整合是必要的，不仅是解决实际问题之必须，也是打通各学科、淡化甚至瓦解传统学科的严格边界从而促使理论发展之必须。

---

[4] 应当指出，卡尼曼等人也早已把他的研究成果运用于司法了，请看，Daniel Kahneman, et al., (ed), *Judgment under Uncertainty: Heuristics and Biases*, Cambridge University Press, 1982; 以及 Cass R. Sunstein, ed., *Behavioral Law and Economics*, Cambridge University Press, 2000.

首先,"无名,天地之始;有名,万物之母";世界是在人们对世界的研究中分离成一个个单独的事物的,而现实中的事物总是相互关联的。因此,说到底,我们关心的并不是学科本身,而是我们生活的这个世界,是这个世界中的问题。世界上的任何问题都可以、有时甚至必须分开研究,但分开只是为了研究的便利,事实上许多问题都不大可能同其他问题完全隔离开来。一个刑事案件的诉讼并不仅仅涉及刑法或刑事诉讼法,还可能涉及到民法,甚至宪法;证据的确认不仅涉及程序法或证据法,更可能涉及到许多自然科学和社会科学(例如环保案件)。学科是人创造的,具有某种偶在性,必然处于永恒的流变之中。当要解决问题时(而这是法学的特点),不应首先考虑知识的学科边界。一个真正关心司法的人,不能仅仅因为司法官的心理状态属于心理学的范畴,就放弃研究司法官的心理状态,不考察这种职业心理状态对司法可能有什么影响。

其次,尽管现代社会学科分工是促进知识深化的必要条件,但分工并不是目的,知识的分工是为了知识的交换和整合,因此这种整合也会促进学科的发展。我们都知道市场的优点就在于知识的交换和交流,因此,各个学科之间如果没有交换,没有交流,其他学科的相关发现就无法为我所用,进而会制约学科的发展。由于学科的划分,由于人的能力和精力有限,不可能人人都是通才,因此许多可能对其他学科有启发的发现就无法发挥其潜在的巨大效能,有必要进行知识的整合。这种知识的理论整合,正是一种知识和信息交流和交换的过程,它为知识产业化创造了条件。它使得某一点上发现的知识(地方的)可能具有普遍的意义;使得各学科的"本土资源"有可能成为世界性消费的产品。由此带来的社会效益将裨益整个人类。

第三，这种整合，在一定程度上也是一个统一知识产品市场标准的过程，是一个降低知识市场交易费用的过程。各个相对独立的学科在自己的发展中都已或会形成了对自己本学科至关重要的一些术语、概念和命题；当这些术语、概念和命题标准化了本学科的知识产品时，往往会对其他学科的知识事实构成一种排斥和拒绝。因此，当各个学科都坚持自己的术语、概念、命题时，至少有时，则意味着进入知识市场上的某些同类产品规格不一致。没有标准化，不仅形成了各种自然垄断，阻碍了知识的有效使用，而且也限制了知识市场规模的扩展。必须注意，正是由于我们现在有时显得过于刻板的学科分界，往往使得各学科的人往往可以借助本学科的概念、术语、命题"打仗"。有时看起来不亦乐乎，其实大家说的是一回事，知识没有进步，只是名词概念数量增加了，由此造就了一批学人和他们的利益。而理论整合则有可能逐步形成一些统一的理论框架、概念、术语和基本命题，从而便于交流，便于理解，便于人们接受和使用，降低了人们跨学科研究的难度和费用，扩大了人们可以购买的知识产品的市场，增加了人们的自由选项。

第四，理论的力量在很大程度上在于其可以最简洁的方式用因果关系勾连起不同现象，并由于这种联系而可能最大量地解释和预测现象的一般性。如果一种"理论"只能解说一种具体的形象，那它就不是严格意义上的理论，而只是一种"个人的知识"；如果一种理论只能解说少量的现象，那么这种理论的用途就很有限，就是一种"地方性知识"。最强有力的理论必须是以最简单的概念和命题来解说、预测最广泛的现象，因此可以有效地为人们用来控制和改造世界。这种要求当然不是什么先验的真理，而是与人的有限理性和有限生命相联系的，人为了最大可能发挥其解说力、预测力、控制和改造世界的能力，总是希望发现和获得相对具有普遍意义的理论。在这个意义上看，理论是一种减少人们的交易费用从而获得最大收益的工具，而不是"真理"。事实上，理论追求的并不是对世界的"真实反映"，理论追求的是解说力和预测力，以及在此基础上的人的能力的扩大。也因此，我们相信一个理论并不是因为这个理论为"真"，而仅仅是这个理论是有用的。在这个意义上，所谓理论的真假的说法是一种无害的语言误用。

四

强调理论要有解说力，但这并不意味从理论发展理论，而是意味着一个好的理论必须有能力直面"事实"（包括，能够包容其他的甚至对立的理论），令人信服地解说这些事实。并且，这种解说必须始终保持理论假定和逻辑框架的始终如一，不能单为解说某个难以解说的现象而人为地增加一个假定或条件。我强调人为，不是说不能增加，而只是说当作为有效解释时，增加的这个或这些假定或条件必须是经验的、可验证的，而不是猜想的。否则，我可以猜想世界上的所有疾病痛苦都是人类前世作了"孽"。这样的猜想一方面会"很有解释力"，但由于无法经验验证，因此毫无解说力；因为这种解说无法使我们获得行动的能力。因此它最多只是一种解释（interpretation），而不是解说（explanation）。或者我们也可以把中国近代的落后或没有现代法治归结为有某种"文化基因"，但如果无法具体的经验的指出这个文化基因是什么，那么这就是人为地增加的假定和条件，这种说法也仍然不是社会科学理论的解说。

如果说理论的解说力是在同事实遭遇的过程中展现和发展的，因此，从逻辑上看，我们就发现一个看似悖论的有关理论的命题：

尽管理论是抽象的、思维的、主观的，但提出、发展和完善理论在很大程度上取决于对具体事实的考察、了解，而不是而且也不可能在理论本身中求发展，不是在而且也不可能在人的所谓的纯粹思维中得来。或至少社会科学不可能，或至少法学不可能。从这个意义上看，所谓的纯粹法学和分析法学只要在任何意义上还是法学，它就必定不可能是其创始者自诩或自居的那样是"纯粹的"或仅仅是分析的。

这本书以及波斯纳的其他著作就是这样的一个例子。经济学确实有很精细、很纯粹的逻辑分析（想一想反直觉的科斯定理——交易费用为零时产权无关紧要——就可以了），但真正展示了经济学力量的是它以相当融贯一致的方式解说了大量的不仅是狭义的经济学现象（事实），而且也解说了诸如法律、道德、历史、政治、心理等社会现象，其中有些在传统观点来看是与金钱风马牛不相及的，例如波斯纳在《性与理性》中对各种与性有关的现象的解说。经济学理论就是在同这样琐碎、具体"事实"交手后把它们纳入自己的麾下的。

当然，在精细的"理论"概念层面上，这也许还算不上是理论的发现；而只是理论适用的延伸。但即使在这一层面上使用理论一词，理论的发展最终也仍然依赖事实的挑战和刺激，需要我们把一些基本的理论具体运用于对大量事实的分析。难道我还需要举例吗？！

五

中国正处于一个需要特别理论，同时也需要关注研究事实的时代。中国发生的至少是一些事都是空前的,许多都是书本上没有的,是现有理论无法不加经验研究后的限定就可以解释的,需要我们的凝视、研究。事实上,作为学者生命意义之预设,我必须假定中国当代社会的某些现象对现有的某些理论构成了挑战和刺激,为我们——至少从理论上讲——发展、完善甚至是创造新的理论设定了可能性。但是,这并不是拒绝我们目前主要是外国学者创造的理论,更不是排斥普遍理论整合的可能性。相反,在这个意义上,我甚至是相信有解说人类行为的一般的统一理论的。但这个理论并不一定是已经存在的某个理论,不是某个学者告诉我们的所谓的永恒真理。

它将是一个不断进入我们视野又不断后撤的理论。它诱惑着我们不断向前,也诱惑我们痴迷于路边的池塘,池塘间的荷叶,荷叶上的露珠以及那露珠中的星光……,直到我们一个个作为个体生命的死亡。

苏 力

2002年2月24日初稿,

11月6日修改于北大法学院

目　录

1 ◎《波斯纳文丛》总译序
1 ◎追求理论的力量（代译序）

1 导　论

第一编　经济学

31 第一章　法律经济学运动：从边沁到贝克尔
65 第二章　言论市场
99 第三章　规范的法律经济学：从功利主义到实用主义

第二编　历史学

149 第四章　依赖于往昔的法律
176 第五章　法律文献中的历史主义：阿克曼和康恩
199 第六章　萨维尼、霍姆斯和占有的法律经济学

第三编　心理学

233　第七章　法律中的情感
260　第八章　行为主义法律经济学
299　第九章　社会规范以及一个宗教札记

第四编　认识论

331　第十章　证词
350　第十一章　证据原则与对抗辩式程序的批评性讨论
398　第十二章　证据规则

第五编　经验主义

431　第十三章　计算，特别是计算引证

465　致　谢
469　索　引

导　论

　　传统法律教育的焦点是实践,关注的是如何成为一名出色的律师。其重点在于解析成文法、判例法体系中特别重要的部分以及司法意见,在于学习基本法律教义(legal doctrines)的大致轮廓,在于职业价值,并且,越来越多地放在了寻求诉讼和谈判的技巧上。这样一种教育,伴之以在优秀的律师事务所或者优秀的政府机构担任律师的实践经验,可以塑造出具有高度技巧的专业人士,也就是说能使这个系统"运转起来"(work)的人;但是却不能提供理解和改进这一系统的基本工具,因为它并不能培育必要的外在*视角。正是因为认识到这一局限,认识到那些由法律人推动的(lawyer-engineered)法律改革的显著失败,[1]认识到社会科学的进展,法律教育和更为一般性的法律思想近年来变得更具有交叉学科的特点,并且最终(法律相对于大多数可以认为是与之毗邻和贯穿其中的学术领域而言,是一个理论化不足[undertheorized]的领域)变得更为"理论化"了。这一切并不完全是好事,因为大量的法律理论实在是空洞无物。[2]但毕竟

---

*　原文中的斜体字我们在译文中均以着重号标出。——译者

[1]　最近的一个例子是,最高法院在那些提供了弹劾克林顿总统背景的关键案例中的表现。参见,Richard A. Posner, *An Affair of State: The Investigation, Impeachment, and Trial of President Clinton*, ch.6, 1999.

[2]　正如我所论证的,Richard A. Posner, *The Problematics of Moral and Legal Theory* (1999). 又参见, Dennis W. Arrow, "'Rich,' 'Textured,' and 'Nuanced': Constitutional 'Scholarship' and Constitutional Messianism at the Millennium," 78 *Texas Law Review* 149(1999).

不是全都如此。其他学科对于理解和改善法律都大有俾益。在本书中,我将从经济学、历史学、心理学、认识论和统计推断(statistical inference)方面来检讨这些俾益。

这一主题是广阔的,因此,我的研究(treatment)必然只能是局部的。[3]虽然对经济学的强调和对需要更多法律经验研究的强调,在我的作品中并非新的主题,但是在本书中,我赋予了其某些新的转向(twist);而对历史学、心理学和认识论(我借此意指对法律程序发现真理这一功能所进行的批评性检讨)的强调更是全新的。我采纳了不少我此前的论文,但都经过了逐一修订,以努力使之前后连贯、关系清楚,并且尽量删繁就简;我还对之作了进一步升级——尽管它们并不陈旧,但是法律理论是个迅速衍化的领域,并且努力校正错误、回应批评和消除枯燥乏味之辞。

我所意指的"法律理论",既区别于法哲学(philosophy of law)(法律哲学[legal philosophy]或法理学[jurisprudence])——其所涉及的,是对如下的有关法律的高度抽象理论的分析,比如法律实证主义、自然法、法律阐释学、法律形式主义和法律现实主义,又区别于法律教义分析——其代名词就是法律推理,亦即司法裁判(adjudication)与法律实践中核心的分析成分。法律理论涉及的是法律的实践问题,但是它是从外部接近的,用的是其他学科的工具,而并不考虑法律专业人士的内在视角,即便是这一视角足以解决法律的实践问题。

我知道,试图借用"法律理论"这个术语来表示法律的外在分析,是有点儿晚了。长久以来,"理论"这一术语在法律中的运用,要么是作为对诉讼当事人提案(submission)的一个夸大之辞("案件中原告的理论,就是被告的行为可以归结为是对原告合同权利的侵犯"),要

---

[3] 更多的研究可以在我此前的几本书中找到。除了前注[1]和前注[2]中所援引的那些书目之外,请参见, *The Problems of Jurisprudence* (1990); *Cardozo: A Study in Reputation* (1990); *Overcoming Law* (1995); *The Federal Courts: Challenge and Reform* (1996); *Law and Legal Theory in England and America* (1996); *Law and Literature* (rev. and enlarged ed. 1998); *Economic Analysis of Law* (5th ed. 1998).

么是作为旨在建立一个判例法实体的一般性概括("侵权法的理论,就是只有当加害人可归责时,损失才应依法转移"),要么是作为法律的纯粹的内部理论:一种为那些几乎不使用其他任何领域的洞见或方法的法律教授们把持的理论——大多数宪法的"理论"都具有这样的特点。"理论"这个词的这些用法,相当于把"理论的"等同于了"系统的"、"综合的"或"基本的",可以归结为是科学对现代精神(modern mind)的掌控。但是,由于惟一通向真正科学的法律概念的进路来自于其他学科,比如经济学、社会学和心理学,所以,当我们笼统地提到"法律理论"这一术语时,将其限定于来自法律之外的那些理论才是适当的。

如此理解的法律理论,比法律哲学或教义分析的起源更为现代,但是其根基却可以建立在18世纪晚期和19世纪早期边沁关于刑事惩罚的功利主义(本质上是经济学的)理论和萨维尼关于法律科学的历史主义概念之上,而后者影响了霍姆斯。其后,麦克斯·韦伯建立了通向法律的社会学进路的基础,在美国为罗思科·庞德和其他"社会学法理学"(sociological jurisprudence)名目下的人所沿习。再往后,20世纪20和30年代的法律实证主义运动,不仅倡导了关于法律的更为重要的心理学现实主义(杰罗姆·弗兰克)和经济学现实主义(卡尔·卢埃林,威廉·道格拉斯),而且倡导了作为法律改革之路的、大规模的经验研究。边沁、霍姆斯和卡多佐早就预言了法律实证主义,他们都按照各自的方式,倡导更多地运用法律之外的、特别是社会科学的视角。

法律现实主义未能信守自己的承诺,并且在第二次世界大战结束前就已逐渐销声匿迹。20世纪50年代特别是60年代法学文献在智识上的雄心壮志一直在逐步增长,但是只有从大约1970年起,法律理论才成为了法律思考的主要焦点。从那以后,一日千里。其原因如次:法律之外的诸多领域——比如经济学、博弈论、社会和政治理论、认知心理学甚至文学理论——的进展,为法学研究铸就了全新的工具;与此同时,法律和社会日益增长的复杂性,也揭露了教义分析作为解决法律制度中存在之问题的工具的贫困。由于对法律服务的需求急剧增长、进而是律师和法律学生数量的急剧增长,净增的大量学院派法律人士也起到了一定的作用。现在有如此之多的法学教授,以至于对其中那些有理论爱好的人而言,要为自己的文章在其他教授而不是执业者和法官中间寻求一个读者是可以做到的。学院派法学对妇女、少数群体和政治激进派的开放,为以批评视角(一般是外在的)探讨法律制度拓展了市场。并且,探讨法律制度的丰富材料很容易得到,也很容易分析,这也有助于支持作为一个研究计划的法律理论。

确切地说是一些计划。法律理论并不是一个单一的研究计划。它的实践者甚至对"理论"的含义就意见不一。有些法律理论是社会科学,而另一些则不是;有些法律理论家强调抽象理论,另一些则强调经验研究,还有些两者皆非;有些法律理论有很强政治的、甚至是挑衅的味道,而另一些则没有;有些法律理论主要是描述性的,而另一些则有很强的规范性;有些法律理论集中于法律的特定领域,而另一些则涉猎了更为广阔的范围。为这样一个界定不清的领域的一些主要分支勾画一个草图可以帮助读者确定方向。我之所以强调美国法律,是因为法律理论在美国比在其他地方发展水平更高,并且影响更大。与此相反,法律哲学在美国之外则影响更大。

新老法律经济学(Law and economics, old and new)。最近几十年里微观经济学的广度和精度都有迅速的增长(这部分地是因为博弈论逐渐加入到了经济学当中),这促成了在法律理论中出现和持续生长出了一个独特的并且重要的亚领域(subfield)——法律的经济分析。顶级法学院的教师队伍中都有一个或几个经济学博士。有7本法律经济分析的专业杂志(美国6本,欧洲1本)。在美国、欧洲和拉丁美洲现有若干教科书、一本大部头的专著(monographic literature)、两部百科全书[4]和一些专业协会。一些联邦上诉法院的法官以前就是法律经济学学者,并且大多数联邦法官和许多州法官都参加了法律经济分析的连续性教育计划。

　　法律的经济分析具有启示性、描述性和规范性三个层面。在启示性层面上,它试图展现法律教义和法律制度的潜在统一;在描述性层面上,它寻求识别法律教义和法律制度的经济逻辑与作用,以及法律变化的经济原因;在规范性层面上,它为法官和其他政策制定者提供通过法律进行管制的最有效方法。法律经济分析的主题范围相当广泛,甚至无所不包。借助非市场行为经济学的进展,法律的经济分析已经大为拓展,远远超出了最初的反托拉斯、税收、公共事业管理、公司金融以及其他显而易见的经济管理领域这一核心(并且在这一范围之内,它已经扩展到了包括诸如财产与合同这样的领域)。"新"法律经济分析包含许多非市场的或者准非市场(quasi-nonmarket)的领域,诸如侵权法、家庭法、刑法、言论自由、程序、立法、国际公法、知识产权法、审判与上诉程序规则、环境法、行政程序、健康与安全管理、禁止就业中的差别待遇的法律,以及被视为正式法律之渊源、障碍或替代的社会规范。经济学家在诸如反托拉斯法、证券监管以及每一类必须计算损失的案件(比如人身伤害案和商事案件)中,都被广泛地用作专家证人。

　　法律的经济分析在诸如反托拉斯法和公共事业管理这一显而易见的经济管理领域的实践影响最为巨大,在这些领域中经济分析在为美国法律确定一个自由经济的方向方面起到了重大作用。然而,它的影响也逐渐进入了法律的其他领域,比如在环境法中,可交易的排放权是环境问题的经济学进路的显著标志;再比如,在征用法中,司法对于"规制性"营业收入的日益关注也带着法律经济分析的烙印;再比如,在离婚法中,女权主义与经济学的视角相结合,更加强调

---

[4] *The New Palgrave Dictionary of Economics and The Law* (Peter Newman ed. 1998); *Encyclopedia of Law and Economics* (Boudewijn Bouckaert and Cerrit de Geest eds. 2000).

了家庭产品的经济维度。

法律经济学进路最具雄心的理论层面,是提出一个统一的法律的经济理论。在这一提议中,法律的功能被理解为是促进自由市场的运转,并且在市场交易成本极高的领域,通过将若市场交易可行就可以期待产生的结果予以法律上的确认,来"模拟市场"。[5] 这样,它就既包括描述性的或者解释性的层面,又包括规范性的或者改良主义的层面。

可以尊称为这一法律经济理论的提议的基础,是由罗纳德·科斯的一篇开拓性论文奠定的。[6] "科斯定理"认为,在市场交易成本为零的场合,法律对于权利的最初配置与效率无关,因为如果权利配置没有效率,那么当事人将通过一个矫正性的交易来调整它。由此可以得出两个重要的推论。第一个推论是,法律在注重提高经济效率的意义上应当尽可能地减少交易成本,比如通过清晰地界定产权,通过使产权随时可以交易,以及通过为违约创设方便和有效的救济来减少交易成本。这一点听起来很简单,但是正如我们将在第6章中就财产法所提及的那样,要制定有效率的财产与合同规则,绝不简单。

科斯定理的第二个推论是,在法律即使尽了最大努力而市场交易成本仍旧很高的领域,法律应当通过将产权配置给对他来说价值最大的使用者,来模拟市场对于资源的分配。版权法中的合理使用原则就是这样的例子。该原则允许作者少量地引用享有版权的作品而不必征得权利人的同意。这种协商的成本往往高得惊人;如果这一成本不是高得惊人的话,通常的结果会是达成一个允许引用的协议,因而,合理使用原则带来了如若市场交易可行的话市场将会产生

---

[5] 参见我的《法律的经济分析》一书,前注[3],提供了关于这一进路的最为充分的详细论述。

[6] R. H. Coase, "The Problem of Social Cost," 3 *Journal of Law and Economics* 1 (1960).

的结果。

法律的经济学进路在本书中居于核心的地位,就像它在我以前的大部分著述中一样;本书的前三章将对其进行充分的解释,其后的各章则是对它的再三应用。

法律史学。历史学的视角是最古老的、并且直到最近几十年都被最普遍应用的、研究法律制度的外在视角。法律伟大的古代遗物、法律与其起源的显著一致性(体现在不同于其他事物的法律的古老术语之中)以及美国法律制度对于古老文本——特别是1787年宪法——与(连同其他英美法系)对于遵循先例判案的特别重视,使得采取历史主义的进路对于法律学者而言是非常自然的。这一历史主义进路的核心,就是使法律教义与法律决定的含义和合法性依赖于它们的历史门第(historical pedigree)。尽管历史主义的进路在近几十年来让位于其他交叉学科的进路,但是,看似是它的一种极端形式的"原旨主义",则对最高法院和各级联邦法院产生了显著的影响。法律的历史主义进路是本书第二编的主题,但是我将在那里论证,最好是根本别把原旨主义理解为历史主义进路,它更像一种逃避各种进路(包括历史主义进路)的努力,而这些进路不论是在理论上还是在实践上都给了司法相当大的创造力。

女权主义法理学。直到现在,法律职业的全部分支都完全由男人控制。哈佛法学院直到20世纪50年代才开始接收女学生,而直到1981年才任命了美国第一位女性联邦最高法院大法官。在职业方面,女性在重要的职位上很少占有席位,在社会中通常处于次要的地位,其结果是,法律不能反映妇女在很多问题上的利益和观点。这些问题包括强奸案审理中的证据规则、色情文学的买卖和展示、工作场所的性骚扰、就业和教育领域的性别差别待遇、处理离婚和子女监护问题的规则、法律对堕胎的限制,以及工作场所为怀孕者提供的便利。从20世纪70年代开始,女性法律人士比如茹斯·蓓德尔·金丝博格(Ruth Bader Ginsburge)和凯瑟琳·麦金农(Catharine MacKinnon),通过她们的教学、写作、诉讼和其他职业活动,开始在妇女的法律待遇方面进行重大改革。妇女法律改革运动的一个理论分支就是众所周知的"女权主义法理学"。自由主义的女权主义者比如金丝博格，主要致力于追求女性与男性的平等待遇；"差异(difference)"女权主义者比如卡罗·吉利根(Carol Gilligan)确信男性主义法理学太倾向于规则、冲突和权利；激进女权主义者则对于社会改良悲观失望，麦金农是激进女权主义的先驱(并且最先提出工作场所性骚扰作为一种不法行为的概念)，她把女性类比作马克思主义分析中的无产者。

女权主义法理学影响了一项不断扩大的理论工作，这一工作处理的是与男同性恋者和女同性恋者的利益有关的争议(同性恋法律)，包括禁止同性恋者结婚、排斥同性恋者参加美国军队、其他对于同性恋者的差别待遇以及对同性恋者肛交的刑事制裁——在几乎半数州的法律里都规定了这一制裁。

我在其他书中已经相当详尽地讨论了女权主义以及其他与性或性别有关的法律理论，[7]因此本书不作赘述。

宪法理论；法律和政治理论。美国宪法的语言在某些地方既宽泛又模糊，一个显著的例子就是宪法第14修正案关于"法律的正当程序"以及"法律的平等保护"的保障。这些语言的宽泛模糊，连同宪法中大部分内容的古老以及宪法所努力保持的社会活力(dynamism)一起，是诱发自由解释的原因。最高法院经常通过解释模糊的宪法语言来创造权利，比如堕胎权。这些权利既与宪法的制定者和批准者的预期相距甚远，又与特定州以及某些时候整个国家大多数民众(democratic majorities)的意见相左。一个法官委员会就可以限制民主多数将其偏好贯彻进法律的权力，这一行为的合法性长期以来一直是法律职业内的一个主要论争。自我克制(self-restraint)的传统从

---

[7] 参见，Richard A. Posner, *Sex and Reason* (1992); *Overcoming Law*，前注[3]，第四编第26章；*The Problematics of Moral and Legal Theory*，前注[2]，页314(索引参见"Feminism"与"Homosexuality")。最近的文献参见，Linda R. Hirshman and Jane E. Larson, *Hard Bargains: The Politics of Sex* (1998); William N. Eskridge, Jr., *Gaylaw: Challenging the Apartheid of the Closet* (1999).

詹姆斯·布莱德雷·泰耶尔(James Bradley Thayer)早期的一篇文章发展而来,[8]并且吸引了诸如奥利佛·温德尔·霍姆斯、路易斯·布兰代兹、费利克斯·弗兰克福特(Felix Frankfurter)以及勒尼德·汉德等著名的司法界人士,以及诸如亨利·哈特(Henry Hart)与赫伯特·韦西斯勒(Herbert Wechsler)等学术名流;而当今最具影响力的泰耶尔的化身则是最高法院的安东宁·斯戈利亚(Antonin Scalia)大法官。韦西斯勒在1959年发表了关于宪法的中立原则的论文,该文已经成为克制主义进路经常引证的章句(locus classicus)。在该文中韦西斯勒提出,如果法官坚持以宽泛的原则为基础作出决定的话,宪法就能保持稳定。[9]韦西斯勒批评了布朗诉教育委员会案(在该案中,最高法院宣布公立教育的种族隔离违宪而无效),其根据在于,他认为惟一能适用于这一法律问题的中立性原则是结社自由原则。他认为,最高法院的决定通过默示地增加黑人与白人结社的自由和减少白人不与黑人结社的自由而破坏了中立性。

韦西斯勒的论文引发了一场至今仍在继续的学术论辩,论辩的内容是寻求关于宪法案件中指导司法决定的正当途径,避免法院作出不受约束的任意判决,同时又不会窒息促进实质正义的强大动力——这一动力在布朗案和其他著名的"沃伦法院"(Warren Court)决定中都显而易见。这一论辩的里程碑包括亚里山大·比克尔(Alexander Bickel)提出的(在他的《最不危险的部门》一书中)用谨慎的进步主义来充实韦西斯勒原则的提议,以及约翰·伊利(John Ely)提出的法院在宪法案件中的适当作用应当是"强化代表性",因而应当宣布诸如立法机关的代表名额不均以及人头税这些代议制民主的障碍无效。[10]比克尔和伊利及其追随者的自由主义攻击被罗伯特·鲍克

---

[8] James B. Thayer, "The Origin and Scope of the American Doctrine of Constitutional Law," 7 *Harvard Law Review* 129 (1893).

[9] Herbert Wechsler, "Toward Neutral Principles of Constitutional Law," 73 *Harvard Law Review* 1 (1959).

[10] John Hart Ely, *Democracy and Distrust: A Theory of Judicial Review* (1980).

(Robert Bork)和斯戈利亚以及其他原旨主义的支持者避开了。这些人否认"活的宪法"的理念,并且愿意按照宪法的制定者和批准者理解的意思来遵守宪法。

宪法理论在其方向和目标上是高度规范性的。理论家几乎毫无例外地更感兴趣的是评价现有的决定以及为决定新案件提供指导,而不是通过参照他们可能并不分享的规范来解释判例法的现行模式。也许是由于现代宪法具有的情感的和政治的特质(cast),宪法理论作为一个领域尚未呈现出接近尾声的趋势。[11]

关心与法律有关的问题的政治理论家们也同样考察了(go over)那些使宪法理论家着迷的基础(如今已是古老的基础)——审议(deliberation)在民主决策过程中扮演的角色、市民共和主义(civic republicanism)传统、美国民主的含义以及讲求原则的司法决策的要素。他们常常是宪法理论家,以至于"法律和政治理论"几乎成了宪法理论的同义词。他们与那些将"公共选择"原则带入宪法问题分析的学者研究进路完全不同,后者强调的是利益集团在立法和司法过程中的作用、日程安排对政治和其他集体选择的影响、政府不同部门之间战略性的相互作用以及投票作为一种集合偏好之手段的不确定性。宪法和政治理论中的公共选择这一分支,在很大程度上依赖于博弈论和理性选择模型,并且可以归入法律的经济分析。

我在以前的书中也曾详细讨论过宪法和政治理论。[12]在本书中,我将主要在第2到第5章中以及在这篇导论的第二部分对其进行讨论。

法律与哲学。法律哲学(法理学)并没有完全发挥出将哲学应用于法律的潜力。哲学的主题在宪法理论及其孪生兄弟法律和政治理

---

〔11〕关于最近的一次宪法理论调查,参见,Richard H. Fallon, Jr., "How to Choose a Constitutional Theory," 87 *California Law Review* 535 (1999).

〔12〕参见,例如:*Overcoming Law*,前注〔3〕,第二编;*The Problematics of Moral and Legal Theory*,前注〔2〕。

论中都非常显眼,不仅在规范性的法律经济分析、批判法学研究及其他交叉学科领域中,而且在法律特定领域的讨论中,都时常与之邂逅。这些应用在法律理论中界定了一个不同于法理学的"法律与哲学"领域。康德的(Kantian)与功利主义的政治和道德哲学家,以及他们在法律教授中的追随者,一直努力把他们的规范性观点施加于侵权法、刑法、合同法、财产法以及其他领域,或者主张他们的哲学立场在这些领域中是潜在的。认识论者和语言哲学家把他们的洞见应用于诸如侵权法和刑法中的因果关系概念、刑法中的故意和自愿(例如对警察的供述)的概念以及制定法解释的余地等等大量具体法律问题。法律与哲学的认识论的一面在本书第 4 章中占据重要地位;其他的分支则在我的其他书中多有论述。[13]

法律社会学,以及法律与社会运动。在欧洲,法律社会学(包括犯罪学)有着悠久的历史(麦克斯·韦伯是守护神似的人物),并将继续在法学院、学术期刊、专著以及法律改革运动中得到很好的阐释。欧洲法律社会学的核心是刑事司法体系的运作和效果、对穷人的法律服务供给、法律职业的机构、收入和管理、如何改进司法工作以及司法官员和法律职业者的阶级和政治偏见。令人吃惊的是,尽管美国的法律学术界对于法律理论非常热衷,法律社会学在美国法律理论中却只扮演了一个边缘角色。这一理论的支持者非常之少,以至于不能形成他们自己的团体和杂志。为了获得学术领域中公认的一席之地,他们感到必须与政治科学家、人类学家和心理学家联合起来形成拥有自己的专门团体和杂志的法律与社会运动。法律社会学在美国的边缘地位,部分是因为犯罪学在提供可行和可信的应付美国居高不下的犯罪率的建议上遭到了失败,部分是因为社会学在美国

---

[13] 参见, *The Problems of Jurisprudence*,前注[3];*The Problematics of Moral and Legal Theory*,前注[2]。

高等教育中普遍的萎靡不振,[14]还部分由于日益增多的法律理论形式,特别是法律经济学以及女权主义法理学,构成了对法律社会学的竞争。[15]

然而,美国的法律社会学以及更广泛意义上的"法律与社会"有着重要的长处。其中最重要的一点就是它强调法律制度的经验性研究,这一点是法律理论的任何任何其他领域所不能匹敌的。美国的法律社会学家对诉讼率的测度、法律体系的国际比较、诸如离婚和交通法院这些普通分支的运作、诉讼的策略维度以及法律制度中种族和阶级的作用的研究作出了重要贡献。法律社会学在我以前的一本书中[16]扮演过重要角色但在这本书中则退居其次。第9章对社会规范的研究将会处理一个传统的社会学问题,但是我的重点是放在受规范指引的(norm-directed)行为的经济学和心理学分析上,而不是对该问题的社会学理解上。

法律与认知心理学;行为主义。变态心理学(abnormal psychology)在评价刑事审判和民事责任中产生的精神错乱问题上的重要性,早就为人们所认识了。法律理论时代的新事物则是认知心理学——关于大脑对人类行为的控制的研究,无论这一行为是否"变态"——在大量法律问题上的应用。这些问题包括:对于证人对很久以前发生的事件所作证词的评价,对于人们对低危险系数的评价之失真性的度量,对于证据和辩论对陪审员思考过程和决定的影响的评定,用心理学现实主义的术语评价陪审团和法官的决策程序,对情感在决策过程中的作用之解释,认识使法律和其他规范超出法律范围之外被执行的机制,以及批判法律经济分析中关于人类行为的理性假设

---

〔14〕 这部分地是因为这一领域在历史上的左派品味,部分地(与之相关的一点)是由于它与许多不成功的政策建议的联系,还部分由于经济学带来的日益激烈的竞争——经济学已经扩展至处理很多社会学领域的传统问题,只不过是精确性更高了。

〔15〕 参见,Richard A. Posner, "The Sociology of the Sociology of Law: A View from Economics," 2 *European Journal of Law and Economics* 265 (1995).

〔16〕 *The Problematics of Moral and Legal Theory*,前注〔2〕。

的真实性。其中很多问题我将在本书的第三编中以及少量地在第四编中涉及。

贯穿本书的大部分尽管不是全部——题名为"行为主义经济学"或者"行为主义法律经济学"或者因其简洁而更得我心的"行为主义"的部分——的一个主题是,进化使人类的认知器官产生出一些怪癖,这些怪癖阻碍了法律程序的参加者接收和处理基本信息的能力。这些怪癖包括有效启示(availability heuristic),即不适当强调清晰的、易于回忆的事实和印象的趋势;后见之明的偏见(hindsight bias),即夸大因果关系必然性的趋势;以及持有效应(endowment effect),即仅凭某个东西是属于我们的来判断其价值而不管其实质价值几何的趋势。举例而言,后见之明的偏见可能引导陪审员从意外事故的案件事实中推出,加害人应当预见到并且可以避免发生意外事故的危险,因此他是有过失的。持有效应可能会使把权利配置给对其价值最大的人变得困难(法律的经济分析给出了配置的程序),因为价值成为了被配置者的一个函数。行为主义者还相信,在理性选择理论不能解释的人类社会行为中,利他主义与"公平"观起着重要的作用。在第 8 章中,我将论证理性选择模型比行为主义者想像的更为坚固,特别地,我将说明理性信号(rational signaling)模型是怎样解释行为主义文献中某些显而易见的经验后果的。

法律与文学。自 20 世纪 70 年代早期以来,一些法律教授、少数文学教授以及为数不多的几个在这两个领域都有所训练的学者,开始探索法律与富于想像力的文学之间的千丝万缕的联系。描写法律的文学作品(包括部分古希腊悲剧、几个莎士比亚的剧本以及一些小说和短小故事)因其法律上的相关性而被挖掘。这一领域的更为实用的应用集中在解释、修辞、法律教育以及知识产权方面。文学批评家和学者发展的解释方法已经运用于美国宪法(在宪法理论和法律与文学运动之间形成了一个交叉地带);评价文学作品风格和修辞的方法被用来批评司法意见;那些被认为是用来阐释伦理原则和在少数群体问题上产生移情(empathetic)作用的文学作品,被推荐给法律学生和法官们学习;文学文献被作为新颖性和创造性思想的来源,而新颖性和创造性则被用来指导解释版权法和规制表达活动的相关法律。这是我曾在其他书中详细讨论过的法律理论的又一个领域,[17]因此它也不会在本书中出现。

批判法学和后现代法学研究。也是在 20 世纪 70 年代早期,一些法律学者受到 20 世纪 60 年代晚期的学生运动和欧陆的社会学理论(马克思主义、结构主义以及后结构主义)的启发,联合起来形成了他们称之为批判法学的运动。在很大程度上,这一运动是法律现实主义以一种不可调和的激进形式的复兴。现实主义者强调法律中的政治因素,但是并没有暗示政治是惟一的因素;他们最为激进的主张,莫过于提出在价值中立的社会科学发现的基础之上重建法律原则。而批判法学的学者则声称,法律仅仅是政治——社会科学也一样(可能要除掉受到马克思主义影响的批判理论),特别是成为这些学者攻击的靶子的法律经济分析。他们对于法律的客观性的否认,以及其事业的虚无主义特性与相应的缺乏建设性意见,这都限制了他们在学术圈子内以及在圈子外的影响;今天,批判法学运动已经衰落,但是,就像母大马哈鱼的尸体成为她所产的卵的食物来源一样,它也为仍影响法律学术圈的其他三个激进法律理论领域提供了支持。这三个领域分别是:激进女权主义法理学,它以批判法学的方式,强调现存法律教义和法律制度具有意识形态属性;后现代主义文献,它强调法律制度的可塑性;批判种族理论,它的某些变体将对法律理性(legal rationality)的批判发展到极力主张抛弃文献的正式原则的程度,以支持对少数群体法律学者在其自传和其他叙述性、非分析性文献中所发出的"有色者的声音"(voice of color)的关注。批判种族理论则与激进女权主义法理学在关注性别的社会构成这一点上结合在一起。在所有这三个衍生的运动中,福柯极端的社会建构主义(social constructionism)的影响显而易见。我已经在其他地方详尽地

---

[17] 参见,*Law and Literature*,前注[3]。

讨论过这些运动,[18]因此在本书中我只是在第10章中顺便提及它们。

前述对各法律理论领域的举例并不全面,但名单中略去的那些领域都或者视野狭窄或者影响甚微。这样的例子包括,试图将贝叶斯概率理论(Bayesian probability theory)应用于证据法的文献,将语言学理论应用于解释法律文件的文献,以及将进化生物学应用于主要是家庭法和性规范中某些经过挑选的主题的文献。不过,由于第一个例子可以视为认知心理学的一个分支或者心理学与认识论的一个交叉地带,所以我仍将在本书第四编探讨有关证据的章节中有所涉及。

法律理论已经打开局面;它在照亮法律制度的某些黑暗角落和指明通往建构性转变的道路方面取得的成就,已经足以使它成为法律思想的一个不可或缺的因素。然而,将法律理论吸收进法律教育和法律实践却被证明是困难的,因为它所依赖的那些领域的学问,即使在现今,也只在极少数法律人之间达成了基本的一致。我所希望的是,法律理论更易于理解,对法律从业者、学生、法官以及交叉学科的学者自身更有帮助,并且成为跨越传统学术樊篱的桥梁——那些樊篱使法律理论有时看起来像个万花筒甚至是一堆碎片,而不是一个统一的、追求对法律的更佳理解的努力。我在本书中所检讨的特定领域,包括经济学、历史学、心理学、认识论和定量的经验主义,它们可能看起来几乎没有关联,但是我们将看到,它们彼此交叉、相互渗透,这使我们瞥见了法律理论作为社会科学的一个统一领域的可能性。

首先,我们需要法律理论帮助我们回答关于法律制度的基本问题,因为,它不是如何在制度内游刃的技术,而是关于制度的知识,而

---

[18] 特别是前注[7],*Sex and Reason*,前注[3],*Overcoming Law*;但是还可参见前注[2],*The Problematics of Moral and Legal Theory*,页265–280。

这些知识是律师和法学教授的传统分析技巧不能提供的。让我们来考虑一下这个问题：最高法院长期执掌着宣布它认为违宪的联邦与州立法以及其他政府行为无效的权力，该权力是否在整体上具备大多数人所认为的有益作用。（这一问题将成为本篇导论其后部分的讨论焦点，成为对我们令人尴尬的无知的一个个案研究，而可以预期法律理论也许很快就会征服这一无知）。法律职业者对这一问题的本能回答是"是的"，但是这一回答仅仅是出自本能，并且当下正遭到一个由法学教授和法学家组成的在政治上和方法论上都大不相同的群体的尖锐质疑。[19] 这些质疑者中有一些人，他们对于某些特定教义和司法决定持政治异议，并且当他们认为最高法院的大法官们像他们一样自由或保守（随案件的情况而定）时就会欢迎司法审查。另一些质疑者则在此反复咏唱勒尼德·汉德[20]以及在他之前杰斐逊和林肯——别的人就更不用说了——发出的音符，他们不喜欢司法审查的反民主特性（就像宪法律师对依据宪法宣布政府其他部门的行为无效的司法权的看法一样）。还有一些质疑者，则只是质疑法官

---

[19] 参见 J. M. Balkin and Sanford Levinson, "The Canons of Constitutional Law", 111 *Harvard Law Review* 963（1998）; Michael J. Klarman, "What's So Great about Constitutionalism?" 93 *Northwestern University Law Review* 145（1998）; Klarman, "Constitutional Festishism and the Clinton Impeachment Debate", 85 *Virginia Review* 631（1999）; Richard D. Parker, "*Here*, *The People Rule*": *A Constitutional Populist Manifesto*（1994）; Mark Tushnet, *Taking the Constitution away from the Courts*（1999）; Robert H. Bork, *Slouching towards Gomorrah*: *Modern Liberalism and American Decline* 117－118（1996）（Bork 不愿直接废除司法审查的权力，而是想通过允许议会不顾宣布一项联邦立法无效的司法决定来削弱它）; Jeremy Waldron, *Law and Disagreement*（1999）. 此外，大卫·施特劳斯（David A. Strauss）在一篇题为"The Irrelevance of Constitutional Amendments"（2001 年 3 月 *Harvard Law Review*）的文章中有力地论证了，即使是创制阶段以后的美国宪法的正式修正案，也与国家的宪法秩序和制度几乎没有关系。如果是这样的话，解释宪法的司法决定并没有正式修正案那样的权威，就似乎更加不可能对宪法秩序和制度有重大影响了。

[20] 他曾说过著名的一段话，即他不愿意"被一群柏拉图主义的圣斗士所统治"，因为他将"失去生活在一个社会里的激情，在这个社会里，我至少在理论上可以在公共事务方面有一席之地."Learned Hand, *The Bill of Rights* 73－74（1958）.

是否具备负责任地行使司法审查这一重大权力的能力。我所关心的并非这些质疑的基础和动机，而仅仅是质疑者对这一教义的良性结果的疑问；因为，这一疑问反映出，在形成司法审查这一别具特色的美国教义和成千上万的司法决定以及数不清的宪法学研究作品的两个世纪以来，这一教义的结果始终是一个只能推测的问题。

这些质疑者的论证如下：

1. 即使在司法执行无望的情形下，立法者和其他政府官员也将宪法奉若神明。我们可以在克林顿弹劾案中看出这一点。尽管法院对弹劾采取了不干涉的态度，允许国会任意行事，国会仍然谨小慎微、以免偏离对相关宪法条款的所谓的解释（arguable interpretation）主流。对这些宪法条款的固有信仰发起挑战的、富于想像力的论辩，比如认为参议院可以宣告总统犯有重罪以及行为不端但同时可以决定不予罢免，都被默默地排除于界限之外。在不合宪（unconstitutionality）这一似是而非的主张可以成为有效的政治修辞学的意义上，宪法或许是自我执行的。

2. 与类似推论有关的一点是，如果立法者和其他政府官员不能把责任推给法院的话，他们就更可能重视宪法。如果没有一种校正方式的话，他们违反宪法的行为就更可能受到指责。基于这一点或其他的原因，政府官员有遵守大多数宪法条款的激励；这些条款是"与激励不矛盾的"（incentive compatible），因此不需要外在执行者。[21]

3. 如果宪法解释只是司法官僚（mandarinate）的保留物的话，公众可能会渐渐"失去"对宪法的积极兴趣。司法审查告诉公众，宪法是法官的事业，而不是人民的事业。马克·图希内特（Mark Tushnet）区分了"厚的"（thick）宪法与"薄的"（thin）宪法，前者是指包括与之共生的浩瀚司法解释在内的全部文本，后者则由少数基本规范组成，其中很多规范是从甚至并非宪法组成部分的《独立宣言》中发展出来

---

[21] 前注[19]，Tushnet，第5章。

的,用专业术语说,是从宪法的导论性文件中发展出来的。[22]"薄的"宪法是人民尊敬的宪法,是宣示了林肯与道格拉斯之争的宪法。这一"薄的"宪法被"厚的"宪法通过司法所进行的苦心经营模糊了,被越来越难以渗透的规则和行话的灌木模糊了,被技术精湛但气度狭隘的律师在一个理性化、专业化、除魅化(disenchantment)的时代所作的工作模糊了。

4. 司法审查是居高临下的和反平民主义的。它让最高法院的大法官们扮演被假定为因无知、激情、偏见和缺乏原则而不能自治之平民的摄政角色。终身任期制使联邦司法系统带上了帝制色彩,并且成为引发与时代激情隔膜以及不负责任和高压政策的不变法则。

5. 在宪法规定得明确之处,比如不论各州人口多寡均享有两个参议员席位,并不需要靠司法审查来决定是否违反宪法;这时的违宪会非常明显,并且(除非是处在非常混乱的时期)人民对此会极为愤慨。在宪法规定不明确之处,司法审查很可能受法官的政治与政策偏好而非宪法本身的引导。宪法文本是如此古老,对其意义的争论带有如此强烈的政治意义,以至于疑难案件(只有这样的案件才可能被提起诉讼)中的宪法解释必然是任意的,而不是克制的。

6. 如果一个由非选举的(unelected)律师组成的委员会——毕竟,最高法院就是这样组成的——掌握了制定可靠的立法——亦即处理上升到治国才能之层面的政治——所需要的资源,任意的宪法立法可能是有益的。然而事实并非如此。宪法是一个涵盖了如此广泛政策问题的领域——从移民到教育,从贫民的生活救济到同性恋者的权利,从犯罪到宗教信仰自由——以至于几乎没有几个最高法院的大法官能对这些问题的主要部分有充分的了解。法律训练并非立法训练。像其他律师一样,法官——甚至是联邦最高法院的大法官——往往也只是有限领域的专家,而并不具备政治家的风范或者智识上的开阔视野。

---

[22] 同上注,页9–13。

7. 因此，在既无来自宪法文本的指示、又缺乏专家知识群体指导的情况下，司法决定就很可能反映、并且因而导致最高法院大法官所属的那个社会帮派的、那个"阶级"的偏见成为法律。而这一社会帮派，是一群几乎从不主张代表普通美国民众所思所感的文化精英。

8. 法院缺少用来使不受欢迎的宪法判决产生实际影响的工具。法院可以把公立学校的种族隔离宣布为非法，但是不能阻止家长把子女送入私立学校或迁入完全由白人组成的社区；无论如何，用校车送孩子上学远非一个完善的对"白人专车"问题的解决之道，事实上还可能对此起到促进作用。法院可以为刑事被告创设新的宪法权利，但是他们无法激发意志来防止立法机关作出如下回应：使刑罚更为严酷、或者使贫困刑事被告的律师无法获得重要材料，或者剥夺犯罪嫌疑人的非宪法权利。由于受查明事实真相的能力所限，法院甚至不能有效确保与其规则相一致；未能发出"米兰达"警告的警察可以证明他们说了，而且他们还总能让人相信这一点。

9. 由于我们采用的，是由大权在握和声望极高的美国最高法院位居首席的判例法体系，并且由于判例——首先主要是宪法判例——经常引人注目和激动人心，司法审查制度使得关于宪法的论争与分析挤满了最高法院的日程。宪法中基于或这或那的原因不会引发多少诉讼的部分（比如国会享有独占的宣战权，并且可以豁免），以及最高法院断然否决的那些宪法主张（比如根据宪法第14修正案的平等保护条款，要求各个公立学区之间的学生总体支出应当均等的主张），并不出现在雷达网上，然而它们本质上却是重要的和有价值的。宪法学者不是去研究法律问题，而是研究最高法院的司法意见，即使大法官们——请记住，他们只不过是律师——经常对他们决定的那些问题知之甚少。

10. 司法审查赋予法院的政治权力，造成了法官选举过程政治化的结果。如果赋予他们更小的权力的话，联邦法官或许就会变得更加专业化，也会更好地完成非宪法性的司法任务。

11. 在处理那些棘手的、基本的政治道德争议方面，立法过程比法院更能胜任。杰罗米·沃尔德隆（Jeremy Waldron）指出，"惟一能够引起当今法哲学家兴趣的就是司法推理的结构。他们醉心于宪法判决的乐趣而专注于法院，而对任何其他东西都视而不见。"[23] 他们对立法极不感兴趣，因此也无从把握立法者不是、至少不是例行公事地通过推理得出"正确"结论这一事实的意义。立法者通过的是投票。投票中失利的一方并不能因此心悦诚服地承认自己错了；他们采取的立场并未因此被宣布为非法、错误或不道德；他们的确信也并未有所改变；他们只是接受了失败而已，他们还可以用下次会赢的想法、或者用自己业已通过妥协获得了某种让步的想法来聊以自慰。

一部全国性的立法应当体现一个社会的全体意见，并且在一个像美国社会这样多元化的社会中，这一意见的范围是如此的广阔以至于它的边界仿佛是不可能达到的。结果是，不同地区以普选进行的议员选举给立法机关发言人的大厅带进了不可调和的各种意见；这些不和谐的声音得出的立法产品也不可避免是妥协的、有争议的和选举强势的产物，而不是从共同前提推理出共同结论而达成的一致意见。立法很少装扮成以正压邪的胜利。因此，立法过程较之司法过程更容易得到持异议者的尊重，在关乎基本权利的政治问题辩论中焕发出来的激情，也往往得以扩散和稀释而不是集中和加剧。

沃尔德隆强调立法过程的严格程序，比如按照罗伯特顺序规则（Robert's Rules of Order）来组织讨论和投票，并因此强调它与那些"源于普通对话的[审议]模式"（页70）迥然不同。非正式对话的"基础往往是参与会谈者分享一些默示的相互理解、并且他们的相互影响以避免敌意的分歧和达成共识为取向"（同上）。在一个复杂而异质的社会里、人民的广泛意见不一致提出了诸多问题，而立法是一种民主的解决方式。

任何习惯于认为司法审查理所当然的人，马上就会认识到，在沃

---

[23] 前注[19]，Waldron，页9。下文对沃尔德隆的引用也出自此文。我引文中出现的斜体字在原文中即如此。

尔德隆描述的立法过程与司法过程之间有一种令人不安的相似之处。法院也通过投票来作出决定,法官的审议也有其自身的程序性。他们按照由资历决定的顺序发言,很小心地不打断彼此的发言,而讨论的数量与强度,通常与每个法官就争议的特定问题所持确信的深度成反比。即使是选举产生的法官(大多数州法官仍是如此),也不是立法者意义上的代表。但是,像立法动议一样,案件也经常引发争议,而就这些争议,法官们使出的论辩工具,作为他们欠缺的民主合法性(legitimacy)的替代品,也不能应对那些植根于基本价值或生活体验之差异的分歧。如果立法过程不是解决基本分歧的令人满意的办法,那么司法(至少从表面上看)也不是。而如果立法过程是一个令人满意的办法,我们又为什么还需要司法审查呢?

约翰·罗尔斯与其他人支持一个重要的关于司法的理论,他们声称法院可以解决分歧,而立法者则只能借助立法使一方或另一方取得暂时的胜利而把这些分歧架空,却不能通过决定哪一方"对"(right)来解决分歧。但是,尽管罗尔斯充分意识到关于"善"(the good)的辩论是很难处理的,但他还是未能得出这样一个必然结论,即无法指望理性的人们"一致达成一个适当的平衡,好在社会生活中分派他们各自(对善)所持的综合理念"(页152)。导致在善的方面不可能达成共识的那些不确定性,也使得在司法理论方面很难达成共识。笃信宗教的人不仅拒绝承认无神论者有一个关于善的更高理念,而且他们也不承认像罗尔斯这样的关于正义的世俗理论家有一个关于正义的更高理念。依据道德实在论者的观点,不论人们是否相信即便是关涉道德概念的最困难问题——比如正义问题——也有正确答案,上述这点都是正确的。这是一个本体论问题(是否存在一个道德实在?)。最关键的问题是认识论上的,即如何向怀疑论者证明道德信念的正确性。"如果道德实在论是正确的,那么法官的信念与立法者的信念在道德问题上就是冲突的;如果道德实在论是错误的,那么法官的态度与立法者的态度就是冲突的"(页184)。"无论我们怎样经常地和强调地使用诸如'客观'之类的词语,正义在客观上的要求除了作为个人意见外从来都未成为政治上的主张"(页199)。

尽管我在前文考察的这些对司法审查的挑战非常有力,却仍然可能对这些挑战作出一定的尖锐反击。我指的并不是那些诸如司法审查为联邦最高法院提供了一个向美国人民说教公民与道义责任的讲台之类的陈腐荒诞之词。上诉法院可能比立法机关更为深思熟虑,但他们是以一种由律师的传统和经验形成的思想倾向(mindset)进行审议,因而得出的,可能是反映职业偏见的宪法规范,例如偏爱精致但昂贵的程序性权利。在法官手中,宪法失去了大部分激发灵感的潜力,成了一个缺乏概念或修辞统一性的细枝末节的大杂烩("薄的"宪法,即法官不能强制执行的宪法,可能是一个更有效的逐渐灌输公民宗教的工具)。几乎没有证据表明,人民是从法院获得其道德或意识形态的暗示的。[24]

更有说服力的论证是,司法审查的权力确保了宪法的核心不被违反。明显的违宪不可能发生;一旦发生,也不可能级级上诉至最高法院。这样的结果就是产生一个选择偏差(selection bias):被"选中"由最高法院决定的那些案件,是那些位于法律边缘处的案件,因而一定会受到宪法没有明确规定的那些案件的左右,从而产生司法的自由裁量权。诉讼在最外层为防止核心权利受侵犯提供了一个壁垒。

一个进一步的论证是,即使法官不能从宪法获得很多指导,他们拥有的宣布政府其他部门的行为无效的权力,却还是通过使政府权力分散化保障了自由。这一论证与前一论证紧密相关,因为它们都暗示司法审查权保护了美国人民的自由。这是一个很难检验的命题。我们不可能让历史退回到没有司法审查的时代,再来计算一下在那个假设的政治制度下会发生而在有司法审查的政治制度下则会避免的、自由遭到侵犯的次数。尽管有司法审查,自由仍然被侵犯;

---

[24] 例如,参见 Michael J. Klarman, "The Plessy Era," 1998 *Supreme Court Review* 303, 391–392.

如果没有司法审查,这种情况似乎会更多。但是,正如狗在被圈在栅栏里的时候对过往的人叫得最凶一样,立法机关在知道违宪法律将被法院否决的时候最可能通过该项法律。因为在通过该法律时,立法者既不会造成什么危害,又仍然可以被支持该项立法的利益集团认为已经尽力了。弹劾的例子说明,在司法矫正不太可能时,立法机关不愿意明显地违反宪法,除非来自公众的支持违宪的压力太大——比如林肯迟延执行人身保护令状,或者国会与州立法机关镇压在世界大战余殃中发表的激进演说。其他的例子包括:日美在第二次世界大战中的重新定位,不顾宪法第2修正案规定的持有武器的宪法权利而通过枪支管制法,以及再三的、包括最近在科索沃战役中对国会独享的宣战权的违反。但是,在这些例子中,或者是无视法院,比如林肯拒绝执行由唐尼(Taney)大法官签发的人身保护令状;或者是法院主动退缩,比如在其他各个例子中,法院宽松地解释宪法,再比如在宣战权的例子中,法院宣布一个宪法性主张不受法院管辖。

对司法审查的另一个辩护是,非选举的、任期终身的法官组成的法院,特别是联邦法院,较之普通的立法者确有重大优势,尽管法官们在某些方面的能力有所局限也勿庸置疑。他们与绝大部分政治压力相隔绝,这些政治压力困扰着选举产生的立法机关,并且有时反映出自私或褊狭的利益、不甚体面的情感、无知、愚蠢的恐惧或偏见。这种隔绝,与法官席的传统和习惯,以及联邦法官被装扮成富有能力和正直诚实的事实,授予了法官们一项独立和巧妙处理政策问题的权力,而该项权力对普通立法者审议这些政策问题是一个有价值的补充。

况且,普通立法有一个使得民主政府不能有效运作的内在障碍,只有法院能够排除这一障碍。最明显的例子是,在一个代表分配不均的立法机关中,立法机关不愿意重新分配代表名额;享受既得利益的立法者会像魔鬼一样反对代表名额的重新分配。政府官员可以借助禁止对政府官员的"不公正"批评的法律,来寻求保护自身;现任立法者可以尽量阻止反对者为其竞选寻求财政支持,或阻止他们进入候选人名单;非主流的少数群体可能缺乏防止歧视性立法的政治实力;立法过程的绝对惰性,体现为通过立法程序废止一项法令与颁布一项新法令一样困难,[25] 这使得许多过时的法律仍然留在书中并时常引发危害。直到 20 世纪 60 年代,国会的资历体系以及民主党对南方政治的统治,还使南方的众议院议员和参议院议员保有阻碍就大多数美国人民强烈支持的公民权立法的权力。其结果是,只有靠联邦法院行使司法审查的权力,才能打破这一立法的停滞状态。

约翰·哈特·伊利与其他一些人,在与那些持司法审查反民主观点的人的论辩中占了上风。他们主张,司法审查可以使政府更加民主。[26] 作为对这一主张的回应,杰罗米·沃尔德隆指出,当一个民主的问题以非民主方式解决时,如通过法院行使司法审查权解决,即便法院解决得很正确,自治也会萎缩。但是,这一回应被"民主"一词本身的模棱两可冲淡了。假设国会投票决定只有拥有至少 100 万美元净资产的人才享有公民权,那么,在这个新的、限制公民权的前提下选举产生的国会的"民主"特性,就因为对公民权的限制是通过民主方式确立的这一事实而被认为是正当的。为保证立法产品是"民主"的,需要哪些具体的关于投票、分区、立法程序、立法者资格、选举频次(frequency)等方面的规则和制度,都还没有一个可以广泛接受的理论。当立法者是在选区中而不是在整体上行事时,立法机关很可能不能反映大多数人的偏好,这还没有考虑利益集团所起的扭曲立法过程的作用;多数选区中的多数投票者,会选举出立法者的多数,尽管多数的多数很可能是少数(比如 60% 的 60% 只是 36%)。并且即便抛开代表性的问题,我们也绝不能对立法程序过分乐观。沃尔德隆说,"这并不是对个人利益的不虔敬的抢夺"(页 304),而是"一

---

[25] 前者经常更加困难,因为生效的法令可能已经产生了或加强了一个利益集团,他们对于该法令继续有效有着重大的利益。

[26] 参见,前注[10],以及附随的文本。

个嘈杂的剧本,在此之中,精神高贵的男人和女人为着我们拥有什么权利、正义需要什么、公共善品(common good)是什么而激烈、喧闹地论辩,他们在这些问题上的分歧,并非这些东西应该是什么,而是怎样才能正当地获得它们"(页305)。这是一个对立法程序的不切实际的想像,就像相应的对法院的玫瑰色看法一样。实际情况处于这两个极端之间,而可能更接近于前者。我们也不应当认为,观点各异的人们显然"有能力把他们的观点汇集起来,从而作出比他们中任何一个人可以独自作出的更好的决定"(页72)。这一论点遭到了现实主义观点的否定,该观点表明,意见分歧的人们进行的审议只会使他们的分歧更为牢固,而这一点其实在沃尔德隆不得不论及理性在弥合基本分歧上的局限时也多有流露。我们将在第11章中提到关于这一现实主义观点的经验性证据。

假定司法审查要获得支持的话,必须能够证明反对它的理由是没有说服力的。这是一个经验的问题,而其经验性的解决之道则是走不通的,这部分地是因为政治科学家们对法律缺乏兴趣,更主要地则是因为反事实的历史化(counterfactual historicizing)具有推测性的特点(第1章和第5章将更多论述这一点)。我们知道最高法院做了什么,但是我们不知道如果最高法院放弃司法审查权的话,立法机关会做什么。我们可以作出几个可能性非常大的推测:如果不是最高法院对布朗诉教育委员会案作出了那样的判决的话,南方公立学校中法定的种族隔离就不会那么快的结束,尽管它也肯定会在多年以后被废止;如果最高法院对贝克尔诉卡尔案(*Baker v. Carr*)及其以后的案件不是作出那样的判决的话,许多州的立法机关肯定至今还不能平均分配代表名额;如果不是最高法院宣布其无效的话,康涅狄格州和马萨诸塞州无论如何都会在一段时间内维持它们禁止买卖避孕用具的法律。这些例子的共同之处,以及有关这些例子的反事实预言的可靠之处,在于那些长期存在的法律都是因为使用了创新的宪法原则才归于无效的。在那些法律被沿用时,并不存在认定其违宪的基础。颁布它们的立法机关并不能以司法审查为屏障而免受其行为的后果,也不能因为害怕因违宪受到批评而不通过立法。因此,即使不存在司法审查权的话,也会在同样的时间和以同样的形式通过那些法律,并且考虑到立法过程的绝对惰性,如果不是最高法院行使司法审查权而使之归于无效的话,它们存在的时间就会更长,甚至在某些情况下还会长很多。

在违宪并不明确的案例中,立法会不顾宪法而获得通过,比如被最高法院宣布为无效的禁止燃烧国旗的那些联邦法律。我们不知道,假使没有司法审查权的话,国会是否仍会通过有违宪疑问的那些法律;假使没有第二道防线即法院的话,国会中的反对派是否会更加强硬。

人们会考查那些司法审查看起来的确带来了某些不同的案例,并且追问:就总体而言,这些案例是否在我们大多数人都会赞同的意义上使国家变得更好了。这项工程会非常浩大,而且还需要一个令人不安甚至令人迷惑的从法律后果向实践后果的重心转移。布朗诉教育委员会案是一个法律里程碑,并且在原则层面上是开明的社会政策的一次胜利。但是,从结果主义的角度来看,这一判决的意义就没那么重大了,甚至是很微弱的。在 20 世纪 60 年代反差别待遇的立法颁布之前,几乎没有学校取消种族隔离,事实上任何一种少数群体的权利都很少能够真正落实。而反差别待遇立法的颁布似乎在很大程度上要归功于马丁·路德·金领导的不尊重法律的民权运动(一场违抗法律的民权运动),而不是最高法院所作或所说的什么东西。当然,布朗对于鼓舞南方黑人以及他们在北方的支持者向争取平等继续迈进,可能也起了一些作用,甚至是很大的作用,但这也只是推测而已。研究那一时期的某些学者相信,南方对于布朗案的激愤反应使得北方人越发同情民权运动了。[27] 如果这一点是正确的,那么它就例证了意外后果(unintended consequences)这一法则的作用——并且这一"法则"越是被认为强大有力,法院就越不确信激进主义司

---

[27] 前注[19],Tushnet,页 146。

法态度可以在总体上产生良好后果。由于法院可以利用的社会改革工具非常有限,偶尔发生的司法干预就经常会在极其复杂的社会或政治竞争中,产生出乎意料的后果。最近的例子包括了最高法院对于联邦竞选资金筹措法律[28]的不公平的否决,以及对于独立法律顾问法[29]的肯定。前者造成了富人在其候选资格上花多少钱都行、却最多只能资助一个可能更有资格的候选人 1 000 美元这样的矛盾,后者则导致弹劾克林顿的惨败,幸好这一法律现在已被废除了。

正如威廉·埃斯科利奇(William Eskridge)在讨论美国法对同性恋者的态度的书中表明的,同性恋者像其他非主流群体一样,他们在争取完整公民权的道路上取得的进步,在很大程度上取决于他们自己的努力和深刻的社会影响力,而不是宪法。法院并不愿意承认同性恋者的权利,尽管通过将法律(包括宪法)的普遍保护适用于同性恋者身上,它们也支持了平等事业。[30] 同样地,直到妇女运动顺利开展的时期,联邦最高法院才发现了性别平等的宪法性权利。妇女运动的开展似乎更多地归功于妇女在社会中的角色转变而不是归功于联邦最高法院(或其他法院)。这一转变有很多技术上的原因,包括更好的避孕方法、更低的出生死亡率、改进的节省劳力的居家设备,以及体力在就业市场上重要性的降低。罗伊诉韦德案(*Roe v. Wade*)无可置疑地提高了堕胎率,但案件本身的作用可能不是很大,因为合法的堕胎率在该案接受审理的过程中就一直在迅速增长。[31] 与此同时,这一案例也刺激了"生命权"运动的发展,该运动

---

[28] 参见,Buckley v. Valeo, 424 U.S.1(1976) (per curiam).

[29] 参见,Morrison v. Olson, 487 U. S. 654(1988),参见前注[1],波斯纳书页 217 - 225、227 - 230 的讨论.

[30] 参见,前注[7],Eskridge,第 3 章。

[31] Gerald Rosenberg, *The Hollow Hope*: *Can Courts Bring about Social Change* ? 178 - 180 (1991). 罗森伯格是为数不多的当代政治科学家之一,他对美国法律制度的主要阶段进行了一个连续的经验分析。

成功地阻止了联邦财政对堕胎的支持,并且使很多支持堕胎者受到了威吓。而且,即使罗伊诉韦德案确实导致了更高的堕胎率的话,也没有人可以充满自信地说,我们有这么高的一个堕胎率到底是好事还是坏事。

在宪法性权利受到严重威胁的时期,联邦最高法院退至了次席;而在其他时候——比如说现在联邦——联邦最高法院的宪法性干预则往往缺乏主题或前后不一。今天的联邦最高法院也许应该被看作是在为解决社会问题的试验性方案随意设置障碍,而不论这一试验是禁止仇恨演说和因特网色情,还是借助大量福利法律的住所要求来阻止穷人涌入各州,是要求监狱和其他公共机构为非主流的宗教信仰者提供仪式之便,还是抑制金钱在政治竞选中的作用,总之,包括了联邦最高法院以宪法的名义加以阻挠的各个领域。这些试验或许是坏的,但是,如果它们在结果揭晓之前就被扼杀,我们就永远也不会知道其结果究竟如何。或许大法官们应该仔细考虑一下伊莎贝拉(Isabel)在《一报还一报》(*Measures for Measure*)中对安格鲁(Angelo)的警告:"拥有巨人一般的力量很好;但是像巨人一样使用它,就是暴虐。"[32]

怀疑司法审查的人并没有"证明"总的来说它是一件坏事,甚至没有"证明"总的来说它不是一件好事。他们所表明的只是我们对于这一美国法律制度中的重要实践知之甚少,并且暗示了我们对美国法律制度尚缺乏大体的了解。或许我们需要这样一本书来探究法律以外的其他学科的潜力,以帮助我们理解和完善这一法律制度。

---

[32] 第二场第二幕,第 111-114 行。

第一编

经济学

第一章

法律经济学运动:从边沁到贝克尔

　　法学研究中最重要的交叉领域就是法律的经济分析,或者,通常被称为"法律经济学"。而耶鲁法学院院长——一位法律经济学运动的评论家,则称其为"美国法律思想中的一股巨大的充满生气的力量"。[1]对这一领域的全面考察超出了本书的研究视域,但是可以在其他地方找到。[2]而我在这一章中所要做的则是,通过引见这一领域最杰出的两位前辈——杰罗米·边沁(Jeremy Bentham)和(简称)加里·贝克尔(Gary Becker),来对该领域作一个简单的描述。他们二人几乎相距两个世纪,但是他们对于人类行为联合体的经济学模型的广度则有着共同的理念。在下一章中,我将例证经济学是如何阐释法律的一个特殊部分的,而这一部分看起来又距离经济学特别遥远,那就是言论自由。在第3章中,我将着手处理一些困难的规范问题,正是这些问题困扰着经济学在法律领域的运用。法律经济分析的其他主题将在本书的后面部分有所涉及,比如第6章对占有的经济分析以及第11和第12章对程序的经济分析。本章的另一个目标是着手处理历史因果论的问题,在本书的第二编还会谈及。那么我

---

[1] 安东尼·T·克隆曼(Anthony T. Kronman)在第二届德里科尔法律成就论坛上的评论。42, *Wayne Law Review* 115,160(1995)。

[2] 参见,Richard A. Posner, *Economic Analysis of Law* (5th ed. 1998)。

现在就以这一问题作为开始。

探讨边沁对法律经济学运动的影响是一个特别困难的问题,尽管它涉及的仅仅是边沁对于法律思想和法律实践的广泛影响中非常微不足道的一部分。[3] 它之所以难,就难在对影响的确定上,特别是当所要考虑的时间跨度是如此之大的时候。当前任何一种形式的法律经济学运动均始于1958年到1973年之间。1958年是《法律经济学杂志》出版的第一年,1973年是我的《法律的经济分析》一书第一版出版的年头。在《法律经济学杂志》创刊之前,还不能说法律经济学运动已经存在了;在我的书出版之后,它的存在已不能被否认,尽管它可以被谴责。如果一定要为这一运动确定一个开始的年头的话,那么,由于一个归根到底与边沁相联系的原因(尽管只是松散地联系),这一年应当是1968年。而在1968年,边沁已经逝世136年了。

我有必要对"影响"的两层含义加以区分。其中一层我称之为"启发"(inspiration),是指(如果以人的想法的影响为例)某人有某种想法,如果我们把这个人称为 A 的话,B 从 A 处得到了这一想法并采用了这一想法的情形。重要的一点是,B 事实上是从 A 处得到了这一想法,而不是独立发现的或者从某个其书目链条不会追溯到 A 的地方借用而来的。"影响"的第二层含义我称之为"起因"(cause),是指如果 A 不提出那个想法 B 就不可能采用的情形。在 B 是从 A

---

[3] 关于边沁对于法律思想和法律实践的广泛影响,参见,例如:*Jeremy Bentham and the Law: A Symposium* (George W. Keeton and Georg Schwarzenberger eds. 1948); Gray L. Dorsey, "The Influence of Benthamism on Law Reform in England," 13 *St. Louis University Law Journal* 11(1968); Peter J. King, *Utilitarian Jurisprudence in America: The Influence of Bentham and Austin on American Legal Thought in the Nineteenth Century*, chs. 2–5 (1986). 我只找到了一个有关边沁对于法律经济学运动的影响的以前的讨论:Alan Strowel, "Utilitàrisme et approche économique dans la théorie du droit: autour de Bentham et de Posner," 18 *Revue interdisciplinaire d'études juridiques* 1 (1987). 它主要是关于边沁和我的观点的对比,而并没有讨论他的影响。

处得到这一想法的意义上，B 可能受到了 A 的启发；但是，在这种情形下，即使 A 从未存在过，B 也会从别人那里得到同样的想法。即使 A 从未存在过，这些人也会发现或者创造那个想法——他们会在晚些时候、但在 B 之前发现它。A 与 B 之间的时间间隔越长，这种情形就越有可能发生。

启发较之我所称的起因更容易确定，因为，它并不涉及对反事实（counterfactuals）的推测。它通常可以通过 B 或者他的熟人所作的记录或声明确定，或者通过某种内在的证据（即，如果不假设存在复制就无法让人理解的惊人相似）确定，这种证据在许多版权法案例中都用来决定一件在后的作品是否复制了在先的作品。

启发与起因之间的区别经常为历史学家忽视，尽管在人们看来这一区别对于历史职业应该是基础性的。这种忽略在著名历史学家威廉姆·麦克内尔（William McNeil）的下述文字中即有所体现：如果亚述人的军队在公元前 701 年征服了耶路撒冷并且驱逐了此地的居民的话，"犹太教就会从地球的表面消失，并且由它衍生的两个宗教分支即基督教和伊斯兰教也都不可能存在了。简言之，我们的世界将会极为不同，以至于我们都不可能真正想像。"[4]在基督教和伊斯兰教借用了犹太教的意义上来看，后者是对前两者的启发，但是，这并不是说如果犹太教在公元前 8 世纪消失或者真的从未存在过的话，基于我们对基督教和伊斯兰教的大致了解，基督教和伊斯兰教就不会以其本来的方式和时间出现和发展。因为它们是作为对强大力量的反应出现的，而在宗教上就像在市场上一样，需求往往引起供给。

而要在边沁与一个发生在他死后几乎一个半世纪的事件即法律经济学运动的诞生之间确立一种因果关系，则是极其困难的。但我认为可以把他作为启发者之一来加以介绍。

---

〔4〕 William H. McNeill, "The Greatest Might–Have–Been of All", *New York Review of Books*, Sept. 23, 1999, p. 62.

至少从霍布斯在 17 世纪讨论财产开始,人们就了解到经济与法律有关。大卫·休谟和亚当·斯密都讨论了法律的经济功能。[5]早在 20 世纪 30 年代,少数明确涉及竞争和垄断的法律领域,主要是反托拉斯和公共事业管理领域,就一直受到前卫的英国和美国经济学家的持续关注(竞争和垄断从亚当·斯密开始就受到注意,所以说这一关注是"持续的")。而且追溯起来,我们还能找到论及其他法律领域的经济学文献,特别是同样可以追溯到 20 世纪 30 年代的罗伯特·黑尔(Robert Hale)关于合同法的著作。[6]然而,甚至在 1958 年《法律经济学杂志》开始出版之后,法律经济学运动——如果可以认为已经初具雏形了的话——还主要是与竞争和垄断研究相联系的,尽管有个别的研究偶尔涉足了税收(亨利·西蒙斯[Henry Simons])、公司(亨利·梅因[Henry Maine]),甚至是专利(阿诺德·普朗特[Arnold Plant]);而如果回溯到 18 世纪的话,边沁的已在很大程度上被遗忘了的关于犯罪与刑罚的功利主义分析——其本质是经济分析,对经济学的涉足就更为短暂了。直到 1961 年罗纳德·科斯发表关于社会成本的论文,[7]以及几乎同时吉多·卡拉布雷西(Guido Calabresi)发表关于侵权的第一篇论文时,[8]一个关于普通法的经济学理论才

---

〔5〕 参见, Charles K. Rowley, "Law – and – Economics from the Perspective of Economics," in *The New Palgrave Dictionary of Economics and the Law*, vol. 2, pp.474, 474 – 476 (Peter Newman ed. 1998).

〔6〕 参见, Barbara Fried, *The Progressive Assault on Laissez Faire: Robert Hale and the First Law and Economics Movement* (1998); Ian Ayres, "Discrediting the Free Market," 66 *University of Chicago Law Review* 273 (1999).

〔7〕 R. H. Coase, "The Problem of Social Cost," 3 *Journal of Law and Economics* 1 (1960 年,但正式出版是在 1961 年).

〔8〕 Guido Calabresi, "Some Thoughts on Risk Distribution and the Law of Torts," 70 *Yale Law Journal* 499 (1961).

显露雏形。1968年加里·贝克尔发表了他的关于犯罪的论文，[9]复兴并提炼了边沁的理论。至此，看来似乎没有一个法律领域不能被置于经济学的透镜下并得出启发性的结果。果不其然，几年的时间里，出现了有关合同法、民事和刑事程序、财产、消费者保护以及其他对经济学家而言全新的领域的经济学论文，并且这一领域成熟后的大致外形也已经可以辨认了。而后，书籍与论文就把法律的经济分析扩展至诸如就业、海事、知识产权、家庭法、立法、环境法、行政法、冲突法以及司法行为领域，而这还只是名单的一部分而已。法律经济分析范围的扩展，受到日益扩展的理性选择经济模型应用于非市场行为的促进。近来，法律的经济学进路的广度和深度随着博弈论、信号理论（signaling theory）以及非理性行为经济学（"行为主义经济学"）的发展又有所扩大，这些我们都将在后面的章节中遇到。

法律经济分析有实证的（即描述性的）与规范的两个方面。它试图解释和预见法律制度参加者的行为，乃至法律制度的教义、程序以及制度建构。但是，它也试图通过指出现行法律或提案中的法律产生意外的或者不可欲的（undesirable）后果的那些方面，通过提出可行的改革方案，来改善法律。它并不仅仅是一份象牙塔的事业，在美国尤其不是。在美国，法律经济学运动影响了很多领域的法律改革，比如反托拉斯法、公共事业和公共运输管理、环境管理、人身伤害案件中损害赔偿计算、股票市场监管、联邦量刑指南的构想、离婚案件中财产分割与赡养费计算方法以及监管养老金基金与其他受托人投资行为的法律。去管制化（deregulation）运动以及对自由市场意识形态的信任的普遍增强，都与法律经济学运动有一定的关系。

非经济主义者（nonecomonists）倾向于把经济学与金钱、资本主义、自私、关于人类动机行为的简单化和不切实际的概念、令人望而

---

[9] Gary S. Becker, "Crime and Punishment: An Economic Approach," 76 *Journal of Political Economy* 169 (1968), reprinted in *The Essence of Becker* 463 (Ramon Febrero and Pedro S. Schwartz eds. 1995).

却步的数学仪器,以及对于愤世嫉俗、悲观厌世和墨守成规的结论的嗜好联系在一起。由于托马斯·马尔萨斯(Thomas Malthus)所作的关于饥饿、战争和性节制是惟一能使人口与食物供给维持平衡的方式的研究,经济学获得了"沉闷的科学"(the dismal science)的绰号。(但是),经济学的精髓绝不是这些东西,而是极其简单的,尽管这一简单性容易使人上当。简单的东西可能是微妙的,可能是违背直觉的;与之相对的是"复杂",而不是"困难"。

大多数经济分析是由这样的推断构成的,即,以人们在社会交往中是理性的为前提来推断结果。在引起法律重视的那些活动中,这些理性的人可能是罪犯、检察官、意外事故的当事人、纳税人、征税人或者罢工工人,甚至是法律学生。学生们把分数视为价值,因此,除非学校行政管理部门干预,不受欢迎的教授为了维持选课率有时候会通过给学生较高的分数也就是提高教授支付给学生的价格,来补偿学生从这门课中所获得的较低价值。

我已经说过,经济学家对于一个行为或政策之结果的推断是微妙和简单的,这里可以给出一个例子。[10]"禁治产人信托"(spendthrift trust)是一种普通类型的信托,这种信托不授权受托人将任何受托金钱或财产处分给信托受益人的债权人。法律将强制执行这一限制。然而,在许多法律研究者看来,这是一种对债权人的欺骗行为;因为,假设当事人的全部财产都进行了禁治产人信托,信托受益人就可以借到他的全部所需,并花掉他所借的,而且在法律上还不能强迫他偿还贷款人。但是,经济学家提出了一个相反的结论,即:假设没有隐瞒禁止债权人影响信托的条款,禁治产人信托就会限制信托受益人的借款,因为他不能为贷款人提供担保;因而他也无法作出一个可以信赖的还款承诺。从这一点出发,人们就可以看出破产关系中债务人权利的增加,绝不会导致大量的鲁莽借贷,相反会使贷款人减少对

---

〔10〕 参见,Posner,前注〔2〕,页 560 – 561;Adam J. Hirsch, "Spendthrift Trusts and Public Policy: Economic and Cognitive Perspectives," 73 *Washington University Law Quarterly* 1 (1995).

有风险的借款人的贷款,减少借贷的数量,从而减少破产发生率。因此,贷款人反对轻易的破产,可能并不是因为他们害怕导致更多的债务不履行,而是因为他们担心那样做会减少贷款的数量。(设想一下如果借款人没有偿还义务的话,还会有多少借贷就行了。)我们还要注意,债权人在破产原则过分严格时受到的损害,同破产原则过于宽松时是一样的:如果债权人享有古罗马法上按照债权人人数将未偿还债务的借款人大卸几块的权利的话,违约率固然会很低,但是大部分人也就不敢再借钱了。我们现在就可以理解,为什么放高利贷者只是打断不能偿还债务的借款人的腿、而不是杀了他了事。

这一讨论例证了法律经济学进路的两个密切相关的优势。首先,它为有政治争议的法律问题提供了一个中立的立场。传统的破产法学者往往不是偏袒债务人就是偏袒债权人(因此破产法的课程有时被称为"债务人的权利"或者"债权人的救济"而不只是简单的"破产法")。经济学者不偏向任何一方,他们只讲求效率。其次,经济学的进路常常能化解容易引起争议的自相矛盾,比如前面的例子就是通过说明债务人与债权人各自利益的相互关系来化解自相矛盾的。

理性意味着决策,而人们常常要在完全不确定的条件下作出决策。让我们来考虑一下:一个理性的人为了避免发生意外事故,应该加以何种程度的注意这个问题。意外事故发生的可能性是 P(possibility),其造成的损失我称之为 L(loss),而潜在的加害人为排除发生这一意外事故的可能性,所要付出的成本,我称之为 B(burden)。如果 B 小于 L 与 P 的积,即 $B<PL$ 的话,避免意外事故发生的成本会比意外事故的预期成本(或者避免意外事故发生的收益)小。[11] 在这种情况下,如果加害人没有采取预防措施(可能是因为他没有把意外事故受害人的成本看作自己的成本)而事故发生了,那么他可能就

---

〔11〕 这是我从假设潜在的加害人或者潜在的受害人是不愿意冒风险的或者愿意冒风险的,而不是无所谓的,而引入的各种复杂因素中抽象得出的。

会被认为有过错。这就是勒尼德·汉德大法官在1947年的一份司法意见中宣布的关于过失的公式，[12]但是直到很多年后，它才被视为一个关于过失的经济学范式。这个公式很简单，但是对它的详尽说明及其在侵权法领域具体原则上的适用，则形成了一批广阔而深具启发性的文献。汉德并不是经济学家，他提出这个公式是为了解决一个法律案件。这是一个关于普遍存在的法律原则与经济学原则同态的例子；后者经常可以被用来例证和提炼前者。

我们要注意，即使意外事故发生的概率非常小，加害人也可能是有过失的，因为 B 可能会很低或者 L 会很高；而且即使避免损害的成本非常高，情况也是如此，因为 P 和/或 L 可能会很高。我们还要注意 B 可能不仅表示潜在加害人采取预防措施的成本，而且还意味着加害人减少其产出(output)或其他活动的成本，而后者是避免致害他人的另一种途径。这可以为我们提供一条关于严格责任的作用或者作用之一的线索。如果一个人在后院养了一只狮子以供自卫，而这只狮子跑出去把邻居的头咬了下来，这是一个 P 和 L 都很高的案例，而且如果这个人已经尽了最大的注意来防止狮子跑出去的话，B 也很高。但是 B 也可能很低，如果把 B 看作压根儿不养狮子而采取另一种替代性自卫方法的成本的话；而事实上这是一个适用严格责任的案例，其目的就在于促使潜在的加害人考虑改变其行为的性质和程度。

我一直在讨论意外伤害，但是汉德公式也可以把故意伤害包括在内，只要在 B 的前面加一个负号就可以了。这就建构起了这样一个模型，即：加害人在侵害他人而不是避免损害上（正 B）花费资源，因此他事实上可以通过不侵害（负 B）来节约资源。既然 PL 总要比负 B 大，因此很显然，故意伤害不同于意外伤害，应当推定为非法。不那么显而易见的是，故意伤害不能完全靠侵权法制度来阻止。为

---

[12] 美国诉卡罗尔·唐宁公司案(United States v. Carroll Towing Co.), 159 F.2d 169 (2d Cir. 1947).

侵害他人而花费资源的人很可能预见到侵权成功的实质性收益,不论是金钱方面的还是非金钱方面的;他也很可能采取措施以避免被发觉。从这两方面而言,对于故意伤害的最优惩罚很可能要比对意外伤害的惩罚严厉。举例而言,如果预期加害人预见到一个为 G(gain)的净利润,而其受到惩罚的可能性 $P < 1$,那么惩罚(S)就必须根据 $S = G/P$ 的公式来确定,以与加害人所预期的侵害收益相抵,从而使侵害失去价值。许多故意伤害的加害人无力支付最优惩罚,因此社会不得不求助于非金钱的惩罚,使加害人承担一个等于或大于侵害对其的预期效用的负效用。而且,许多故意伤害的加害人没有财产——这可能是他们为什么靠犯罪谋生的原因,因而故意伤害的受害人常常缺乏提起侵权诉讼的动力。因此,从这两方面来看,社会需要刑法来支持侵权法。

下面我要转向经济分析的另外两个用途,这两个用途不像经济分析解释各种规则和实践的经济理性这一用途那么流行。它们常常通过打破教条的限制,挑战律师或法官的价值判断而逼着他们为自己辩护,来简化法律分析。我们在把刑法与侵权法联系起来的过程中,已经接触到了第一个用途,它让前者扮演了一个补充性的角色;并且,请注意不确定性下的决定,如何在两个分析中起着决定性作用。罪犯被捕的不确定性,就像一个导致伤害的疏忽大意行为的不确定性一样,是决定最优惩罚的一个关键因素。

米尔斯医学公司诉约翰·帕克和桑斯公司案(*Dr. Miles Medical Co. v. John D. Park & Sons Co.*)[13]涉及到一份合同在反托拉斯法下的合法性,在该合同中专利药品的供货方禁止其经销商对其药品的定价低于其所建议的零售价格;这是被称为"不得低价转售商品"(resale price maintenance)之规定的实例。最高法院认为这一行为非法,它指出,这一规定产生的结果同经销商之间达成协议限定他们销售米尔斯公司的药品的价格是一样的,也就是与经销商卡特尔一样,

---

[13] 220 U. S. 373 (1911).

而这是对反托拉斯法的实质性违反。但是,这里还会产生另外一个后果,而这一后果是最高法院没有注意到的。不能参加价格竞争但是如果能卖掉更多商品就会赚钱的经销商们,将转而投入非价格竞争来吸引更多的消费者,比如储备更多的货物或者雇用更见多识广的销售人员。如果这些服务对于制造商的市场战略是重要的,那么制造商就可以利用不得低价转售商品的规定来获得这些服务。因为通过设定高于经销商净销售成本的最低零售价格,制造商将促使经销商有动力通过为消费者提供更多服务来争取更大的销售量。这一竞争将把在最低零售价格下可获得的利润转化为销售点的服务改进——而这正是制造商追求的。

经销商卡特尔也会产生这样的后果;卡特尔的成员都愿意在卡特尔价格的基础上提高他们的销售量,因为这一价格是高于销售成本的,因此他们会努力提供更好的服务,从而把消费者从其他经销商那里吸引过来。二者的区别在于,在卡特尔下,经销商可能会提供比消费者需要的更多的服务;消费者可能更希望得到较少的服务而获得一个较低的价格。如果消费者确实这样认为,[14] 那么供销商就不会接受不得低价转售商品之规定,否则,他的生意和利润就会被未接受不得低价转售商品之规定的竞争者抢去。

我的下一个例子或许看起来是不相关的。对航空工业去管制化的批评者指出,航空服务在某些方面比管制时期更差。飞机更拥挤了,供伸腿的空间更狭窄了,食物更差劲了。比如说,美国 747 航线的钢琴吧也一去不复返了。这些都是经济学家预见到的。管制的航空工业是一个政府强制的卡特尔。机票的价格很高,其结果是竞争转入了非价格方面。当航空公司以服务竞争的方式最终抵消了他们在卡特尔下可获得的利润时,这一工业去管制化的时机就成熟了。而当它最终被去管制化了的时候,机票的价格就下降了,服务水平也

---

[14] 更精确的说,应当是边际的消费者,但是,我就不追求那种精致了。参见,前注〔2〕,Posner,页 321。

随之下降了,因为,这样的结合是公众消费者期望的;这同我们从航空旅行自去管制化以来的巨大增长中可以推出的结论是一样的。

因此,我们看到,专利药品的不得低价转售商品之规定以及航空运输的去管制化,虽然它们一个涉及商品,一个涉及服务,一个是过去的,一个是最近的,一个涉及反托拉斯法的司法解释,一个涉及公共运输业管理的立法改革,但它们都提出了同一个经济学问题,即价格竞争与非价格竞争的关系。这正是我们讨论的关键。这种情况在法律经济分析中经常发生。在正统法律分析的眼光看来完全不相关的实践、制度和法律领域,涉及的均是同一经济学问题。在经济学的眼光看来,法律的全部领域都是可以互换的。在我当法律学生的时候,法律看起来是一个由全然无关的原则、程序和制度组成的集合。而经济学则揭示出了法律具有相当一致性的深层结构。

让我们来考虑一下艾柯特诉长岛铁路公司(*Eckert v. Long Island R.R.*)[15]这一著名的侵权案。某人看到一个小孩在铁轨上。一辆正驾驶得漫不经心的火车(这一点很关键,正如我们一会儿将要看到的那样)缓缓驶来。这个人冲上前去,抱起孩子,把他扔到了安全地带,而他自己则被撞死了。铁路公司应当因其过失而对其财产所致的伤害负责吗?或者应当认为施救人是自愿承担风险吗?这是侵权法的一个问题,但是,用合约观点加以分析是解决这一问题的一条有益途径。如果铁路公司与潜在的施救人谈判达成协议的成本很低,而不是因潜在施救人的不确定性而高得惊人的话,铁路公司就有可能会与潜在施救人订立一个合同,该合同会约定:如果施救人为救助一个因铁路公司之过失陷于危险的人而受伤或致死的话,他可以获得赔偿,当然前提是其救助行为是合理的。如果那个人没能获救的话,根据侵权法,铁路公司就要就其过失对受害人负责;所以,可能的施救人就给铁路公司提供了一个预期收益,如果成本低于这个预期收益的话,铁路公司就理所当然地乐于付出这一成本。

---

[15] 43 N.Y. 502 (1871).

基于两个原因,这只是一个"预期"收益。施救人可能出于充分的利他动机来从事这一施救行为而并不期待获得赔偿;而且这一施救行为也可能失败。在艾柯特案中,施救行为成功了。假设孩子的生命与施救人的生命的价值是一样的,比如说都是 100 万美元(以现行货币计);并且进一步假设施救人在施救过程中有 10% 的死亡概率,而如果施救行为失败的话,孩子生还的概率为零,那么,预先来看(ex ante),也就是说,在知道施救行为的结果以前,铁路公司会渴望订立一个我在前面描述的合同。在此合同下,铁路公司的净预期收益是 90 万美元,因为有 9/10 的几率它可以节约 100 万美元,即基于我们前面假设的事实,法院将判给艾柯特的损害赔偿的数额。这个例子也说明了,不确定性下的决定如何存在于众多不同的法律问题之中,并为它们提供了分析上的一致性。

这种分析方法——即设想无成本合约的结果,是科斯关于社会成本的著名论文的遗产。让我们回忆一下导论中讨论的科斯定理,科斯在把法律作为一种促进资源有效配置的手段时,给法律提出了两个密切相关的任务:减少交易成本,比如通过清晰地界定产权以及通过把产权配置给对其有价值的人(以便减少围绕法律的初始配置而发生的成本高昂的合约);当交易成本极高时,努力促成交易成本为零时的资源分配,因为那样是最有效率的分配。

科斯定理彰显出区分高交易成本与低交易成本背景的重要性,而这一点正好说明了法律经济分析对传统樊篱的破除,而且这儿还有一个更为奇特的例子,即"个性"(personality)作为大量法律事务的经济学组织原则的运用。《新韦伯国际大词典》第 3 版对这个词下了好几个定义。个性是指"作为一个人而不是一个抽象概念的性质或状态"。个性是指"与一个特定的人有关的情况或事实"。个性是指"区别一个特定的个体或者在他与其他人的关系中使其特殊化或突出其性格特征的集合体"。个性是指"某个个体区别于其他个体的性格特征、态度和习惯的有机体"。个性是指"通过个人特征而引起深刻的关注、钦佩、尊敬以及影响的社会特征"。因此,个性意味着人类个体,并且(像最后一个定义那样)还意味着为成为一个个别的、与众不同的、令人钦佩的个体所作的努力。当个性不被认同时,我们就是无名氏。"作者"(author),被视为将其个性注入其作品的作家,因而与试图(或者曾经试图,因为这一实践正在发生变化)隐藏其个性的捉刀者形成对比。

个性这一概念对于版权法以及版权保护的衍生内容而言,是一个核心概念,并且刚刚以"精神权利"的名义在美国法中获得立足之地。复制可能成为削弱和盗用个性的一种方式;剽窃和伪造是法律为了保护个性而用以限制复制的概念。一旦我们认识到一个公司或者其他机构也像自然人一样有其个性,个性就在商标法中也表现得很重要了。商品的特有名称有个性;商品的通用名称则没有。个性对于侵权法中的隐私权同样重要,特别是但不限于名为"公开权"(right of publicity)的这一分支权利,比如社会知名人士享有的禁止他人将其姓名或肖像用于广告或其他商业目的的权利。个性还在关于艺术作品所有权归属的论争中有所体现,这一方面主要是由于收藏艺术的动机,包括对品味以及所有者个性的其他方面的炫耀,另一方面还主要是由于出处对于艺术作品价值的重要性,而这里的出处通常指的是艺术家的身份。

几个世纪以来,一种可能被称为"个性崇拜"(cult of personality)的东西——如果不是由于它不幸地与前共产主义国家相联系的话——一直在稳定增长。作者身份的匿名性——不仅是书籍的作者身份还包括杂志和报刊文章的作者身份——以及艺术作品创作中的匿名性,已经衰退到了非常低的程度,以至于如今捉刀者的名字出现在扉页上、列于(名义上的)作者的名字之下,法律评论上学生的注释和评论也标上学生的名字(这种事情在3个世纪之前是闻所未闻的)而不论作品经过多大程度的编辑,都是非常常见的事。电影导演(auteur)运动已经成功地让电影导演获得了电影作者的身份;而同时发生且只是表面上不一致的是,书籍或其他创造性作品中向初稿的读者、编辑、家庭成员以及秘书和其他文秘人员对作品所作贡献的致谢,日益成为规范并且确实成为某些写作形式的必需。表面上的学术性作品,日益包括进自传性的有趣琐事。商品的特有名称则是相对晚近的发展。所有这些发展都与法律权利向个性方向的扩展相平行。

这一运动在社会实践层面和法律层面(法律大概反映和促进了实践方面的变化)都遭到左派的谴责,而被视为"所有权的个人主义"意识形态的反映;在这样的意识形态里,成就被看成是个人奋斗而不是集体努力的结果。在此观点看来,个性崇拜是伴随着资本主义上升而发展起来的。这一观点虽然有一定的道理,但是,把逐渐增长的社会和法律对个性的承认与个性化商品生产(无论是有形的还是无形的)相对于匿名化商品生产的成本收益变化相联系,会更有启发性和更为准确。有三方面的变化最为重要。首先是市场的大小。某一商品的市场越小,消费者就越容易不通过商标来识别商品生产者,不论商标是书籍抑或艺术作品上的签名,还是具有较少"创造性"的服务商品中的标志语。现代化的、特别是大型的市场,被很形象地称作是"非人格化的"。它们的非人格性对个性化提出了需求。

某一个市场可能会非常的小,以至于其生产不能获得消费者的资金支持;生产者可能会寻求私人赞助者和公共津贴。如果消费者无利可图,他们就更加没有兴趣去识别生产者了。而且,市场越小,通过让生产者占有其劳动产生的社会利益中的大部分来刺激生产者就越不重要。尽管萨谬尔·约翰逊(Samuel Johnson)挖苦道,只有傻瓜才不为金钱写作,但总是有一些有天赋的人,为了自我满足而不是金钱收入而从事写作、作曲或绘画。如果对于某种作品的需求很小的话,单靠生产者自我激励的努力就可以满足这一需求。

第二个变量与第一点(市场的大小)有关,是有关商品和服务质量的信息成本。由于商品和生产者的数量增多、商品的多样性和复杂性增大以及专门化提高,很多商品的信息成本都增大了,由此减少了消费者获得的、关于他们使用的商品之设计和生产的信息数量(消费者已经不再亲自制造自己的工具了)。信息成本越高,评估商品就越难,从而知悉谁是生产者的价值就越大。换言之,在今天,更多的商品成为经济学家所称的"信用品"(credence goods),即人们根据对生产者的信赖而不是有关商品的直接知识而购买的商品。[16]

市场大小与市场信息成本增加之间的交换作用,通过现代学者对于优先权、新颖性、出版物的卷数、引用、致谢以及剽窃品的高度重视得到了说明。现代的学术市场很大,因此学者无法轻易通过口说之辞来扬名;他们需要一枚看得见的个性的印章。

虽然市场越大、信息成本越高,在法律上承认生产者个性的收益就越大,但是决不能忽视这一承认本身的成本。这一成本在很大程度上与绝大多数产品所具有的协作完成的属性有关。浪漫主义对天才的强调掩饰了这一特征,而且,这一特征也是我所要强调的对个性的培养和承认中的第三个变量。大多数创造性作品都在相当大的程度上依赖于以前的作品,尽管在某种程度上作者本人也许会竭力掩盖这一点。因使用以前的作品而与其创作者谈判——因为他对其作品享有法律上的权利——的成本越高,现在和将来的创造性作品的成本也就越高。这是一个有关不同时代之间协作的例子,当然,还有更多关于同时期协作的例子,比如在合作作品以及诸如歌剧和电影这样的多媒体作品中。在这里,对每一个贡献者的个性给予法律保护的努力,也会导致高不可攀的交易成本。

在对个性的经济学分析与由于强调作者身份的工具或构造属性

---

[16] 这与亚里士多德关于"伦理诉求"(ethical appeal)的概念相类似。"伦理诉求"是指,演讲者让他的听众相信他是一个诚实的、见多识广的和值得信赖的人的努力。这是修辞的一种重要工具,亚里士多德恰当地将其定义为对于不能诉诸逻辑和数据得到最终解决的问题的推理。亚里士多德意义上的修辞的说服,就是卖出信用品的行为。

而非"自然"属性而对个性所作的激进批评之间,存在着某种相交。[17] 每一文本都有一位写者(writer);为简单起见,让我们只考虑那些仅有一位写者的文本。这个人是否应被视为一位"作者"(author),从而不仅可以获得版权法的法律保护,还可以得到社会声誉——至于这一声誉可以加强(或减弱)其未来出售书籍的能力、引起对于其生活和思想的好奇心、形成一个其传记的市场,则是另外一个问题。他还可能获得解释的权威——决定他所写的是什么意思的权威。反过来,他也可能是自己作品解释的一个产物:我们对于"荷马"的全部所知就是我们从《伊利亚特》和《奥德赛》的文本中所能引申出来的。

对于写者是否应被视为作者(author)这一问题的回答,取决于社会和法律习惯,而不取决于写者是否写了这一引起争议的文本的事实。印刷者、装订者、图解者、出版者甚至读者对一本书的贡献,较之写者对一本书的贡献,可能对社会的影响更为深远。或者,从社会的角度看来,撰写(writing)还不如所写的、可能是来自于其他人的思想重要。同样地,人们可能不再认为"伦勃朗风格"是将一部分17世纪的绘画加以归类的一种有益做法。因而,当一幅"伦勃朗风格"的画被发现并非他本人所画时,其价格也不会下降,因为绘画本身并没有为这一发现所改变。如果,当发现一幅"伦勃朗风格"的画是他人所作时,其价格就会下降、价值就会大大贬低的话,就表明伦勃朗风格的作品是信用品,而这或许是因为人们没有用来判断艺术作品质量

---

[17] 例如,参见, Michel Foucault, "What Is an Author?" in *Textual Strategies: Perspectives in Post - Structuralist Criticism* 141 (Josué V. Harari ed. 1979); *The Construction of Authorship: Textual Appropriation in Law and Literature* (Martha Woodmansee and Peter Jaszi eds. 1994). "作者"不必限于文本的撰写者,而是可以包括画家、作曲家或其他"创造性"工人,或者就此而言还包括传统商品与服务的生产者。

的"客观的"算术(algorithmic)手段。[18] 在这里,我们无意中发现了一个矛盾,即个性的培养和承认与流行时尚和从众行为(herd behavior)是成正相关的。质量标准的不确定性导致我们根据被称为"伦勃朗风格"的个性而不是其绘画的内在品质来作出价值判断,也导致我们遵从其他人对其绘画作品的评价。

这一分析不仅可以帮助我们理解许多法律教义差别的人为性(artificiality),也有助于我们理解划分法律与其他社会控制形式之界线的可渗透性(porousness)(先翻看一下关于社会规范的第9章)。版权法、商标法和隐私法,都是在确认个性的收益与成本之间寻求平衡的方式;塑造艺术市场的原创性、创造性概念以及有关对影响或帮助的致谢的非法律规范也是如此。

我来举几个关于经济学在挑战特定价值观方面的效用的例子。第一个例子是著名的哈佛政治理论家迈克尔·桑德尔(Michael Sandel)所作的一篇不长的论文,该文令人震惊地将对买卖儿童的认可与对代孕母亲合同的非难结合起来。[19] 桑德尔指出,一位在20世纪50年代到60年代之间在南方乡间行医的名叫希克斯(Hicks)的医生,"从事着秘密的买卖儿童的副业"。他还是一个为人堕胎者,他有时会"劝说打算堕胎的年轻母亲保留孩子到足月,从而形成一个供方市场,以满足没有孩子的顾客的需求"。桑德尔相信,这位医生的"儿童黑市"在道义上还有可取之处,而代孕母亲却没有。他指出,较之希克斯医生的"朴素事业,商业代孕这一价值4 000万美元的工业,实在是一笔大生意"。但是,桑德尔在此是把市场中的一个出售者同

---

[18] 参见,Holger Bonus and Dieter Ronte, "Credibility and Economic Value in the Visual Arts" (Westfälische Wilhelms‑Universität Münster, Volkswirtschaftliche Diskussionsbetrag Nr. 219, 1995). 这一现象并不限于艺术市场。一部被认为是莎士比亚所作的剧本被发现其实是一个与其同时代的并不引人注目的人所作,在最初的一阵好奇过后,这一发现也会导致该剧本排演和销售次数的减少。

[19] Michael Sandel, "The Baby Bazaar," *New Republic*, Oct. 20, 1997, p. 25.

整个市场相比较,而且,是把一个非法市场中隐瞒身份的出售者同整个合法的市场相比较。既然每年都有超过100万的堕胎者,那么,"买卖婴儿"的生意如果被合法化的话,其潜力必定会使商业代孕黯然失色。

桑德尔区分买卖儿童与代孕母亲的主要根据在于,与希克斯医生之所为不同,代孕促进了商品化。"希克斯医生的儿童黑市是对独立于市场因素产生的一个问题作出的反应。他并没有首先鼓励未婚妈妈怀孕以卖掉她们所生的孩子。"他也不需要这么做。需求引起供给。对于不想要孩子的妇女来说,如果她们知道存在一个可以买卖其孩子的市场的话,往往会更不注意尽量避免怀孕。毫无疑问,如果买卖孩子的市场是一个合法市场而不是黑市的话,知道这一市场的人会多得多。但是,桑德尔并未暗示,希克斯医生的行为由于其违法性而得到补救!

我并不是主张,经济分析应当说服代孕母亲的反对者放弃他们的立场。我不相信经济学(或者就这一点而言,任何其他思想分支)能够强加一个道德判断。[20]但是那些反对者或许会由于我的经济分析的压力而重新考虑他们的立场。或许他们会赞同桑德尔,即认为希克斯医生之所为并不是不道德的,即便它是违法的;但他们或许也会赞同我,即指出,桑德尔认为希克斯之所为与商业代孕工业的所为有所不同,是犯了一个经济学的错误,并且,以下这一事实是重要的:希克斯只是一个人而商业代孕工业却是由很多人组成的。

有一个更加复杂的例子可以说明,经济分析如何可以激发对道德义务的重新思考。[21]联邦关于养老金的法律——ERISA(雇员退休收入保障法,The Employee Retirement Income Security Act),要求那些设立了收益明确的养老金计划的雇主,应该在其雇员受雇5年后,授

---

[20] 这是我的 *The Problematics of Moral and Legal Theory* (1999)一书的主题,关于森德尔与希克斯的讨论即引自该书。参见,同上注,页87。

[21] 随后的讨论基于,Richard A. Posner, *Aging and Old Age* 299–305 (1995)。

予其享受养老金计划中雇员权利的资格。这一要求的目的在于纠正雇主的滥用行为,即:雇主设立一个非授权性的养老金计划,然后在一个雇员退休前夕解雇他。

如果让一个经济学家来评价 ERISA 中的这一条款的话,他首先将会考虑,这种非授权性养老金计划的阴谋,在不制定该项法律的情况下会有多么普遍,以及禁止这一行为是否会产生不良后果,特别是对计划中的养老金领受人即雇员而言。在这项法律通过(1974 年)之前,一个未到退休年龄而离职的工人的确会发现,他所获得的养老金收益的价值远远低于他的贡献,甚至可能完全一文不值。因此,他就有一个强大的动力,使他留在同一家公司,直至退休。并且,如果雇员坚持要求与其对公司的价值相一致的工资的话,雇主还可以以在他们享受养老金权利之前解雇他们相威胁,从而享有将雇员与特定公司相联系的(frim - specific)人力资本据为己有的权力。所谓与特定公司相联系的人力资本,是指一个雇员的赚钱能力(earning power)与其在这一特定公司的工作相联系,因此,如果为其他公司工作的话,他就会赚得更少。可以想像,雇主会把付给雇员的工资降低到工资和养老金收益加在一起,刚好超过该雇员在其仅次于最好的工作中所能得到的工资的那一个点上。在雇员退休的前一年,也就是雇员有资格获得养老金的那一年,工资将成为零,甚至为负——雇员为了能工作得足够长,以获得享受养老金的资格,是会乐于倒贴的。

看起来,我似乎为支持 ERISA 中的授权性规定提供了一个有说服力的案例。但是,经验性研究显示,在 ERISA 颁布之前,雇主在养老金计划方面的实践很少是剥削性的;而且,与受工会和其他协会管理的多雇主养老金计划相关的滥用行为,是这一法律得以出台的主要动因。退休条款,包括养老金权利,是雇主和未来雇员之间合同谈判的结果,而不是一个单方面的强制性要求。即使一个特定的雇主拒绝与每个雇员个别谈判,而是在"接受或离开"的基础上提出雇用的条件,雇主之间的竞争也会给未来的雇员提供一个在不同的工资－收益方案之间进行选择的机会。某些雇主提出的方案可能重视优厚的退休待遇或其他好处,但工资很低;而另一些雇主提出的方案则强调高工资,但却以微薄的或无保障的退休待遇或其他待遇为代价。雇员们往往会根据每个人对于生命周期中风险和消费分配的偏好不同,而选择不同的雇主。

至于不完全的授权,通过令人满意地使养老金利益视雇员在公司中呆的时间以及表现而定,使雇主很容易从雇员与特定公司相联系的人力资本中收回其投资。这样一来,很有可能导致更多这样的投资从而导致更高的工资。不完全的授权还可以解决即将退休的雇员会不再有动力努力工作这一问题——经济学家将这一问题称为"最后时期问题"(last - period problem)。不完全的授权不仅仅是用"大棒"(在授予养老金权利之前解雇的威胁)来解决问题,而且是用"胡萝卜",因为养老金利益通常对雇员雇用期最后几年的工资有非常有利的影响。

雇主违背关于公平对待雇员的默示合同而滥用不完全授权赋予他的权力这一激励会受到制约,他会顾虑到维护公平对待的名声(如果失去了这一名声,他就不得不对新的雇员支付更高的工资)以及顾虑到与特定公司相联系的人力资本赋予工人的谈判权力(如果一个工人由于愤怒或厌恶而辞职,或者为了剥夺其养老金收益被解雇,那么,这个公司就不得不投入资金训练一个新手来代替他)。事实上,正如我所说的,在 ERISA 之前,对接受养老金计划的工人的机会主义解雇是很少见的;而这一立法在对养老金计划内工人的解雇方面没有任何显著影响。

但是,通过限制不完全授权,这一法案业已趋于弱化雇主对老雇员的控制。这一控制力的丧失,将会对雇员本身产生两方面*的不利后果。首先,它会促使雇主减少在雇员与特定公司相联系的人力资本上的投资,因此雇员的生产力、进而他们的工资会降低。其次,由于雇主在保护雇员方面的投资会更少而雇员出色表现的动力会更

---

* 原文如此。——译者

小(即使他们被解雇的话,他们也不必面临养老金利益的实质性减少),雇主会更经常地诉诸明示或暗示的解雇威胁来维持纪律。第三,任何会增加雇用工人成本的事,无论是法律上的还是其他方面的,都将促使雇主更少雇用工人或者付给工人更低的工资,或者两者皆备。

即使你赞同我的经济分析,你也会感到,总的看来,对工人来说从雇主那里获得有保障的养老金权利或者更大的自治更为重要。但是,你将再一次被迫自问,你的感觉是否足够强烈,从而可以抵消对经济分析导出的后果的认识。有些后果对于工人自身是不利的,比如较低的工资——甚至更具讽刺意味的是,更无保障的雇用。

我已经给出了或许会被称为经济学的"保守"(conservative)偏见的两个例子,虽然更为确切的术语应当是"自由放任"(libertarian),亦即对于通过市场和其他私人的秩序而不是通过政府进行管理的偏好。但是,经济学是追求价值中立的,并且小有成就,因为有一些法律经济分析的自由主义践行者,例如耶鲁大学的、并且现任第二巡回区法官的吉多·卡拉布雷西(Guido Calabresi),以及斯坦福大学的约翰·唐纳休(John Donohue)。因此,让我来举个例子说明经济学是怎样对保守派喜好的政策泼冷水的。[22] 假设有一些法令授权政府指定一个建筑物的正面作为路标;基于这一指定,建筑物的所有者就不能改变建筑物的正面。可以代替指定的,是政府对建筑物正面的地役权的购买(有可能是以征用的威胁为后盾,并且以公平补偿[just compensation]的价格为条件)。这一点得到大多数保守派的支持。他们确信,不应该允许政府无偿地获得物品,也不应该在这一过程中对所有者的财产施加沉重的成本。因此,他们极力主张公平补偿原则应得到最大限度的运用。他们——这些保守派——会倾向于争辩,较之政府必须对路标所有者因不能改变建筑物的正面而遭受的财产价

---

[22] 随后的谈论基于,Posner,前注[2],页 66–67;Daniel A. Farber, "Economic Analysis and Just Compensation," 12 *International Review of Law and Economics* 125, 131–132 (1992).

值减少予以补偿的制度,路标保留法令会促使政府指定过多的路标。

实际上,采用补偿的方式是否就会有较少的路标被指定,这一点并不清楚。在一个典型的路标保留法令里没有补偿的这一事实,意味着路标的所有者将会通过向他们的议员抱怨、对有权指定路标的权威施加其他压力、聘请律师寻找法令中的漏洞、甚至组织起来争取推翻或者废止这一立法来反对路标指定。而纳税人对纳税的反对可能相对较小——这些税入对于购买路标地役权计划是必要的财政支持。政府的税收与开支计划(例如农业津贴)的社会成本,经常与管制计划同样高,或者更甚,但是,这一成本被如此稀薄地分摊于纳税公众,以至于很少有纳税人抱怨。

当然,较之所有者平静地屈从政府的要求、接受政府给予让渡权利的人以补偿这种方法而言,抗议指定路标的运动或许很昂贵。但是,如果抗议的威胁制止了路标指定的话,总计的成本就可能很小。

但是,由于政府并不是把自家的钱花在自家的东西上,它难道不会指定"错误"的路标,即指定那些如果改变形态就会价值大增的财产吗?可能会,也可能不会。这一选择性的价值越大,对指定的抗议就会越强。事实是,指定路标的方法可能会导致路标供应量的减少;建筑物的所有者可能会赶在指定之前毁坏可能被指定为路标的建筑物的正面。但是这一点并非保守派反对指定路标的本质所在。

保守派所提出的异议是,政府应当受到与任何其他购买者一样的对待。这一异议的谬误在于,它蕴含着一个假设,即政府是一个普通购买者,因此会像一个私人购买者一样对财政上的动力作出反应的。但是,政府并不是一个普通的购买者,而事实上,当政府必须诉诸强制力来获得其用来购买所需物品的金钱时,大谈要求政府像任何其他人一样为它所要的东西付钱是没有意义的。[23] 为了支付公平的补偿,或者即使是为了达成一次完全自愿的交易而不带任何威胁——如果卖方拒绝出卖就诉诸强制力,政府必须首先不加任何补偿地从纳税人那里取得必要的资金。公平补偿需要一个在先的征收行为。

正如这些例子所表明的,经济学家的基本工作,就是提醒我们注意那些非经济学家易于忽略的已实行的和提案中的政策与实践的后果,这些后果经常是负面的或者至少是昂贵的,虽然并不总是这样。经济学的这一用法应该会受到某些律师的欢迎,这些律师认为,经济学对于发现法律教义与法律制度——甚至是那些已经在法律职业中取得了不可动摇的地位的教义和制度——的实际后果是很重要的。

在勾画了法律经济学运动之后,现在让我再回到边沁的影响这一问题,并首先谈谈启发这一方面。可能看起来最清楚的证据是加里·贝克尔1968年的犯罪学论文,[24] 该文完成后成为犯罪及其控制方面的经济学著述的源头。贝克尔的论文有几处引用了边沁的《道德与立法原则导论》(1780;扩编,1789)[25]一书中关于犯罪与刑罚的经济学讨论。边沁在《导论》一书中作出了多个重要的经济学结论:一个人仅在他从犯罪中能够得到的预期快乐超过预期痛苦时,或者换句话说,只有在预期收益超过预期成本时,才会犯罪。因此,为

---

[23] 即使当政府通过借款或者印钞来为其活动提供财政支持时,这一点也是正确的,因为它之所以可以这样做,仅仅是因为它有征税的权力,或者在印钞的场合,仅仅是因为它有强迫人们将它的钱币作为法定货币的权力。只有当政府通过竞争性的使用者费用(user fees)来获得财政支持时,它才是作为一个私人的市场参与者来行为的。

[24] 前注[9]。

[25] 贝克尔也引用了萨瑟兰德(Sutherland)论犯罪学的论文,该论文也有几条引到了边沁,但是它将"这一主义[功利主义]在刑罚学方面的主要应用"归于贝卡利亚(Beccaria)。Edwin H. Sutherland, *Principles of Criminology* 52 (5th ed., rev. by Donald R. Cressey 1995)。

了制止犯罪,刑罚必须施加充分的痛苦,以保证这一痛苦与罪犯预期的其他痛苦加起来能超过罪犯从犯罪中预期得到的快乐。不应当施加过大的刑罚,因为这样做的结果,会给犯罪的潜在受害者带来不能被快乐(收益)抵消的那部分痛苦(对不能被威慑的罪犯而言)。[26] 刑罚一览表必须以这种方式加以校准,即如果罪犯可以选择犯罪种类的话,他会选择最不严重的一种罪行。罚金是比徒刑更有效的一种刑罚手段,因为罚金在施加痛苦的时候也带来了收益。而且,像我们在前面所见的,越不可能抓到罪犯,刑罚就必须越重,以维持一个足以制止犯罪的预期费用。

这些论点构成了贝克尔复兴的犯罪与刑罚经济学理论的核心要素。然而,贝克尔及其追随者还增加了很多东西,尽管其核心已在边沁的《导论》中得到了清晰的阐述。对于该领域随后的发展具有特别重要意义的是贝克尔富于独创性的建议。他提出,既然罚金从社会立场来看是一种比徒刑便宜的刑罚方式(首先,它不会减少被告的生产力),最优刑罚就应当把极高的罚金与实际发现犯罪的极低概率联系在一起,并施加罚金刑,因为较高概率的实现需要增加警力与检察官,从而将是昂贵的。[27] 然而,我们并不是非常经常地遵循这一"最优"组合;而试图回答"为什么不"这一问题的努力,则引导着法律的经济分析学者,去考察那些限定罚金运用的最高限度、以及通常限定刑罚严苛程度的最高限度的因素,并且引导着他们去考虑,对刑事司法体系提出的刑罚问题的次佳解决方案所具有的经济学特性(properties)。

---

[26] 边沁认识到刑罚可以产生报复性的快乐,并且,尽管他认为受刑罚的人所遭受的痛苦通常会超过这一快乐,他仍然承认,在决定效用最大化的刑罚时这一点原则上应当被予以考虑。

[27] 刑罚的预期成本是(对于风险的态度忽略不计)pf,其中,p是刑罚被施加的可能性,f(代表罚金[fine])是刑罚的严苛程度。由于f是罪犯对国家的转移支付,其净社会成本非常低,可能接近于零,因此,一种非常高的f与非常低的p相结合的刑罚安排,很可能比相反的安排更便宜。

尽管边沁是个著名的经济学家,而且他的犯罪与刑罚分析除了词汇稍嫌陈旧之外,其经济学属性是明确无误的,尽管他的理论影响了英国与美国刑事司法体系的设计,但从我的考察来看,在贝克尔之前还没有一位经济学家详细阐述过犯罪与刑罚控制的经济学理论。贝克尔告诉我,当他开始思考犯罪的经济学时,他并不知道边沁有关这方面的讨论。在他做论文的过程中他才开始对此有所意识,但是他已经不记得他在论文里所提出的论点是否受到了边沁的启发了,尽管论文中几处对边沁的引用表明它们是受到了边沁的启发。[28] 因此,这就成为了一个说明边沁启发了法律经济分析的不确定的事例。

这就使得这一事例对于支持边沁是法律经济分析的起因这一论点,显得更加令人怀疑。假设边沁从未写过任何关于犯罪的东西,或者就这一点而言他根本就没有出生过,那么,很可能贝克尔之前的某个其他经济学家就会构造出在本质上与边沁的理论形式相同的犯罪经济学理论。毕竟,边沁并非功利主义的发明者;而且犯罪学,至少回过头来看,似乎是个天生的应用功利主义思想的领域——事实上,边沁的前辈,贝卡利亚,一个早期的功利主义者,已经用功利主义的术语来讨论犯罪了,虽然与边沁相比还很不成体系。

但是,如果犯罪的经济学理论由于某种原因在 18 世纪后半期就"风靡一时"的话,那么,几乎相隔两个世纪另一位经济学家才重新与之结缘,就显得极不寻常了。因此,下面的假设只是存在某种可能性,即:如果边沁从未生存过的话,犯罪经济学理论就不得不等到若干年后才能成为现代法律经济学的一部分。但是,这种可能性很小,因为贝克尔的犯罪经济学理论看起来在很大程度上是一个独立的发现。

除了犯罪学之外,边沁还在其他领域特别是证据领域,有所著述。然而,只是在刑法领域,他才用公式表述了经济学理论。我猜想

----

[28] 参见, The Essence of Becker, 前注[9], 页511, 注[40], [42], [46]。

这是由于他对于社会和政治治理特别感兴趣,而刑法正是这一治理的一个重要部分。我认为,他没有意识到侵权法、合同法以及财产法也同样是社会结构的重要部分。或许是他对于普通法的反感导致了他的盲目;似乎在他看来,普通法除了养肥了律师之外并没起任何作用。然而,令人好奇的是,在他著述的时代,刑法在很大程度上也属于普通法的一部分。霍姆斯也有过同样的盲点——他认识到了刑法的调整作用,却忽视了侵权法的——尽管他的盲点并不是由于对普通法的反感造成的。

但是,我们必须考虑,除了功利主义在法律上的一些具体应用之外,边沁的功利主义理论是否有可能对法律经济学运动产生影响。这需要把功利主义区分为作为一种对人类行为的描述的功利主义与作为一种道德理论的功利主义。功利主义思想可以追溯到亚里士多德,而功利主义作为一个基本的道德原则则是在 18 世纪、在边沁之前,由哈特彻森(Hutcheson)、贝卡利亚、黑尔维特斯(Helvetius)、普里斯特雷(Priestley)、哥德温(Godwin)等人明确阐释的;而且,实际上是由贝卡利亚用几乎与边沁同样的词语——"最大多数人的最大快乐"——来阐释的。[29]边沁之与众不同在于他坚持效用计算(utility calculations)在人类决定中的普遍性(universality)所体现出来的顽强(tenacity)、甚至是宣扬(vociferousness)。正如他在《道德与立法原则导论》一书的首页中所写道的:"自然将人类置于两个至高无上的主人的治理之下,一个是痛苦,一个是快乐……他们支配着我们的全部行为、语言和思想。"正如我在前文已经提到过的,痛苦的另一个说法就是成本;而快乐的另一个说法则是收益。因此,边沁是在主张,一切人,在任何时候,在其任何活动中,都是把其行为(语言和思想)建

---

[29] 参见,H. L. A. Hart, "Bentham and Beccaria," in Hart, *Essay on Bentham*: *Studies in Jurisprudence and Political Theory* 40 (1982). 然而,贝卡利亚显然是从哈特彻森借用来这一短语的。J. B. Schneewind, *The Invention of Autonomy*: *A History of Modern Moral Philosophy* 420 (1998).

立在成本－收益分析的基础之上。边沁花了大半生来反复重申、详细阐发和举例说明他的这一主张。[30]

这一主张可以被视为非市场行为经济学的基础。大量的法律经济分析都是对这一经济学的应用，因为，法律主要是一种非市场的制度，并在调节非市场行为的同时也调节市场行为——罪犯、检察官、意外事故受害人、离婚的配偶双方、立遗嘱人、宗教信仰者、言论者（我们将在下一章中讨论），以及商人、工人和消费者等等的行为。如果不算非市场行为的经济学，法律经济分析的范围就会限于其20世纪50年代的范围，亦即限于法律对于明确市场的管制。边沁或许可以作为非市场经济学的创始人。

他的这一创造几乎像他的犯罪与刑罚理论一样被长期搁浅。对这一点的解释属于科学社会学的任务。也就是说，它与科学家为什么会对某一系列问题而不是另一系列问题感兴趣有关，而且特别是与19世纪以及20世纪前半期的经济学家为什么对诸如犯罪、诉讼、家庭、差别待遇、意外事故以及法律规则这些社会现象几乎没有任何专业兴趣有关（一个重要的例外是庇古[A.C.Pigou]和弗兰克·奈特[Frank Knight]对于外部性[externalities]的兴趣，对象为陌生人的意外事故就是外部性的一种形式，也是庇古粗略涉及的一种形式）。他们或许感到，为了尽力了解市场经济，他们已经忙得不可开交了；他们也可能感到，要研究非市场现象，他们还缺乏良好的工具，也没有一种相当于货币的标准单位；直到今天还有一些经济学家是这样确信的。无论如何，在加里·贝克尔20世纪50年代关于种族隔离的博士论文创作之前的那段时间里，[31] 边沁对人类行为经济学模型的普

---

[30] 但是，这一主张本身早在边沁出生前就已经成为老生常谈了："自爱和理性只追求一个目标，/它们回避痛苦，渴望快乐。"（Alexander Pope, *An Essay on Man* [1733], EpistleⅡ, lines 87 – 88）. 边沁的创新并不在于这一主张本身，而在于他推广这一主张的不懈精神与独出心裁。

[31] 1957年以"差别待遇的经济学"为题出版。1971年第2版出版。

遍性这一主张的前景基本上是被忽略了。[32]

贝克尔告诉我,在坚持理性模型的普遍性方面,他并未有意追随边沁的足迹。他认为边沁提出的是一个规范性的命题,即存在一个将最大多数人的最大幸福最大化的道德义务,而不是一个实证的问题,即人们是为了自己的效用最大化而行为的。然而,到贝克尔写作关于犯罪学的论文时,效用最大化早已成为经济学的一个基本原则,而且,尽管其与边沁的渊源已在很大程度上被遗忘(可能是由于直到边沁死后大约50年,它才开始对经济学家有所帮助的缘故),[33]边沁仍然应当得到播种这一思想的荣誉。[34]

介于边沁与贝克尔之间的少数主张效用最大化是人类心理学的一个普遍特征的经济学家——其中最著名的例子是维克斯蒂德(Wicksteed),并未援用边沁来支持这一主张;[35]而且,更重要的是,他们极少关注边沁对于将经济学应用于非市场行为的可能性的洞察力。[36]贝克尔代表非市场经济学所作的宣言,确实提到了边沁,以

---

[32] 一个令人吃惊的例子可以参见,T. W. Hutchison, "Bentham as an Economist," 66 *Economic Journal* 288 (1956). 在这里,边沁的犯罪学理论以及他的人们在生活的一切领域都是理性最大化者的信念,完全被忽视了,好像它们显然不是"经济学"似的。

[33] George J. Stigler, "The Adoption of the Marginal Utility Theory," in Stigler, *The Economist as Preacher, and Other Essays* 72,76 (1982).

[34] 同上注,页78。

[35] 参见,Philip H. Wicksteed, *The Common Sense of Political Economy*, vol. 1, ch. 1 (Lionel Robbins ed. 1935)(1910年第1版). 正如罗宾斯在其导论中所指出的,维克斯蒂德"坚信,在市场运作与其他形式的理性行为之间不可能有一条合理的分界线。"前引书,页 xxii。但是,罗宾斯并没有把维克斯蒂德的这一思想归因于边沁;而且他在书中详细阐释自己同样宽泛的经济学概念时也没有提到边沁。Lord Robbins, *An Essay on the Nature and Significance of Economic Science* (3d ed. 1984). 然而,从维克斯蒂德没有引用边沁这一点,并不能得出多大意义,因为他除了引用过杰温斯一次之外,几乎没有引用过任何人。

[36] 尽管 *The Common Sense of Political Economy* 一书的第1章包括了一个关于家庭产品的冗长讨论。

及作为前辈的亚当·斯密和卡尔·马克思,[37]但是,他批评边沁基本上是一个改革者而未能"发展出一套包括很多可以检验的结论的关于人类实际行为的理论"。[38]而且,在这里,我们还得以瞥见关于边沁对经济学的贡献经常被忽略的另一个原因。他没有一个明确的经济学家身份;他作为一个哲学家、[39]改革家、善辩者的重要性,往往使他的经济学作品黯然失色。当然,亚当·斯密也是一个著名的哲学家,同时是一个经济学家,但是,斯密写过一本经济学的论文集,边沁则没有。事实上,边沁所写的至少是出版的、系统性的作品极少。

尽管如此,如果作为人类心理之基本元素的效用最大化思想可以追溯到边沁的话,那么,我们就可以说非市场行为的经济学受到了他的影响。而且,我再说一遍,如果没有非市场行为的经济学,法律经济分析的范围就会大大缩减。但是这还是启发意义上的影响。要说如果边沁从未生存过,效用最大化就不会被发现或者不会被应用于非市场行为,这是不可能的。因为,别忘了,我们正在谈论存在于《导论》与贝克尔之间的将近两个世纪的滞差,而且效用的概念与功利主义哲学在时间上均早于边沁。

有关边沁与法律经济学运动之间的影响的两条更为可能的路线还有待于被探索。第一条路线是通过福利经济学,而第二条则是通过法律现实主义。效用最大化并非人们实际做的,而是人们和政府应当做的,亦即,以某种方式加总的人与人之间(在某种形式上,是所有有感觉的生物之间)的效用,应当成为道德和法律责任的指导。这

---

〔37〕 参见,Gary S. Becker, *The Economic Approach to Human Behavior*, ch.1,1976;再版于 *The Essence of Becker*,前注[9],页7-8,页15注[13]。他还引用了罗宾斯关于经济学的宽泛定义,前引书,页14注[3](援引自 *The Nature and Significance of Economic Science*,页16),但是他也指出了罗宾斯未能就这一概念发展其推论。前引书,页14注[5]。

〔38〕 前引书,页8。有关对边沁过于强调改革而忽视实证分析这一点的一个类似的批评,参见 Richard A. Posner, *The Economics of Justice* 33-41 (1981)。然而,在该书中,我确实指出了法律经济学运动从边沁那里所受的恩泽。前引书,页41-42。

〔39〕 参见,Ross Harrison, *Bentham* (1983)。

一思想是被视为规范性学科的经济学——我将在第3章中讨论这一观点——的基础。边沁可能会同亚当·斯密一起被视为规范经济学的创始人,虽然亚当·斯密对于经济学的道德意义是更加充满矛盾的。诚然,尽管像庇古这样有影响的早期福利经济学家都没有引用边沁,而是引用了西芝维克(Sidgwick),[40]并且使用的是"总体福利"(total welfare)这一术语而不是效用;[41]但是,西芝维克的功利主义却可以追溯到边沁。而且,由于法律素来是规范性的——因为法律教授、法官和职业者都在寻求评价行为的基础和提出改革,经济学有一个规范性维度这一事实,在把经济学纳入法律思考方面就具有重大意义。然而,再次地,尽管边沁的启发性影响不容否认,他在起因这层含义上的影响总的看来仍然不那么清楚。假设边沁从未生存过,经济学的一个通向效用最大化的规范性版本,也很可能仍将在边沁死后与法律经济学运动诞生之间的差不多一个半世纪内出现。

我们已经在导论中谈及了法律现实主义。法律现实主义体现了一个古老的法理学论辩的一个侧面,而这一论辩最早在柏拉图的对话《高尔吉亚》篇中就可以完全辨认出来。在《高尔吉亚》中,苏格拉底,在这里作为一个原法律现实主义者(proto-legal-realist),把我们今天称之为律师的雄辩家等同于最低形式的诡辩者和煽动者。晚近,在17世纪詹姆斯一世的统治时期,这一论辩是在柯克大法官与詹姆斯之间展开的,前者赞美"法律的人为理性(artificial reason)",或者我们今天所称的法律推理,后者则不明白为什么法律应该成为一个反启蒙主义的吹毛求疵者协会的保留地。到18世纪末,布莱克斯东取代了柯克的位置,边沁取代了詹姆斯的位置,这一论辩继续进行。尽管布莱克斯东并不是边沁在《政府片论》(1776)中所描写的捍卫职业现状的无耻辩护士,但是他确实赞美了普通法并且强调了法律权利的重要性。相反,边沁认为普通法是一个不可救药的烂摊子,

---

[40] A. C. Pigou, *The Economics of Welfare* 12 (4th ed.1938).
[41] 前引书,页18,24。

第一章 法律经济学运动:从边沁到贝克尔

仅仅对于维持律师费有好处,并且他认为谈论权利毫无意义。但是,他并不仅说了这些;他还试图重建法律,比如说,他提议以一部简单的、易于理解的法典取代普通法,这一法典将在很大程度上免去对律师的需要。他希望法律能在一个由"最大幸福"原则构成的基础上重建,并且抛弃传统法律的传统与用法。

他是伟大的揭穿法律真面目的人,他在英国的众多追随者以及在美国的数量较少但仍深具影响力的追随者[42]——比如美国第一部重要法典的设计者戴维·杜德雷·菲尔德(David Dudley Field),他为纽约州起草了一部程序法典,煽起了边沁主义者(Benthamite)的法律改革的火焰。如果没有边沁主义者的法律批判主义,很难想像奥利佛·温德尔·霍姆斯会写出最终成为法律现实主义宣言的论文,即他1897年的论文"法律的道路"。而且,如果没有霍姆斯无意的发起,就有点难以想像法律现实主义能像它在20世纪30年代那样控制法律想像力(legal imagination)——包括对于法典编纂的热情,这一热情在起草美国各州采纳的统一商法典时达到顶峰。

一个更加困难的问题是,如果没有法律现实主义,吉多·卡拉布雷西是否会开始着手其用经济学眼光重新思考侵权法的计划,这一计划已经证明对于现代法律经济学是根本性的。尽管他的关于侵权法的第一篇论文并没有明白地把他所采用的经济学进路归因于法律现实主义,但却包含了少许现实主义先驱的模糊暗示。[43] 卡拉布雷西是耶鲁法学院的产物,而耶鲁法学院是法律现实主义的堡垒,并且当他在20世纪50年代晚期开始执教于耶鲁法学院时,耶鲁更是与法律现实主义相等同;他的那篇论文及其后来的作品,都可以被认为是充满了现实主义精神。

但是,我是爱怀疑的(并且与卡拉布雷西关于这一主题的谈话加

---

[42] 例如,参见,Jesse S. Reeves, "Jeremy Bentham and American Jurisprudence" 23 - 26 (Indiana State Bar Association, July 11 - 12, 1906).

[43] 参见,Calabresi,前注[8],页500 - 501。

强了这一怀疑主义)。因为,法律现实主义对侵权法采取了一个反经济学(anti-economic)的进路。霍姆斯对于侵权法的威慑作用的漠视是令人吃惊的,他认为运用法律将意外事故受害人的损失转移到加害人身上的惟一恰当的基础就是加害人是可责难的(blameworthy)而受害人不是。[44]他并没有试图给可责性的概念加上一个经济学的意义(像勒尼德·汉德后来要做的那样,正如我们已经看到的),而是在直觉的道德意义上使用"责难"(blame)一词,并且他嘲笑了那种认为侵权责任的另一种理由应当是为避免由意外事故造成的不可预见、且常常是灾难性的损失提供一种社会保险的想法。由于将那些先进的法律思想家、即从霍姆斯那里获取暗示的那类法律思想家的注意力,从把侵权法作为用法律制裁来给危险行为"定价"的管理制度的概念那里移开了,转移至强调责难的道德观念与社会保险的集体主义观念的侵权法概念,霍姆斯使关于侵权的社会科学分析从一开始就不顺利。法律现实主义者认为,有关意外事故伤害的道德因素放错了地方,而且霍姆斯也低估了用侵权法来提供社会保险的社会效用。在现实主义时代,关于侵权的"经济学"思考开始与社会保险而不是与法律的优化冒险行为的用处联系起来,而后者才是侵权的现代经济学分析的重点。

因此,从边沁通向现代法律经济学运动的道路就在这里出现了一个断裂。我们看到的事实是,边沁指出了通向在规范的意义上运用经济学思考的道路,这一点对于法律经济学运动非常重要;他对于法律现实主义的间接引发作用则可能并未对法律经济学运动产生任何影响。

我们已经看到,与边沁联系最为紧密的现代经济学家就是加里·贝克尔。贝克尔对于法律经济学运动意义非凡,尽管由于他的关于犯罪的论文是其广泛的全集(oeuvre)中惟一一篇人们可以从中找到关于法律的详细讨论的论文,这一点还未获得公认。由于边沁关于

---

[44] Oliver Wendell Holmes, Jr., *The Common Law*, lect. 3 (1881).

第一章 法律经济学运动:从边沁到贝克尔 63

犯罪的经济学理论已经被经济学家遗忘——尽管它以某种稀释的形式仍然对犯罪学和刑法有一定影响,贝克尔仅仅通过复兴边沁关于犯罪的理论并用现代经济学的语言加以表达,就对法律经济学起到了重要帮助。但是,贝克尔对于法律经济分析的意义远远超越了对犯罪的经济分析的意义。正如我已经提示的,贝克尔是非市场经济学的伟大经济学家,[45]非市场经济学是法律经济分析的基础,因为,很多法律是规制非市场活动的。贝克尔关于人力资本的研究[46]以及(作为前一研究的分支的)关于雇员赔偿的研究,[47]为雇用和养老金法律这些日益重要的法律领域引入了经济分析,就像我们此前在谈到 ERISA 时所见到的那样。他关于种族歧视的经济学研究对歧视法所起的作用,就像他关于家庭的经济学研究[48]对家庭法所起的作用一样。[49]这些领域现在是法律经济分析的蓬勃发展的亚领域。更重要的是,通过彰显将经济学应用于远离该学科的传统"经济学"主题的活动的可行性与有效性,他还鼓励了其他人把非市场经济学的领域扩展到了如今几乎没有法律领域为经济分析所不及的程度。

贝克尔的研究可以帮助我们看到边沁进路的局限。边沁宣扬了现代术语称之为成本-收益分析的普遍性,但是宣言并不是研究计

---

[45] 例如,参见,Gary S. Becker, "Nobel Lecture: The Economic Way of Looking at Behavior," 101 *Journal of Political Economy* 385 (1993).

[46] 参见,Gary S. Becker, *Human Capital: A Theoretical and Empirical Analysis*, with Special Reference to Education (3d ed. 1993).

[47] 参见,Gary S. Becker and George J. Stigler, "Law Enforcement, Malfeasance, and Compensation of Enforcers," 3 *Journal of Legal Studies* 1(1974). 贝克尔撰写了这篇论文中涉及雇员赔偿的部分。

[48] 参见,Gary S. Becker, *A Treatise on the Family* (enlarged ed. 1991).

[49] 贝克尔也通过对学生和同事(包括我本人)的个人影响而对法律和经济学运动作出贡献。参见,Richard A. Posner, "Gary Becker's Contributions to: Law and Economics," 22 *Journal of Legal Studied* 211 (1993); Victor R. Fuchs, "Gary S. Becker: Ideas about Facts," *Journal of Economic Perspectives*, Spring 1994, pp. 183, 190.

划。除了关于犯罪与刑罚的论文这一特例之外,边沁未能表明,他提出的、作为所有活动领域内之理性行为者的人的模型,如何可以被用来解释或规制行为。

第二章

言论市场

在导论中,我把宪法性法律作为我们忽略法律规则之后果的一个显著例子。我们现在知道,经济学是一门关于人类行为之后果的科学,从而,我们可以用透过经济学的视镜观察法律的方式,在理解宪法性法律之后果上取得一些进步。在本章中,我将根据宪法第1修正案的言论自由条款来检验这一可能性。这一考察所涉及的,是采取一种通向言论自由(freedom of speech)的工具性进路,在这一进路中,自由仅在它促进诸如政治稳定、经济繁荣以及个人幸福等特定目标的范围内才受到重视。[1]这一进路将与道德进路形成对比,在后者,言论自由被当作一个有关人的正当道德观念的推论或寓意。例如,在这一道德观念下,人们被视为自我导向(self-directing)的生物,因而他们既应有权表达他们自己的思想和观点,又应有权接受那些可能便利他们实现自己作为自由、理性的选择者之潜能的任何思

---

[1] 参见,Richard A. Posner, *Economic Analysis of Law*, ch. 27 (5th ed. 1998); Posner, "Free Speech in an Economic Perspective," 20 *Suffolk University Law Review* 1 (1986); Daniel A. Farber, "Free Speech without Romance: Public Choice and the First Amendment," 105 *Harvard Law Review* 554 (1991); Eric Rasmusen, "The Economics of Desecration: Flag Burning and Related Activities," 27 *Journal of Legal Studies* 245 (1998). 这一进路也受到批评,参见,Peter J. Hammer, "Free Speech and the 'Acid Bath': An Evaluation and Critique of Judge Richard Posner's Economic Interpretation of the First Amendment," 87 *Michigan Law Review* 499 (1988).

想和观点。[2] 这样,道德进路就把一种内在价值加于言论之上,尽管这一内在价值并不必然是一种不能被其他价值所凌驾的价值。在我看来,而且不仅仅是在我看来,这一理论就像其他道德理论一样绵软(spongy)和武断。[3] 道德理论不能解决自由言论问题,就像神学不能解决在第 1 修正案的宗教条款下产生的争论一样。

密尔在《论自由》中将两条进路——工具性(或者说经济学)进路与道德进路——融合起来,而主张,思想和表达自由不仅对于产生真实、有用的思想是必要的,而且对于使个人能够为发展潜能而发展其全部潜能也是必要的。这一融合表明,这两条进路之间可能并没有很大的实际差别。然而,工具性(实用主义、经济学)进路不直接处理容易引起争议的道德与意识形态问题,并使言论自由能够根据人们愿意指定的任何目标而得到有效分析——有效是因为,思考针对特定结果的手段要比思考结果本身容易得多。并且,由于第 1 修正案使用了"言论自由和出版自由"[4] 的术语却没有下定义,由于这一术语的前宪法历史是模糊的,还由于解释这一术语的司法决定并未形成一个历时的或贯穿自由言论法律之不同亚领域的和谐模式,因此,言论自由的法律概念是易变的和可争论的,从而可能为工具性进路所引入的实践性因素塑造,并随着那些因素的改变而变化。

事实上,尽管工具性进路并不是第 1 修正案要求的,但它却具有一个值得尊敬的宪法家谱。第一个使自由言论的宪法保护出名的案

---

[2] 例如,参见,Thomas Scanlon, "A Theory of Freedom of Expression," 1 *Philosophy and Public Affairs* 204 (1972). 这是否意味着,如果演讲者鼓动听众为了听众的利益而掠夺其他人,就像很多纳粹和共产主义者的演讲一样,镇压演讲就会以某种可责难的方式破坏观众的自治? 为什么一个观众就应当被认为具备了接受这样的信息与鼓动的权利呢?

[3] 关于一个来自哲学内部的有力批评,参见,Joshua Cohen, "Freedom of Expression," 22 *Philosophy and Public Affairs* 207 (1993). 虽然科恩主张接受一种针对言论自由的内在性辩护和工具性辩护的混合体,前引书,页 230,但是,他的内在性辩护——大意是,人们喜欢表达他们的观点,参见,前引书,页 224 - 225——在我看来更应当称为外在性的:它是把言论自由作为个人效用的功能意义上的一种辩论。

[4] 我用"言论自由"来指称两者;一个更好的术语应当是"表达自由"。

例——申克诉美国(Schenck v. United States)[5]——就采用了工具性进路。美国参加第一次世界大战之后,查尔斯·申克,社会党的总书记,安排将 15 000 份传单发给应征入伍者,谴责战争并鼓动人们抗议征兵。这些传单并没有鼓吹诸如拒绝服役等非法措施,但是申克承认,一个通情达理的陪审团会感到传单的内容已经"促使[被征兵的人]去阻碍征兵的执行"。[6] 根据霍姆斯大法官的意见,最高法院是支持定罪的。霍姆斯写道,"在平常时期",社会党或许会有散发这些传单的第 1 修正案权利。"但是,所有行为的性质都受制于作出这一行为的环境。最严格的自由言论也不会保护在剧场里错误地大呼失火并因此引起恐慌的人。"[7] 因此,当"所用言词所处的环境和本身的性质都达到了会造成清楚而迫切之危险的程度,以至于国会有权预先制止这些言词会带来的巨大灾祸"的时候,言论就可以被压制。[8] 当国家处于战争时期,国会在防止士兵的征募受到妨碍方面就具有一种合法的和确实紧迫的利益,而申克的行为既具有妨碍征兵的意图又具有实际的趋势。

在剧场里错误地大呼失火的案例中,言论引起的危害是直接的、明显的、严重的和几乎肯定会发生的。在向征召入伍者邮寄反战宣传品的案例中,(妨碍征兵的)危害如果实际发生的话或许是严重的,但是,较之在拥挤的剧场里大呼失火的案例而言,这一危害发生的概率较小;多数类型的由言论引起的危害所具有的概率(probabilistic)特性在征兵案中是显而易见的。霍姆斯的"清楚而迫近之危险"的检验要求概率必须很大(尽管不必像失火案中那么大),并且危害必须是即将发生的;换言之,危害的危险必须很大。经济学家会说,要量化一个不确定的危害,你必须用危害折以(乘以)其发生的概率。这

---

[5] 249 U.S. 47 (1919).
[6] 前引书,页51。
[7] 前引书,页52。
[8] 同上注。

一概率越大,预期的危害就越大,从而,制止或惩罚造成危险的言论的理由也就越充分。[9] 并且,概率越大,危险就越清楚(即越确定)和越直接。经济学家还会说,如果危害发生的话,危害的大小也是相关的,因为,要确定预期的危害,正是要把大小作为被除数。我在后面还要回到这至关重要的一点,即霍姆斯的公式忽略的一点,尽管在他就战争时期与平常时期所作的对比之中可能对这一点有所暗示。

直接性具有额外的重要性,这一点再一次被在拥挤的剧场里错误地大呼失火的案例所例证:言论所引起的危害越直接,单单依赖言论者之间的竞争和其他的信息来源、而不需要公共干涉来转移危害就越不可行。用经济学术语来说就是,当危险的言论是发生在这样的环境下,即当反对言论(counterspeech)——一种以与普通市场上的竞争保护消费者利益的方式基本相同的方式来保护听众利益的竞争形式——不可行时,"市场失灵"[10]就更加可能。这并不意味着,只有在危害是直接的时,言论才可以管制——好比说"如果没有一个可能的、直接的和严重的危害的征兆,政府就不能管制政治言论"。[11]这样的立场会否认直接性与严重性之间存在某种权衡,正如会要求危险既是可能的又是严重的一样。如果危害足够严重,它就应当受到管制,即使它不大可能;而如果危害足够可能,它也应当受到管制,即使它不是特别严重;尽管这两个判断都取决于环境。回想一下我在第1章中就汉德的过失公式做出的类似的论点。

霍姆斯在申克案的仅仅几个月后写就的异议意见中所用到的言

---

[9] 这一公式在勒尼德·汉德在美国诉丹尼斯案中对清楚而迫切之危险这一检验所做的重述中表述得很清楚。United States v. Dennis, 183 F. 2d 201, 212 (2d Cir. 1950), aff'd, 341 U.S. 494 (1951). 这一公式与我们在前一章中已经讨论过的汉德的过失公式的相似之处,应当是显而易见的。

[10] 关于言论市场上的市场失灵的材料,参见, Albert Breton and Ronald Wintrobe, "Freedom of Speech vs. Efficient Regulation in Markets for Ideas," 17 *Journal of Economic Behavior and Organization* 217 (1992).

[11] Cass R. Sunstein, *Democracy and the Problem of Free Speech* 122 (1993).

论自由的市场暗喻,显示出用明确的经济学术语重构工具性进路的可能性。他说,只有当一个思想在思想市场上在与其他思想的竞争中占上风时,这一思想才是正确的(更确切的说,是像我们所能达到的那样接近正确)。[12] 因此,政府压制思想竞争就危害了真理。我们可以看出,通过这样认识到言论自由的收益,在申克案中只讨论了自由言论的成本的霍姆斯,在就亚当姆斯案所写的异议意见中则勾络出了成本-收益算法的另一方面。[13] 霍姆斯在这两个案例上的强调点不同是很自然的,因为,在前一个案例中他要驳回第1修正案的主张,而 在后一个案例中则要力促对第1修正案的接受。在这两个案例中,极端左翼分子都煽动反对美国参加第一次世界大战,虽然亚当姆斯案的具体目标是阻碍向俄国派遣军队以镇压刚刚与德国休战的布尔什维克。申克案的被告确实是试图通过向应征入伍者邮寄传单来阻碍征兵。亚当姆斯案的被告则是普遍地散发传单;尽管一些应征入伍者和军需品工人可能会成为传单的接受者,但是,没有证据表明被告试图让这些传单到达入伍者或军需品工人的手中。[14] 因此,在亚当姆斯案中,对战争努力造成实际阻碍的危险比较小。

　　霍姆斯的两处意见包含了言论自由的经济学进路的萌芽,但仅仅是萌芽而已。申克案中对言论的成本的分析是不充分的,因为霍姆斯仅仅关注于如果允许该言论则会引发危害的概率,而并未注意

---

〔12〕 Abrams v. United States, 250 U. S. 616, 630 (1919). 霍姆斯的这一观点应当归于查尔斯·山德斯·皮尔士(Charles Sanders Peirce),再往前则应当归于约翰·斯图加特·密尔(John Stuart Mill)。参见, David S. Bogen, "The Free Speech Metamorphosis of Mr. Justice Holmes," 11 *Hofstra Law Review* 91, 120, 188 (1982).

〔13〕 在认为霍姆斯在申克案和亚当姆斯案中的意见互为补充这一点上,我背离了更为通常的认为它们不一致的观点,这些观点可以参见, David M. Rabban, *Free speech in Its Forgotten Years* 280-282, 324-325, 346-355 (1997). 罗班的部分论据在于申克案意见中的那些似乎削弱了(undercut)"清楚而迫切之危险"这一言论保护的剑锋的段落。对两处意见的和谐性的辩护,参见, Bogen, 前注〔10〕。

〔14〕 参见, Richard Polenberg, *Fighting Faith: The Abrams Case, the Supreme Court, and Free Speech* 104 (1987).

危害实际发生时危害的大小;即他只看到了决定自由言论的预期成本的一个因素。而亚当姆斯案的异议意见则没有考察思想之间的竞争并不总能产生真理的可能性——在申克案中,真理是应征入伍者应当参加战斗;在剧场假设中,真理是剧场没有失火。而这一可能性是申克案的一个隐含前提。事实上,申克案究竟有没有涉及"真理"都是可以怀疑的。这一案例的关注并不在于被告在这里撒了谎;而在于他们使得一项重要的国家事业陷于危险——与之类似的例子是传播真实的制造毒气的公式。在这些案例里,思想的竞争是不可欲的,甚至特别是在竞争能产生真理时,可能更是如此。

霍姆斯提出的进路能被推广并被实际运用吗?它可以被形式化,尽管这是另一回事。如果用 B 来表示受挑战的言论的收益;用 H(代表危害)或 O(代表不快[offensiveness])来表示允许该言论的成本(火灾、逃命、骚动、叛乱等等);[15] 用 p 来表示若该言论被允许则成本实际实现的概率;用 d(跟 p 一样,介于 0 到 1 之间)来表示未来的成本或收益对现在的成本或收益的换算率;用 n 来表示若该言论被允许言论发生与言论实现产生的危害可能发生的时间之间的年头(或其他时间单位)数;用 A 来表示执行禁止言论的管制的成本,则这一言论应当被允许的条件是,当且仅当:

$$(1) \quad B \geqslant pH/(1+d)^n + O - A$$

即,当且仅当言论的收益等于或大于其成本除以成本的概率和未来性,然后减去执行禁令的成本时,才应当允许这一言论。

必须把执行成本(A)从言论成本中减去的理由是,如果允许该

---

[15] 区分危害与不快的理由一会儿就会清楚。

言论的话,就可以节省执行禁令的成本。[16]这就是为什么 A 越大(同时 p,H,O 越小,d 和 n 越大),言论的收益就越有可能大于其成本的原因。体现这一点的另一种方式是将不等式(1)重写为:这一言论应当被禁止的条件是,当且仅当:

(2) $\quad pH/(1+d)^n + O \geqslant B + A$

即,当且仅当言论的预期成本大于言论的收益与执行禁令的成本之和——禁止的成本还包括证明这一禁止为正当的成本,这一言论才应当被禁止。不错,自由言论保护的执行没有成本这一默示假设不切实际。但是,这一分析的关键在于,禁止的执行成本大于保护的执行成本;A 可以被看作是第一个成本减去第二个成本的差。

或者,我们以 x 表示潜在地有害或危险的言论受管制的严格程度;x 越大,言论自由的空间就越小。如果以 C 代表压制某一特定类别的言论的净社会成本,则:

(3) $\quad C(x) = A(x) + B(x) - [pH/(1+d)^n + O](x)$

压制的净成本越大,执行成本和被压制的言论的收益就越大;压制的净成本越小,言论就越有害或越让人不快。通过对 C 求 x 的微分并且让其函数值等于零,就得到:

(4) $\quad A_x + B_x = -[pH/(1+d)^n + O](x)$

---

[16] 假设言论的收益是50,成本是70,但是禁止它的成本是40。尽管言论的成本大于其收益,但是,宣布这一言论为非法并不是一项有益的社会事业,因为宣布其非法的成本——50,即所失去的收益,加上40,即宣布其为非法的成本——将大于宣布其为非法的收益,即将被禁绝的言论的成本——仅为70。

其中,下标表示导数。表述起来就是,当严格程度稍一增大,所增加的执行成本和对言论的价值的损害就比所减少的危害和/或不快更多时,所得到的数值即为最优的严格程度。

我提出这些公式是作为一种启发,一种结构和思考言论管制的方式,而不是作为一种法官使用的运算原则。由于遍及言论自由领域的不确定性,将工具性进路实际运用于这一领域所面临的问题是难以克服的。对于不同程度的言论自由所产生的社会后果,我们恰恰缺乏必要的了解。

要说明这些公式的启发性价值,还需要进一步考虑两个变量——B,言论的收益,与O,不快。B不必与社会或科学的进步、政治的自由或稳定方面的提高有关;美学的、甚至性的快感,与民主或真理一样,也是一种真正的收益。B也有可能是负的价值。即,对言论的某些限制事实上会促进言论。让我们来考虑一下阿肯色州教育电视委员会诉福布斯案(*Arkansas Educational Television Commission v. Forbes*)中的下列变量。[17]我们的问题是,有(让我们假定)十位候选人,其中只有两位是来自诸如素食主义者和社会主义者这样的边缘党派。如果为了避免限制言论,当局邀请所有候选人都参加辩论的话,那么每一位竞选者能利用的时间就会被大大缩减。但是,若是因为边缘候选人没有获胜的机会,竞选领先者要说的,较之边缘候选人要说的,就可能对听众更有价值。[18]仅限于领先竞选者之间的辩论就可能会形成一个更大和更有吸引力的听众群,并为这一听众群的成员提供有关论题和候选人的更有帮助的信息。从而,对边缘候选人的言论机会的限制,有可能会增加辩论整体的言论收益。

至于O,不快:如果一个人在拥挤的剧场大呼"失火了!"(这时

---

[17] 523 U. S. 666 (1998).
[18] 可能,而并非必然。主要党派可能是从边缘党派发展起来的,边缘党派可以贡献后来被主要党派学习的思想,边缘候选人也可以成为主要候选人——顺便说一下,所有这些都可以用希特勒和纳粹党的崛起加以例证。这些例子作为对于政治的自由言论并非纯粹的神圣之物的暗示而言,是非常中肯的。

并没有失火——或者这时可能真的失火了!)并引起了一场恐慌并有其他观众在这场恐慌中被践踏,那么危害是不容否认的。如果色情文学的销售导致若无色情文学的买卖就不会发生的强奸,也是同样的。但是,我们应当怎么看待单从色情文学正在被出售或者无神论或社会主义正在被宣传这一事实中涌现的义愤呢?那与任何其他负效用有什么不同吗?约翰·斯图加特·密尔认为二者是不同的。他区别了有关自己与有关他人的行为,后者是指对他人有切实影响的行为,前者则是指那些仅仅基于行为在发生(一个令人迷惑的术语)这一事实才能说对他人有影响的行为。密尔所举的从有关自己行为的角度看来有危害的例子,是英国人在得知远在千里之外的犹他州公开推行一夫多妻或一妻多夫制时感到的愤怒。[19]他认为这样一种危害,这样一种"成本",在道德或法律判断中不应当重视。但是,成本就是成本,不论它是实际看到的后果(例如,看到一个男子由于受到色情文学的刺激而暴露其生殖器)还是仅仅读到的后果(例如,读到有关色情文学的刺激作用)。虽然前一例子中的成本可能更大,[20]但是,危害是通过思想或回忆传递的、而不是直接感官刺激的产物,这一事实本身并不需要特别强调。

"清楚而迫切之危险"的检验并不是为那些基于不快的管制而设计的;因为由令人不快的言论引起的伤害并不是迟缓或概然的,而是直接和确定的。这就是为什么,与我用 H(代表危害)表示的成本不同,不等式(1)和不等式(2)把 O 作为一个现在的和确定的成本,而非未来的和假定的成本。在霍姆斯的时代,政府压制令人不快的性言论的权利被视为非常的理所应当,以致于他认为没有必要提出一个足够宽泛的自由言论的检验标准,从而把令人不快的言论连同危险的言论一起包括在内,尽管,当然在某种意义上,亚当姆斯案与申克案中的小册子,无论实际上是否危险,对于爱国情操而言都是"令

---

[19] 参见,John Stuart Mill, *On Liberty*, ch.4, 1895.
[20] 因为"有效启示"(availability heuristic),这一点我将在后面的章节中加以讨论。

人不快的"。

这一公式并没有明确地提到政府镇压特定言论的动机。例如，有可能是为了禁锢对政府官员的批评，强加意识形态的统一，或者阻碍反对党在平等条件下参与竞争。基于动机的检验常常不能令人满意，因为动机很容易隐藏。动机通常必须从后果中加以推断，而集中于后果的检验好像会让我们遗漏掉中间人（middleman）。根据我的进路进行分析，禁止批评立法者的法律是坏的，因为其成本将大于对其收益的任何合理估计；而评价说这一法律的动机可能是自私的，并不能带来更多的东西。

假设（一个很大的假设）自由言论的收益与成本都可以评估，那么我正在探究的进路就不能由于明显与第1修正案分析的传统不相符合而被漠视。成本-收益进路，不论它与那些自由言论的意见的特别夸张的修辞是多么不同，都隐含在了申克案的多数意见和亚当姆斯案的异议意见之中，并且这两处意见早已在自由言论的法律中取得了规范性的地位。它并非法院使用的惟一进路；[21] 而且，它或许还缺少从弥尔顿到迈克勒约翰（Meiklejohn）的有关言论自由的话语所特有的修辞高度。但是，在美国法律史上，再没有比霍姆斯的亚当姆斯案的异议意见更为雄辩的意见了。我提出的进路也不会取代言论自由因被最高法院列为"优先的"自由而占据的位置。普通的立法并不需要通过成本-收益检验来保障与宪法相符合，并且大多数立法要通过这样一个检验，也并非一蹴而就的事。但是，在言论自由的成本-收益进路下，只有在限制言论的收益明显大于其成本时，才可以允许限制言论的立法或其他政府行为。

有关言论自由的法律在某种程度上已然是与经济学的进路同构

---

〔21〕 特别地，在布来登伯格诉俄亥俄州案中（Brandenburg v. Ohio, 395 U. S.444 [1969]）（简单一致决定[per curiam]），最高法院采纳了"清楚而迫切之危险"这一检验标准的一个极端狭义的版本，退回到丹尼斯案中勒尼德·汉德法官所采纳的经济学检验。

了。让我们考虑一下关于"论坛"(fora)的精致的法理学。[22]法院区分了传统的公共论坛、指定的公共论坛、受限的公共论坛以及非公共论坛。第一等级主要由公共街道、人行道和公园组成,这些场所传统上是可以供公共集会和示威的。第二等级由那些虽然传统上并非专用于表达目的、但政府决定为此目的而开放的公有场所。第三等级(经常被作为第二等级的一部分)包括为特定类型的表达而设置的公共场所,比如公有的剧场。第四等级包括所有其他公共财产,其中一些可能适于表达活动(例如,军用基地的道路和人行道或者机场的中央广场),但它们都不是特别为表达活动而设的。在第一和第二类场所,政府只能管制言论的时间、地点和方式;在第三类场所,政府可以根据设备所针对的特定类型而限制言论的类型;在第四类场所,政府则可以随心所欲地限制言论,只要它能够在各种相互竞争的观点中保持中立(当然,这一限制条件也适用于其他三种类型)。

这些区分具备了某种粗糙的经济学意义。传统的和指定的公共论坛不必花费多少成本就可以被用于表达活动;如果为了避免拥挤而予以一定限制,这些限制也可以允许。对于目的受限的论坛,如果不能强加这一限制,这一论坛就无法存在;设想如果剧场不得不被允许用于示威、政治集会、围戒等诸如此类的活动,剧场将会变成什么样子。这是类似于福布斯案的另一个例子,说明了限制言论可以实际促进言论。[23]最后,如果在物理上适于示威或其他表达活动的任何一件公共财产都可以为了这种目的而被霸占的话,政府的工作就很难干了。

除了从一些深奥的法律分类中得出某种实践意义之外,经济学进路的价值还在于,它可以把注意力吸引至遭遇压制的言论的语境

---

[22] 多处地方对此有所总结,比如,Perry Education Association v. Perry Local Ecucaors' Association, 460 U. S. 37, 45–46 (1981). 拉丁文复数的古老用法给这一法理学增添了一种博学的假想。关于对公共论坛概念的晚近应用,参见,Chicago Acorn v. Metropolitan Pier and Exposition Authority, 150 E3d 695 Cth Cir. 1998).

[23] 还有一个例子是版权法,它通过限制复制而增加创造精神财富的经济动力。

——霍姆斯在申克案中有益地明确说明了这一点：战争与和平，拥挤的剧场与空荡的剧场。对语境的注意有助于排除地方局限与时代错误，而这些局限和错误导致很多言论自由的现代研究者，谴责那些与现今美国社会完全不同的社会对言论自由所施加的限制。我们的国家是如此的富有、强大、安全和政治稳定，它的人民对于历史和国际标准是如此的见多识广，并可以如此轻易地获得不同的观点，因此，除了极少数的例外以外，允许每个人随心所欲地讲话，完全没有危险可言。但并非在任何时候，也不是在任何地方，这一点都是正确的，因此，经济学家对于言论自由并非总是也确实不是在任何地方都像今天在我们这个国度里一样地被广泛理解这一事实既不感到惊讶也不必加以批评。

关于自由言论的现代思考被后见之明的谬误所歪曲。基于对社会主义的煽动决不会对国家造成真正威胁（尽管当时并不知道这一点）的后见之明，自由言论的学者往往不考虑霍姆斯在申克案中提出的顾虑。而还是批评申克案和丹尼斯案的这些人，他们中的很多人却担心因特网上的言论自由。法律给予言论的保护的宽度，与道德洞见无关，而是由人们可以感觉到的受保护言论的无害所决定的。

言论有可能无害却非常令人不快。但是，如果像看起来的那样（这一问题将在第9章进一步探讨），规范（norms）正在失去对美国人民行为的控制——如果我们越来越成为一个受法律治理的个人社会，而不再是一个受规范治理的社团社会——那么，对于人民无视规范的愤慨，就不可能达到足以动员政府力量的强度。传统和不快是一个硬币的两面；如果传统性很小，让全国大多数人感到非常不快的可能性就非常小。大多数美国人都是或多或少信教的、平等主义的，甚至是有点固执的；但很多人不是，而且他们中的大多数都只是微微如此。[24]他们很难被震动。由于在地方甚至州的层次上存在更大

---

[24] 在第9章，我将批判性地探讨，说美国人是西方世界"高度信教的"，或者"最信教的"人，究竟是什么意思。

的同质性,这些层次上的压制压力就更大。随着压制更加可能而后果更不严重,地方层次的压制的净预期成本就可能与国家层次上的一样多。如果是这样的话,这就为支持最高法院借助对第 14 修正案所做的无论如何也不是必然的解释、而将第 1 修正案自由言论条款的全部力量运用于国家和地方行为的决定提供了一条实际理由。

如果成本或收益相当不确定,将成本和收益作为其核心成分的进路就很容易受到批评。就像在对言论进行管制的场合一样。备受奚落的审查制度的历史所表明的,并非审查制度在任何时候、任何地方都是错误的,而是审查人员没有能力对危险或令人不快的言论的真理或其他价值作出判断(然而,这一奚落被摆错了位置,因为大多数审查制度关注的是危险而不是谬误)。用审查人员所用的方法来决定真理所面临的内在困难,与虚假主张和错误理论也可能有相当的社会价值这一事实混在一起。它们不仅(如密尔在《论自由》一书的第 2 章中强调的)刺激真理的捍卫者更加努力地去思考他们的观点,更加清楚地去阐述他们的观点,并用更多的证据支持他们的论点;它们还揭示出可能需要予以矫正的不满或误解的根源。这两点都可以通过"仇恨演说"以及一般意义上的言辞骚扰(例如,工作场合中与威胁和诱惑无关的口头的性骚扰)加以说明。在仇恨演说是由误解仇恨对象——比如黑人和同性恋者——造成的情况下,允许仇恨演说的发泄,可以迫使这些群体的支持者超越关于平等的虔敬布道,超越对那些与特定群体相关的社会病症(诸如黑人群体的犯罪暴力,以及男同性恋者群体通过性传染的疾病)的难以令人信服的否认,而采取进一步的行动。仇恨演说还可以让政府认识到激发仇恨演说者的无知和怨恨的根源,并采取措施来清除这些根源。针对大学与雇主的使命的仇恨演说的成本,是否以及在何种程度上证明了压制这一言论的合理性,是一个独立和困难的问题,在本章中我一会儿还要回到这一点。当前的要点仅在于我们不应当假定这一言论没有任何社会收益,即使它很少真理,甚至没有任何真理可言,就像我们不应当仅仅因为有害的或令人不快的言论是正确的就假定它对社会有益一样。

容忍仇恨演说的一个微妙的好处还在于,它可以避免演说者通过乐于为其信念而受关押或其他惩罚来表明其坚定不移的信念。慈悲是殉难的解毒剂。容忍煽动性言论,通过使演说者更难证明他们对于自己所言是极度认真的,或许可以减低而不是提高公共辩论的激烈程度。让我们来考虑一下表面上煽动性的表达形式,即燃烧国旗。正如最高法院所指出的,如果一个人可以燃烧国旗而不受惩罚,就会大大削弱这一姿态的力量。讲演越是廉价,就越不可信;而容忍使演讲变得廉价。当然,消除殉难可能是好事也可能是坏事;这是一个困扰着对自由言论问题分析的不确定性的例子。

一个案例一个案例地来评价言论的收益似乎并不可行,而一种类型化的进路看起来似乎是可行的。这一进路在自由言论的评论者中非常流行。它涉及的是对一种等级体系的创造,比如说,政治与科学言论最受保护,其根据在于,从社会角度来看它价值最大,或者(在政治言论的场合)就鼓舞第1修正案的制定者和批准者的那些关注而言,它更为核心。而商业广告以及艺术和娱乐,包括色情文学,则受到较少的保护。有关犯罪的威胁和引诱则得不到保护。

类型化的进路对于最低一种类型可以非常精确地起作用。如果言论的惟一目的和可能效果就是造成无可辩驳的犯罪活动,那么这一言论就确定地是无用的——不等式(1)的左边为零。问题仅仅在于,这一言论的成本是否大于禁止它的成本,即不等式的右边是否为正。使得诸如丹尼斯案的社会主义案例变得困难的原因是,美国社会主义党既是国外敌对政府的阴谋代理人,又是关于经济、社会等级、种族主义、外国政策以及其他重要社会现象的有趣思想的来源。

然而,在带来一些合法收益的言论类型的广阔范围内,等级化的进路失败了,因为它完全混淆了边缘的收益。从一个全面的社会立场来看,禁止所有政治言论似乎比禁止所有艺术言论更加糟糕;[25]但是,这并不是一组审查人员或者其他被要求禁止某一特定言论的审判人员所面临的选择,不论这一特定言论是一个商业广告、一部暴力的电视节目、一本图解的女同性恋小说,还是一场夜总会的暴露演出。即使政治言论在社会意义上比小说更有价值,一本鼓吹种族屠杀的小册子也可能比亨利·米勒(Henry Miller)的绝对非政治的小说更没有社会价值,即使读者从米勒的小说中获得的某些快乐是来自于小说色情描写的成分。人们不能指望政府允许对其自身的批评,这一点无庸置疑。政府是不能信任的,绝对如此。政府很可能压制任何激进的非主流言论,无论这一言论是政治的、宗教的、商业的,还是美学的,而其后果与任何关于言论价值的等级都不相干(对这一点的另一种表述方式是,政府就是支持政府的群体)。西班牙、葡萄牙和意大利在现代社会早期对于科学自由的压制(或者赦免教会对其的压制),较之对于政治自由的压制,对其人民长期福利的危害可能更加严重。[26] 要求授予政治言论以特权的人们,往往是那些只认为政治是人民所参与的最重要的活动的人。

　　支持对政治言论给予特别保护的一个更好的理由涉及到"投票者悖论",即假定选举由一票所决定的概率小到难以觉察,为什么每个人还都要在政治选举中投票的难题。很多人确实投票,但是由于投票的私人价值非常微小,所以为充分了解与选举有关的问题而进行投资的动力也就非常微小。由于私人对政治思想的需求非常微弱,所以试图通过赋予这些思想的生产以广泛的法律特权来减小这一生产的法律成本,是有意义的。

　　如果用法律的手段估计言论的收益不可行,那么成本－收益进

---

[25] 即,从我们社会的立场来看。是否每个社会都会或者都应该以此种方式区分优先次序,无论如何都是不清楚的。文艺复兴时期的意大利,可以作为一个看似可信的反例。

[26] 我将在下一章中着手分析繁荣与政治自由之间的关系。

路的焦点就不得不放在言论的成本上。言论的成本有时确定地为零,甚至为负。试想波萨多案(*Posadas de Puerto Rico Associates v. Tourism Company of Puerto Rico*)。[27]这一案例认为,既然波多黎各可以符合宪法地禁止所有赌博,那么,禁止在波多黎各(但不包括在其以外)为波多黎各政府合法化的赌场赌博做广告,就没有违反第1修正案。即使人们认为在通常意义上广告比政治言论更不值得法律保护,最高法院的这一决定对于经济学家也没有多少意义。[28]禁止广告的表面理由是为了减少赌博对波多黎各居民的诱惑[29](这一目的与赌场赌博的合法化并非是不一致的,因为,只要承认试图压制赌场赌博也无用,就会导致它的合法化)。禁止可能在这方面产生了一些作用。但是它同时也减少了赌场的广告成本。这一减少应该导致赌场降低其价格——而这反过来又会使赌博比禁止前更有吸引力。从而,禁止很可能会使消费者失去有价值的信息,却不会减少赌博瘾所带来的任何有害的副作用(诸如破产、贫困、侵占公款或自杀);甚至还可能促进了这些副作用。

有时候,有害或令人不快的言论的社会成本可以被最小化,而不会极大地减少其收益;有时候,正如我在前面谈到的,对言论的管制可能实际上加强那些收益。这样的案例给操作或评价成本－收益分析的司法能力所施加的压力很小。限制参加电视转播辩论的人数,禁止误导性广告,以及为反对复制和诽谤而提供法律救济,都是这样的例子。要求所有出售色情作品的书店都迁至"红灯"区的法律,就减少了与色情文学相联系的成本,同时也保留了色情文学可能带来的主要收益。禁止色情文学的法律会更大地减少成本,但是,在强制执行的程度上,可能会消除大部分收益(同样地,如果版权法和诽谤

---

[27] 478 U. S. 328 (1985).

[28] 参见,Fred S. McChesney, "De‑ *Bates* and Re‑ *Bates* : The Supreme Court's Latest Commercial Speech Cases," 5 *Supreme Court Review* 81, 102‑105 (1997).

[29] 通过允许赌场所在国外做广告,波多黎各表明它一点都不在乎对非居民的腐蚀。

法也这样严格的话,就会导致在未经他人同意的情况下,阻止对他人思想的任何利用和对他人行为的任何批评)。而且,要执行如此严格的法律,就更加昂贵了。这些论点与前面我评价那些位于边缘地带的特定形式之言论的成本和收益具有的重要性的论点,是相关联的。

对于主张限制(curb)色情文学的激进的女权主义计划而言,执行法律的成本是一个未充分强调的反对理由。安德鲁·德沃金(Andrea Dworkin)和凯瑟琳·麦金农[30]草拟的反色情文学法令,要求证明被告对色情文学的制造或销售对原告有损害。这一证据的调查成本,特别是误差成本,会非常之高,因为,要确定对色情文学的接触与特定行为之间的因果关系是极为困难的。对色情文学的更为彻底的禁止,即无需证明损害,执行起来会更为昂贵,正如扑灭其他道德侵犯之努力的经历所显示的那样。为确保一项禁令有效而必需的大量强迫性执行成本,将淹没因免除损害证明而节省的成本。

考虑到这些成本以及度量色情文学收益的不可行(尽管可以把色情文学产业的整体收入作为其毛收益——只要能够得到这一数字),对色情文学的全部社会成本的估计就成为关键。某些社会成本,特别是那些由于对被请来作画报色情作品的模特和女演员的临时利用和滥用所产生的成本,是"硬核"(hard core)色情文学这一正式违法行为的典型产物(artifacts),这一典型产物剥夺了模特与女演员本应得到的、通常的合同和法律保护,而工人和生产者却可以享有这

---

[30] 该法令赋予因用图形描述女子从属于男子的素材的销售而受到损害的任何人以对销售者提起一个民事诉讼的权利。该法令被印第安纳波利斯所采用,后来被宣布为违宪。参见, American Booksellers association, Inc. v. Hudnut, 771 F.2d 323 (7th Cir. 1985), aff'd without opinion, 475 U. S. 1001 (1986).

些保护。[31] 女权主义者所抱怨之事——即,色情文学使错误和令人不快的关于女性性事的陈词滥调成为永恒、甚至刺激男人强奸或虐待、贬低或轻视女人的趋势——的主要成本,更有待确定。[32]

保守的色情文学反对者强调的往往不是危害,而是色情文学所带来的不快。但是,像大多数密尔意义上的有关自我的危害一样,这种不快非常难以度量,即使是最粗糙的度量。并且,是否应当大大强调不快并以此作为限制言论自由的基础,也值得怀疑。不快常常是挑战重要价值和信念的副产品,而这些挑战是思想和意见市场的一个重要部分。当人们的生活方式受到挑战时,他们会感到不安,而这一不安就可能是怀疑的开始,并可能最终导致有益的转变。想一想所有那些在首次提出时极度令人不快、而今却成为常规的思想和意见吧。也许,允许人们听取和表达那些可能会对其他人的价值和信念构成挑战的思想的一个条件应当是,他们愿意将同样的权利赋予其他人,并因而同意不应将不快作为惩罚表达的一个可以接受的理由。色情文学就是一个相关的案例。今天,激进女权主义者的令人讨厌之处(bête noire)在于,从历史上看它是与挑战政治权威相联系的,[33] 而事实上则是与女权主义相联系的。[34]

这一分析暗示了对我前面的论点的限制,我前面的论点是,密尔

---

[31] 对儿童的使用并不是违法行为的一个后果,但是不必通过禁止色情文学就可以禁止它。可以假定并不涉及对儿童的使用的儿童色情文学,例如纯粹口头的儿童色情文学(小说 Lolita,或者是经删改后拍成的电影或由成年女演员饰演的电影 Lolita),应当与其他形式的色情文学受到同样的对待,在没有证据证明儿童色情文学引起儿童骚扰的情况下,它与为恋童癖提供手淫帮助截然不同。但是,这是从不快的角度进行的抽象,是另一个禁止色情文学的出发点了。

[32] 参见,例如,Paul R. Abramson and Steven D. Pinkerton, *With Pleasure: Thoughts on the Nature of Human Sexuality* 188 - 190 (1995); Richard A. Posner, *Overcoming Law* 361 - 362 (1995).

[33] 参见,例如,Robert Darnton, *The Forbidden Best - Sellers of Pre - Revolutionary France*, ch.3, 1995.

[34] 前引书,页 114。

意义上的有关自我的行为是成本,正像有关他人的行为一样。这一论点反映了一个统计分析,而忽略了动态的后果——恰恰是密尔强调的后果。无视很可能会造成的侵犯而允许言论的最大自由,或许可以使社会进步最大化;如果是这样的话,收益就很可能超过不快的成本——这一成本无论如何都可能是适度的。猛打一个人的头骨,很可能既对这个人是更加昂贵的,从长远后果来看又是更少收益的。毕竟,密尔在有关自我的行为与有关他人的行为之间所做的区分,还是有其经济学基础的。

但是,"不快"并不是一个同质的现象。在公共场所或工作场所展示色情作品的情况下,部分观众是非自愿的,这些观众由因此受冒犯的妇女组成。相反,在谨慎地私下销售色情作品的情况下,其目的在于取悦消费者,而不是侮辱、胁迫或使任何人难堪。这样一个销售仅在色情作品的购买者因受色情作品刺激而虐待妇女时,才会构成对妇女的伤害。其作用是间接的,并且还没有显示出是切实的。而且,在那些展示色情作品的场所工作的妇女,也因不得不忍受色情作品而得到了赔偿,因为,在实践经济学的意义上,工资不但反映了工人的生产力,还反映了一份工作的令人愉快之处或令人不快之处。在其他条件一样的情况下(显然,这是一个本质的限制),工作场所越危险、越肮脏、越不卫生、越辛苦、越不舒服、越令人不快,或者要求越苛刻,工资就越高。[35]

在色情文学与仇恨演说、以及更广泛意义上的"政治正确"运动的情况下,对管制的支持与可以论证的危害甚至不快都无关。其实还不如说它们同意识形态原因有关——事实上是同与意识形态原因相同的、否认或禁锢那些存在于不同群体之间(特别是男人与女人,以及黑人与白人)的根深蒂固的分歧的原因有关。仇恨演说家是吵

---

[35] 参见,Gertrud M. Fremling and Richard A. Posner, "Status Signaling and the Law, with Particular application to Sexual Harassment," 147 *University of Pennsylvania Law Review* 1069, 1088-1093 (1999).

吵嚷嚷的否认平等者；色情作品主要迎合特定男性的兴趣，即，把女性看作性玩物，而不是看作本身除了生殖解剖学外在本质上与男性无异的人（主要是这样，但不是绝对的；有的色情作品是针对女性和同性恋者的，而更多的色情作品在"提倡"男性性快乐的同时也支持女性性快乐，甚至支持性平等）。就支持管制仇恨演说和色情作品的运动以纠正意识形态或政治的"错误"为目的并起了相应作用这一点而言，给予这些运动以法律的支持，就对思想和意见的市场构成了专断的干涉。

对言论市场的某种由政治或意识形态激发的干涉形式并不是压制受谴责的言论，而是资助反向的言论，不论是提倡安全开车、安全性交或爱国价值，还是为政治运动提供财政支持。这不仅是政府对思想和意见市场的干涉，而且还涉及到对纳税人的强制，这些纳税人不同意补助金所支持的观点，并且不希望自己的钱被用来宣传此观点。但是资助和禁止在作用上并不对称。政府给予的美元津贴，如果用来执行一项禁令而不是为反向言论提供财政支持的话，起的作用会更大。广告不仅非常昂贵，而且还可能归于无效，如果其推广的行为与观众的私利相抵触的话。这第二点显示了致力于反向言论——比方说，反对色情文学或反对电影暴力——的无效；喜欢这些事情的人并不会被让他们别喜欢的广告所触动。那些强调吸烟影响健康的反吸烟广告，较之仅仅是为了让色情文学的消费者感到罪恶或"肮脏"而设计的广告，更可能有效，因为，它符合观众的私利。

反堕胎的广告提出了一个界于中间的案例。观众是由那些面临选择的人组成的——不论她们是已怀孕的妇女，还是十来岁女孩的父母，抑或是需要决定是否发生性关系、以及一旦决定发生则需要决定是否使用以及使用何种避孕方法的女孩或妇女。这些选择把私利因素与利他考虑复杂地交织在一起。如果这些选择经过细微的平衡，那么在某些情况下公共宣传就会打破这一平衡。然而，让我们比较一下政府将1亿美元花在反堕胎广告运动上，与将同样数量的钱花在对支持堕胎的人提起诉讼上的结果。在后者，对堕胎的拥护会被迫降到一个非常低的水平,其结果是,堕胎的数量会下降,尽管这一下降将会因堕胎更加便宜而部分抵消,因为,堕胎的诊所必然会节约广告成本,就像波多黎哥对赌场做广告进行管制的情况一样。在谴责堕胎的广告上花1亿美元的效果则会比较小,如果下面这一条件能够成立的话:既然政府反对堕胎的广告将成为对得到私人财政支持的此类广告的补充,那么后者会因此而下降。私人广告对于公共意见形成的增量贡献,将会由于政府的介入而减少。因此,反堕胎广告的净增长可能很微弱。并且,政府广告将会给观众带来他们在很大程度上经由或不经由广告已经拥有的信息——进一步说,即被支持选择的广告所平衡、从而抵消的信息。简单地说,如果都是花费一美元,补助金进路较之管制进路,对思想和意见市场的影响更小,因此,从保留该市场的自由的立场来看,它更少问题——尽管也不是完全没有问题,因为它迫使纳税人掏钱去支持宣传其可能憎恶的事业,而这将成为对这些纳税人的负效用的一个根源。

应当区分政府矫正"谬误"信念的努力与政府支持核心政府行为——例如国家防卫——的言论。政府几乎不会因诉诸爱国心来努力征兵而受到挑剔,即便是和平主义者因此受到了冒犯。当政府是劳动力或其他市场的一个合法参加者时,它应当拥有与其他参加者同样的做广告的权利。并且,在政府行使传统的管制责任,比如治理流行病时,应当允许它把倡导作为工具之一,例如,为了减少爱滋病的影响范围而提倡一夫一妻和安全性交。

管制的两种形式——例如,对色情文学的禁止与将色情文学书店限于一个城市的特定地区——在成本上可能不同,但它们都由于(言论的——译者)收益大于二者中任何一者的成本而在成本-收益检验前败北,或者都由于(言论的——译者)收益小于二者中任何一者的成本而通过成本-收益检验。不幸的是,这些收益经常由于言论的成本与收益在明显性或可估算性上的不对称而被低估。如果言论激起了一场暴动,那么成本是明显的,但促进真理或幸福方面的收益却并非如此——它们是弥散的、间接的和几乎不可能以诉讼手段证明的。一种可以替代试图度量它们的方法是,把管制限于那些言论引发的危害较之被压制言论的数量或价值显然非常重大——换句话说就是,成本－收益的天平严重失衡——的案例。

但是,这一进路造成了被很多人认为是教条主义的和愚蠢的决定。几乎所有符合宪法要求的那些"软核"(soft core)的色情文学杂志和电影,连同依照宪法目前的解释更保险地处于宪法保护范围之内的新纳粹胡言乱语,似乎与诸如玩具枪或者性玩具这样不能说话的消费产品一样,并没有多少社会价值。但是,如果我提出的言论的收益并不能用诉讼手段证明这一观点是对的,那么,即使在我刚刚举出的那些不确定的例子里,认为收益很大的进路或许也具有战略上的意义。一个类比将有助于说明这一点。美国冷战时期的国防战略是一个向前(forward)防卫。我们的前线是易北河,*而不是波托马可河。**向前防卫与近战(close－in)防卫之间的选择,就涉及到衡平。向前防卫是昂贵的,而且,由于它距离敌人的军队更近,所以更可能被突破。但是,向前防卫使纵深防卫成为可能,降低了后方被渗透的可能性。如果后方很难防卫的话,采用向前防卫就是强制性的。同样地,与其说仅仅是为了捍卫说出和写出那些具有某种似是而非的社会价值的东西的权利,还不如说法院通过遵循"认为收益很大"的进路而捍卫了完全说出或写出没有价值的以及极度令人不快的东西的权利。战斗在这些远离中心的哨位上继续着;战斗是昂贵的,因为自由言论的主张由于过分扩张而变得脆弱;这一主张有时被击败。但是后方很安全,敌人在通过外层壁垒时消耗了他们的力量。而这一点至关重要,因为,如果战斗转移到后方,而法院不得不去捍卫诸如允许人民阅读《钟型曲线》或《同性婚案例》的价值时,面对前一本书破坏了种族关系,后一本书削弱了道德这样的反对论点,他们就会

---

* 流经中欧。——译者
** 美国东部重要河流,流经首都华盛顿。——译者

感到很难让人们承认这些以及其它书籍的社会价值。[36]

我所描述向前战略,有助于将斯坦利·费希(Stanley Fish)所提出的"'自由言论'不过是我们给那些服务于我们希望推进的实质日程(agendas)的口头行为所起的名字"这一主张,置于恰当的观察视角之下。[37]他说,法官保护"他们想听的言论"并管制"他们想使之沉默的言论"。[38]在某一层面上,这一点是正确的。言论自由并非绝对的。它与社会条件有关。它的范围对布莱克斯东而言比对我们而言更小,而要证实布莱克斯东所持的言论自由的观念即使就他所处的时代而言也过于狭窄这一主张,需要进行一个细致的历史考察。人们仍然可以因为散布猥亵、泄露军机或交易机密、诽谤、煽动暴乱、侵犯版权和商标权、剽窃、威胁、伪证、虚假广告及其他虚假表示、特定类型的言辞滥用、为方便限定价格而交换信息、顶撞监狱守卫、暴露各种各样的私事(confidence)、特定形式的警戒和进攻性的劝诱、侵犯隐私、法庭上不合礼节的行为、为与公共利益无关的事宜公开批评雇主、不负责任或令人不快的广播、甚至是使用扩音器而受到惩罚。但是,被广泛的政治因素所型塑和制约的自由言论教义与缺乏理论一致的司法决策之间都有所不同,就更不用说为对特定言论的特性或内容的偏好或厌恶所型塑的司法决策了。大部分在美国的法律挑战下生存下来的"言论"——不单是新纳粹的胡言乱语和未越过猥亵界线的色情文学,还有亵渎神明的艺术、包含外交秘密的政府文件

---

[36] Vincent Blasi, The Pathological Perspective and the First Amendment, 85 *Columbia Law Review* 449 (1985). 温森特·布莱斯在其论文中讨论了一个有关的问题:如果自由言论法律的主要关注是在自由言论处于强大压力下的时期(诸如第一次世界大战之后的"红色恐惧"或第二次世界大战之后的麦卡锡时期)堵住堤口的话,那么,在自由言论没有受到强大压力的时期,应当提出什么样的最佳的自由言论教义?

[37] Stanley Fish, *There's No Such Thing as Free Speech, and It's a Good Thing, Too* 102 (1994). 其后的讨论参考了 Richard A. Posner, *The Problematics of Moral and Legal Theory* 277—279 (1999).

[38] Fish,前注[37],页10。

(例如五角大楼的文件)、燃烧国旗、布置警戒和焚烧十字架——都令那些通常保守的、主要是中年和上年纪的人感到不快,但是他们,比如法官,坚持主张政府应当允许这样的表现。

费希在讨论被最高法院认定受宪法保护的、发表于《活跃者》(Hustler)杂志的把杰瑞·法维尔、正统派基督教的虔诚领导人描绘成在厕所里与其母性交的滑稽模仿作品时,自己也承认,自由言论领域的司法决策并非完全针对的是特定目的(ad hoc)。[39]最高法院不能划一条界线,以允许压制在智识上如此毫无意义和没有理由地让人厌恶的个人攻击,致使费希尖锐地批评司法"自愿地不能作出对于任何一个见多识广的青少年来说都似乎完全是显而易见的区分"。[40]这一无能听起来似乎与针对特定目的的政治决策完全相反——事实上,却像是一个对向前防卫战略的司法承诺。

通过对这一战略并因此对保持政府不干涉言论市场的赞美,我可能看起来是在假定只要政府保持不干涉,我们就可以指望这一市场能有效地运作。实际上,我们有理由怀疑言论市场的有效运作:要确立信息的财产权利是困难的;通过竞争或其他任何东西来决定特定思想、意见、文艺作品或其他智识的或有表现力的作品的价值(例如,真理、有效性和优美),在实践属性和哲学属性两方面都有着深深的不确定性;"思想的市场"在多数情况下是一种暗喻而非字面意义,因为(这一点与第一点有关)言论经常既不是买的也不是卖的。思想的市场也许无法使外在性内在化这种可能性就表现为诸如惩罚一个明知没有失火却在拥挤的剧场里大呼"失火了"的人这样的毫无例外的干涉。

这些市场或许还会由于生产出没有净价值的"产品"——比如,在20世纪大部分时期造成极度危害的极权主义意识形态——而归于失败。即使是今天的美国人也充斥着迷信的和错误的、甚至是荒

---

[39] Hustler Magazine, Inc. v. Falwell, 485 U. S. 46 (1988).
[40] Fish,前注[37],页132。

谬的信念,这部分是由于感觉主义的和不准确的"新闻"媒体的缘故;知识分子阶层有很多成员都容易为激进的后现代主义者叫卖的荒谬思想愚弄;并且,存在着多得令人吃惊的垃圾文学,既有通俗流行的,也有故作高深的。思想的市场经常由于高昂的信息成本而受到打击,这就很难让人坚信这些市场具备生产真理和优美的属性。

霍姆斯是一个怀疑论者——用经济学的术语来说就是一个认为信息成本的确很高的人——但是他对言论自由的态度并不冷漠。恰恰相反——他正是把对于让思想市场高度非管制化的可欲性的信念植根于怀疑论的基础之上。使这一市场没有效率的因素——极高的信息成本——使得对信息的管制也没有效率。如果消费者不能在这些市场所生产的商品中、从谎言中挑选出真理,或者从丑恶中挑选出优美,审查人员、法官或陪审团又有多大的可能性呢?况且,思想生产者在赢得其产品的社会收益的过程中很可能遭遇困难,这会使他对于预期惩罚的成本过于敏感。非主流的演说者承担了惩罚的全部成本,而言论的收益却可能长期推迟从而在很大程度上为别人享有。法律已经采用了各种方式来回应这一问题(经济学家称之为"外部收益")。一种方式是,拒绝给予转载诽谤性作品而不负诽谤责任的特权。假如最初的发表者要承担法律责任,报纸和其他新的消息来源就会比现在更加不愿冒发表诽谤性作品的风险,因为它们知道其竞争者可以转载而不必承担任何预期的诽谤责任成本。

这一分析为给予商业言论低于平均水平的宪法保护而给予仇恨演说完全保护这一结论提供了一个独立于任何价值判断的理由。商业言论的强壮,并不是由于商业在政治上是强有力的;商业有时候如此,但有时候并不如此。商业言论的强壮,是由于商业演说家通常指望以更高价格或更大产量的形式来弥补其言论的完全的经济价值。商业言论通常应该比商业活动得到更大的宪法保护这一论点是值得怀疑的。相反,仇恨演说的脆弱则是由于成本是集中的而收益是分散的。由于表达了种族对抗而被赶出学校的学生承担了将其说出来的全部成本,却只获得了发泄其意见的很少(如果可以说获得了的话)的社会收益。

如果柏拉图认为所有真理都可以为专家发现这一点是对的,那么所有这些都不太重要。当我们信赖专家意见能够产生"正确知识"的时候,我们允许审查,比如食物和药品管理部门对于有关药品安全与功效的申请案的管制,联邦贸易委员会对广告和表征的管制,以及诽谤案中对真实性的认定。这些领域的审查一直被作为家长式作风——"认识上的家长作风"(epistemic paternalism)的一种可欲形式而受到捍卫。[41]这一捍卫是很好的,但是用语并不恰当。全部问题的关键就在于对专家的授权,即授权中立的和基本上值得信任的责任主体,作出私人公民因没有时间或缺乏训练而无法作出的、明确基于事实的决定或其他决定。我们的大多数知识都是二手的,都不过是通过接受人们的证词、常常是我们有体面理由予以信任的专家证词而获得的。[42]

不幸的是,政治的、甚至许多科学的思想的真实性,并且更主要的是艺术和文学作品的美感或乐趣,都不能通过法庭程序或者由政府专家可靠地决定,因此也就不能授权法官、官僚或专家决定。真实性和美感必须留待竞争性的斗争和时间的考验去"决定"——但是这种决定只能是暂时的并且始终面临着修订。一旦承认了这一点,审查人员就被缴了械,因为竞争和时间的考验并不是审查人员可以用来行使其职责的手段。

时间的考验把霍姆斯的怀疑主义与其对自由言论的强烈捍卫连接了起来。一个极端的怀疑论者将怀疑审查制度会阻碍真理的发现,因为他怀疑是否真有真理可以被发现;反对审查制度的惟一理由将是执行审查方案的成本,这一成本常常是(尽管并非总是,正如我

---

[41] Alvin I. Goldman, "Epistemic Paternalism: Communication Control in Law and Society," 88 *Journal of Philosophy* 113 (1991).

[42] 参见我在第 10 章讨论的,C. A. J. Coady, *Testimony: A Philosophical Study* (1992).

在讨论色情文学时所强调的)适度的。霍姆斯并非这种怀疑论者,至少在亚当姆斯案中不是。他在该案中所说的并不是什么真理不可确定,而是,真理只有通过竞争才可以确定,故而才需要言论自由,而审查制度则会扼杀真理。这一观点的一个推论是,在真理的确定不需要竞争过程的地方,就像在很多广告和诽谤案中一样,支持审查的理由就会更强大。

截止到现在,我一直主要在讨论言论自由的旧问题。现在我想来考虑一下工具性进路可以为三个新问题的解决作出什么贡献。这三个新问题是:仇恨演说法典;[43]对竞选筹款的管制;以及对因特网的管制。

仇恨演说法典。我已经谈论了反对仇恨演说法典的一个理由,即,它们剥夺了政府获得有价值的、关于因积极补偿行动(affirmative action)、*多元文化主义以及政治正确而受伤害或侵犯的人们的不满信息的机会。它们也使政府在关于平等的意见的天平上偏重一方。即使在仇恨演说法典是极端中立的以至于一个黑人学生会因为把白人学生叫成白鬼子而受到惩罚时,这一点也是正确的。在黑人社区里有一股关于白人劣于黑人的意见,它与以非洲中心主义(Afrocentrism)著称的运动联系。这是愚蠢的,但是,惩罚否认种族平等的人并非政府的事。毕竟,种族、性别、国籍、民族群体等等的平等,还不过是一个教条,而且是一个新近的教条;因人们挑战种族平等而施以惩罚,就像因人们鼓吹共产主义或者放任主义而施以惩罚一样,是要

---

[43] 对仇恨演说的审查应该与对仇恨犯罪的惩罚相区别,后者我将在第7章中涉及。关于由压制仇恨演说的努力所提出的第1修正案问题的一个很好的讨论,参见,James Weinstein, *Hate Speech, Pornography, and the Radical Attack on Free Speech Doctrine* (1999).

* "积极补偿行动"明确要求所有政府机构、公立大学以及获得联邦政府资助的私人企业在招生、用人和晋升时,都必须优先照顾少数族裔(特别是黑人)和妇女,从而克服历史上遗留下来的对他们的歧视。如果上述单位做不到这一点,联邦政府就将减少直至取消给他们的资助。它要求这些单位采取积极步骤来贯彻这一政策。——译者

不得的。

没错,起草得最为精细的仇恨演说法典只限于"挑衅性言辞"(fighting words),即最高法院一直认为属于第 1 修正案保护之例外的一类言论。[44]挑衅性言辞被定义为容易引起破坏和平的言辞。这是一个违背常理的定义。它扩大了有暴力倾向的、敏感的人的法律权利,从而鼓励了人们培养敏感过度(hypersensitivity)的名声。它过于关注听众的反应,因此宽恕了最高法院已经作为限制言论自由的基础而恰当地加以否决的一种"激烈质问者的否决权"(heckler's veto)。[45]它歧视不擅言辞之人,而使仇恨演说陷入与为增进边缘群体在思想市场上的进入权而支持这些法典的自由主义者的愿望相冲突的境地。[46]并且,在采用礼仪规范方面,它显示了一种对表达行为的误解。一幅抽象的绘画与一篇关于第 1 修正案的历史根基的论文同样富有表达力。就这一点而言,政治暗杀也是一样。散漫的散文代表的是型塑历史的表达活动中非常小的一部分。惩罚政治暗杀并不是因为它们对思想和意见的市场没有贡献——它们常常有所贡献,有时甚至有决定性贡献——而是由于它们的成本。只有根据成本,而不是根据言辞上的清楚性,区分各种类型的表达活动才是合理的。

然而,如何对待仇恨演说的问题,可以根据第 1 修正案仅限于州行为的这一提示而予以巧妙处理。如果一家私立大学要求拥有这样一部法典,宪法中没有什么可以阻止它。的确,政府为什么要插手学院与大学的拥有和运作首先是个很大的谜。这个谜不是关于对教育的公共支持,而是关于教育的公共运作。许多私立大学的学生以这

---

〔44〕 参见,Cantwell vl Connecticut, 310 U. S. 296 (1940).

〔45〕 Forsyth County v. Nationalist Movement, 505 U. S. 123, 133 – 135 (1992). 政府不仅不可以禁止非主流的演说者,而且也不能因为为他提供警力保护而增加的成本而起诉他。如果政府可以那样做的话,就会鼓励那些为了给演说者施加财政上的压力而希望使保护成本尽可能高的激烈质问者。

〔46〕 例如,参见,Cohen,前注〔3〕,页 245 – 248 (公平进入),250 – 257(仇恨演说)。

种或那种方式获得公共的金钱；但是这些大学仍然是私立的。如果政府不抽身于大学事务的运作之外，仇恨演说法典问题，就会像积极补偿行动问题一样，被完全地从宪法议程中开除出去。

这一讨论例证了对言论自由条款的严格执行刺激了政府活动的私人化这一一般性的论点。通过"私有化运作"（going private），一家企业可以规避遵守那些仅约束政府的法律指示所产生的成本。这并不必然是对第1修正案的逃避并因此是对自由的威胁。私有企业与公有企业有着不同的、而且经常是更健康的激励因素，以及更少的权力。

这一点预示了要求政府为辩论开放其更多财产的种种提议。[47]这一要求将加速私有化的趋势。假设法院决定，机场和学校应当作为适于所有类型的辩论——游行或其他示威、街头演说以及进攻性的教唆——的公共论坛看待。原则上没有什么东西要求把机场和学校作为公共财产；一场日益扩张的私立学校运动正在这一国家发生；而且无论如何，机场私有化有可能是航空运输的最终步骤。法院以自由言论的名义在公有企业上堆积的成本越多，一旦这些成本多到打破了有利于私有化的平衡的话，受政府保护的自由言论从长远来看就会越少。

对竞选筹款的管理。尽管有一些公共基金和一些对竞选的个人捐资数额的限制，美国的竞选筹款体制仍然是漏洞百出，而且人们相信这一体制构成了一个被粗陋地伪装起来的、对被选官员的准贿赂体系，而这一确信是广泛的而且可能是正确的；至少，它使得竞技场地向富人和有良好组织的一方大大倾斜，因为，在从那些受到联邦选举资金筹措法限制的、对一名候选人只能捐资1 000美元的个人那里募集到大笔钱财方面，他们有优势。由于最高法院把第1修正案解释为，允许对选举花费作上述限制，但是禁止法律限制竞选的全部花费、限制个人用自己或家庭的资金购买政治广告以及限制"独立

---

〔47〕 例如，参见，前引书，页247。公立学院与大学的私有化则可能是一条捷径。

于"候选人的个人或组织做有关竞选问题的广告(即,有一种不受限制的捐赠"软钱"[soft money]的权利),并认为这种法律限制是对自由言论的侵犯,所以,上述后果就变得更加根深蒂固了。[48]这一体制放大了利益集团对公共政策的作用——当然是富人利益集团,因为,它们在本质上就可以克服合作的通常障碍,并因而募集到不成比例地多于可以从散漫的、非组织化集团的成员那里募集到的钱,虽然后者可能规模更大从而在公共政策的表述中被赋予更大的民主重要性。在通过富人以及通过利益集团促进言论的时候,目前的体系被认为是淹没了非组织化的与没有钱的言论,从而扭曲了思想的市场。由于缺少接近大众媒体的途径,行使政治言论自由的实践意义非常有限;而这一接近所需要的资源只有全体人口中的一部分——这部分人形成一个非随机的样本——才可以支配。这一点与我先前在讨论政府言论时说到的高成本广告有关。

在承认这些论点的前提下,如果对一个克林顿总统与夫人的敬慕者说"你不应该购买1 000份《需要一个村子》(*It Takes a Village*)来免费分发,因为这会使你能够比那些没有这样的购买力的人更大嗓门地进行'演说'",也是非常奇怪的。这个例子使我们很容易看到,限制"软钱"捐献的确将成为对言论自由的一种阻碍,因而需要令人信服地证明这一言论引起的危害。这些危害是难以捉摸的。拥有比平均水平更多的钱的个人或集团,总是拥有比平均水平更高的为努力影响公共意见而花钱的能力。我们并不把这样的不平等看作一个非常有说服力的限制自由言论的理由。不知何故,思想的市场看起来似乎足够强壮,能够抵制这一市场上的生产者和消费者在花费上的不平等。与我先前对言论市场的政府资助的讨论一致,公共意见对于型塑这一意见的花费的弹性似乎非常低。由于利益集团企图用竞选费用影响政策,而富人企图利用其财富被选进政府,国家的公共政策是否就变得更糟糕了?这一点还没有显示出来,尽管我怀疑

---

[48] Buckley v. Valeo, 424 U. S. 1 (1976) (per curiam).

大多数支持限制竞选花费的人都相信,如果金钱在选举过程中起的作用更小一点的话,就更有可能采纳他们赞成的公共政策。相对于捐资者的资源而言,捐款的数量是很小的,因而并不会给生意造成很大的负担。[49] 就表面情况而言,捐款购买了进入权与适度的影响力,并且最多不过——通常也只是——抵消了捐款对于与之竞争的候选人的作用,而没有实质性扭曲捐款者所在的市场。[50]

有人建议,准贿赂可以通过要求竞选赞助必须匿名加以解决。[51] 但是,这里会有一个信息成本:如果被赞助者当选了的话,赞助者的身份就是被赞助者可能采取的政策的线索,而且,如果赞助者比一般投票人对候选人掌握的信息更加充分的话,赞助者的身份就将成为一个非常有价值的线索。(因此,禁止匿名赞助可能更好!)况且,在竞选赞助的确构成准贿赂的情况下,提供竞选赞助的动机也会由于匿名而大大减少。

限制竞选花费可能会由于使挑战在职者变得更加困难,而造成思想市场的自身扭曲。一个新产品要在市场中获得立足之地,就不得不比消费者已经熟悉的现存产品做更多的广告。因此,限制为产品作广告的花费,会削弱产品市场上的竞争,而当竞选花费被封顶时,也潜伏着同样的可能性。但是,花费限制也许实际上比挑战者更能伤害在职者,因为,在职者通常都能募集到更多的钱——这一天然优势将会由于花费限制而遭到挫折。经验的证据是矛盾的,但总的

---

[49] 相对于现代政府的规模而言,捐款也是非常少的。参见,John R. Lott, Jr., "A Simple Explanation for Why Campaign Expenditures Are Increasing: The Government Is Getting Bigger" 43 *Journal of Law and Economics* 359 (2000).

[50] 参见, Steven D. Levitt, "Congressional Campaign Finance Reform" *Journal of Economic Perspectives*, Winter 1995, pp. 183, 190 – 192; Sephen G. Bronars and John R. Lott, Jr., "Do Campaign Donations Alter How a Politician Votes? Or, Do Donors Support Candidates Who Value the Same Things That They Do?" 40 *Journal of Law and Economics* 317 (1997).

[51] 参见, Ian Ayres and Jeremy Bulow, "The Donation Booth: Mandating Donor Anonymity to Disrupt the Market for Political Influence," 50 *Stanford Law Review* 837 (1998).

看起来并不能支持花费限制会帮助而不是（像看起来更直觉的那样）伤害在职者的主张。[52] 然而，另一种可能性是，通过降低政治过程的公开性而造成的竞选赞助的减少，实际上会弱化利益集团受到的审查，以及政治家本来就很微弱的密切关注普通投票者政策观点的激励，从而强化了利益集团的政策。

对那些认为富人与有组织的集团应该在政治舞台上拥有优势是不道德的人而言，刚刚概述的辩论没有任何说服力。但是对经济学家而言，我们的政治资金筹措的寡头政治体系是否道德与主题是无关的；关键问题在于改变这一体系的后果。当然，任何非工具性的问题都可以通过结果的适当安置而"工具化"。如果改变这一体系的目的真的是影响上的平等，那么对于竞选筹款的严格限制就可以作为达到这一目的的工具而得到辩护。一些竞选筹款的评论家大概会确立这样的目的，但这基本只是一种说话方式（*facon de parler*）罢了。平等，特别是在像竞选筹款这样一个如此专门的、甚至是深奥的领域，对于工具主义的思想家来说太抽象了，以至于不能把它看成一个目的。工具主义的思想家会坚持要求，那些支持竞选筹款平等的人，应解释这一平等可以带来什么切实的利益。如果竞选花费受到限制，美国人会不会更幸福？犯罪、歧视甚至污染会不会更少？政府会更大还是更小，更好还是更坏？

如果说竞选筹款是一个问题，那么这个问题已经因最高法院对规制这一问题的立法努力所作的反应恶化了。把支持限制个人捐款不超过1 000美元与宣布限制自己花费为无效这两者结合起来，就给富有的个人提供了一个专断的鼓励。如果A很富有并对公共政策持有强烈的观点但没有政治技术，而B不富有但分享A的观点并具有政治技术，A就不能向B提供若A参加竞选就将花在自己身上的钱。这有什么意义呢？限制个人竞选捐款还会产生其他违背常理的作用。这一限制赋予了那些得到富贾经营的大商业支持的候选人

---

[52] 参见，Levitt，前注[50]，页188–190。

一个专断的优势,因为这些商业可以轻易为该候选人创造一大堆钱。这一限制通过要求候选人以零售的方式来募集资金,而不允许他依赖相对少数的大赞助者,就使得基金募集对于候选人而言成为一件更加费时的繁重工作(因而阻碍了很多有能力的人参加政治官员的竞选)。而且,这一限制武断地支持了那些用雇主从工人的薪水中扣除的经费为政治竞选捐款的协会。尽管工人有权拒绝从他的薪水中划出一部分作为协会的政治活动经费,但是惯性作用是有利于协会的;公司就没有相应的从雇员工资中拿钱为政治用途使用的权利。

对因特网的管理。因特网上的自由言论基本上由于四个方面的原因引发了人们的焦虑。首先,有人主张,因特网方便了不体面的资料——特别是儿童色情文学——的匿名传播与接收。第二,它没有任何质量控制,因此促进了不正确的与误导的信息传播,这样就会由于一种格雷欣法则(Gresham' Law)*的作用而淹没真实的信息;例如,有人主张,肆无忌惮、无人监督的因特网杂志会"迫使"受人尊重的媒体去报道未经证实的传言。第三,有人认为,由于因特网给人们提供了无需中介而接近巨大的潜在听众群的途径,它扩大了由不负责任的言论所导致的潜在损害。第四,因特网被认为使性变态者与极端主义者能够更容易地发现他们的精神伙伴,从而煽动了反社会的行为。

第四点特别有意思。那些抱有怪异思想的人往往会保留他们的这些思想,因为他们害怕如果表达出这些想法就会遭受放逐,并且可能由于缺乏其他人的增援而怀疑自己思想的有效性;孤立破坏了大多数人的自信。一旦行为古怪的人在因特网上的聊天室与网站上发现有成百上千的其他人认识跟他们的一样,他们就会大胆地表达自己的思想并遵照其思想行事,他们的自信就得到了作为一个信仰者共同体的成员的支持。但是政府关闭那些吸引危险或者不稳定分子的聊天室和网站的努力将会对具有潜在社会价值但非传统的交流产

---

* 即"劣币驱逐良币理论"。——译者

生副作用。并且,由于聊天室是对所有人、包括政府代理人开放的,社会可以通过政府监控这些聊天室来保护自己。一个弱政府可以被自由言论所破坏,但是一个强政府可以因此而加强,因为自由言论使政府能够监视潜在的威胁。

顾虑因特网上的自由言论的第一和第二点理由涉及到新型媒体的传输特点。有大量防止非法资料传播以及保护非自愿的消费者免受其害的技术上的和管理上的技巧;[53]私人对于精确筛选的要求将最终导致因特网具备与其他媒体一样有效的质量控制。第三个理由——由于那些极其有害或者令人不快以至于不能跨过传统媒体门槛的言论存在着潜在地更大规模的听众,导致因特网带来的潜在地更大数量的有害言论——最令人不安。报纸不会发表他投来的任何一封信的疯子可以通过因特网以几乎为零的成本与成千上万的人取得联系。言论的社会成本不仅是一个关乎其有害或令人不快的特性的函数,而且还是一个关乎其听众群大小的函数;在一个大的拥挤的剧场里大呼"失火了"(至少在没有失火时,并且有时在确实失火时)要比在一个小的剧场里更加糟糕。

另一个因素是因特网是一种避开私人审查的手段。私人审查有时候在"令人尊敬的"大众媒体上达到令人难以忍受的程度;它既是思想和意见市场的一部分,也是一种障碍。没有私人审查,言论的音量会提高到不可思议的刺耳音调;但是有私人审查,重要的思想、信息以及洞见就常常会被压制。市场依赖于选择和监督者,但是也会被这些东西所破坏。因特网首先是一个安全阀。

---

[53] 参见, Lawrence Lessing, *Code and Other Laws of Cyberspace* (1999).

第三章

规范的法律经济学：
从功利主义到实用主义

经济学总是紧密地与社会改革结盟。从亚当·斯密倡导自由贸易，到边沁批评高利贷法律，到凯恩斯（Keynes）倡导萧条期的赤字开销，到密尔顿·弗里德曼（Milton Fredman）倡导货币主义、自愿军和负收入税，经济学家一直认为将其对经济病症的诊断转变为治疗药方是很自然的。他们很少认为有必要在"是"与"应当"之间建起一座桥梁——亦即为把经济学作为规范的而不仅仅是实证的科学打下哲学基础。严肃地提出了经济学的规范性这一问题的经济学分支——"福利经济学"，虽然吸引了一些出色的经济学家的注意力，例如保罗·萨谬尔森（Paul Samuelson）和阿玛提亚·森（Amartya Sen），但却一直处于该学科边缘，就跟医学伦理学处于医学的边缘一样。经济学家可以免于因对其课题的规范性漠不关心而受到指摘，因为他们通常可以诉诸一个被普遍接受的目标，比如产出价值的最大化，而不必去为这一目标辩护。通过说明经济政策和安排的一个变化将怎样推进我们接近那一目标，他们可以作出一个规范性阐述而不必为其基本前提辩护。他们可以在技术层面上辩论，在这一层面上推理是就手段而非结果展开的。他们可以证明，例如组成卡特尔会导致产出价值的减少，而既然这一价值的最大化是商业社会中一个普遍接受的目标，那么他们的证明就为禁止卡特尔提供了一个有表面证据的

(prima facie)案例。

"有表面证据"这一限定是重要的。经济改革建议的反对者会针对效率或价值最大化的目标迅速地提出与之竞争的目标。当经济学进入那些传统上并不是经济领域时尤其如此,这常常发生在法律的经济分析中。我们说某一领域在传统上并不被视为"经济的",就是说那些让这一领域适应效率或其他经济价值的建议很可能是刺耳的,因为人们假定非经济的价值支配着那些并不明确属于经济范畴的问题。那么经济学家是做什么的呢?他除了说明 X 政策提高了效率但不能证明其最终价值之外,还能说些什么呢?

不外乎把经济的价值与一些更全面的资源或概念牢牢地联系在一起,并且从历史上看来,正如我们在第 1 章讨论边沁时所瞥见的那样,就是把经济科学与功利主义哲学栓在一起。现代经济学大量使用了功利主义术语,例如"预期效用"、"边际效用"以及"效用最大化"这些关键词,但在实践上则很少是任何严格意义上的功利主义的。回到卡特尔的例子,诚然,卡特尔减少了产出的价值,但卡特尔也将财富从消费者手中转移到了生产者手中,并且如果生产者恰好从金钱中获得了比消费者所获得的更大的效用,那么卡特尔所提高的总效用就会比因产出价值的减少而损失的效用更多。现代经济学已经放弃了度量效用的努力,因为这样的度量需要有关人的偏好与情感的信息,而这些信息似乎是难以获得的。[1] 因而,经济学与利他主义之间的历史关联在很大程度上被切断了。效用在现代经济学中的实践意义主要限于对风险的态度,这一点会在财富与被经济学家称为"效用"的更宽泛意义上的价值之间打进一个楔子;比方说,一个不愿冒风险的人对获得 100 美元的 10% 的机会的评价,显然会比对获

---

[1] 一些经济学家说,比较不同人的效用是"无意义的",但是他们错了。例如,父母不断地把钱给孩子这件事对于自己的效用与对于孩子的效用的相对作用作出猜测,而且常常是很好的猜测。这是利他主义的一个普遍特色,而利他主义无论在家庭内部还是在家庭以外都是很常见的。

得10美元的确定性的评价更低,虽然在一个对风险无所谓的人看来,这一机会与这一确定性的价值是相当的。

此外,先不说所有的度量问题,事实证明,功利主义并不是社会政策的可靠指导。[2] 基本的理由有三重。首先,几乎没有人真的相信——而且没有方法可以证明他们错了——幸福、满意、享受、偏好的满足、超越痛苦的快乐或效用的一些其他形式的最大化,是或者应该是一个人生活的目标。幸福对于大多数人都是重要的,但并非对所有人都如此。我们中有多少人会情愿服下一片药片而使我们在余生进入一种极乐的如梦如幻的幸福幻境,即使我们绝对地相信这种药片以及幻境的安全和有效?甚至在今天,当科学已经把阿尔道斯·赫胥黎(Aldous Huxley)在《美丽新世界》(1932)中所预测的600年后未来世界的很多科技奇迹几乎都变成了事实时——使人感觉良好的药片(他的soma就是我们的Prozac),全面的整容手术,年老之苦的消除,与有性生殖的脱离,消费主义(consumerism)等等——我们大多数人还是会站在"野人先生"(Mr. Savage)的一方而拒绝"常人"(normals)的乌托邦生活。

第二,通过加总人与人之间的效用,功利主义是把人们作为整个社会有机体的细胞而不是作为个体来对待的。这一点是为人熟知的功利主义道德之野蛮性的根源,比如为了社会(或者世界,或者宇宙)幸福总量的最大化而有意地牺牲无辜;或者说是"效用怪兽"的根源,这一怪兽获得虐待乐趣的能力大大超过了其受害者经受痛苦的能力,因此允许其从事强奸和谋杀可以使效用最大化。功利主义的辩护者企图指出任何授权各州试图在个体基础上使效用最大化的努力都将由于缺乏对官员的信任而归于失败,以此来扭转上述批评的矛头。他们表明,真实世界里惟一可能是效用最大化的政体将是一种

---

[2] 有关经济学与功利主义的关系的文献很多。有关一本有用的文选,参见,*Ethics, Rationality, and Economic Behavior* (Francesco Farina, Frank Hahn, and Stefano Vannucci eds. 1996)。

规则功利主义的形式,它限制政府的权力因而不会是赫胥黎小说中描写的那种好意但险恶的独裁主义政体(《卡拉马佐夫兄弟》中所描述的宗教大法官统治政体的一个技术未来主义的版本)。但是,这一对功利主义的逻辑推论的实践性反驳,却没有找准靶子。逻辑本身是让人讨厌的。即便是我们假定所有实现的问题都不存在,然后来预期一下结果——绝对仁慈的、在民主的基础上作出响应的官员所给出的极乐幻境的诱饵,我们仍旧不喜欢它。

第三,功利主义没有界限原则,可能除了感觉之外。皮特·辛格(Peter Singer),鼓吹动物解放的主要的哲学倡导者,就是一个功利主义者。[3] 动物能感受痛苦,而外国人对痛苦的感受更清晰,因此功利主义就与强大的直觉——即,我们的社会义务对我们自己社会的人民要比对外面的人更大,并且对人类要比对(其他)动物更大——发生抵触。

反对功利主义的一些理由,可以通过用财富来代替效用作为准则项(maximand)而加以化解。"财富"在这一语境下,不应从严格的金钱意义上理解,而应被理解为:以在市场上进行交易时可获得的价格衡量的、社会中全部被估价的物体的总和,既包括有形的物体也包括无形的物体。换句话说,市场交易被视为道德上适当行为的例证。这一观点尽管是对在这个资本主义必胜理念的时代仍然保持着即使是残余的社会主义同情心的人的诅咒,但也可以借助明确的与隐含的同意的概念而得到辩护(尽管有多成功还需拭目以待)。如果 A 以 1 000 美元的价格把他的邮集卖给 B,这就意味着邮集对于 A 价值低于 1 000 美元,而对于 B 价值高于 1 000 美元。让我们假设,它对 A 的价值是 900 美元(即,只要价格高于 900 美元他就会认为自己赚了)而对 B 的价值是 1 200 美元(他会为集邮支付的最高限额)。这个交易是财富最大化的,因为在交易发生之前,A 有一件对他的价值是 900 美元的东西而 B 有 1 000 美元的现金,而在交易发生之后,A

---

[3] 参见,Peter Singer, *Animal Liberation* (rev. ed. 1990).

有1 000美元的现金而B有一件对他的价值是1 200美元的东西;因此,总财富增加了300美元(1 000＋1 200－1 000＋900)。*这一财富的增加是在同意的基础上而不是在强制的基础上发生的;假设交易没有第三方的影响,这一交易就使两个人的处境都有所改善而没有人的处境变糟。因此,它是自由、一致选择的产物。

财富最大化缓解了我在前面列出的效用最大化所面临的问题。价值比效用更容易度量;财富最大化对于人们想要什么或者应该要什么并无任何立场,诸如幸福;由于依个人意愿行事的权利受到偿付自愿的限制(B不能仅仅因为A的邮集能够给他带来比给A更多的快乐而抢夺A的邮集),所以,可以允许的强制余地很小(虽然,如我们将要看到的那样,并不为零);诸如自由与自治这些非经济的价值得以保持;而且,界限的问题也解决了,因为共同体被定义为那些有钱支持其意愿的人。

然而,尽管对作为一种伦理规范的财富最大化的基本反驳并不是:大多数交易都有第三方的影响,并且经济不能以纯粹自愿为基础加以组织——正如人们大概可以推测的那样,财富最大化依然存在着严峻的问题。诚然,在避免一些严重的市场失灵以及在以税收形式对为避免市场失灵所需之强制手段提供财政支持的方面,强制是不可或缺的。但是,要设计出管制的方法,以产生类似于自由市场在交易成本不会阻碍市场起作用时——例如买卖集邮的例子——所产生的结果,也是可能的。很多法律经济分析的目的都在于提出各种形式的"模拟市场"的管制,以处理垄断、外在性以及其他由于不能在市场上约定交易而阻碍市场健康运作的情况。[4]

＊ 原文如此。——译者

〔4〕 如科斯关于社会成本的经典论文(在导论里有所引用)所表明的,如果交易成本很低,市场就会将外在性内在化。类似地,如果在垄断环境下的交易成本很低,垄断的受害者就会为将其产量扩大至竞争的水平而向垄断者付费。这里仍然会有一个财富向垄断者的转移,但是,至少作为一个初步的估计,资源的配置将是有效的,因为被垄断的市场的产量将与竞争环境下的一样。

反对作为一种伦理规范的财富最大化的一个基本理由,不是不可操作性,而是市场结果对于财富分配的依赖。A对其邮集的估价可能只有900美元而B对其的估价是1 200美元,但这并不是因为A对邮集的热爱不如B——他可能对其更加热爱,也不是因为存在一个关于值得的吸引人的概念,以使B可能根据这个概念来确证自己能以那个价格购买邮集的请求是正确的。A或许仅仅是由于贫困而不得不为了糊口而卖掉他的邮集,而B,虽然对邮票并不热衷——我们假定他实际上对邮票漠不关心,但是希望通过持有大量收藏品而使其巨大的财富多样化。这些情况与这一买卖使A和B的处境都有所改善,一点儿也不矛盾;相反,它解释了为什么它使A和B的处境都改善了。但是它们削弱了一个遵循财富最大化的社会制度的道德基础。因为,在达到最优性这一理想状态以后,并且在所有社会制度均与财富最大化的要求相符合并因此是由以模拟市场的政府干预为补充的自由市场组成时,消费与生产的模式就严格地从基本的财富分配中派生出来了。如果这一分配是不正义的,那么由其派生出来的经济活动模式,就更没有有力的理由要求被认为是正义的了。并且,就财富分配本身在很大程度上是由市场决定的这一点而言,市场的正义就不能从某种独立的、有关正义的分配概念中派生出来。

而且,还有另外一种不确定性在起作用:当某一福利在个人财富中占很大部分时,福利的财富最大化分配就是不确定的。如果A与B都只有100美元,而问题是,是否某一福利对于他们中这个人的价值比对另一个的大,答案就可能取决于谁得到了它,而在这种情况下,就不能用财富最大化这一评判标准来决定谁应当得到它。如果这一福利的价值是200美元并且被分配给了B,那么它对B的价值就更大,因为A将没有能力从B那里将它买过来。

这些问题中的一些是可以忽略不计的——比如我刚刚提到的那个问题,因为只有在被分配的福利构成竞争者们财富的很大部分时,财富最大化的评判标准才变得不可用。认为普通法的决策应当受到这一评判标准的指导的主张,并不需要在终极价值上采取某一特定立场。假定财富是真正的社会价值,尽管它不必然是惟一的甚至最主要的社会价值,假定它是法官们能够很好促进的价值,以及假定经济平等问题由政府的其他机关处理将更为有效或更具合法性,那么,反对用这一评判标准指导普通法,就没有任何令人信服的规范性理由。我们或许甚至认为它是帕累托有效的(这是一个比财富最大化更为有力的规范性评判标准)。如果只要状态改变就会使至少一个人的处境变糟,那么,这一状态就是帕累托最优;如果状态改变使至少一个人的处境变好而没有人处境变糟,那么,这一状态就是帕累托改进。实质上,这两种情况下的评判标准都是全体一致(unanimity),并且,一个全体一致选择的结果,具有相当大的道德吸引力。如果被价值最大化型塑的普通法具备我所认为的有吸引力的特点的话,倘若具备一个得出同意的机制,它就可能事先(*ex ante*)要求一个几乎全体一致的同意。

尽管经济学家不能创造或证实一个关于分配正义的理论,但是他们可以作出一些描述性结论,这些结论或许可以帮助其他社会理论家提出这样一个理论或为之辩护。十分显然,经济学家可以指出收入与财富[5]在我们这个社会里的分配是不均衡的(我们即刻就会考虑有多么的不均衡),尽管经济学家将很快补充说很多不平等都反映了选择(如果我在很多年前没有接受法官的任命,我会更加富有),包括选择承担多大金融风险。这一不平等的程度满足了帕累托标准。很多不平等反映的是生命周期的不同阶段——一个非常中立的决定因素。很多不平等反映出性格与努力,但是我们在这里陷入了困境,因为这些东西在很大程度上是(或许对于一个不相信自由意志的人而言完全是)"自然博彩"(natural lottery)的产物,是先天禀赋——包括大脑、精力以及良好健康的体质——的差异而非选择的产物。

---

〔5〕 收入是流量(flow),财富是存量(stock);既然两者可以相互转化,因此我对它们的使用在本质上是可以互换的。

必须承认,很多财富的不平等反映的是纯粹的运气,即便我们把一个人的性格与智力的自然禀赋视为权利而非基因的随机拣选的产物。包括出生在一个富国而不是穷国的运气,成为消费者需求以及劳动力市场上无法预料的变化的受益者或者受害者的运气,遗传的运气,金融市场的运气,你认识谁的运气,以及你父母在你的人力资本上投资的能力和意愿的运气。决定论者认为,所有的一切都是运气,一个人的所得与其贫富毫无关联。

一个未得到应有关注的、强化了怀疑收入分配正义的论点是:市场体系往往放大了先天能力的差异,从而在自然博彩与收入之间打入一个楔子。其中的原因就是"明星"现象("superstar" phenomenon)。[6]设想有两个音乐会钢琴家,一个(A)比另一个(B)稍微好一点。假定,如今一个音乐会钢琴家收入中的大部分,并不是来源于演出或教学而是来源于录音。由于同一支音乐的录音制品是非常相近的替代品,因此一个消费者没有理由非要购买由 B 录制的录音制品而不是由 A 录制的录音制品,除非价格上存在一个显著差异,而这一差异又不是必要的;即使 A 从与其签约的录音公司获得的版税比 B 可以要求的更高,录音公司多花的成本也可以通过更大的销售量而抵消。从而 A 最终可以从录音中获得可观的收入,而 B 最终只能获得零收入,尽管 A 钢琴家或许仅仅优于 B 钢琴家 2%,而且这一质量的差异,在喜爱音乐的公众中只有比例很小的一部分人才能觉察。这两个钢琴家的收入差异并不必然涉及任何"不正义"的事情;但是也不能稳妥地将这一差异归因于他们的能力差异,因为这两个差异是如此地不成比例。这一点例证了个人之间的许多财富差异在道德上的武断性(arbitrariness)。一个财富最大化的体系认可了本质上武断的财富分配,并将之发挥得淋漓尽致。

这样一个体系的正当化根据,如果有的话,就不是道德的而是实

---

[6] 参见,Sherwin Rosen, "The Economics of Superstars," 71 *American Economic Review* 845 (1981).

用主义的。有这样一个实用主义的正当化根据。这可以用两种方式来辩论,一个是具体的,一个是一般的。具体的方式涉及反驳一个主张——即,高度的经济不平等,如在当今美国,在政治上是破坏性的——常常出现在对作为社会目标的财富最大化的论争中。一般的方式涉及反驳对视为财富最大化的操作方法的成本-收益分析的批判。

关于经济不平等对于政治稳定的作用,我必须定义一些术语。在狭义的以及消极的意义上,"政治稳定"可能仅仅意味着不存在内战、政变(成功的和企图的)、经常性的宪法变化(例如,从独裁到民主的变化),以及猖獗的国内政治恐怖主义、腐败与征用。[7]但是,这无法把稳定与压制区分开来。威权主义的(autheritarian)政权可能会通过恐吓来压制政治不稳定的各种征兆——比如反对该政权的集体示威;但是,我们近来经历了大量的威权主义政权骤然崩塌的情形,这些政权一度看起来很强壮,非常稳定,甚至不可动摇。如同固定兑换率对可变兑换率一样,威权主义政府是隐藏了而不是消除了政治不稳定。惟一可靠地稳定的政权,是那些不存在政治动荡的征兆的政权,尽管那些征兆并没有受到强制性压制。因此,纯粹从征兆上对稳定进行度量就必须以对政治自由的度量作为补充;我们将看到,对政治稳定的度量,实际上与对政治自由的度量正相关。

经济不平等像政治稳定一样难以定义或度量。按照家庭、个人、人口的百分比分布、社会等级或者其他的经济或其他社会科学研究使用的标准的集合体予以度量的收入不平等,如同我已经暗示的那样,是真正的经济不平等的一个粗略替代。但是,只要我们集中于收

---

[7] 参见,John Londregan and Keith Poole, "The Seizure of Executive Power and Economic Growth: Some Additional Evidence," in *Political Economy*, *Growth*, *and Business Cycles* 51 (Alex Cukierman, Zvi Hercowitz, and Leonardo Leiderman eds. 1992). 该文强调了政变和宪法改变。我把"猖獗的"放在"国内政治恐怖主义"的前面,是因为,偶然的政治谋杀,即使是像1995年4月19日在俄克拉荷马市对联邦大楼的轰炸这样激烈的一个国内恐怖主义事件,也不是破坏性的。

入平等在时间维度上的变化,或者平等程度在不同国家之间的差异,收入平等或许就是真正的经济平等的一个差强人意的、虽然不是理想的替代。这样我们就可以说,并非美国是一个以"过大的"收入不平等著称的国家,而是今天的美国比十五年前存在更多的经济不平等,或者美国比日本或瑞典存在更多的经济不平等。

富国的经济不平等在 20 世纪 20 年代以后特别是在 1945 年后保持着十分稳定的下降趋势,[8] 但是自 1980 年以来则有所上升。[9] 而在与发达国家不同的发展中国家,与西蒙·库兹奈茨(Simon Kuznets)所提出的命题相符,收入水平的增长是与收入不平等的增长联系在一起的。[10] 因此,一般来说,经济不平等似乎一直在几乎贫穷、停滞的国家增长。在富国中,美国与瑞士的收入分配似乎是

---

[8] Hartmut Kaelble and Mark Thomas, "Introduction," in *Income Distribution in Historical Perspective* 1, 55 – 56 (Y. S. Brenner, H. Kaelble, and M. Thomas eds. 1991).

[9] 关于发展中国家,参见,Peter Gottschalk and Timothy M. Smeeding, "Cross – National Comparisons of Earnings and Income Inequality," 35 *Journal of Economic Literature* 633, 636 (1997); 特别地关于美国,参见,例如,Frank Levy and Richard J. Murnane, "U. S. Earnings Levels and Earnings Inequality: A Review of Recent Trends and Proposed Explanations," 30 *Journal of Economic Literature* 1333, 1371 – 1372 (1992); Richard B. Freeman and Lawrence F. Katz, "Rising Wage Inequality: The United States vs. Other Advanced Countries," in *Working under Different Rules* 2, 29 (Richard B. Freeman ed. 1994); Isaac Shapiro and Robert Greenstein, "The Widening Income Gulf" (Center on Budget and Policy Priorities, Sept.4, 1999); Frank Levy, *The New Dollars and Dreams: American Incomes and Economic Change* 2 (1998). 最近的关于收入分配的美国官方统计,是关于 1997 年的,它并没有显示出与我主要依赖的自 1990 年代早期以来的数字有什么显著的差异。U.S. Bereau of the Census, Current Population Reports, P60 – P200, Money Income in the United States: 1997 xi – xiii (1998). 所以,美国的不平等的增长也许已经趋向平稳了,尽管这可能是低得不同寻常的失业率的暂时结果。Lawrence Mishel, Jared Bernstein, and John Schmitt, *The State of Working America* 1998 – 99 49 – 56 (1999). 该文证明了,不平等在 1990 年代继续增长着,不过其增长率比 1980 年代的低。

[10] Kaelblee and Thomas 前注[8],页 9 – 10, 42 – 47。相反的证据参见,Jae Won Lee and Suk Mo Koo, "Trade – Off between Economic Growth and Economic Equality: A Re – Evaluation," in *The Theory of Income and Wealth Distribution* 155 (Y. S. Brenner, J.P.G.Reijnders and A. H. G. M. Spithoven eds. 1988).

最不平等的;瑞典、挪威和德国则似乎是最平等的。[11]

对于收入以及收入分配对政治制度之影响的度量,由于将收入与政治链接在一起的因果路径具有双向特点而复杂化了。当一个民主政治存在着巨大的收入不平等时,处于中间地位的投票人(medianvoter)就会有强烈动机极力支持累进税率的税收,因为从富人到非富人的重新分配的机会会很大。收入的分配越平等,中间投票人能从这样的税收中获得的就越少,因为对富人征收的税也越少。因此,我们也许可以指望,并且也有一些证据表明,[12]作为政治制度的一个后果,收入在民主国家比在非民主国家更加平等(这里"民主"不只是形式上,而是根据诸如投票者的出席数这样的实际行为予以定义的)。[13]如果由于民主与政治自由、政治自由与政治稳定之间

---

[11] John A. Bishop, John P. Formby, and W. James Smith, "International Comparisons of Income Inequality: Tests for Lorenz Dominance across Nine Countries," 58 *Economica* 461 (1991). 他们研究中的另外三个国家——澳大利亚、加拿大和英国——介于美国和瑞士与瑞典、挪威和德国之间。关于更为晚近的数据,除了澳大利亚变得比瑞士更不平等以外,与刚刚引用的研究中的数据是一致的。参见,"For Richer, for Poorer," *Economist*, Nov. 5, 1994, p. 19. 一个稍微有点不同但产生的结果大致相似的排名体系可以参见, Gottschalk and Smeeding, 前注[9],页662 – 663。

[12] Alberto Alesina and Dani Rodrik, "Distribution, Political Conflict, and Economic Growth: A Simple Theory and Some Empirical Evidence," in *Political Economy, Growth, and Business Cycles* 23 (Alex Cukierman, Zvi Hercowitz, and Leonardo Leiderman eds. 1992). 另参见, Edward N. Muller, "democracy, Economic Development, and Income Inequality," 53 *American Sociological Review* 50, 65(1988); Gerald W. Scully, *Constitutional Environments and Economic Growth*, ch. 8 (1992); Steven Stack, "The Political Economy of Income Inequality: A Comparative Analysis," 13 Canadian Journal of Political Science/Revue canadienne de science politique 273 (1980). 请注意,重新分配的税收将在减少税后收入不平等的同时也减少税前收入的不平等,因为高收入的人会把他们的精力和投资重新配置到可以逃税的事业。例如,边际的收入税率越高,免税的市政债券对于高收入者就越有吸引力,但是,由于投资者在高税收的水平上对免税收入的需求,这些债券的利润比征税债券的利润要低。

[13] 然而,这只是一个模糊的指示器,因为压制性的政府可能会迫使人们投票。Kenneth A Bollen, "Political Democracy: Conceptual and Measurement Traps," 25 *Studies in Comparative International Development* 7, 8 (1990).

的相关性，因而民主与政治稳定是相关的，那么，收入的平等就可能是政治稳定的结果而不是原因。

然而，一个民主政治的中间投票者模型，是一个可怕的过分简化。它忽视了政治过程中利益集团的作用以及民主原则在运作上的重要制度限制。作为利益集团努力的结果，许多公共花费，例如花在诸如加州大学伯克利分校这样的精英教育机构上的费用，不成比例地有利于高收入者。因此，尽管人们经常声称税后收入的分配比税前收入的分配更加平等，但后者或许是错误的基线。如果税收更低并且政府更小的话，收入的分配就可能会更加平等。

而且，成功的民主政治毫无例外都是自由的国家，因为纯粹的、直接的、国民投票的民主政治——缺乏对多数法则加以法律和制度制约的民主——必定会被分解为专政。现代福利国家较之无政府主义鼓吹者认为最理想的19世纪更加民主而更不自由，但是其特色在于它允许了大量的职业自由以及几乎完全的个人自由，并给私人企业提供了一个意味着承认和保护产权的相当广泛的活动空间，尽管比无政府的自由主义者喜欢的要小。这些自由对于收入分配的净作用无法被预测。但是它们的确使通过税收和其他强制性措施达到收入平等的民主主义努力变得更加复杂了。

这些要点有助于解释在一个自由、民主政权里，在特定历史环境下，例如在当今富裕、民主的国家里，收入分配是如何倾向于不平等的。计算机最终盛行起来，为了操作计算机以及先进技术的相关产品，对高度熟练的劳动力的需求也随之增加了。同时，对于低度熟练和不熟练的劳动力的需求有所减少，特别是在制造业，在这一行业，计算机、机器人以及其他形式的资源已经被证明是有效的替代品。这一减少，部分地是人造商品方面日益激烈的国际竞争的结果。因而发达国家从制造业到服务业的转变，是向低度熟练或不熟练的劳动力趋于接受低工资、而受教育程度高的劳动力则趋于接受高工资的各种工作形式的转变。各种行业的去管制化已经给工资施加了压力。边际税率也下降了。这些以及其他发展，包括家庭结构方面的变化,综合起来产生的作用,正在扩大收入分配的差距。[14]

而且,当智力能力而非体力、勇气和毅力成为生产力的决定性因素时,收入就可能趋于与 IQ 有更高程度的相关,而 IQ 的分配则是高度不平等的。[15]任何收入分配追随 IQ 分配的趋势,都可能由于传统的社会等级制度或者类似于社会等级制度的事物之崩溃而增强;这些事物构成了职业流动的障碍,并且在智力与报酬之间打进一个楔子(积极补偿行动的批评家将其描述为一种重新创造阻碍劳动力市场完全竞争的社会等级障碍的努力)。而且,随着包办婚姻以及对人种混杂或者种族混杂婚姻之禁忌的衰落,可以预见,未来的婚姻双方将更多地根据"真正的"相似性——包括智力上的相似性——来相互选择。[16]由于 IQ 具有重要的遗传成分,因此,更完美的、相般配的结合就暗示着,IQ 分配——从而可能导致收入分配——的不平等将在未来几代人中变得更大——特别是因为较高的 IQ 对个人生产力所起的作用可能比体力所起的作用更大,因此往往会加剧收入的不

---

[14] 例如,参见,H. Nnaci Mocan, "Structural Unemployment, Cyclical Unemployment, and Income Inequality," 81, *Review of Economics and Statistics* 122 (1999); John A. Bishop, John P. Formby, and W. James Smith, "Demographic Change and Income Inequality in the United states, 1976 - 1989," 64 *Southern Economic Journal* 34 (1997); Gordon W. Green, Jr., John coder, and Paul Ryscavage, "International Comparisons of Earnings Inequality for Men in the 1980's," in *Aspects of Distribution of Wealth and Income* 57,71 (Dimitri B. Papadimitriou ed. 1994); Kevin M. Murphy and Finis Welch, "The Structure of Wages," 107 *Quarterly Journal of Economics* 285 (1992);关于可能性的一个全面的观点,参见,Gottschalk and Semmding, 前注[9],页 646 - 651。然而,从高回报的制造业到低回报的服务业的转变部地是一种错觉。制造业的高回报中的一部分曾经并且现在仍然只是对于对身体的危险以及这类工作的其他不舒适的补偿,而不是纯粹的生产力的回报。如果一个职员和一个煤矿工人的工资相同,那么前者实际上就是得到了一份更高的工资。这是关于用收入不平等来度量真正的经济不平等所存在的缺陷的又一个例子。

[15] Linda S. Gottfredson, "What Do We Know about Intellignce?" *American Scholar*, Winter 1996, p. 15.

[16] 对于"相般配的"结合——同类的人与同类的人结合——这一趋势的论述,参见,例如,Gary S. Becker, *A Treatise on the Family*, ch.4 (enlarged ed. 1991).

平等。体力仅仅增加个人自身的生产力,而智力上的敏锐则可能增加他人(比如具有较高 IQ 的个人的雇员和客户)的生产力,因此,具有较高 IQ 的个人将赢得一笔很大的额外奖金。职业运动员的高收入不过是一个显而易见的反例。这些运动员赢得大笔的利润,是因为电视使他们能够有效地把他们的产品"再次销售"给数以百万计的消费者,从而与那些通过领导他人而成倍增加其生产力的具有较高 IQ 的个人相比,他们可以获得一个增殖的效果。这又是一个"明星"现象。

这些例子表明,促进机会平等的公共手段或私人手段,实际上可能减少结果平等,特别是收入平等。尽管社会可以通过税收和财政政策的干预改变收入分配,但是,沉重的政治以及经济成本日益为人们所认识,并且将直接为其所累的人(富人)都擅长组织有效的政治阻挠。密尔错在,他认为当政府对于社会总财富的增加可以无所作为的时候,它就可以自由地决定这一财富在人口之间的分配了。[17]

我们是否应当担心,收入不平等可能会形成一个难以控制的、具有潜在破坏性的社会最低层,这一阶层虽然由于过于疏离而很少参加投票和其他公民活动而在民主上是无力的,却是暴力的抗议运动的潜在新生力量?[18] 我不这样认为。在那些人口中绝大多数都相当富裕从而能够并且愿意提供资金来支持一个为维护公共秩序而设置的、大得难以应付并且强有力的机构的国家里,社会低层没有显著的政治优势或机会。总是存在这样一个危险,即这一机构会变得过于强大,以至于无法控制并会压迫守法公民,由此削弱了政权的合法性,并因而最终动摇政权。一个关于革命行动的理论认为,这样的行

---

〔17〕 John Stuart Mill, *Principles of Political Economy* 200 (W. J. Ashley ed. 1926). 公平地讲,米勒关于政府的概念与20世纪晚期的民主政府的概念毫不相关。

〔18〕 相关论证,参见,Rebecca M. Blank, "Changes in Inequality and Unemployment over the 1980s," 8 *Journal of Population Economics* 1, 14 (1995). 又参见,Paul S. Sarbanes, "Growing Inequality as an Issue for Economic Policy, in *Aspects of Distribution of Wealth and Income*,前注〔14〕,页168("日益增长的财富与收入的不平等是我们社会的真正的危险和威胁")。

动将驱使政府采用极度不受欢迎但却有效的压制方法,例如酷刑和集体惩罚。但是富国用得起昂贵的法律执行手段;这些手段保护了公民的自由,避免了酷刑和集体惩罚——由于它们节约了调查成本因而是很便宜的——以及对持不同政见者观点的审查。

如果这一点是对的,那么我们就可以预料,收入水平———一个社会平均的或中等的收入——会影响政治稳定,尽管收入分配可能不会。而且还由于,如果大多数人都非常贫穷,反对政变的现政权的保卫者就会很少。由于非常贫穷,人们可能感到(尽管常常是错误地),他们不会由于政府体制的变化而失去任何东西。因此,"几乎任何合理的关于自由的理论,都会预见到自由与真实收入之间的正相关。在需求方面,自由必须视为奢侈品,因此,当人均收入很高时,致力于获得个人自由的资源就可能更多。在供给方面,毫无疑问,压制一个富人比压制一个穷人更加昂贵,而这样做的必要性则可能更不强烈。"[19]

有关"致力于获得个人自由的资源"这一点,与我的有关一个不会引起革命行为的内部控制体系所必需的资源的论点相对应,而更无必要压制一个富人这一点,则与我的有关一个富裕的人在保留现存政府体制方面有更大的利害关系的论点相对应。这就暗示了,除非以一种特定的方式使收入分配发生倾斜———一个很小的上端和一个巨大的下端——否则,一个高水平的平均收入就能确保社会稳定,即使收入的分配是不平等的并且存在着一个相当大的永久的社会低层。而且,当平均收入增加时,穷人的收入可能会上升,即使收入分配却变得越来越不平等。如果人们以他们自己的经验而不是生活在与其环境截然不同的环境下的人们的经验作为度量他们做得如何的

---

[19] John F. O. Bilson, "Civil Liberty – An Econometric Investigation," 35 *Kyklos* 94, 103 (1982). 比尔森发现的恰好是这样一种收入与政治自由之间的正相关。前引书,页107。还参见, Bryan T. Johnson, "Comparing Economic Freedom and Political Freedom," in Bryan T. Johnson, Kim R. Holmes, and Melanie Kirkpatrick, 1996 *Index of Economic Freedom* 29 (1996).

基准,收入分配不平等的扩大就不可能加剧处在最低等级的人们对收入分配高于自己的人感到的任何愤恨。

我们一定不能将收入的不平等与贫困相混淆。事实上,如果诸如累进税制这样的减轻收入不平等的手段同时也减少了经济的增长——例如通过使在社会意义上有价值的资源转向避税这样的不能产生实益的活动,或者通过阻碍经济冒险活动——并因此延缓人口平均收入的增长,那么,贫穷与不平等就可能实际上是负相关的。一个不试图使收入分配更加平等的社会里的穷人,或许比试图如此的社会里的穷人更少。这一可能性被美国同时具有非常之高的平均收入、很多穷人以及比其他发达国家更不平等的收入分配这一事实所掩盖。[20] 但是造成这一不平等的原因之一——庞大的新近移民的数量——是同贫穷与不平等之间的负相关一致的。如果一个高水平的平均收入更可能存在于一个容忍收入不平等的国家,一个移民在美国或许就会比在其来源国感到有更大的经济机会,即使向新生活的过渡会是一个痛苦的过程。职业对于人才越开放而不论其国家出身,一个国家对于移民就越有吸引力,尽管这一开放性或许会导致高度的收入不平等,比如人们根据智力天分和因人而异的性格而被纳入不同的收入等级,又如第一代移民为了弥补他们在语言上和在其他为工作场所高度评价的技能上的缺陷而受雇于低工资。而且,坚决致力于平等的那些国家,必定会限制移民,以免移民的蜂拥而至带来那些寻求立即的、并且(由于一个平等主义社会的慷慨的安全网)有保障的经济地位提升的穷人。

这枚硬币的另一面是,为了寻求平等而压低平均收入的政治组织,会使很多最富生产力的公民向有更好经济机会的地方移民。这显然已经成为广为人们赞美的印度喀拉拉邦社会主义政府的平等主

---

[20] 参见,Gottschalk and Smeeding,前注[9],页644。

义政体的结果,[21]它还是以前英国、瑞典以及其他社会民主国家沉重的边际收入税率的结果。

即使把不平等问题同贫困问题分开——即使改善不平等的努力很可能加剧贫困,有一点可能还是值得担心的,即收入分配变得比以往任何时候都更不平等这一变化,将会损害政治共同体的结合,并最终动摇政治稳定。[22]我们来想像一种情况:在此情况下,较低的中间等级与上层等级之间的距离不断增大,并且在收入分配的一端,相对少数高智商的男男女女——通过形体训练、整容手术、基因工程以及预防性的健康护理而变得健康和美丽——领着能让他们住在奢华而幽静的社区里的极高薪水,并且通过直接遗赠、般配结合的基因遗传以及昂贵的学校教育传授的才能而把其优点遗传给后代,然而,就在贫困线之上,数以百万计的天赋有限的个人,以有限的工资,在那些不会带来任何特权或安全并且产生极少内在满足感的工作岗位上辛勤劳作,在其同类之间过着受限制的并且相对不健康的生活。这两个等级的成员在价值观、世界观、智力、兴趣、渴望、教育、生活方式甚至身体外观(身高、体型、外观年龄)上都变得如此不同,并且除了在最浅层次的工作场所相遇外都如此地隔膜,以至于他们不可能相互理解和同情,不可能在国家事业上"齐心协力"。

即使忽略中间的收入集团不计,这一概括也过于夸张了。(每一个收入集团在两端都会与另一个集团相接,因此即使最高集团与最低集团之间的共同之处极为微不足道,也可以经由中间集团形成一条间接的沟通线索。)因为,它忽视了平均收入的增长。20年后,随着美国人民的平均收入以50%的增长率(以实际收入为准)增长,最低等级中1/10的人将比他们今天的处境更好。他们会更加健康,更

---

[21] Jean Drèze and Amatrya Sen, *India Economic Development and Social Opportunity* 198 (1995).

[22] 其论证参见,Michael Lind, *The Next American Nation: The New Nationalism and the Fourth American Revolution* (1995).

加长寿,更多出游,精通更多事情,有更广阔的视野,并且可能更加宽容和平和。[23]即使那些目前年收入为 100 万美元的人在 20 年后将赚到 300 万美元,他们的健美、健康、受教育程度等等也不会是他们现在的 3 倍。金钱的边际效用递减。

事实上,尽管如今对于富人来说是一个显赫的时代,但是最富的人与刚刚够到贫困线的人之间的差距,比起 18 世纪英国的差距来,还是要小;那时候,富人住在富丽堂皇的豪宅里并有成群的仆人侍候,而处于平均水平的普通人则是农场劳力。英国的例子说明了,并不存在一个明确的经济不平等的限度,超过这一限度,社会就将分崩离析。即使某种程度的同感(fellow feeling)是自愿接受民主选择之结果的前提,它也可能非常微小,因此不受即便是巨大的收入差距的影响。纽约市除了其他特点以外,还因其居民收入的极大不平等而备受瞩目,其居民构成的一端包括世界上最富有的人,他们是名副其实的亿万富翁,另一端则包括极度贫穷的人,他们露宿街头并以乞讨为生。亿万富翁和其他富人接受着一支巨大的由中下等级的出租车司机、厨师、仆人、文员、书报摊贩以及警察组成的大军提供的服务,这支大军每天长途跋涉地从纽约城的外城区赶到市里。其居民构成中还有包括律师和股票经纪人构成的中上等级,吉普赛人等级,一大群合法的与非法的移民、学生、罪犯、下层等级以及大量各式各样的种族和宗教团体。然而,尽管存在着如此令人难以置信的异质性,纽约城仍然是一个稳定的共同体。当然,它的稳定部分是由于它是包括在更大的政治体即纽约州、以及更重要的美国之中。然而,这却例证了,分散在宽大的收入频谱上的人们有可能基本上和平地与合作地共处,尽管不是非常和谐地、也肯定不是平静地共处。

另外一个要点——这一点非常著名地招致阿纳托勒·弗朗西斯(Anatole France)的嘲笑——在于,一个民主的社会通过赋予其公民

---

〔23〕 比较,Edward J. Rickert, "Authoritarianism and Economic Threat: Implications for Political Behavior," 19 *Political Psychology* 707, 717 (1988).

以广泛的权利来承认他们在政治上的平等:投票权、成为选举候选人的权利、自由讲演的权利、免受某类歧视的权利等等。即使这些权利的经济价值是与金钱收入或财富成比例的,就即使对于那些收入平平的人它们也具有价值这一点而言,它们还是提高了所有公民的自重与自尊(个人"价值"感)并因此使收入平等的缺失变得不那么可以指摘和不体面了。然而,同时,关于政治平等的意识形态可能会促进"每个人都是国王"的态度,这一态度会引导人们去质疑收入差异的合法性:如果我与旁边的人一样好,为什么他的收入是我的400倍?

我还没有考虑忌妒或公正与对经济不平等的分析之间的关系。这两个概念比它们看起来更加相似。忌妒是负的利他主义:如果我忌妒一个更富有的人,其含义就是,如果这个人失去他的财富的话,我的幸福就会增加,因为那时我的忌妒亦即负效用的一个来源也会减少。那些愿意看到更大的收入平等的人,并不依据忌妒来证明其偏好是正当的。他们说,一个更加平等的收入分配将更加正义。但是,如果不存在忌妒的话,并且如果我所认为的使收入分配平等化的努力(不应该将其与减少贫困的努力相混淆)会减少平均收入这一点是对的,那么,这一努力会获得什么呢?无论如何,在一个民主社会里,忌妒因素是自动被加以考虑的。如果收入分配因一个大的投票者集团的偏好而大大偏离底线,政治家们就会作出回应并且将通过法律,以减少或者至少掩饰一下不平等。这就为如下这一确信提供了一个理由:那些人们既可以直接也可以通过投票来自由表达其怨恨的社会,可能比压制的社会更为稳定。

我不认为忌妒完全是个坏东西,在这一点上我与约翰·罗尔斯不同。[24]忌妒以一种古怪的方式成为一种社会粘合剂,它使得我们能够移情地识别那些与我们不相似的人,去感受他们的快乐——尽管是作为我们的痛苦——和他们的痛苦——尽管是作为我们的快乐。忌妒的反面是利他,但是忌妒与利他的平均值却是对他人的漠不关

---

[24] John Rawls, *A Theory of Justice* pp.530–541 (1971).

心。无论如何,在一个财产与合同权利制度非常壮大、从而很难通过使境况好的人境况变糟而缓解一个人的忌妒的社会里,忌妒是努力与成功的刺激因素——胜过他人的努力,而不是把别人挤下去的努力。罗尔斯承认其称之为"好胜"(emulation)的"善意的忌妒"的存在。[25] 但是,他没有考虑到如下这一可能性:一个保护人们不受忌妒之徒的好斗的、诽谤性的或其他进攻性的行为侵害的社会,会把坏的忌妒引导成为好的忌妒。他之所以忽略了这一可能性,是因为他相信,忌妒与好胜是不同的感受,而非行事方式不同的相同感受。忌妒被注入了敌意,而好胜则被注入了钦佩。但是,如果社会的政治和经济安排,使得建设性途径较之破坏性途径更加容易的话,忌妒之徒在其忌妒的刺激之下,就会作出建设性努力,就像好胜者一样。康德——罗尔斯是其著名的追随者之一——认为,"忌妒性的竞争虚荣心"是人类发展其自然能力的基本动力之一。[26]

如果忌妒依赖于移情,那么,忌妒在收入差异小的时候就会比收入差异大的时候更加强烈,因为这时候对与我们相似的人的正面或者负面的移情都更加容易。毫无疑问,学者的行为也表明,忌妒并不是巨大的收入差异的函数。托克维尔认为,"更大的平等倾向于产生出于忌妒的比较:当人们变得更加平等的时候,他们就会觉得他们的不平等越来越难以忍受。"[27] 在忌妒的激励不能带来平等、以及政治结构太脆弱以至于不能安全地包容忌妒的破坏性冲动的情况下,不平等可能是破坏性的。但如果托克维尔是对的,那么较大的不平等或许比较小的不平等的破坏性更小。

更为概括的一点是,不是收入在人口中不平等分配的程度,而是

---

〔25〕 前引书,页533。

〔26〕 Immanuel Kant, "Idea for a Universal History with a Cosmopolitan Purpose," in *Kant: Political Writings* p.41, p.45 (Hans Reiss ed., 2d ed. 1991).

〔27〕 Raymond Boudon, "The Logic of Relative Frustration," in *Rationality and Revolution* 245 (M. Taylor ed. 1988).

对这一不平等程度的道德或者情感反应,[28]决定了不平等的政治后果。一个关于机会平等的强大的社会许诺,就像在美国一样,可能会通过使财富看起来更像是个人功劳、或运气、或其他善良或天真的身心状况的结果,而不像是剥削、歧视或其他不公正的认可和回报的结果,而抑制忌妒的感觉(但是不会压抑前进的努力)。如果真是这样的话,那么机会平等的最大化就会缓解重新分配的压力,同时基于我前面解释的理由,会使收入的分配更加不平等。然而,机会平等也可能正好通过使成果看起来像是运气而非功劳的结果(特别是如果,像在罗尔斯那里那样,甚至遗传天资也被认为是运气的产物)因而是武断的,或者通过强调能力的差异并因此使竞争中的失败者蒙羞进而突出优越,而加剧忌妒。因此,平等如何影响忌妒与自尊并因此影响政治稳定,是一个经验的问题。萨姆·帕尔兹曼(Sam Peltzman)所提出的平等先于并促进重新分配状态的证据表明,对富人的忌妒并不是平等主义政体的原动力。[29]

这一讨论对法律在保护财产权利方面应当走多远这一问题提供了暗示。一方面,对于这些权利的强有力保护,会使经济体系的运行更有效率,其结果是更高的平均收入和更大的经济机会。另一方面,如果这一保护被推到极致,即重新分配的手段——比如累进税制——被视为违宪或者由于侵犯财产权利而被禁止,收入不平等就可能增长到忌妒要求补偿的程度,但是,民主过程这一安全阀将会关闭,从而政治稳定可能会遭到威胁。我们需要一个足够灵活的政治过程,以在对于平等的要求变得非常迫切的时候回应这些要求,而无论这些要求是植根于忌妒,还是植根于某种其他的情感或者原则。民主作为一种政治制度的优点,就在于其所具有的调和平等与稳定

---

[28] 关于二者的区别,参见,Peter van Wijck, "Equity and Equality in East and West," 47 *Kyklos* p.531, 543 (1994) (table 4).

[29] Sam Peltzman, "The Growth of Government," 23 *Journal of Law and Economics* p.209 (1980).

的能力。

我假设了政治稳定与平均收入之间是正相关的——这基本上是因为一个富国的国民在政治稳定上有很大的利害关系,而且他们也用得起那些不会招致富人广泛怨恨的"文明的"压制手段——但我并没有假设政治稳定与收入平等之间有任何相关。现在我必须检验这一假设。表3.1检验了这一假设。将最狭义的政治稳定的量度——比如征用的风险、"政变数"(coup count)以及宪法中未规定的政权变动的频次,连同政治自由的量度——法治的承诺以及以公民自由和政治权利为基础的"自由度",对收入平等的量度(20%最穷家庭的收入与20%最富家庭的收入的比率)、[30]对社会的平均收入以及对这一收入水平的变化(这一变化或许被认为是破坏性的)进行了回归。由于表中所集中的国家,除了收入以外还在很多与政治稳定有潜在关联的方面有所不同,因此,我也将地区的虚拟变量(dummy variable)包括在内,并且允许误差项在不同国家有不同的方差。[31]

这一表格分为两个部分。A部分表现的是因变量为比值时的回归。在这些回归中,因变量越大,结果"越好"(例如,征收风险的数值越高,就意味着风险越低)。B部分表现的是因变量为事件的数量(例如武装政变数)时的回归,在这些回归中,因变量越大,结果"越糟"(例如,武装政变越多)。对这两组回归的说明只有细微的差异;我可以应请求提供细节。

---

〔30〕 这并不是对收入不平等的一种复杂精细的度量方法,因为没有足够的数据来建立诸如吉尼系数(Gini coeffecient)这样的适用于样本中足够多的年头和国家的测量方法。可供代替最富的1/5与最穷的1/5的比率的另一个办法是,最穷的与最富的各有独立的变量,但是,这一可供选择的程序将更加麻烦、更不直观,并且也会得出相似的结果。

〔31〕 关于对表3.1与3.2所用到的数据和方法论的更详细的讨论,包括关于因变量(dependent variables)的概括的统计数字与界定,参见统计学附录,Richard A. Posner, "Equality, Wealth, and Political Stability," 13 *Journal of Law, Economics, an Organization* p.344, pp.354 – 364 (1997).

这些回归中只有两个回归,其收入平等变量的系数的符号达到了5%水平的统计学显著度(用绝对值大于1.96的统计量 t 表示)。其中一个——政治暴力造成的死亡——的符号是负的,表明较大的收入平等与较低的政治暴力水平相关。但是在另一个——自由度——中,较大的收入平等是与较小的自由相关的。从整体上看,这些回归并未表明,减少经济的不平等可能会增加政治稳定。为了检验我早先作出的极端的收入不平等在政治上可能具有破坏性这一推测,我(在一组未发表的回归中)用表3.1中的平等变量的平方替换了这一变量,其作用在于提高最平等与最不平等的收入分配之间的差距。这一校正过的平等变量,与未校正前的一样,未能达到统计学上的显著度。

表3.1 政治稳定对真实平均收入、真实平均收入的增长、收入平等以及地区的回归(括号里的是统计量 t)

	A.政治平等比率的回归								
				自变量					
因变量(N=观察样本数)	收入平等(百分比)(滞后一年)[a]	人均收入(log)(滞后一年)[b]	五年内人均收入的增长(百分比)	非洲	北美洲,欧洲与澳大利亚	亚洲	拉丁美洲	常数项	对数似然比
征用的风险(-5到+5)(N=303)	-0.0025 (-0.267)	0.0002 (6.281)	0.0277 (11.693)	0.3325 (2.002)	1.5767 (4.288)	0.2174 (0.883)	0.2681 (1.182)	0.4523 (2.013)	1.335
政府的腐败(-6到+6)(N=311)	-0.0143 (-1.369)	0.0003 (5.716)	0.0016 (0.897)	0.7774 (2.939)	2.2192 (4.335)	-0.9950 (-2.296)	-0.8921 (-3.596)	-0.7595 (-2.872)	77.002
法治(-6到+6)(N=320)	-0.0324 (-2.170)	0.0002 (5.067)	0.0018 (0.712)	0.0487 (0.272)	5.1139 (11.884)	-0.1056 (-0.294)	0.4295 (1.820)	-1.4349 (-4.595)	-7.747
自由度(-6到+6)	-0.0065 (-0.477)	0.0003 (8.024)	0.0142 (-10.291)	-0.3447 (-1.208)	3.6232 (8.292)	1.1647 (3.214)	3.1498 (7.427)	-1.7456 (-4.973)	-114.551

(N=462)

B.对政治稳定的经验度量的回归

自变量

因变量 (N=观察 样本数)	收入平等 (百分比) (滞后一年)[a]	人均收入 (log) (滞后一年)[b]	五年内人均收入的增长	非洲	北美洲,欧洲与澳大利亚	亚洲	拉丁美洲	中东	平方的回归
抗议 (人均) (N=567)	-0.0080 (-0.353)	0.3890 (2.081)	-0.0132 (-2.848)	-2.1296 (-1.642)	-1.3678 (-0.793)	-1.2896 (-0.880)	-2.3667 (-1.561)	-1.5217 (-1,156)	0.60
政治暴力所造成的死亡(人均)(log) (N=567)	-0.0719 (-2.898)	-0.2809 (-1.321)	-0.0352 (-3.470)	4.5078 (2.731)	0.0119 (0.316)	6.2167 (3.637)	4.3061 (2.525)	5.1298 (2.735)	0.47
非常规的政府继承 (log) (N=567)	-0.0002 (-0.163)	-0.0162 (-1.677)	-0.0002 (-0.891)	0.1402 (2.000)	0.1570 (1.770)	0.1710 (2.082)	0.1834 (2.099)	0.1528 (1.805)	0.05
武装政变 (log) (N=683)	-0.0001 (-0.087)	-0.0147 (-1.791)	-0.0003 (-0.835)	0.1131 (1.872)	0.1425 (1.764)	0.1386 (1.856)	0.1783 (2.352)	0.1385 (1.795)	0.05

a.最穷的20%家庭的收入被表示为最富的20%的家庭的收入的一个百分比。
b.真实人均收入以固定的1985年的美元表示(环比指数)。

收入的水平在其中5个方程式中,具有高度的统计学上的显著度。并且,在全部8个方程式中除了一个之外,符号都与预测的一样:政治稳定随着平均收入的提高而加强。例外——抗议示威变量的显著的正符号——只是表面的。稳定的社会有能力容忍这样的示威,而这样的示威在不稳定的或者不自由的社会里则可能被视为破坏性的,因此遭到严厉的镇压。

最后,在8个回归中,有4个的收入变化变量的系数的符号在统计学上是显著的。在统计学上显著的回归里,前五年中经济增长的比率与较少的由政治暴力造成的死亡、较少的抗议示威以及较低的征用风险是相关的,但是,令人吃惊的是,它也与较低的自由度相关。

这些结果暗示了收入的水平——并且不那么强地暗示了收入的增长——与政治稳定正相关,而收入的平等则与之无关。然而,这些结果的意义有限。[32] 国内的经济数据,特别是较穷国家的,往往不可靠;政治数据经常既不可靠又主观。但是,我的研究结果的确对收入平等是政治稳定的关键这一命题提出了质疑,同时,也对高水平的平均收入促进政治稳定这一命题提供了支持。

一个重要的问题在于因果关系的方向。政治稳定有可能是高水平的和增长的平均收入的原因而非结果吗?滞后的自变量的使用表明是不可能的,但是,根据我的数据所构成的分成两段的最小平方回归(least square regression)(没有表示出来),我无法否定政治稳定不能孕育高水平的和增长的平均收入这一假设。因果过程可能是双向的,因为,一个稳定的、以强制力实现权利的政治环境,会鼓励物质与人力资本两方面的投资,一组在政治稳定与经济增长之间找到正相关的经济学文献就暗示了这一点。[33]

---

[32] 两个使用不同的自变量和我自己的数据的回归分析在收入不平等与政治暴力之间找到一个显著的正相关。Cliff Brown and Terry Boswell, "Ethnic Conflict and Political Violence: A Cross-National Analysis," 25 *Journal of Political and Military Sociology* 111 (1977); Edward N. Muller and Mitchell A. Seligson, "Inequality and Insurgency," 81 *American Political Science Review* 425 (1987).

[33] 参见,例如,Robert J. Barro, "Economic Growth in a Cross Section of Countries," 101 *Quarterly Journal of Economics* 407, 437 (1991). 又参见, Roger C. Kormendi and Philip G. Meguire, "Macroeconomic Determinants of Growth: Cross-Country Evidence," 16 *Journal of Monetary Economics* 141, 156 (1985); Kevin B. Grier and Gordon Tullock, "An Empirical Analysis of Cross National Economic Growth, 1951–80," 24 *Journal of Monetary Economics* 259, 271–273 (1989). 并参见, Adam Przeworski and Fernando Limongi, "Political Regimes and Economic Growth," 7 *Journal of Economic Perspectives*, Summer 1993, pp.51–69,有关一个对将政治政权与经济增长联系起来的经济文献的高度批判性的评论。应当强调的是,由于权利并不是没有成本的,因此对于权利的过度保护会减少国家的财富,特别是在穷国。Stephen Holmes and Cass R. Sunstein, *The Cost of Rights* (1998); Richard A. Posner, "The Costs of Enforcing Legal Rights," *East European Constitutional Review*, Summer 1995, p.71.

我在前面提到,政治稳定的各种各样的度量往往都是正相关的。表3.2通过计算前一个表格中自变量的相关系数检验了这一假设。圆括号里的数字表示的是,相关系数实际上为零——即这些变量彼此之间不相关——的可能性。像预想的一样,这些变量在很大程度上是强相关的,而且符号也与预测的一样。因此,征用的风险与政府的腐败强烈正相关,而与法治和自由变量则强烈负相关;腐败与法治强烈负相关;武装政变与法治强烈负相关,而与非常规的政府继承强烈正相关;等等。

表3.2 政治共同体各代表因素之间的相关性(括号里的数字表示重要性水平,其下的数字表示观察样本数)

	征用的风险	政府的腐败	法治	自由比率	抗议(人均)(log)	政治暴力所造成的死亡(人均)(log)	非常规的政府继承(log)	武装政变(log)
征用的风险	1.0000 1 672							
政府的腐败	0.6274 (0.000) 1 672	1.0000 1 712						
法治	0.7865 (0.000) 1 672	0.7379 (0.000) 1 712	1.0000 1 712					
自由比率	0.5337 (0.000) 1 408	0.5146 (0.000) 1 428	0.5466 (0.000) 1 428	1.0000 2 099				
抗议(人均)(log)	0.0560 (0.653) 67	0.3051 (0.004) 87	0.2466 (0.021) 87	0.2633 (0.000) 705	1.0000 2 739			
政治暴力所造成的死亡(人均)(log)	0.0000 (1.000) 67	0.0000 (1.000) 87	0.0000 (1.000) 87	0.0275 (0.466) 705	0.2759 (0.000) 2 739	1.0000 2 739		
非常规的政府继承(log)	−0.1021 (0.411) 67	−0.1879 (0.081) 87	−0.1206 (0.266) 87	−0.0870 (0.021) 705	0.0843 (0.000) 2 739	0.2039 (0.000) 2 739	1.0000 2 739	
武装政变(log)	−0.1118 (0.006) 595	−0.1437 (0.000) 635	−0.1633 (0.000) 635	−0.0859 (0.003) 1 173	0.0610 (0.002) 2 532	0.1695 (0.000) 2 532	0.6200 (0.000) 2 532	1.0000 3 229

现在,我从政治稳定(及其与平等的关系)转向成本－收益分析。这一术语有多种意义和用法。在一般性的最高层次上,也就是我们在阿玛提亚·森向成本－收益分析讨论会提交的论文中所碰到的那种一般性上,[34]它实质上是与经济学的规范性用法同义的。在一般性等级的另一端,这一术语则特指财富最大化的评判标准这一用法:这一评判标准被用来评价政府事业,例如大坝的修建或武器体系的设计;政府授权,比如政府对医疗研究的授权;以及政府管制,不仅包括涉及健康、环境以及其他高度管制活动的行政规章,还包括成文法以及普通法的教义和决定。但是,成本－收益分析除了具有规范效用以外,还具有实证效用。即,它可以用来解释并预测一些政府决定,特别是那些相对隔离于利益集团政治运作的决定。

沿着定义的不同轴心,成本－收益分析可以指一种纯粹评价的方法,这一方法的运用不考虑在一项决策中使用成本－收益分析的任何结果;可以指决定的一个输入量,从而决策者可以随意根据其他考虑因素否定分析的结果;也可以指排他的决定方法。当其在最后一种意义上使用时,就像我提倡的用成本－收益分析指导普通法决策的用法一样,我们就必须对财富最大化的评判标准(如果它就是所使用的成本－收益分析的评判标准的话)加以论证。但是,当成本－收益分析仅仅是决定的一个输入量的时候,并且更明确地说,当它只是学问上的纯粹演习的时候,假定财富被承认为一种社会价值,即使并非惟一的社会价值,就没有必要坚持其作为一个规范原则的充分性。我认为,即使是比我更怀疑自由市场的森也同意这一点(参见页947);而且,比森更怀疑自由市场的亨利·理查德森(Henry Richardson)也同意。[35]并且,重复前面提到的一点,就可以说明分配正义是

---

[34] Amartya Sen, "The Discipline of Cost－Benefit Analysis," 29 *Journal of Legal Studies* 931 (2000).

[35] Henry S. Richardson, "The Stupidity of the Cost－Benefit Standard," 29 *Journal of Legal Studies* 971 (2000).

政府的某一其他部门或者政策工具(例如再分配的税收与花费)的恰当职责而言,以及就忽略待定决策的特定范围内的分配因素不会产生系统性和实质性的分配后果而言,把分配因素搁置一边而心安理得地使用财富最大化的进路是可能的。

在同一次讨论会上的一篇论文中,约翰·布鲁默(John Broome)用一个把桌子从一个穷人那里强制地、没有补偿地移转到一个富人那里的例子,对财富最大化是一种社会善品这一命题进行了挑战。他指出,允许这样一个交易,在任何可以理解的意义上都不会提高社会福利;这一点是对的。但是,当人们考虑到,允许这样的交易,就好比强迫富人与穷人交易这一替代方案一样,将会对富人和穷人产生的激励作用时,它也不是财富最大化的。那些可以适用受财富最大化的评判标准指导的成本-收益分析的典型事业和政策,并不具备布鲁默的例子令人不快的特点。然而,这一例子有助于表明,在某一政策剥夺了财产权——就像在桌子的例子里或者在由于修建大坝而使农田被淹的例子一样——而对该政策的成本与收益进行度量的时候,为什么接受的意愿而不是支付的意愿应当成为价值的量度。自愿接受这一要求可以更好地保护产权,而这一点在市场经济下则发挥着重要的节约成本的作用。

在其他的会议论文中,罗伯特·哈恩(Robert Hahn)、刘易斯·康豪塞(Lewis Kornhauser)、卡斯·桑斯登(Cass Sunstein)以及奇普·维斯克斯(Kip Viscusi)的论文,[36]主要涉及对成本-收益分析的辩护,以反驳其批评者。罗伯特·弗兰克(Robert Frank)、柏瑞·艾德勒(Barry

---

[36] Robert W. Hahn, "State and Federal Regulatory Reform: A Comparative Analysis," 29 *Journal of Legal Studies* 873 (2000); Lewis A. Kornhauser, "On Justifying Cost-Benefit Analysis," 29 *Journal of Legal Studies* 1037 (2000); Cass R. Sunstein, "Cognition and Cost-Benefit Analysis," 29 *Journal of Legal Studies* 1059 (2000); W. Kip Viscusi, "Risk Equity," 29 *Journal of Legal Studies* 843 (2000).

Adler)与艾瑞克·波斯纳(Eric Posner)[37]希望以显著的方式改变成本－收益分析,而在布鲁默、玛莎·努斯鲍姆(Martha Nussbaum)与理查德森的论文中,[38]对成本－收益分析的效力和效用的质疑则是主旋律。森的论文似乎在第二与第三集团之间达到了完美的平衡,我将最后讨论这一点。

我们在读完这些论文后会得到一些有趣的发现。第一点是,成本－收益分析是如何通过如此经常地最终服务于我们碰巧抱有的任何目标,而成功地通过了实用主义检验的。例如,如果我们对于少数派的福利特别感兴趣的话,我们就应该问一问成本－收益分析是服务于抑或是危害了其利益——而我们会发现,以维斯克斯的论文为据,它很好地服务于他们的利益。我们还会看到,成本－收益分析作为一个决策规则的效用,是关于一种特定类型的政府决策过程隔离于政治影响的程度的函数,而且,很多这样的过程都在或大或小的程度上隔离于政治影响。我们还会看到,成本－收益分析的支持者已经提供了一个主要集中于风险管理的、有说服力的、实用主义的例子,这个例子说明了成本－收益分析可以改善政府决策的质量。桑斯登很好地表述了这一点,他说,成本－收益分析"最好是作为[一个]实用主义的工具,它在深刻的问题上是不可知论的,并被设计用来辅助人们在涉及多重利益时作出复杂的判断"(页1077)。他主张,成本－收益分析的实践价值特别巨大,因为,他相信认知怪癖会使人们很难正确思考因而需要那种由成本－收益分析施加于决策之上的理性训练。森也赞许地提到在评价中坚持清楚明晰(explicitness)所具有的学术益处。当成本－收益分析应用于不同联邦管理

---

[37] Robert H. Frank, "Why Is Cost－Benefit Analysis So Controversial?" 29 *Journal of Legal Studies* 913 (2000); Matthew D. Adler and Eric A. Posner, "Implementing Cost－Benefit Analysis When Preferences Are Distorted," 29 *Journal of Legal Studies* 1105 (2000).

[38] John Broome, "Cost－Benefit analysis and Population," 29 *Journal of Legal Studies* 953 (2000); Martha C. Nussbaum, "The Costs of Tragedy: Some Moral Limits of Cost－Benefit Analysis," 29 *Journal of Legal Studies* 1005 (2000); Richardson, 前注[35]。

机构对健康与安全进行的风险管理时,我们就会发现一些任何人都不会支持的古怪的反常。

最后,我们会看到,那些一方面接受成本－收益分析的基本有效性、另一方面又寻求通过修正、甚至拒绝用财富最大化的评判标准确定其方向来提高其规范性质的论文,在规范性的表面可信性上获得的,还不如它们在复杂性与非确定性上失去的多。我们最好还是承认,成本－收益分析不可能是政府使用的惟一决策规则,而且,当它作为决策的一个输入量使用时,它也可以是有价值的,就像风险管理研究显示的那样。在这样使用成本－收益分析时,它迫使决策者去面对一项提案中的行动的成本,[39]而且,这可能就跟在一个民主社会里要做的差不多。如果机构职员、纳税人以及投票人都知道——由于成本－收益分析———项正在考虑中的方案将以每只100万美元的代价保护16只海獭,而政府仍然得以放手这样做,那么我就没有任何理由对之非议。

那些认为成本－收益分析无法应用于作者感兴趣的问题的论文,都没有提出一种更优的评价公共政策的替代方案。我甚至怀疑它们都赞成一种秘而不宣的(uninformed)政治判断。成本－收益分析在广泛的政策决策中是不可避免的。[40]

哈恩的论文会被认为是对我一直在强调的成本－收益分析的实践效用持悲观态度的。他发现,在国家层面上要求成本－收益分析

---

[39] "成本－收益分析从一开始就是作为一种限制公共投资决定中的政治作用的策略而设计的。"Theodore M. Porter, *The Pursuit of Objectivity in Science and Public Life* p.189 (1995). 他讨论了美军工兵部队对成本－收益分析的用法,他们在20世纪20年代开始将这一分析用于对建造大坝、港口和其他公共工程的提议。

[40] "那些反对使用收益－成本分析的人自然很少绝对地忠实于其'健康至上'的信条。他们谈论经济可行性,而不是成本;他们支持松懈的强制执行;他们为特定等级的污染者创设豁免;他们鼓励——事实上,有时甚至要求——延迟,以免使其普遍政策的结果显得过于显而易见。"R. Shep Melnick, "The Politics of Benefit－Cost Analysis," in *Valuing Health Risks, Costs, and Benefits for Environmental Decision Making*: *Report of a Conference* 23, 25 (P. Brett Hammond and Rob Coppock eds. 1990) (footnote omitted).

的趋势,没能在更有效的管制方面取得多大成就。他评论到,"根据政府自己的[可疑的、自私的]数字,一半多(57%)的联邦政府管制都不能通过严格的成本-收益分析"(页892-893;省略了脚注),而且"根据对社会的最高回报来对管制所花费的委托授权成本进行重新配置,每年差不多可以保护6万条生命而不必花费额外的成本"(页893;省略了脚注)。这些数字是令人吃惊的,至少如果人们有意将并非这6万条生命都值得保护这一缺乏同情心的想法从脑中驱除出去的话。哈恩所列举的成本-收益分析的胜利无疑是中肯的,其中我最中意的,一个是废除不准灵车走特定的(我想是风景宜人的)驾车专用道路的管制,另一个是废除根据学童的建议采用学校标志这一管制。政治,并且,毫无疑问的(尽管哈恩没有强调这一点),官僚惰性和利己主义,已被证明是各级政府进行成本-收益分析的主要障碍。

然而,与成本-收益分析的失败同样显著的是,这一方法已经在各级政府变得时髦起来。对成本-收益分析的理论反驳在实践层面上已然粉碎并撤退到学术界来。成本-收益分析的传播,即使当它仅仅采取的是对效率原则的口头应承这一形式时,也加强了趋向于自由市场的国际趋势。成本-收益分析是一种向政府介绍市场原则的努力,或者是一种促使政府模拟市场结果的努力,或者简而言之,就是使政府更像商业的努力。关于自由市场有一种意识形态;这种意识形态对于具体的政府决策有某种影响;并且成本-收益分析的日益流行既是这一意识形态的后果,在较小的程度上也是这一意识形态的原因。

哈恩或许低估了愚蠢的行政决策在行政程序的执行阶段遭到破灭的程度或者由于被管制公司巧妙运用法律漏洞而被规避的程度。他也忽略了对行政行为的司法审查在保证政府机构进行成本-收益分析的真实性方面具有的意义。无论管制基于多么不适当或者多么有偏见的成本-收益分析,受制于这些管制的人们都可以在法庭上对这些管制提出有力的挑战,指出政府的成本-收益分析不合理的方面,并且指出他们自己的分析是更好的。要挑战一个完全以模糊不清的公平公正为基础的管制就困难多了。

　　康豪塞对成本－收益分析作了一个根本的、实用主义的辩护——即,它"常常看起来提高了决策的质量"(页1038)——并且通过在评价成本－收益分析的全球道德的标准和切实可行的标准这两者之间所作的有益区分,强化了成本－收益分析。后者当然是更可取的进路。如果没有切实可行的处理问题的替代方法,或者如果惟一切实可行的替代方法得出的结果即使在道德哲学家看来都是更糟的,那么,指出成本－收益分析违反了某种道德上的必需是没有任何助益的。

　　但是,康豪塞对生命价值的讨论却让我感到头疼。他指出了重要的一点,即成本－收益分析并不试图真正地评价生命;这一点我将回头来谈。但是他是用一个例子来为这一点辩护的,而我坚信他曲解了这个例子。他主张,这个例子显示了"成本－收益分析甚至不能为一个吸烟者的生命价值提供一个统一的评价"(页1051)。他正确指出了,吸烟者不必在三项有可能把因肺癌致死的预期数字减少一半的政策——使香烟更安全、减少吸烟者的数量以及降低肺癌的致命性——之间不偏不倚。他从这一点推出,甚至对于吸烟者来说也不存在一个统一的生命价值。但是,在这些例子里,并非生命的价值在变化,而是吸烟的其他后果在变化。在第一个例子里,吸烟者将得到他的蛋糕并享用它,而在第二个例子里,他将丧失从吸烟中获得的任何效用,而在第三个例子里他将承担肺癌的成本,尽管这一成本由于生存的机会更大了而比较低。

　　关于生命价值,康豪塞本来应该说的是,成本－收益分析评价的是风险,而非生命;成本－收益分析涉及的"生命价值"只是一个数学的变形。假定,通过研究人们行为发现,一般人为了避免1/100万的、因某种可被某一提案消除的危险而丧生的可能性而愿意承担最高为1美元的成本。同时假定,200万人面临这一危险而那个提案(为了简单起见,我假定这一方案没有其他收益)将花费300万美元。

由于每一个因这一政策而受益(在预期的意义上)的人为了避免这一危险只会支付1美元,总计为200万美元,因此,收益小于成本。用另一种方式来表达就是,这一保护生命的方案只能被指望保护两个人的生命,他们每个人"对其生命的评价""仅"为100万美元($1/.000001),因此全部收益仅为200万美元,小于成本。正像我所说过的,这只不过是一个评价风险而不是评价生命的分析的数学变形而已。

布鲁默提供的一个例子例证了企图评价生命而非风险的缺陷。他主张,两种都将导致一人死亡的方案成本相同(假设它们所有其他的成本也相同),即使第一个方案中的死亡是把一个百万分之一的死亡风险加于100万人之上的结果,而第二个方案中的死亡则是把一个千分之一的风险加于1 000人之上的结果。在事后的意义上它们的成本是相同的,但是,事前评价这两个方案却需要考虑事前的成本,而它们是不同的。第二个方案在事前的意义上更昂贵,因为人们更不情愿(可能不情愿一千倍)遭受更高的风险。如果100万人为避免他们面临的风险而愿意付出的总计起来比1 000个人为避免他们面临的风险而愿意付出的更少,那么第二个方案就是更加昂贵的。

桑斯登的论文令人吃惊地颠倒了针对成本-收益分析以及更广义的经济学思想的一个标准批评:它低估了"软"变量。这些批评家主张,人们过于强调那些可以量化的因素,而如果是这样的话,这就是一个很好的关于实际起作用的有效启示的例证。桑斯登则辩称,成本-收益分析可以用于对抗这种启示并促进公共政策的理性。然而,在这样辩论的时候,他冒了迂回的风险,因为,如果引起他注意的那些认知怪癖传染了市场行为的话,那么,成本-收益分析所依据的价格也就不再是训练思想的可靠工具了。

另一个问题是,一些"怪癖"确实是理性的,比如人们在一定的语境下解决问题时比在孤立的环境下解决得更好。而且,偏好逆转的出现,也不是因为人们前后不一致,而是因为当人们受到刺激而回忆起那些可以帮助他们处理评价问题的信息时,他们能给出更好的答案。同样地，对新风险（比如核能）比对旧风险（比如煤的燃烧所造成的污染）更加害怕也是理性的，因为，当某一风险是新型的时候，其意义与变化都很难估计。当某种新的恐怖出现时，比如首次发生的学童大规模射杀同窗同学的事件，会产生一种自然而然的对这是一种趋势的发端而非一个孤立事件的担心；在上述特定的例子里，还会引发一种对效仿的可能性的担心，这是惊慌的另一个合理根源。

对桑斯登举出的一些例子，可以进行比他自己采用的更简单的分析。例如，我认为，"自愿"（voluntariness）这一概念对解释我们对投资减少跳伞意外事故致死与投资减少分娩致死的不同反应，并无必要也没有用。在后一个而不是前一个例子中，我们认识到一个保护生命的低成本方法是让跳伞者转向更加安全的运动；然而我们不会认为，避免因分娩致死的最便宜的途径是零出生率。研究严格责任的学者在根据活动或活动水平的不同——有别于注意水平的不同——确定不同的避免意外事故的方法时，已经指出了这一点；有时候，最便宜的方法是不去做危险的活动。类似地，在保证公共官员不被暗杀的保护水平上，一个重要的经济考量就是，他们比一般人更容易受到攻击，因此，我们或许就可以不把畏惧作为说明的变量。

桑斯登在接受还是反对确定成本与收益时产生的错误认识上摇摆不定。在决定将医院置于何处时，如果财产价值由于一个不理性的、对受医院里病人传染的恐惧而大幅下跌，那么，这一点是否应当作为成本？一方面，接受市场的不理性评价就会减弱他强调的成本－收益分析的优势，即成本－收益分析促进更加理性的思考。如果医院建了起来，而邻居并没有被感染，对于传染的不理性恐惧就会逐渐消散。另一方面，对于那些人而言，在使其处境毫无疑问地变糟这一意义上，不理性恐惧的成本是真实存在的。因此，在这个例子里，财产价值下跌是一个切实存在的成本，并且附带地，那些并未产生不理性恐惧的人也要蒙受这一下跌（但是这对于购买他们财产的那些无畏购买者而言却是一个收益）。原则上，对于这一两难困境的最佳解决方案就是艾德勒－波斯纳（Alder－Posner）的方案，即除非那些不理性恐惧是绝不可能被驱散的,否则就不对它们予以考虑。因为在那种情形下,不考虑这些恐惧也不会产生桑斯登期待的那种让人们更正确思考的收益。但是这一解决方案很难实现,因为恐惧是否不理性这一点常常并不清楚,而且,这一方案对于避免不理性恐惧可能引起的财产价值减少也不起任何作用。然而,对于第二点我倒觉得不算什么,因为一旦不理性恐惧消散了,价值就会恢复。赢家与输家会是不同的人,但是这是一个纯粹分配性*的考虑,我提出的适当的成本-收益分析概念不包括这一点。

维斯克斯区分了"个人风险的异质性、承受风险的个人意愿的异质性,以及对于风险活动的偏好的差异"(页847)。在第一类里,男人因意外事故和被杀致死的比率比女人更高。但是这些例子属于第二类,亦即承受风险的意愿的不同。男人在意外事故中死亡或者被谋杀,不是因为他们笨拙或虚弱,而是因为在平均水平上,他们比女人参加的活动更有风险。维斯克斯的类型学还遗漏了重要的第四类,即个人对风险的评价——也就是对于危险的鉴别力——的异质性。危险运动以及诸如救火这样的危险职业之所以为参加者珍重,部分就在于其有危险,直面危险强化了参加者的自我价值感。

为了消除错误信息造成的主观成本与客观成本之间(或者不理性的与理性的恐惧之间)的分离,维斯克斯建议由政府来传播有关健康与安全之危险的信息,这样做太过殷勤了。这一方案常常缺乏可信性,因为,众所周知,政府政策是受制于政治影响的。并且(再次提到我在前一章中所论述的论点)它会阻碍私人传播信息的努力,因为一旦实行由政府传播信息的方案,私人努力所产生的信息增量作用就会减少;其结果是,信息的净增加可能微乎其微。信息的吸收也是昂贵的,因此,抛给公众大量关于危险的信息可能会导致人们对其他一些同样重要事务的了解更不灵通。并且告知公众一组危险,可能会导致人们低估其他危险的重大性,因为他们会认为,如果那些危险

---

* 原文为 distibutional,疑为 distributional 之误。——译者

是重大的,政府就会一并通知他们了。

维斯克斯对保护老年生命的措施所涉及的种种问题,关注甚少。[41]"那些从预期生命的角度来看只能保全很少价值的努力,使得资源无法投入到具有较大的预期生命效果的方案中"(页859),这种说法过于简单了。保护一个50岁的生命一定比保护一个80岁的生命收益更大,因为前者通常会有一个更长的预期生命,这一假设似乎是显而易见的;但是,如果采取通常的事前的观察视角,这一假设或许就是不正确的了。人们对其余生价值的评价一般并不会随着年龄的增长而降低。因为,不论多大年纪,大多数人都不会认为有什么比活着更好的选择,因此,他们为获得很少几年的生命所花费的与为获得很多年的生命所花费的会一样多,因为这一花费对于他们(稍微有点夸张地说)是没有机会成本的,即使他们没有通过私人或者社会保险而得到免于财政危机的保障。

但是,正像维斯克斯所假设的那样,当问题不是治疗老人的疾病而仅仅是减少风险时,付费的自愿就可能确实与年龄成反比,因为,人的年龄越大,减少风险的预期收益就越小。对于维斯克斯得出的我们应当把资源从保护老人重新分配至保护年轻者的这一结论,进一步的支持理由是保护老人是一笔疾病津贴。各种疾病相互竞争,致人死地,因此,保护一个人不受一种疾病的侵袭,就增加了其受其他疾病侵袭致死的可能性。人的年龄越大,疾病的竞争就越有力,就越不可能因为消除竞争者之一而抑制竞争。这就是为什么,例如,癌症的完全消除对于长寿仅起到一个适度的作用。大多数癌症患者年纪都很大,并且,假如他们免于了癌症之苦,他们患其他老年病的机会就会增加。与此相关的一点是,保护一个上年纪的人会增加其预期的医药费,并且,改变一个社会的年龄构成会产生重大的尽管并不一定是坏的经济和政治两方面的后果。

维斯克斯提出了但没有再次提起是否可以不考虑对未来人口产

---

[41] 参见,Richard A. Posner, *Aging and Old Age* pp.109 – 110, 270 – 272 (1995).

生的后果这一困难问题,他问道,"至少10万年以后[将成为现实]的风险是否应当与对现在人口的风险受到同样的关注?"(页865)。反对给它们以同样的关注从而支持(对未来风险)不予考虑的一个理由是,由于持续的科学进步,人们在遥远的将来很有可能更加富有,并且特别是,更有能力消除安全与健康的危险,因而对我们来说,现在将我们的资源用于阻止那些风险会产生一个时间上的严重的财富分配不当。然而,具有决定意义的理由是,我们无法预测10万年以后的风险。

罗伯特·弗兰克提出了维斯克斯的"10万年以后"难题的一个变体。他赞同如下这一观点:"如果今天不采用更严格的空气质量标准,就意味着一个世纪之后呼吸疾病将更加普遍;对于这些疾病,应当给予就像它们发生在今天一样的重视"(页916)。但是,由于一个世纪之后,大多数呼吸疾病可能可以更容易并更便宜地得到治疗,从而成本也没有今天这么昂贵,因此在某种程度上对它们不予考虑是有正当理由的。

弗兰克很重视作为定位品(positional good)的收入,主张"通过统计个人在某种消费品上的总花费来度量该种消费品的社会价值,类似于通过统计各个国家在军事装备上的总花费来度量军事装备的社会价值"(页923)。换句话说,尽力提高一个人的收入是军备竞赛中的一种举动,是一场零和博弈。如果人们把消费品作为诸如整洁、尊荣与高尚这些令人向往的美德的信号的话,收入水平的总体增长就可能导致改用更加昂贵的商品作为信号,却没有额外的信息收获。但是,我们有理由怀疑这并不是较高收入的主要后果。首先,相对收入很重要,它可以传递有关某人表现有多好的信号。如果你的老板付给你的报酬比付给另一个做类似工作的人少,那就有点不对劲了,除非你已经决定用非货币收入代替货币收入。抹平所有收入会使人们丧失关于其地位与前途的大量信息。

第二,相对收入在稀有商品的竞价上是重要的。比如,一个人购买一幅精美绘画的能力取决于他的相对收入而不是绝对收入。弗兰克可能曲解了调查的结果。在调查中,研究生被问及他们是愿意自己赚 5 万美元而其他人赚 25 万美元,还是愿意自己赚 10 万美元而其他人赚 20 万美元;结果发现大多数被调查者都更倾向于第一种情形。如果个人的平均收入是今天的一半,除非发生另一次经济大萧条或者另一次大战这样的灾难,价格也很可能是今天的一半,因此,第一种情形下赚 5 万美元的人的处境与第二种情形下赚 10 万美元的人的处境一样好,而这就意味着在我前面说的那两点的意义上,前者的处境更好。我的关于相对收入具有信息意义的论点,或许也可以解释调查的第二个发现,即学生们对于相对假期时间远不如对于相对收入的兴趣强。一个人的假期长度对"一个人表现有多好"而言一个相当模糊的指标;较长的假期或许仅仅意味着一个人拥有一份要求不那么高的工作。

追求由收入确立的社会地位,有可欲的激励作用,至少在一个秩序井然的社会里是这样;这或许在很大程度上可以解释美国的繁荣。这一点恰恰就是我在前面提到的有关忌妒的社会收益的论点。如果你只能靠加倍努力工作赶上你忌妒的人,抚平你的忌妒的话,社会作为一个整体就会在你不可能把你加倍努力工作产出的全部社会产品都攫取为你的私人产品的程度上有所收益。为了较高收入的竞争并不是一场零和博弈。

柏瑞·艾德勒与艾瑞克·波斯纳希望修正成本 – 收益分析以便把对它的一些通常的批评包容进来。实际上,他们想把成本 – 收益分析与其功利基础更加紧密地结合在一起。我自己的看法是,对于成本 – 收益分析之缺点的理解不应当影响这一分析的表现,尽管有时可能影响它的使用;在这里,成本 – 收益分析作为一种评价方法与作为一种决策规则的区分就成为关键所在。为使成本 – 收益分析与其必需之物更加紧密地联系起来而使其复杂化,与承认其规范性上的不完善而保持其简单化之间的差异,就像会计账目上正文与附注之间的差异一样;前者直接影响结果,后者则反映出主观判断,这些主观判断如果完全引入损益表和资产负债表就会令损益表和资产负债表的解释变得含混不清。

同时,我还对柏瑞·艾德勒与艾瑞克·波斯纳在计算一项政策的收益或成本时将道德责任排除在外——即使在它们可以货币化时也是如此——的做法感到困惑。我理解出于职责而行为与为增进一个人的幸福而行为之间有差别。但是在那些不能履行一项职责的成本可以货币化的情形下,为什么要将这一成本排除在外呢?假设某个人并没有预期从保持现存物种的数量中获益,但是他仍然相信,或许是作为一种宗教信条,因为人类活动的后果而让一个物种灭绝是错误的;并且,他通过慈善募捐来为他的宗教信条提供金钱支持,从这些就可以推断出他对于物种保护的默示的、积极的评价,这一评价甚至可以被完全客观地予以货币化而纳入成本-收益分析中。至少,正如可以论证的那样(森提出了反对论证,我在后面将回应这一点),如果一项政策措施引起一个物种的灭绝的话,这个人就会承担一笔真正的成本;并且,认为这一成本超出了艾德勒与波斯纳的全体福利的定义,并不是把这一成本从有关这一措施的成本-收益分析中排除出去的充分理由。

更深层的问题是,环境的成本-收益分析中使用的附随价值(contingent value)到底是度量什么的,在很大程度上没能得到很好阐述,就像特性古怪、颇让作者头疼的道德责任一样。人们可能热爱野生动物或茫茫荒野并且想让它们得到保护,虽然他们既没有感到对它们负有一种道德责任也并不想遇见它们。享受这些东西是一种消费活动,这种消费活动与豢养宠物或者料理园艺的不同之处仅在于度量这种享受的价值困难更大。二者在原则上没有区别,因此,我们在断言斑纹印度豹的灭绝造成的某人效用减少会比洪水损坏了这个人的地毯造成的效用减少更甚时,并没有什么矛盾。问题就出在度量,艾德勒-波斯纳所倡导的原则——即,当一个人确信那些未知情的(正适应性的)偏好将因采用的政策而改变时,这些偏好就应当被排除——也是如此。我同意他们说的以收入的边际效用来衡量成本或收益不可行。但是,这并不是因为人与人之间的效用比较在原则上不成熟；而是因为度量问题无法解决，而且即使能够克服也将产生效率与公平因素的令人迷惑的混合物这样的结果。

我不同意他们的如下意见，即政府机构应当"在偏好违背了有关道德正当行为的普遍的、无可争议的制度时，忽视道德上应予反对的偏好"（页1143）。这作为决策问题或许是正确的，但作为评价问题却值得怀疑。正如在两个同等有效的、花费同样成本的毒品治疗方案之间，其中一个能给嗜毒成瘾者带来与其从非法毒品中获得的同样的快乐，而另一个却不能，那么从功利主义的立场来看，第一个方案就更好。

现在我要转向对成本－收益分析提出严厉批评的三位批评家——布鲁默、努斯鲍姆与理查德森。布鲁默说，由于成本－收益分析是一种评价方法（尽管它也可以是一种决策规则），因此，"它需要基于一种关于价值的理论"（页954）。这是一种文字游戏（"价值"[value]－"评价"[valuation]）。成本－收益分析不需要"基于"任何比显现出它具有我们所喜欢的结果这一点更深刻或者更严格的东西。近年来，成本－收益分析最重要的贡献就在于，通过斯蒂芬·布雷尔（Stephen Breyer）、维斯克斯、桑斯登等人的文章，它例证了联邦对于安全与健康之危险的管制是一条杂糅而成的百家被，特别是，许多管制由于经受不住成本－收益的检验而证明是糟糕的。这一点越来越得到承认，并且，改革虽然步履维艰但仍不断发展，虽然这一领域的分析家含蓄地否定了布鲁默的"要正确进行成本－收益分析，我们就需要一套有关生命之善的理论"（页958）这一主张。

布鲁默不能提出这样一个理论并不能给布鲁默以帮助，尽管他试图这样做是很有意思的。他主张，一方面，让一个人出生或者不出生不会使这个人的境况比相反情况下更好或更糟，因为他不会处于相反的境况下。没有其他状态可以与这个人的生存状态相比较，因此，社会上增加一个人（通过出生，而不是通过移民），除了对于其他人有影响之外，不能说由此带来的收益多于成本还是成本多于收益。但是另一方面，我们可以想像这个人加入两个不同的社会，并且（这是惟一切题的不同)他在一个社会里比在另一个社会里的境况更好。从而,那个使他的境况变得更好的社会将具有比另一社会更高的总体效用水平,并因此更受偏爱——这意味着让一个新人出生可以带来额外的收益。布鲁默表明,这是一个真正的矛盾。但是,这一点不会让任何一个偷听关于平均效用或总体效用是否应该成为功利主义准则项之辩论的人感到吃惊。这种想法是荒谬的,即认为我们应当辛苦自己来大幅度增加人类(还有可能是动物的)人口,而这一人口将具有一个更大的总体效用,尽管其平均效用很低。但是,另一种想法也同样荒谬,即认为如果可以让平均效用最大化的话,我们就应当毁灭人口的大部分(以一种他们不会注意的方式,因而他们不会感到任何痛苦)。

功利主义的这些矛盾反映了这一哲学中的最基本的并且似乎不可解决的问题之一,亦即它无法确定哪个共同体的效用是应当最大化的。这个共同体应当是活着的生物吗?应当是人类吗?是美国人?应当包括胎儿吗?是1万年以前的人口吗?是有感觉的动物吗?这些问题都无法回答,至少在功利主义内是这样,并且有可能根本就无法回答。但是我将提一个建议。假定,社会上增加1 000个人对于现存人口的福利不会有影响;不会造成拥挤或者其他负外部性(或者就此而言正外部性)。但是进一步假设这1 000个人中的每一个,尽管他们的生命在布鲁默的意义上都是"普普通通的"[mediocre],但是他们中任何一个都不想自杀;亦即(我把任何宗教顾虑或者自杀的其他成本都排除在外),他们中任何一个人都将从出生中获得一个正效用。从而,这1 000个人的增加将是帕累托最优的;这是一个强大的规范性原则,正如我们已经看到的那样。平均效用可能比较小(假设现存人口的成员的平均寿命在"普通"水平之上),但是总效用会比较大,并且没有人的处境会变得更糟。在有关人口政策的任何具体问题都与这个例子相近似的程度上,当未来出生的人不会带来负外部性时,我们应该可以作出一个有利于他们的相对没有争议的规范性判断。

布鲁默将全球变暖问题作为推测增加人口会影响福利的一个工具。他错误地主张,通过洪水、全球变暖使人致死,会减少未来的人口,"因为这样致死的人中有一些本来是会有孩子的"(页969)。这是以一个人的孩子数目是一定的为前提假设。而这个前提假设是错的,并且在其他语境下会得出诸如出生数会因为堕胎数而减少这样荒谬的预言。由于堕胎部分地是出生时机的问题而不是出生数的问题,因此出生数的减少是比较小的。如果一个妇女想生两个孩子,她的第一胎堕胎并不会促使她只要一个孩子。同样地,如果很多人在洪水中致死,其他人或许会决定要更多的孩子。一对在洪水中丧子的夫妇或许会决定再要一个孩子,而如果他们原来的孩子活着的话,他们就不会再要一个了;这与堕胎(或者更确切,与流产)非常类似。而且,由于人均土地占有率的提高,致命的洪水或许会增加幸存者的收入,而这或许会(或许不会)增加幸存者决定要孩子的数目。

既然有多少人会因全球变暖致死完全是不确定的,既然死亡率增大对于未来人口的作用是不确定的,既然与较大或较小的未来人口相关联的收益与成本即使将布鲁默考察的矛盾排除在外也是不确定的,那么,我应当认为有关全球变暖的成本－收益分析的恰当路径就是简单地忽略人口的作用,正如在方克豪泽尔(Fankhauser)的细心研究中一样——这一研究没有考虑人口作用而发现了全球变暖的实质性社会成本。[42] 我不知道,布鲁默是会赞同方克豪泽尔的路径,还是会建议根本就不应该做什么有关全球变暖的成本－收益分析,进一步说,如果是像后者这样的话,他会建议采用哪种替代的分析或者回应模式来处理全球变暖问题。

努斯鲍姆的论文涉及悲剧与悲剧性的选择。她在举例说明这些术语时,既联系到索福克勒斯的戏剧《安提格涅》,又联系到她自己作为一个下级职员在平衡职业责任与家庭责任上面临的难题。她的关

---

[42] Samuel Fankhauser, Valuing Climate Change: The Economics of the Greenhouse (1995).前引书对更早的有关全球变暖的成本－收益分析也做了概括,页121-123。

于悲剧的概念可以从其暗示自己是安提格涅中很好地看出；她的较小的悲剧[43]有一个幸福的结局，并且，她暗示，只要底比斯城也采用了像我们的第1修正案的宗教条款之类的东西，索福克勒斯的戏剧（或者说索福克勒斯的戏剧所依据的传说）也就会有一个幸福的结局。在我看来，这一关于悲剧的观念似乎既过于宽泛也过于浮浅了。努斯鲍姆夸大了悲剧的领域，即便当她说"不让拥有言论自由总是一个悲剧"（页1023）时也是如此，尽管比起她对自己情形的论述，这种说法更显得似是而非。莎士比亚在一个剧场受到严重审查的社会里写作戏剧是一个悲剧吗？

　　悲剧，既作为一种文学类型，同时又作为一个与艰难或痛苦的抉择截然不同的概念——这一点恰好被安提格涅的例子很好地说明了，悲剧的真正要义在于表现了某些无法解决的冲突。无论对成本－收益分析做怎样宽泛的解释，也无法使这些冲突降服于它；这些冲突是真正的取胜无望的境况。克瑞翁继不名誉的、被放逐的但是具有超凡神力的俄狄浦斯之后统治着底比斯城。俄狄浦斯的诸子之一厄特俄克勒斯是底比斯城军队的统帅。另一个儿子波吕尼刻斯厌恶克瑞翁和底比斯。在随后发生的战役中，英勇的卫城者厄特俄克勒斯与叛国者、叛变者波吕尼刻斯都被杀死了。克瑞翁为厄特俄克勒斯举行了一个英雄的葬礼，同时命令将波吕尼刻斯陈尸街头，任其成为秃鹫的食物。在希腊神话中这是一种极为可怕的惩罚，因此，安提格涅，俄狄浦斯的女儿同时也是死去的兄长的妹妹，违抗克瑞翁的命令，埋葬了波吕尼刻斯。克瑞翁已经明确下令对任何抗命者施以死刑，因此，克瑞翁命令对安提格涅执行死刑。他相信，要维护城邦的秩序，就必须以一种能将叛国者与其忠诚的兄弟区分开来的方式处置叛国者的死亡，并且必须惩罚叛国者的抗命的妹妹。否则他的权威就会被侵蚀，并且，以他为代表的城邦价值（包括法治）也将让位于

---

〔43〕　我并非意在轻视妇女们在努力平衡工作与母亲职责上所面临的紧张和压力，而只是指出，这并不能与安提格涅所处的最终被处死的处境等而视之。

以安提格涅为代表的具有潜在颠覆性的宗教的与家族的价值。相反,安提格涅则相信,宗教的与家族的价值具有超然的意义。这两个价值体系之间没有一条中间道路;正是这一点使得这一戏剧成为悲剧而不是寻求妥协之道的祷告。

通过"设想一个人们不会面临这种抉择的世界会是什么样子"(页1013),努斯鲍姆将抹杀悲剧。她梦想有这样一个世界,在这个世界里,所有的冲突、无论如何所有的公共冲突,都可以通过平衡相互竞争的利益,或者正如我们或许会说的,通过比较成本和收益而得到解决。这样一种在解决冲突方面可能有所成就的观念,应当使她比其实际上更支持成本-收益分析。她并不反对成本-收益分析,但是她大大限制了这一分析,从而使其作为一种工具对于公共政策的效用大大降低了。例如,她主张,对于侵犯基本宪法权利的侵权行为,其成本不应当为收益所抵消,因为,这是不应要求任何公民承受的不公正。但是,宪法权利在很大程度上是通过权衡成本与收益决定的。想一想我们在第2章中讨论的对言论自由的宪法权利的限制。而且,当涉及到为执行一项宪法权利要花费多少资源的问题时,成本-收益分析也无法避免。

努斯鲍姆想在成本-收益的天平上放置的最重要的一个砝码就是"悲剧负担",用来反映特定的成本在分析家中应当引起的特别愤慨。我将借助于一个她给出的有关第三世界女童教育的例子,来解释我对于这一提法的异议。我们现在对于人力资本投资的回报有了大量了解,因而我们可以用这一信息来引导有关在穷国发展教育的成本-收益分析。我们可以比较一下,在教育更偏向男孩的社会里,增加一年的高中对于男孩的收益与增加两年小学教育对女孩的收益(为了简化起见我将假设它们的成本相同)。假定国家的经济状况是:即使完全不考虑雇佣妇女在宗教或习惯上面临的任何阻力(因为我还不想考虑不理性的和适应性的偏好),妇女在工作市场上的机会仍然不足。原因可能在于:能让妇女在市场上全时工作的儿童护理安排不可行。在此种情形下,增加教育对于女孩就可能不像对于男孩那么有价值。也可能不会。因为,我们还不得不去考虑儿童(当他们成年时)增加的生产力,如果他们的"呆在家里"的妈妈受过教育的话,这一生产力可能相当显著;此外还有降低出生率带来的收益,这也很可能是女性教育水平更高的结果。这些计算都非常困难,但并不是不可能的。

在完成这样一个成本–收益分析并且极有可能发现(尽管我怀疑这一发现)给男孩以额外教育会比给女孩以额外教育更有价值之后,决策者可能仍然觉得平等较之更大生产力带来的收益更为重要。但是至少他会知道,为了获得可欲的平等将不得不放弃什么。在成本–收益分析中注入"悲剧负担"则会掩盖平等的成本。

亨利·理查德森提出了两个值得研究的有关成本–收益分析的评论。第一个是,成本–收益分析不会自己挑出需要评价或者比较的方案或政策。第二个是,对所有的理性决定而言,并不需要明示的成本–收益分析。这些论点构成了对于这种分析之效用的有效限制。但是它们并没有使它成为"愚蠢的"(这是他对成本–收益分析的刻划)。一项方案或政策常常是给定的,所剩的惟一任务就是将之与没有这一方案或政策时相比较。并且,如果这一方案或政策是复杂的,我们在日常生活中常常相当圆满地使用的那种凭经验和直觉的推理很可能会产生任何人都不想要的结果。

理查德森忽视了评价与决策之间的区别。他认为成本–收益分析是一个愚蠢的决策程序,然而又隐含地赞许它作为一种评价方法并且实际上是决策的一个输入量;他说,"我决不想贬低收集那些关于可供选择之提议的收益成本信息的重要性。相反,这是任何需要智识的深思熟虑过程的第一步"(页973)。但是收集这些信息的意思正是成本–收益分析作为一种评价工具而不是什么惟一的决定原则。并非等号或者不等号,而是成本与收益的收集与展示,标明了分析是成本–收益的。如果分析家发现,某一方案的收益是1 000万美元而成本是1 200万美元,这一分析就完成了;他不必再加上"因此成本大于收益"。

理查德森指出,考察达到某一给定结局的可供选择的途径可能会导致我们改变那一结局,而他声称成本－收益分析排除了这一可能性。我们都希望衣能蔽体,因此我们会考虑可供选择的穿衣方式;但是"举例来说,如果惟一可用的遮蔽物就是毒葛的话,我就会觉得裸体是正当"(页 979;省略了脚注)。但是,这并不是成本－收益分析存在的问题。在他的例子里,能够产生收益大于成本的最大剩余的蔽体方法,显然就是裸体。裸体产生零收益,但是零收益大于负收益,即毒葛——惟一替代裸体的方法——所产生的(同样地,烧掉房子来烹制猪肉与作为替代的仅仅是没有猪肉吃相比,前者会产生负收益,尽管如果饥饿迫在眉睫的话,这一平衡也会改变)。换一种说法,他对分析家的目标的说明错了:并不是什么蔽体物最好,而是选择哪种蔽体物最好。在智力劳动的划分上,成本－收益分析家或许并不是增加可替代选择或重新明确目标的人。但是,他的分析仍然可能会产生导致决策链上的其他人修正这一分析的原初宗旨的信息。

139　　比毒葛的例子更好的一个关于成本－收益分析之局限的例子,是准则项极为模糊的情形("我想要成功"),但是这个例子同样遭到了我对毒葛例子的回应。在开始着手此种情形下的成本－收益分析之前,分析家可能会要求任何一个委托这一分析的人作出说明。没有人否认,讨论和审议可能有助于人们在如下问题上获得更好的理解:某项提议的成本或收益是什么,或者还应当考虑哪些可供选择的提议。要说模糊准则项的例子有什么特别之处,就是它突出了成本－收益分析的一个额外优势。没有对这一准则项的更详细说明就无法进行这样一个分析;这一无能可能会引发对其模糊性的深思,引导分析家从决策者那里寻求进一步的指导,从而反过来刺激后者自始至终的审议。

与此相关的一点是,在贯彻通向目的的某种手段的过程中,人们可能会发现这一手段本身就是目的,这就像一个人为了完善体态而学习芭蕾最后发现作为一种艺术形式他已经爱上了芭蕾。这一点与桑斯登和其他面对未获知情的偏好而关注成本－收益分析的恰当宗旨的人的论点是一样的；如果芭蕾舞演员知道他将多么喜欢芭蕾舞课的话，他当初就会认为，芭蕾舞课能够带来更大的收益而不仅仅是较好的体态。这一点是合乎情理的，但它不过是指出了一个可能困扰任何决定原则的信息问题罢了。

丹佛市不得不对是否给其警察配备凹头（hollow-point）子弹作出决定。理查德森（在从他发表的论文中略去的一段有趣的讨论中）说道，他不明白，这样一个问题如何可以通过成本－收益分析得出答案。答案是直截了当的。凹头子弹在制止攻击者方面比普通子弹更为有效，尽管有可能更利害地伤害他；并且，它们更不可能跳弹并击中旁观者。因此，这种子弹的收益体现为减少了警察与旁观者受到罪犯伤害的概率，而其成本则体现为更严重伤害某些罪犯（但是如果犯罪更少的话，罪犯整体的成本或许会更低）以及被警察怀疑为罪犯而误击的无辜者。所有这些成本与收益都是可以计算的——当然，还有子弹本身的成本。在这一分析中，没有必要区分无辜的与有罪的生命。即使受伤者是罪犯，伤害也是昂贵的，尽管在这种情形下可能有因制止或阻止了犯罪而产生的可以抵消成本的收益。这些收益应当考虑，但是，伤害也应当作为成本的来源之一而考虑。另一项成本是在警察采用凹头子弹之后可能产生的此消彼长的博弈：罪犯共同体或许会以加强自己的武装作为回应，尽管是以在减少犯罪数量上可能产生一个令人高兴的后果为代价的。对这一点的考虑可能反过来导致考虑替代方案：给高犯罪率地区的警察配备防弹衣，而不是让警察的子弹更加致命。

森讨论了成本－收益分析的诸多原则与缺陷，[44]但（除了一个例外以外）并没有讨论实际的成本－收益分析，因此，很难说他在多

---

[44] 它是一本宏大著述的主题。对该著述的较好的介绍，参见，*Cost-Benefit Analysis* (Richard Layard and Stephen Glaister ed., 2d ed. 1994); Robert Sugden and Alan Williams, *The Principles of Practical Cost-Benefit Analysis* (1978).

大程度上认为成本－收益分析误入歧途了。作为一条可供选择的评估成本－收益分析的进路，他提到了一种"自下至上"的进路，在这一进路中，成本－收益分析的真实实践受到了检验并且从检验中可以得出某种评论。我多希望他就是遵循这一进路的呀，因为，从他对原则的讨论中不可能看出他会改变实践，而我所关心的恰恰是实践。但是直到论文的结尾，他才最终归于具体，有力地反驳了那种以询问人们愿意为拯救濒危物种中的一员付出多少来度量环境价值的方法，例如，他指出了购买那一商品对被提问者实际上并不构成一种选择的情形。以最简单的可能形式来表述森的反驳就是，我们购买濒危物种的方式与我们买牙膏的方式完全不同；虽然问一个人他愿意花多少钱买一管牙膏会得出一个有意义的答案，但是问他一个濒危物种于他价值几何却不能。这些调查得出的古怪答案反映的，或许并不像行为主义者相信的那样是认知怪癖（参见第 8 章），而是调查与真实世界之大背景——在真实世界中人们面对着价格体系——的脱离。从而，森没能提出的问题是，怎样去做（因此，他的论文有一条类似于布鲁默论文的轨迹）。一种可能性是把成本－收益分析限于被提议的政策（我假设是一个环境保护政策）的市场后果，而让政治程序来决定净成本（如果成本大于收益的话）是否可以压倒环境组织施加的压力。作为估价这一可能性的预备，一些人可能会把从可质疑的调查中得出的对于环境的不同评价与从居于领导地位的环境组织的政治游说活动中得到的各种环境方案的排名加以比较。尽管这些评价作为"价格"毫无价值，但是，它们可能显示了情感的强度；情感的强度被转化为了环境主义者所提的政治主张的数量与强度，并且可以用这些数量和强度加以度量。

第二编

历史学

第四章

依赖于往昔的法律

法律是所有专业中最有历史取向的学科,更坦率地说,是最向后看的、最"依赖于往昔"的学科。它尊崇传统、先例、谱系、仪式、习俗、古老的实践、古老的文本、古代的术语、成熟、智慧、资历、老人政治以及被视为重新发现历史之方法的解释。它怀疑创新、断裂、"范式转换"以及青年的活力与性急。这些根深蒂固的态度对于那些像我一样想使法律朝向一个更加科学、经济与实用的方向的人而言,是一些障碍。但是,基于同样的理由,实用主义的法理学必须与历史学达成妥协。那么,要开始我的有关法律的历史主义进路的讨论,哪里还有比尼采论历史的伟大论文[1]更好的起点呢?要知道,尼采的论文既是对这一进路的一个强有力的,虽然是旁系的挑战,同时也是实用主义的奠基之作。

我们必须首先将历史研究、作为一种联系、解释或者说明往昔的方式的历史(Geschichte),与仅仅作为事件、对往昔的编年史或者记

---

[1] Friedrich Nietzsche, "On the Uses and Disadvantages of History for Life," in Nietzsche, *Untimely Meditations* 57 (R. J. Hollingdale trans. 1983). 这篇论文首次发表于 1874 年。对于其页码的引用出现在本章的正文中。我在法律文献中仅找到了一篇尼采的论文之前的讨论:Donald P. Boyle, Jr., Note, "Philosophy, History and Judging," 30 *William and Mary Law Review* 181, 185 – 189 (1988).

录的历史(*Historie*)区分开来。[2] 尼采的靶子是第一种意义上的历史。他并不否认对于发生在过去的事情存在可以获知的事实；他并不是一个后现代主义的狂热者。但是,对这些事实的概括,而不进行任何分析、解释或者归因,却不是我们所说的历史性理解(historical understanding);这一历史性理解是令人难以捉摸的。然而,尼采并不是,至少在我正在考虑的这篇论文里,并不是一个认识论的怀疑者,无论是就任何一种类型的历史而言。他没有否认我们可以知道拿破仑·波拿巴在1815年第二次退位,甚至没有否认我们可以知道拿破仑确实(或确实没有)加速了德国国家主义的诞生。[3] 他所怀疑的是社会,而不是 *Geschichte* 的真理价值。他大胆地声称,诉求历史性理解会对迎接现在与未来的挑战产生一种削弱作用。

他的论点有很多值得法律研究者深思的地方,但仅仅是在运用历史来指导法律的方面。我并不是一个平庸的只是为了贬低法律史的研究而贬低法律史研究的人。对于往昔好奇是正常的,而且法律

---

[2] 这一区分在下列著述中得到了非常详尽的阐释:Carl L. Becker, "Everyman His Own Historian," 37 *American Historical Review* 221 (1932); C. A. J. Coady, *Testimony: A Philosophical Study* 233–236 (1992) (区分了历史事实与历史理论或者科学的历史——"对于过去的充满想像力的重建"[前引书,页235]); Lionel Gossman, *Between History and Literature*, ch. 9 (1990) (区分了历史研究与历史解释)。寇笛(参见,Coady,前引书,第13章)对于柯利伍德关于历史事实的怀疑主义提出非常尖锐的争议,参见,R. G. Collingwood, *The Idea of History* (1970)。*Historie* 与在法庭上对事实的探求相符合,而且,对于事实真相的历史的与裁判的诉求或许伴随着非常近似的方法和问题,正如关于"证词"的哲学论文所显示并被寇笛的书很好地例证的那样;这一点涉及到两种诉求,我将在本书的第四编回到这一点。

[3] 那种认为历史理论是科学理论的合法类型的观念得到了强烈的辩护,Murray G. Murphey, *Philosophical Foundations of Historical Knowledge*, ch. 7 (1994)。这并没有否认大多数历史的理论化工作在实践上的不确定性;在后面我将举一些例子。关于对历史知识的怀疑主义的一般问题,参见,Arthur C. Danto, *Narration and Knowledge* (1985)。关于对即便是涉及引起强烈的政治热情的事件的历史事实也是可以重获的这一观点所做的强有力的经验证明,参见,Alan B. Spitzer, *Historical Truth and Lies abort the Past: Reflections on Dewey, Dreyfus de Man, and Reagan* (1996)。

具有一段悠久的、令人着迷的历史。但是，毫无偏见的历史研究就像无懈可击的历史研究一样是非常罕见的。除去相对少数的专门的法律史学家的耐心工作以外——这一工作是艰苦的、费时的、需要长期积累的，因此在数量上是很少的——大部分关于历史的法律作品都是由法官完成的，他们当然不是法律史学家；或者是由法学教授完成的，他们至多也只能算是业余的法律史学家。这一工作以规范性为目标，因此，有必要对这一工作具有的实际社会价值加以考察，而这一考察正是尼采的论文关注的。

尼采对于历史研究的评论是通过三个论点组织起来的。第一个是，对历史的学术研究、用小心翼翼的精确性来重建往昔的企图——尼采撰文反对的列奥波德·朗克及其追随者所组成的 *wie es eigentlich gewesen ist*（"它实际如何"）学派——会导致幻想的破灭，而我们需要用幻想来成就事业。"历史的检查总是将这么多错误的、粗糙的、非人性的、荒谬的、暴力的事物暴露出来，致使虔敬的幻想情调都必定要消散；可是一切要生活的事物只能在这情调里生活"（页95）。那些向往伟大事物的人需要"一个关于往昔之纪念的观念"，他们从中可以理解到"过去有过的伟大事物，无论如何曾经一度是可能的，所以或许将来会再有一次也是可能的"（页69）。"一个巨人穿过时代间荒芜的隔离向另一个巨人呼喊，不受在他们底下爬行的任意骚嚷的矮人们的搅扰，继续着崇高大人物的会谈"（页111）。这种关于历史的观念是与"对事实的崇拜"（页105）相对的；后一种观念排斥人类自由与创造的可能性，在那里，历史上的任何一个事件都是被决定的——是因果关系的无情链条上的一环。颇具讽刺意味的是，尼采谴责的那种类型的历史感没有比其追随者米歇尔·福柯（Michel Foucault）的作品阐述得更好的了，例如，在18世纪以来的刑罚惩罚的历史中,〔4〕福柯没有发现任何伟大事物或者进步,而只看到更加隐蔽的权力力量的交织,一副人类无助的写照。这样一种处理历史的方法导致了一种无为主义的、甚至使人麻痹的犬儒主义。

尼采对于历史感的第二个批判只是在表面上与第一个不一致,即历史感通过让我们觉得自己比前辈更优越而导致自满情绪。我们或许可以称之为"年代主义"(datism);当前流行的左派非议,比如对亚里士多德厌恶女人的非议、对杰斐逊拥有奴隶的非议、甚至可能对杰斐逊像父亲一样对待奴隶的非议,都可以作为例子说明这一点。尼采观察到,历史"让一个时代陷入想像,让它自认为比其他任何时代都更大程度地拥有最稀有的美德、正义"(页83)。这种实质上是历史主义的关于道德进步的观念,不可避免地使我们在与前辈的比较中显得良好,因为这种比较是以现在为基点作出的,是用我们的价值来决定哪些东西应当视为进步。那些天真的人认为"遵循他们时代的精神去著述也就等于是正义的了";因此"他们的任务就是让过去适应于合乎时宜的琐屑"(页90)。

这一批评与第一点批评之间的关系是,麻痹的历史感与进步的历史感都来源于同样的东西,即"每个过去都是值得被宣判的"(页76)这一事实。一些人用绝望而另一些人用自满来回应恐惧与愚蠢;这两种想法都无益于对现实问题的全心全意、充满活力并且乐观的处理。

我们或许可以把第一点称为对贬低往昔之历史的批评,而把第二点称为对赞美现在之历史的批评。尼采对历史感的第三点批评——可以称之为贬低现在——是最有趣也最少被研究的一点。这一点被麦克斯·韦伯所发展,在这方面,韦伯是尼采的另一位追随者;它还与哈罗德·布卢姆(Harold Bloom)的文学创作有关。对于往昔的栩

---

〔4〕 Michel Foucault, *Discipline and Punish: The Birth of the Prison* (1977). 然而福柯的历史方法却得自于尼采,特别是《论道德的谱系》中所运用的"谱系学"方法学。参见,Brian Leiter, "What Is 'Genealogy' and What Is the *Genealogy*?" in Leiter, *Nietzsche on Morality* (forthcoming). 谱系学是在论历史的论文之后创作的;我将在下一章中简要地讨论二者之间的关系。

栩如生的意识引起了一种迟到感(a sense of belatedness)。它使我们感到仿佛是"迟到者",生活在"一个人类的古老时代"(页 83,109),并且与这个古老的时代"相称的是一个适当的、衰老的职业,即那个回顾、计算、结算、通过记住曾经有过的东西——简而言之就是历史文化——来寻求慰籍的职业"(页 105)。这一点与第一点批评有关,并且,除去表面上的相似以外与第二点(历史研究导致自满)是不一致的。我们或许认为我们已经取得了道德的进步,也当然地取得了经济、科学以及技术的进步,但是我们不能把自己想像成是与耶稣、苏格拉底、佛以及往昔的其他伟大道德革新者处在一个层次上。而且,在我们已经取得无可置疑的进步的地方,很大程度上有赖于专门化。我们不能想像今天的一位科学家取得牛顿那样广度的成就,或者一位经济学家取得亚当·斯密那样广度的成就,或者一位生物学家产生达尔文那样的革命性影响。我们不能想像一位征服者达到亚历山大大帝的标准,或者一位军事天才与拿破仑齐名,或者会有一位能与约翰·马歇尔相匹敌的美国大法官。[5]

这些悲观的预言可能只是反映了想像力的缺乏;尼采完全不认可那种沉浸于历史而产生的迟来感。事实上,自从 1874 年以来,一些巨人(这一范畴既包括怪才也包括天才与圣人)已经纷纷在世界舞台上亮相,包括弗洛伊德、叶芝、爱因斯坦、维特根斯坦、列宁、希特勒、甘地、邱吉尔、卡夫卡、韦伯、霍姆斯、乔伊斯、斯特拉文斯基(Stravinsky)以及毕加索。然而,随着专门化(劳动力的划分)趋势、官僚型(有别于魅力型或者专制型)治理趋势以及普遍教育、传媒导致的复杂、很多从前需要人类手艺的工作的自动化、自然科学和社会科学在合理地与系统地处理社会与个人问题上的日益成功、(作为科学与技术发展的一部分的)弥补身心缺陷与矫正异常人格的治疗措施

---

[5] 霍姆斯似乎曾在与马歇尔的关系上有一种迟来感。参见, Oliver Wendell Holmes, "John Marshall," in *The Essential Holmes: Selections from the Letters, Speeches, Judicial Opinions and Other Writings of Oliver Wendell Holmes*, Jr. 206 (Richard a. Posner ed. 1992).

的改善,这些趋势把越来越大的人类生活领域置于理性原则的统帅之下,似乎天才、伟大、真正的个人主义与令人惊叹的个人成就的范围与可能性都变小了,一种迟到感越来越显著。以前的时代,包括远远早于尼采生活之时代的时代,也有一种迟到感;你可以在赫西奥德、荷马的时代找到它。但是现代的条件使它看起来比以前更加让人信服。

迟到感隐含了自满情绪连同失败主义,这一点将尼采对于历史感的第三点批评与第二点联系起来。如果人类已经到达了一个共同的古老时代,这就意味着它已经经历了成熟——换言之,它已经达到了高峰——因此,将人类现在的"悲惨境遇"等同于"世界历史的完成……以至于对于黑格尔而言,世界过程的至高点与终点正与他自己在柏林生存的时间相契合"(页104)。然而被我们看作文明的东西只有大约5 000年的历史。就我们所知,在智人*离开历史舞台(有可能到其他星球去)之前,或许还有1 000、10万、甚至百万或者更多个相当于这段历史长度的时期。因此,在一种奇怪的意义上,历史的视角,那种让我们感到仿佛是迟到者的视角,扭曲了我们关于自己在历史长河中身处何处的恰当感觉。

第三点批评可能看起来与第一点与第二点形成某种紧张关系,它以纪念型历史主义这一形式为靶子,这种历史主义强调往昔的伟大事物,似乎与另外两点批评的靶子即贬低型历史主义正相反。但是,当我们承认第三点所谴责的纪念型历史就是贬低现在而贬低现在与贬低往昔一样让人衰弱时,这种紧张关系就消失了。侏儒的历史学家剥夺了现在的时代要成就事业所必须的模范(那些穿越时代间荒芜的隔离向另一个巨人呼喊的巨人),或者培育了一种对待往昔的轻蔑态度,而贬低当下的纪念者"不愿意看到新的伟大正在浮现,他们阻止其出现的方法是说'等一下,伟大事物已经存在了!'……他们这样行动,就好像他们的格言是:让死者埋葬生者"(页72)。

---

* 人类的现代种类,是人科灵长目动物惟一现存的种类。——译者

第四章 依赖于往昔的法律

尼采并未主张历史研究不可能有价值。这一点从他称赞那种向当下展示已知的往昔模范的纪念型历史就可以明显看出。这种历史"服务于将来与现在,而不是使现在衰弱或使健壮的未来丧失根基"(页77)。正是这样的历史"服务于人生……历史研究只有在它跟随着一个有力的、新的生命潮流,例如跟着一个正在演变着的文化时,即是说,只有它被一个更高的力量支配、引导,而不是它自我支配、引导的时候,对于未来才是某种有益的、有效的东西"(页67)。历史研究应当引向扩大我们的"塑造力",亦即"从自身独特地生长、改造过去的和陌生的事物并化为己有、治愈创伤、取代遗失、再造出已碎模型的能力"(页62)。简言之,"历史首先属于行动者与有力者,他从事于一个伟大的战斗,需要模范、师表、安慰者,可是在他的同辈中他都不能得到这些"(页67)。尽管如此,如果一类特定的历史对你是坏的,那么一类特定的忘记对你必然是好的:这就是这篇论文最引人注意的一个含意。通过选择性的记忆与选择性的忘记来制造神话(mythmaking)就是尼采的关于有社会价值之历史的概念。

尼采对于历史研究的批判在性质上是心理学的:过多的历史,或者错误种类的历史(心理学意义上错误的,而不是不准确的——尼采并不为了准确性本身而珍视准确性),[6]会激发阻碍成就的情绪。对尼采的真知灼见(was onto someting)的任何怀疑都已被发生在南斯拉夫的事件打消了;塞尔维亚人专注历史,特别是关注(有可能是神话的)1389年土耳其与塞尔维亚之间的科索沃战争,这对于塞尔维亚人很糟,同时对于他们的邻居也很糟。塞尔维亚人本可以以遗忘置之。

还有其他理由让人们担心历史研究有不利的认知后果,尽管尼采对这些后果只作了某种暗示。历史知识充斥着大脑,而只给其他

---

[6]"服务于人生的历史绝对不可能是科学的历史。"Werner Dannhauser,"Introduction to 'History in the Service and Disservice of Life'," in Friedrich Nietzsche, *Unmodern Observations* 73, 79 (1990).

智识素材留下很小空间。历史知识并不是无用的知识,至少在不理会它的情感作用时是这样;它提供了大量可以用来解决当前问题的先例。但是先例只有在当前问题非常类似于往昔问题时才能提供好的解决办法。如果不是这样,那些"只是重复他所听到的东西,学习已经周知的东西,模仿已经存在的东西"(页123)的人将没有能力解决这些问题中的任何一个。历史为设定和按大小排列当代问题提供了一个模板;但是这一模板可能到头来却是一件紧身衣。历史类比("另一个墨尼黑")的用法充满了漏洞。[7]因此常言道,历史的惟一教训就是历史没有教训。

我们不应当期待尼采的批评能够完全应用于法律对历史的使用上。尼采专注于天才的概念,[8]并且他对历史进路的批评似乎主要是受一种天才与某种历史知识或历史感的不相容感引起的。然而,其论文作了两件与法律相关甚大的事。它提出了历史感是否是一种纯粹的福祉(因而,比方说,忘记历史的人将被罚重复历史这一桑塔亚那的格言,是否像它通常被认为的那样是自明之理);它使人们一直认为理所当然的东西成了问题。并且,它让我们思考历史调查和历史感,将之作为工具,而不是作为绝对导向真理的有内在价值的东西。真理是一种善品,但是还有其他善品,忘记甚至伪造历史记录可能会促进这些善品。正如尼采在别的地方所说的,"存在着十分有益和有价值的错误。"[9]这是一种易使人飘飘然的说法——新鲜

---

[7] 一个更晚近但没那么著名的例子,是布尔格战役的"模板"如何导致了美国在越南所下达的采取充分措施备战1968年新年攻势的军事命令的失败。这一命令确信敌人即将完蛋,并且或许会像1944年的德国一样发动一场绝望的攻势;但是德国的攻势归于失败并且德国在数月内被彻底打败的事实让美国人滋生了北越所发动的这样一次攻势也很有可能是如此下场的自满。James J. Wirtz, *The Tet Offensive: Intelligence Failure in War* 129–132 (1991).

[8] "天才"在19世纪是一种事业,并且是尼采所渴望的一种事业,有关这一论点,参见,Carl Pletsch, *Young Nietzsche: Becoming a Genius* (1991).

[9] Friedrich Nietzsche, "David Strauss, the Confessor and Writer," in *Untimely Meditations*,前注[1],页3.

而令人鼓舞。它同时也是不负责任的。在法律著述中认可一种纯粹工具性的进路，可以被认为是给重写历史颁发了特许令，亦即苏联的所为以及奥维尔在《一九八四》中模仿的情形。但是，即使是尼采论历史的论文中的过量，也有助于法律的理解，因为它们说明了法官与其他法律专业人士撰写历史具有类似的工具性观念。法官们也重写历史，就像人民委员一样。*

在法律中让或者至少假装让往昔来统治现在的倾向的极端表现形式可见于布莱克斯东，他认为普通法的目标应当是复活盎格鲁－萨克逊时代英国的习惯法，[10] 即是说早在700年前就已消失的政权的法律；还可见于萨维尼，他是历史法学派的创始人，我们还可以在第6章中看到，他认为研究罗马法是改善现代法的关键所在。但是布莱克斯东的（或者萨维尼的）表现形式不过是——一个极端，并非在根本上有别于很多美国律师、法官和法律教授所持的确信，即宪法性法律的现代问题之答案可以在宪法文本或背景中找到，而宪法则是一个由文件构成的重写本（palimpsest），其大部分内容都是早在两个多世纪以前制定的。

然而，一个一闪而过的想法将暗示另一种可能性——无论是布莱克斯东还是萨维尼还是美国最高法院大法官对历史的虚假运用，都不是受历史束缚的标志，正相反，是尼采的风尚，即歪曲历史来服务于人生。无论是布莱克斯东还是一位现代法官（或者作为影子法官[shadow－judge]的法律教授）在说"这是今天法律应当成为的样子，无论它昨天是什么样子，因为我们面临着新的问题，并需要新的解决办法"的时候都不舒服。[11] 政治家可能会说诸如此类的话，但

---

* 1946年以前苏联各部部长旧称。——译者

[10] 例如，参见，William Blackstone, *Commentaries on the Laws of England*, vol. 4, P. 413 (1796); Thomas A. Green, "Introduction," in id., vol.4, pp. iii, xii.

[11] 比较，Carl E.Schorske, *Thinking with History: Explorations in the Passage to Modernism* 88 (1998)："当人们制造革命性变化的时候，他们通过穿起一件要被复原的过去的文化外衣而把他们自己掩蔽在他们所引起令人恐惧的革命之后。"

是,它听起来不像是出自一位法律职业者之口,因为它不具备任何深奥的或者神秘的东西。法律职业者想要说:"我可以运用我的专门技术,在几个世纪之前所作的权威性决定中发现业已存在的解决这一新(或者看起来新的)问题的办法。"[12]这一主张是一种幻想,就像法律现实主义者和律师史的批评家乐于指出的一样。[13]

想一想性隐私的案例。这些案例在罗伊诉韦德案中达到了顶点。第一个这样的案例是格里斯沃尔德诉康涅狄格案(Griswold v. Gonnecticut),[14]其判决是在1965年、即为其提供名义上根据的第14修正案正式通过后的一个世纪作出的。强大的、可执行的、宪法性自由言论权在19世纪50年代以前几乎不能存在,然而它却被假定在1789年第1修正案颁布的时候就已经正式宣布了。很多被称为宪法性法律的东西都是现代的建构,然而这一建构却通过与古代的(像美国人衡量历史时间一样)文本的微弱并且常常是机会主义的联系而得到辩护。但是,尽管这一建构的古代性是一种虚幻,尼采仍然教导我们,历史的虚幻可以给人以力量,可以把我们从往昔的死亡之手中解放出来。法律职业对历史的运用是一种掩饰,通过这种掩饰法律职业可以创新而不必违反司法的繁文缛节;那些繁文缛节既

---

[12] 这正是萨维尼反对法典化的精义所在。他把前法典的法律,特别是罗马法描述为"科学的要素,这种称法是很恰当的,凭借它,我们的职业便获得了科学的属性。" Friedrich Carl von Savigny, *Of the Vocation of Our Age for Legislation and Jurisprudence* 163(Abraham Hayward Tras. 1831). 参见第6章。

[13] 例如,参见,Alfred H. Kelly, "Clio and the Court: An Illicit Love Affair," 1965 *Supreme Curt Review* 119; Martin S. Flaherty, "History 'Llite' in Modern American Constitutionalism," 95 *Columbia Law Review* 523 (1995); Laura Kalman, "Border Patrol: Reflections on the Turn to History in Legal Scholarship," 66 *Fordharm Law Review* 87 (1997); Barry Friedman and Scott B. Smith, "The Sedimentary Constitution," 147 *University of Pennsylvania Law Review* 1 (1998). 有关近期的一项给对于宪法律师的历史的关键性正统信念投上很大阴影的研究——麦迪逊的宪法理论对于宪法的制定与颁布的影响,参见,Larry D. Kramer, "Madison's Audience," 112 *Harvard Law Review* 611 (1999).

[14] 381 U.S. 479 (1965).

剥夺了司法裁量的新颖性，也让其不能坦率承认，还要假装由非选举的法官作出的判决可以通过表明在过去的某一立法性或宪法性的法律制定中具有民主根基而被合法化。既然最有说服力的欺骗是那些植根于自我欺骗的欺骗（因为那样欺骗者就不会有露马脚的危险），那么，很多律师和法官认为法律就是把反映在制定法、汇编的司法判决以及其他过去制定的旨在统治未来的材料之中的往昔教训应用于现在，就一点儿也不让人感到吃惊了。然而事实是，这些过去的争议解决，在很大程度上设定并限制了、但并没有规定今天案件的结果。

我一直在描述的法律对于历史的修辞性用法与作为传统法律思想的一个显著特征的膜拜往昔纠缠在一起。一个向后看的趋向招致了不应当让死者来统治生者的批评，而反驳这一批评的一种方式则是辩称，我们的前辈具备见识的新颖（freshness）或者思考的力量，而我们现代人没有；他们比我们更优秀，因此我们应当满足于受他们的束缚。

一个本质上是欺骗性的有关法律与往昔之关系的概念如果可以一年复一年、十年复十年、百年复百年地得到维护，这是很值得注意的。大多数美国人继续理所当然地认为，最高法院的宪法性判决，即使是在性与生育自由这一领域，在某种意味深长的意义上也是植根于宪法本身的。甚至可能大多数法律职业者也相信这一点，尽管他们的确信或许是萨特称之为"不诚实"的道德可疑的准信念形式。在宪法修辞上，对历史著述的那种尼采式错觉理解占据了统治地位。法官援引古代文本的权威，神化制定者（一个巨人穿过时代间荒芜的隔离向另一个巨人呼喊），简言之，创造一个虚构的历史以服务于当代的、实用的事业。大多数宪法教授，甚至是像罗纳德·德沃金这样的"理论家"都鼓励他们，尽管有时候用他们自己虚构的历史来反对法官虚构的历史。这里的面具是如此牢固，以至于甚至是针对最高法院的历史感的公正无私的批评家，也更可能提倡更好的历史而不是无历史。其结果是，他们的批评由于看起来像一场关于历史编纂的细节末节的技术论争中的一种主张而被边缘化了。

"原旨主义者"(originalist)相信现代宪法问题应当根据18世纪诞生的宪法的语词含义或者根据制定者的智力视野(mental horizons)来决定的人,依照这一意义,德沃金不是"原旨主义者"。弗兰克·迈克尔曼(Frank Michelman)或者卡斯·桑斯登也不是。但是正如劳拉·卡尔曼(Laura Kalman)指出的,桑斯登与迈克尔曼,同德沃金一样,认为建构一个历史谱系对于他们想要得到的宪法解释是重要的;他们希望"让往昔充满规定性的权威"。[15] 但是,卡尔曼认为,与其说它是一个发现的往昔,还不如说是一个建构的往昔。"共和制复兴主义者[迈克尔曼与桑斯登]为了鼓吹的目的而盗用历史学家,让现在压倒往昔。"[16] 他们利用了"原旨主义的修辞术"。[17] 卡尔曼认为,对于我们的法律文化而言,这种修辞术是司法创新的一个必不可少的条件。也许是这样(尽管我随后将对这一观点进行一些质疑);也许理论家只是在试图说一种法官会理解的语言,而不是自欺欺人地认为他们是在搞历史(doing history)。但是我们要清楚地认识到,他们正在搞的确实是修辞术,而不是历史编纂。我在后面将辩论,尽管或许看起来很荒谬,但真正的原旨主义者比很多反原旨主义者更不历史——原旨主义是对历史主义的一个回应。

卡尔曼认为,宪法理论家"看穿了"自己的历史主义。无论他们是否这样都不太重要,但我担心一些法官会自欺欺人地认为,历史的确会为甚至是最有影响力的法律问题提供解决办法,并因此总是让他们逃避真正困难的问题——作为公共政策问题之解决办法的合理性(soundness)。我认为,至少有一些最高法院的大法官,如果他们意识到,对于解决诸如第11修正案(只是制止一个州的公民在联邦法庭上起诉另一个州)到底有没有规定一条影响深远的各州主权豁免教义,使各州甚至可以豁免基于联邦法律提起的诉讼,宪法的历史并

---

〔15〕 Kalman,前注〔13〕,页103。
〔16〕 前引书,页107。
〔17〕 前引书,页124。

没有为这个问题提供任何指导,他们在以宪法名义扩大州权利的时候就会迟疑起来。

不是在宪法的原则或者结果上,而是在其他的一些方面,法律是受制于历史的,而不仅仅是一种司法的心理学。通过路径依赖(path dependence)这一经济学的概念就可以清楚地看到这一点;所谓路径依赖的意思就是,你在什么地方结束可能取决于你从哪里开始,即使如果你不是从那里开始的话,一个不同的结束点可能会更好。经济学文献上最著名但可能是虚构的一个例子是打字机键盘。根据历史学家保罗·戴维(Paul David)的研究,键盘的设计是要限制打字速度,以避免打字键持续不断地挤在一起。随着电子打字机与文字处理的出现,打字键挤塞的问题已经消失,但是我们仍然坚持使用旧键盘,原因就在于制造商之间就新键盘达成协议的成本和让数百万练习并且已经习惯旧键盘的人"更换新工具"(retooling)的成本都太高了。[18]因此,当转变的成本相对于变化带来的收益更高时,我们就可以观察到路径依赖,并且当转变需要很大程度的合作时,转变的成本往往会非常高。换一种表述方式就是,即使变化会带来很大的正收益,但是如果改变现状要求很多人或制度立刻或多或少地改变其行为的话,收益就可能被成本淹没。例如,一个国家改变语言,比如从西班牙语改为英语,或者铁路轨道改变宽度,或者让一个国家的司机从靠左行改为靠右行,想想看,这些变化将会牵涉到多少事情。

戴维的小前提,即传统键盘没有效率,遭遇了炽烈的批评,这一

---

[18] 参见,Paul A. David, "Clio and the Economics of QWERTY," 75 *American Economic Review Papers and Proceedings* 332 (May 1985). 对于路径依赖的一般经济分析,参见,Stanley M. Besen and Joseph Farrell, "Choosing How to Compete: Strategies and Tactics in Standardization," *Journal of Economic Perspectives*, Spring 1994, p. 117.

批评是质疑路径依赖的经验意义的一部分。[19]我并不想涉足那些问题；无论竞争市场的境况如何，只要存在追求效率的强大动力，路径依赖是法律上的一个重要现象这一点就不会有太大的疑问。[20]有关这一点的一些证据是，不同法律体系的趋同比技术和经济制度的趋同要慢得多。例如，美国不同州的法律与法律制度之差别比经济实践与经济制度的差别更为显著。在跨国的比较中，这一差异就更为巨大和更为神秘了，甚至当这一比较仅限于那些经济与政治制度以及教育与收入水平与我们相似的国家时也仍然如此。很难相信，美国对民事陪审团的普遍采用与可以追溯到中世纪的英国与欧陆国家在公共行政管理上存在的差异不相关。[21]如果我们从头来过，我们不太可能会启动这一由陪审团审理的权利，无论原告所要求的是损害赔偿还是禁令——这一区别植根于英国为两种类型的救济设立了两套独立的法庭制度这一历史偶然事件；州与州之间关于时

---

〔19〕 参见，S. J. Liebowitz and Stephen E. Margolis, "The Fable of the Keys," 22 *Journal of Law and Economics* 1 (1990); Liebowitz and Margolis, "Path Dependence, Lock‐In, and History," 11 *Journal of Law, Economics, and Organization* 205 (1995). Leibowitz 与 Margolis 在他们最近的 *Winner, Losers and Microsoft* (1999)一书中采取了一个极端的立场，否定软件市场上路径依赖的存在(尽管存在计算机之间的兼容性的价值以及从一个计算机系统转变为另一个系统的费用)。关于更传统的对路径依赖的经济学讨论，参见，Lucian Arye Bebchuk and Mark J. Roe, "A Theory of Path Dependence in Corporate Ownership and Governance," 52 *Stanford Law Review* 127 (1999).

〔20〕 比较，Larry Kramer, "Fidelity to History—and through It," 65 *Fordham Law Review* 1627, 1640‐1641(1997). 但是 Kramer 赋予了其规范性的意义，而我没有。关于路径依赖的更多讨论，参见第9章。

〔21〕 例如，参见，James Bradley Thayer, *A Preliminary Treatise on Evidence at the Common Law: Development of Trial by Jury* 2‐3 (1896). 尽管民事陪审团可能是一个比批评它的人所认为的更有效的制度，正如我将在第11章中所辩论的那样，但是，它在今天被使用的程度可能在很大程度上归功于与效率无关的因素，诸如美国宪法的第7修正案，该修正案保证了在标的超过20美元——自从1789年发生通货膨胀以来一直没有修改——的民事案件中使用陪审团的权利。

效的立法也不太可能这样变化多样；[22]美国法律的琐碎程度也不太可能这么高；侵权诉讼与违约诉讼之间也不太可能有这么多程序上的差别（既然对于很多不法行为都可以以任何一种诉因提起诉讼——并且侵权与合同在分析上也是可以互换的）。[23]现代法律充满了早期法律的痕迹。如果我们从头开始的话，我们会设计并（即使对政治压力给予适当考虑）会采用一个更为有效的体系。这就暗示了要改变现存的体系，必定存在着不可逾越的障碍。

因此，法律以现在和未来为代价而对往昔俯首帖耳，并不必然归因于神秘的、可能是准宗教的对于古老方式的尊崇。这可能仅仅反映了转变的成本，尽管在这里成本并不是像在打字机键盘的例子里那样是因合作问题产生的，而是因信息问题产生的。法官与通常意义上的法律职业者，也许非常缺乏决定新型案件或者为适应社会变化而改革法律制度所需要的良好信息来源，因而他们决定案件与解决制度设计问题的最有效率的方法，就是遵循或至少在很大程度上受制于先例，就像德沃金在将普通法类比为系列小说写作时所提的那样。[24]法官越是依赖先例，当下的原则就越可能为历史而不是为当下需求所决定。立法者在形式上并不受先例的限制，但是他们的创新能力却受到构建于立法程序内部的惰性限制，特别是在美国的联邦层级上。由于宪法创造了一个实质上由三个部门组成的立法机构（参议院、国会以及拥有否决权的总统），制定法的通过就变得非常之难；但是，基于同样的原因，一旦制定法被通过，它又很难改变，因为修改现行法律的立法程序与颁布一部崭新法律的程序是一样的。宪法很难被修改，其条文又不能通过解释而适于现代化（aggiornamento），因此宪法本身就是路径依赖的强大根源。

---

〔22〕 参见，*National Survey of State Laws* 94 – 104, 392 – 404 (Richard A. Leiter ed., 2d ed. 1997).

〔23〕 例如，参见，Richard A. Posner, *Economic Analysis of Law*, ch. 8 (5th ed. 1998).

〔24〕 参见，Ronald Dworkin, *Law's Empire* 228 – 238 (1986).

较之法律的制度层面，路径依赖在法律的原则层面还算是不太严重的一个问题。通过否定严格的遵循先例原则，美国法官已经授权自己改变原则以随时适应变化的环境。其结果是，普通法原则（在广义上被理解为在决定案件的过程中形成的原则，而无论这些案例是不是专门法律意义上的"普通法"案例）的构造，从整体上看似乎是非常有效率的。[25] 通常用言语来表述的有关制定法、宪法和合同的规定，可以让法官们根据当下的需要和价值来塑造它们。吉多·卡拉布雷西曾经建议应当允许法院"驳回"古老的制定法，就好像这些法律是过时的先例一样，[26] 而且，要辩称法院已经正在这样做了也是可能的，只是他们把其所为称为"解释"罢了。法律也直接击退过往昔的死亡之手，比如拒绝执行遗嘱的制定者试图强加于其遗产的某些限制，或者借助与之密切相关的力求近似（ cy pres ）原则，这一原则允许慈善基金绕过创造该基金的章程中的某些条件，例如，当脊髓灰质炎疫苗在很大程度上根治了脊髓灰质炎时，允许"一角银币运动基金会"（March of Dimes Foundation）将其资源从脊髓灰质炎重新分配至肺病。但是即使是在制度的层面上，法律体系也已经证明在谋求消除往昔的死亡之手时是足智多谋的。第 7 修正案是不可改变的，但是通过缩小民事陪审团的大小（从传统的 12 人缩小到 6 人），通过扩大使用简易审理而使案件远离陪审团，以及通过微妙的压力而使法官审判替代陪审团审判，联邦司法体系已经缩减并驯化了修正案原本所意图的运作。

法律上的路径依赖类似于另一个重要概念，即法律的自治。如果某一实践或领域是自治的、依据其内在规律、"程序"、"DNA"而发展的，那么，无论这一作法或领域是音乐、数学还是法律，其当下的状态与其以前的状态之间都会存在一个有机的联系。很多法律思想家渴望让法律成为这一意义上的一个自治学科。这是一个值得怀疑的

---

[25] 参见，Posner，前注[23]，特别是第 2 章（"普通法"）。

[26] 参见，Guido Calabresi, *A Common Law for the Age of Statutes* (1982).

第四章 依赖于往昔的法律　165

渴望；而我自己的观点是，法律最好被视为社会需要的仆从，[27] 这一概念使法律与任何内在的对于往昔的依赖相隔绝。

由于我们缺乏关于如何应对现在以及未来的良好信息，或者由于法律创新涉及很高的转变费用——刚刚讨论过的路径依赖问题——而导致对往昔的依赖，与把往昔视为规范性的，正如我们在下一章中将遇到的保罗·康恩（Paul Kahn）所说的法律论证"来自于对往昔的义务"，[28] 以及"法治对我们来说是一种方式，往昔所具有的权威属性通过这种方式显现出来"，[29] 或者像安东尼·克隆曼（Anthony Kronman）所说的"往昔对于律师和法官来说，不仅仅是信息的储藏室，而且还是价值的储藏室，它有权对现在的行为赋予合法性"，以及"往昔值得被尊重，仅仅因为它是往昔"，[30] 或者像罗纳德·德沃金所说的"与实用主义者的主张相反，必须让往昔在法庭上享有自己的特别权力"[31] 之间存在着重大差异。为什么必须呢？一个可能的答案是，正义要求相似的案件得到相似的处理：一个案件是在很久以前判决的，而另一个则是在当下判决的，这种偶然情况并不能切断这一相似性。很有道理；但是，就这一观点而言，应当赋予特别权力的不是往昔；而是相似性。往昔的惟一意义就在于提醒我们，一个案件是在一年以前还是在一个世纪以前判决的，这一事实并没有自动地授权决定当下案件的法庭忽略这一事实。法庭必须有理由才能忽略这一事实，正如法庭必须有理由才能忽略任何一个似是而非的决定当前案件的潜在指导来源一样。

---

〔27〕 例如，参见，Richard A. Posner, *The Problematics of Moral and Legal Theory* (1999).

〔28〕 Paul W. Kahn, *The Cultural Study of Law: Reconstructing Legal Scholarship* 43 (1999).

〔29〕 前引书，页 44。"我们可以想像一种完全不受过去束缚的政策科学，但它不是法律的统治。"前引书，页 45(省略了脚注)。

〔30〕 Anthony T. Kronman, "Precedent and Tradition," 99 *Yale Law Journal* 1029, 1032, 1039 (1990).

〔31〕 Dworkin, 前注〔24〕, 页 167。

对这个"必须"的问题的另一个可能的答案是,过去的事件可以为将来创设义务。明显的例子是实际履行发生在一段时间以后的那些合同。宪法与制定法都可以视为某种合同,法官制定的规则或许应当被想像为一个对共同体作出的、依据这一规则来决定未来案件的承诺。但是,这些至多也不过是类比。较之伴随合同的签名而生的同意,今天的美国人"同意"宪法与制定法的规定的意义,就弱得多了;而且,对严格的遵循先例原则的否定,使得法官制定的规则变成可以废除的了,这样一来就削弱了这些规则引出和获得的依赖。然而,信赖利益例证了,有关过去的作法或声明可以创设义务;而且,除了特定的依赖之外,一种社会或者政治惰性也具有普遍的价值,这一惰性把某些问题排除于议事日程之外,比如每个州应当有多少名参议员的问题。一件事情得到了解决常常要比它被正确地解决重要得多。否定对历史的虔敬,并不是要让政治与历史制度承受无休无止的试验。它仅仅是要否定虔敬——但在法律上这可不是一项普通的成就。

对于历史的回顾,常常会把与解决现在和未来问题相关的信息展现出来。但是,当这种情况发生时,应当是信息本身而不是往昔决定了我们对于当前问题的回应;往昔只是一个数据来源。如果决定采用一种方式而不是另一种方式的惟一理由就是过去是这样做的,那么,这就是一个很薄弱的理由,尽管如果没有理由要作出改变的话这个理由也就足够了。在涉及法官运用作为制定法或者宪法规定产生背景的"立法史"上,历史的数据库观念现在得到了很好的理解。立法机构的一个有影响的成员或者委员曾经就后来制定的某项法案的意义所作的说明,或者酝酿产生法案的那些历史事件,都是可能有助于决定这一法律制定之意义的数据。这一历史不是规范性的,而只是相关数据的一个方便的集合体。

义务、依赖、信息甚至惰性,都是遵循过去所作判决的理由。但是,把往昔本身称为规范的却是一种神秘化。假如普通公众相信这一点的话,它就可能是一个必不可少的神秘化,因为此时司法判决的合法性就取决于法官对历史束缚的接受。普通公众相信，比如，判决必须"植根于"法律的权威来源，但是对于来源并不在意。由于对历史毫无兴趣并且一无所知，公众不可能要求对现代案件的判决必须与古代的文本和先例一致。否则，罗伯特·鲍克（Robert Bork）就会被批准为最高法院的大法官了。

德沃金本人并没有声称自己是历史学家，因此，与其所宣扬的相反，他实际上正是以尼采所赞美的机会主义的方式对待历史的，因而他不比沃伦法院更多从往昔中寻找评价当下决定的基准。[32]基准是任意的。它们不过是由德沃金的政策决定的、选择哪一历史时期作为规范性的人造物。最高法院的历史是一个循环往复的历史，而不是一个不断进步的历史——创新与自守的循环，自由的冒进与保守的退避、保守的冒进与自由的退避的循环。中立的司法历史编纂会加强尼采认为会使人非常衰弱的犬儒主义的教训。或许这就是为什么我们很少作这样的历史编纂的原因。

信奉历史主义取向的法理学的另一个糟糕的理由是这样一种信念，即制定法律的人——主要是法官和立法者——的品质已经衰落了。这是一个典型的"黄金时代"的谬误（即为尼采批评的贬低现在的纪念型撰写历史）——世界将在摇篮（handbasket）中纵情欢愉——并且既无知又顽固。它反映了在我们的青年时代撒下金色光芒的成长过程（我们或许可以称之为怀旧的谬误）；反映了引导我们拿过去的最好水平与现在的平均水平相比的选择偏见，因为时间还来不及把现在的最好水平从平均水平中筛选出来；它与两者都有关，反映了一种英雄崇拜的趋势，这种英雄崇拜需要一位遥远年代的影响来让崇拜成为一种遥远的似是而非的态度；并且近来，它反映了专门化增长的趋势，而这一趋势让我们感到自己比前辈渺小。矫正了这些让

---

[32] 德沃金关于忠实于往昔的讲话在其宪法法理学中并未实际起作用，参见，Michael W. McConnell, "The Importance of Humility in Judicial Review: A Comment on Ronald Dworkin's 'Moral Reading' of the Constitution," 65 *Fordham Law Review* 1269 (1997).

我们对往昔形成一种歪曲的认识、即贬低现在的认识的因素之后，我们就会意识到宪法的制定者，以及像约翰·马歇尔、霍姆斯、布兰代兹、卡多佐、杰克逊和汉德这样杰出的法官，除了具备世界水平的哲学与文学天赋的霍姆斯以及具有敏锐政治洞察力的麦迪逊之外，都只是非常能干的法律人而已。(一些近来神格化的候选人，比如厄尔·沃伦[Earl Warren]、威廉·布坎南[William Brennan]与哈里·布莱克门[Harry Blackmun]，还没有被一律地承认确实如此。)今天也有很多同样能干的法律人；如果我们的国家决定要一部新的宪法的话，应该不会缺少能够胜任的制定者。即使传说中的过去的律师与法官比当下的群体更加能干，对今天的情况他们还是比我们了解的要少得多，因此赋予他们对现在的神秘权力是很荒谬的。一个看似更为有理的论点是，并非他们更加能干，而是他们对于其所处的不寻常的环境能够应付自如。沧海横流方显英雄(或狗熊)本色。哈里·杜鲁门甚至亚伯拉罕·林肯要是处在现在的条件下，或许就只是平凡的总统了。

因此，任何对依据制定者或颁布者"原意"来决定现代宪法案件的信仰者，如果他的理由是美国的青年期就是法律思想的黄金时代的话，他就犯了错误。支持原旨主义的惟一的好理由是实用主义的，并且不得不缩小司法裁量权从而把政治权力从法官手里转移到立法者包括宪法规定以及宪法修正案的制定者与颁布者手里(坏理由是认为，如果司法判决是运用司法裁量权而生的产品，那么它们就是缺乏合法性的；它之所以坏是因为它本身会带来问题，即推出这一结论所依据的合法性概念存在有效性问题)。这可能不是一个非常好的理由，因为除了尽量用时间的绳索去束缚法官之外，还有各种其他的限制司法裁量权的方式。但是我想要强调的是，批评原旨主义是坏历史，这个批评并没有涉及原旨主义的关键所在。原旨主义的关键在于通过采用一种机械的解释方法，一种本质上是词典编纂的(lexicographical)和规则系统的(algorithmic)而不是历史主义的方法，来约束司法裁量权。

我已经暗示，普遍地遵循先例，即用与以前判决类似案件相同的方式来决定案件的政策,既节省了法官与律师的时间,又使已决案件能够为希望免于被诉的人提供指导。这一政策并不必然与对往昔的尊崇有任何关系,除非当它被推至极端时,即法官像关注历史类比(先例的一种形式)的对外政策制定者一样,更喜欢牵强附会的类比而不愿意承认需要抛开先例的拐杖来处理新问题的时候。几乎所有人都会同意,历史类比不能被用作切甜点的刀具,切出当下某一政策问题的答案。这一点显而易见,因为历史从来都无法精确地自我重复。历史类比最多不过是为当下的问题提供一个或许可以适用的教训。在法律先例的场合,切甜点刀具的方法有时会起作用;不可否认,一些案件与以前判决的案件在所有可以想到的有关方面都是一致的。但是,当它们仅仅是"可类比"时,就没有能让后一案件参照前一案件决定的相似性尺度了,就像没有能让林顿·约翰逊(Lyndon Johnson)算出放弃南越任其听天由命会不会成为"另一个慕尼黑"的相似性尺度一样。

历史类比是因果性的;慕尼黑协定被用来表明,如果我们以某一方式行为就会发生同样可怕的后果。法律先例是规范性的:新的案件将以与以前的案件同样的方式决定,是因为它们是相对类似的。但是,它们所具有的缺陷是一样的,即相似性的概念是含糊的。无论是历史的相似性还是法律的相似性,其有效使用都是要抽象出一个原则或判断,从而可以用这一原则或判断解释后来的事件或案件。从而,无论在哪一种情况下,历史都不是规范性的;它只是有用数据的一个潜在来源。

对历史而言,根据类比作出的论证会受到在评价反事实历史断言时所面临之困难的困扰。[33]我们已经约略地提到了这一困难,比如在导论中谈到最高法院对制定法行使司法审查权产生了哪些后果时,以及在第1章中谈到边沁对于法律经济学运动有什么影响时。

---

〔33〕职业历史学家承认这一点。例如,参见,Peter Novick, *That Noble Dream: The "Objectivity Question" and the American Historical Profession* (1988).

我们不能回到没有慕尼黑协定(或者司法审查,或者边沁)的历史,也没法看到那将会怎样。要评价历史的反事实,我们需要一个历史规律,[34] 比如绥靖政策会导致进一步侵略的规律;如果我们相信这一规律是可靠的(然而在历史考察中很难得到这一信心),我们就可以预见到绥靖行为的后果,比如慕尼黑协议。若不然,就不可以。类似地,要根据类比作一个法律论证,需要法律分析家从可以适用于当下案件的先前案件中抽象出一个原则。[35] 同样地,以前的案件不是规范性的,就像历史不是规范性的一样。

依据先例作出的判决含有对法官的最优年龄的暗示。[36] 一个人越老,他就越是活在往昔。对一个非常年轻的人而言,往昔没有什么可以用来应付现在的资源,但是他的想像和推理的力量却处于最高峰。一个老人的想像和推理力量逐渐衰退,但是他却有丰富的可以作为模板的记忆——作为基本上是字面意义上的"先例"——可以用以比较新旧问题从而解决新问题。年轻人总是可以通过阅读知道历史,但是一个人从阅读中可以获得的东西特别取决于其将什么带入了阅读。历史对于一个通过阅读了解往昔的人,不如对于曾经生活在往昔的人生动鲜明。

大陆法系法官的平均年龄比普通法系法官的平均年龄低,这可能不是偶然的。这一差异的最贴切的原因是大陆法系的司法部门是职业司法部门;人们在获得法律学位后不久就可以进入司法部门,而

---

[34] Fred Wilson, *Laws and Other Worlds*: *A Humean Account of Laws and Counterfactuals* pp.72 - 89 (1986). 关于经济理论如何可以被用来检验反事实的历史评价的一个例子,参见,Raymond Dacey, "The Role of Economic Theory in Supporting Counterfactual Arguments," 35 *Philosophy and Phenomenological Research* 402 (1975). 关于来自博弈论的一个例子,参见,Bruce Bueno de Mesquita, "Counterfactuals and International Affairs: Some Insights from Game Theory," in *Counterfactual Thought Experiments in World Politics*: *Logical*, *Methodological*, *and Psychological Perspectives* 211 (Phillip E. Tetlock and Aaron Belkin eds 1996). 我不否认真正的历史规律的存在或者可以被发现,我只是想强调这一任务的困难性与不确定性。

[35] Richard A. Posner, *The Problems of Jurisprudence* 86 - 100 (1990).

[36] Richard A. Posner, *Aging and Old Age*, ch.8 (1995).

在普通法系法官则通常是律师行业或者教学职业之外的侧门。大陆法系的判决较之英美法系的判决，更加形式主义、更"有逻辑"，而且与之相随地，不像后者那么重视遵循先例。由于对于年轻人来说，解决问题的工具更多是逻辑，而对年长的人来说，则更多的是先例，因此，一个更强调逻辑的法律体系中的法官较为年轻，而一个更强调先例的法律体系中的法官较为年长，就没什么可奇怪的了。然而，我承认，这一因果关系有可能与我所描述的相反——即正是英美法系的司法职业造成了英美法系的判决更不具有形式主义的特点。

我所描述的历史主义取向的法官——这个希望以一种通过显示案件的家谱以及案件与以前的案件、制定法或宪法规定的连续性的方式来判决案件的、上了年纪的家伙——可能看起来与实用主义的法官截然不同，后者希望以一种在司法角色的限制内以最大地促进社会目标的方式来判决案件。实用主义的法官用历史作为资源，但是并不尊崇往昔或者相信往昔应该对现在拥有一种"特别权力"。正如霍姆斯所作的值得纪念的评论，"如果法治的最佳理由就是自亨利四世以来它就是这样规定的，那这实在是令人作呕"。[37]但是，这两种类型的法官的差异可能并不像看起来那么大。我前面已经说过，历史为那些根据其他理由作出的判决提供了一个有用的面具。在这里我还要加上一点，即，由于大多数可能会被认为与法律决策有关的历史考察都具有不确定性，因此它几乎总是一个面具；面具之后就可能是一个实用主义者。

所有这些都不是说，历史的事实超出了我们的能力所及，因此历史主义取向的法官是不可能的。即使我们确实不能（除了在天文学上）观察到发生在过去的事件，我们在很多与此有关的事实上也是极有自信的，比如，乔治·华盛顿是美国的第一位总统，或者法国在普法

---

[37] Holmes, "The Path of the Law," in *The Essential Holmes*, 前注[5], 页160, 170。

战争中被打败了。[38]但是,这不是法官和法律教授在争论宪法与制定法的规定以及以前的司法判决的解释和适用时所需要的事实。发生了什么这一狭义的历史,不能揭示出意义。它或许可以告诉我们美国宪法中的特定词语在18世纪80年代是什么意思,或者特定宪法规定的来源是什么,或者那个时候某人就其意义说了些什么;但是,未经解释的历史数据与对今天所判案件中的宪法规定的意义的诉求之间,存在着一个不可逾越的鸿沟。法官与法学教授乐于对历史作出的种种诉求,都是完全无法证实的,因为它们并不取决于事实而是取决于解释程序本身存在的分歧。比如,我们知道第14修正案的制定者和大多数颁布者都不认为黑人在社会地位或智力上与白人是平等的,但是,在修正案的平等保护条款是否禁止公共学校的隔离这一问题上,我们并不知道怎样对待这个小小的历史知识。

这里有两个问题,而不是一个。第一个问题是历史真实的难以捉摸。关于这一点,我指的并不是构成一个简单叙事或者年代表的事实的真实,甚至也不是从历史数据中得出的统计推断的真实,而是对于历史所作的具有因果性的并且是可评价的断言的真实。第二个问题是在涉及某一历史事件或文件的含义、从而涉及解释的问题时产生的,就是选择解释进路所具有的不确定性。当一个法律教授说平等保护条款在于保证黑人的基本政治平等,而另一个法律教授说这一条款在于创造一个进化的、与生殖有关的平等概念的时候,他们的分歧就是关于解释理论的,而且这一分歧不能通过更深入或更好的历史研究得到解决。历史或许可以揭示某一立法的制定者或颁布者的解释前提,但是不能揭示出一个现代解释者应当赋予这些前提以何种意义。

毫无疑问,在某些情况下,历史知识而不仅仅是某一原则的历史对于法律决策是重要的。例如,在解释宪法第二条中的"严重犯罪与

---

[38] 这些都是关于作为知识来源的(哲学意义上的)"证词"的有力性的例子,它们是本书第10章的主题。

不法行为"这一术语的意义的时候,可能我们所希望的并不是停留于它在 18 世纪的意义以及仅仅在宪法传统中讨论它,而是从那里开始;否则我们就可能对"不法行为"这个词大惑不解,这个词在今天意思是轻罪而在以前则有着更为宽泛的含义。[39]更没有疑问的是,霍姆斯本人最钟情的对历史的用法,即显示某一现代原则只是一个历史遗迹因而应当被丢弃的用法;或者是,用来击毙在众多司法意见中都能发现的无知的历史主义用法。[40]这些都是作为治疗的历史编纂学的例子,它与分析哲学的治疗用法相似——与被很多哲学家视为梦想的"建构"的用法相反,这一用法反对谬误的哲学祈祷(invocation)。

即使是我所描述的历史研究在法律中的有限使用,也有赖于职业历史学家间共识的存在,至少在他们中间不能存在争论(因为在法律中还有一些从未引起职业历史学家兴趣的历史问题,或许是因为其答案是显而易见的)。当职业历史学家合理地对与一个法律案件有关的历史问题的答案表示异议时,法官必须在历史之外找到另一种解决案件的方法,因为他们没有能力就历史争议作出裁断。而且,由于他们没有这个能力,因此,如果他们决心用历史语言作出判决的话,他们就必然会在这一历史争议中选择与其基于各种不同理由而形成的偏好相一致的一方。

---

[39] 例如,约翰逊的词典给它下的定义是,"侵犯;恶性;[或者]轻于残暴犯罪的东西"。Samuel Johnson, *A Dictionary of the English Language* (1755). 参见, Richard A. Posner, *An Affair of State: The Investigation, Impeachment, and Trial of President Clinton*, ch.3 (1999).

[40] 一个几乎随意举出的例子,参见, United States v. Curtiss‐Wright Export Corp., 299 U.S. 304, 316‐318 (1936), 在这一案例中最高法院声称,国会的宣战权不同于经济权力,并不存在于颁布宪法之前各州的主权权力中。职业历史学家 Charles A. Lofgren 在其论文中宣称 Curtiss‐Wright 案中的讨论"非常之不准确",参见, Charles A. Lofgren, United States v. Curtiss‐Wright Export Corporation: An Historical Reassessment, 83 *Yale Law Journal* 1, 32 (1973). 我不认为他的评价已经受到了质疑。一般地,参见, Jack L. Goldsmith, "Federal Courts Foreign Affairs, and Federalism," 83 *Virginia Law Review* 1617, 1660 and n.184 (1997).

老练的原旨主义者深谙这一切。他们不想用非职业、非决定性的关于历史的辩论去代替职业的但非决定性的关于政策或价值的辩论。他们想要的,至少应当想要的(因为他们常常抵抗不住诱惑,会做那些历史学家带着恰当的嘲笑称之为"法律办公室历史"的那些事情)是,[41]一个严格集中于对精确且可以回答的、有关具体词语和句子历史含义的问题的考察,连同一份将使这些历史含义能够与同时代的问题相关联的"造句准则"的列表。

今天的原旨主义者,比如斯戈利亚大法官,正对厄尔·沃伦时代以及程度稍轻一点的这之后的沃伦·伯格时代的法院对司法裁量权的随心所欲的运用作出反应。他们并不言行一致;我所说的只是他们的宣称。原旨主义者希望、至少声称希望缩小司法裁量权,并且已经为实现这一目的设计了一种编码机制。法律的历史主义者不想要这劳什子。他们主要想为自己偏爱的立场伪造一份历史的家谱,以免受司法创造的指控。当理查德·法伦(Richard Fallon)说诡诈的修辞为实用主义判决所固有时,他就落后了。[42]一个实用主义者也许会也许不会采用一种形式主义的修辞,无论是历史主义的,还是其他

---

〔41〕 有关原旨主义的法官所作的颇有争议的历史的附带陈述的例子,参见,Plout v. Spendthrift Farms Inc., 514 U. S. 211, 219－225 (1995); Michael H. v. Gerald D., 491 U. S. 110, 128 n. 6 (1989) (plurality opinion); United States v. Lopez, 514 U. S. 549, 584 (1995) (concurring opinion).

〔42〕 Richard H. Fallon, Jr., "How to Choose a Constitutional Theory," 87 *California Law Review* 535, 574 (1999). 法伦说:"通过促使法官以其个人的关于怎样能使未来变得更好的观点行事,实用主义就会批准既会破坏法治又会侵犯民主价值的司法行为"。但是,实用主义并不是根据不过是任性的个人观点来批准判决的,而是要求法官集中于其判决将产生的社会后果。法伦承认实用主义者可能会要法官考虑法治和民主价值,但是他从这一点推出"实用主义的法官可能因而遵循已经确立的规则,除非这样做将是非常昂贵的,而且,即便他们是站在他们认为对未来更好的出发点上时,他们可能还会写下诡辩的意见,声称他们接受了过去决定的权威。"但是他们为什么会感到不得不去写诡辩的意见呢? 他们为什么不说,就像法官经常说的,一项现行的规则必须要考虑变化了的或者特殊的环境? 法伦在讨论实用主义判决时所用的参考书表明,他不是从实用主义者所写的东西而是从罗纳德·德沃金的有倾向性的描述中得出这一观念的。

的;但是采用历史主义的修辞则确定地标志着这位法官不是在揭开判决的真实根源。

因此,原旨主义在一种奇怪的但在我看来却是有效的意义上,是在回应解决受质疑的历史问题时所面临的困难,而不是历史主义的法理学学派。但是,那些不是很受原旨主义的吸引因而必然想方设法寻找可以代替历史的解决案件方法的人,很容易受到这样的批评,即只有当存在一种简单的替代方法时,彻底搞清历史的困难才是切题的。如果替代方法是政策分析,正如一些实用主义者倾向给出的答案,那么这或许就像跳出热锅后又跳进了火堆一样——用一种同样不确定的考察来代替另一种不确定的考察。但是在设法解决政策问题时,法官至少是在处理某件利益攸关的事情,他可能希望取得一点进步并且减少错误。而且,他拒绝躲在一种声称掌握着神秘的、对"纯粹的"政策制定者和其他非特定知识领域者而言深奥难懂的方法学的声明背后,从而有利于纠正错误。并且,历史考察的尽善尽美,即使是可以达到的,也只能答复对于历史考察的一个反驳,而无法答复更为基本的一个:为什么往昔应当统治现在?

第五章

法律文献中的历史主义：阿克曼和康恩

170　　我一直在讨论历史主义对于法院判决的风险。它也给法律文献带来风险，我对此的论证将涉及当前的法律文献中最有野心的历史主义努力之一——布鲁斯·阿克曼（Bruce Ackerman）证明美国宪法第5条并没有提供一个排他性的修改宪法的方法的努力，[1]以及其同事保罗·康恩（Paul Kahn）极力鼓吹一种研习法律的高度历史主义的"文化"模式的努力。我将暗示——尽管我自己还有疑虑——尼采可能会赞许地看待阿克曼的方法；我还将谈到康恩从尼采的历史"谱系学"进路那里所受的恩惠。

　　宪法第5条创造了修改宪法的一种程序，或者说两种程序。第一种程序要求国会上下两院均以2/3的多数通过提议的修正案，并且3/4的州认可这一提议。第二种程序则要求国会在3/4的州立法机关的申请之下召集制宪会议；制宪会议所提出的任何一个修正案都必须像第一种程序中一样，为3/4的州认可。第二种程序从未使用过。原始的宪法是经制宪会议提出并被各州认可的，但是这一制

---

〔1〕 这是布鲁斯·阿克曼所计划的三部曲中已经出版的两卷的一个主要目标。参见，Ackerman, *We the People*, vol. 1 *Foundations* (1991), vol. 2: *Transformations* (1998). 在此我将集中讨论第二卷。

宪会议显然不是依据那时还不存在的第5条而召集的。

作为宪法可以不必遵循第5条而修改的证据，阿克曼引用了内战以后采用的修正案——第13到第14修正案。他说，这两个修正案的采用在很多方面违反了第5条，但是他将其论证归结为，胜利的北方将这两条修正案强行灌输给了不情愿的南方。没有这一强制，这两条修正案就不会得到所要求的3/4的州的认可，至少不会那么快。阿克曼进一步论证说，在新政时期，宪法完全是在第5条的管辖之外修改的，在此期间，除了与阿克曼的主题无关的废除禁酒令以及将总统当选后走马上任的日期从3月提前到1月的修改以外，没有一条正式的修正案。对阿克曼而言有价值的新政时期的"修正案"，是最高法院在经济领域扩大联邦权力以及将宪法自由的重心从经济领域转移到政治领域和个人领域的判决。在他看来，没有正式的宪法文本，并不是重建时期修正案与新政时期修正案的重要区别。重建时期修正案的意义并不在于这些修正案规定了些什么，即不在于制定出来的文本，而在于它们代表了什么：权力从州政府向联邦政府的一次重要移转。

阿克曼为重建时期与新政时期的似乎是僭越性的（usurpative-seeming）修正过程所举的先例是对原始宪法的采纳。制定者超越了大陆会议给予他们的权限，即授权他们召集一个制宪会议来修改联邦条约。这一条约要求条约的修改必须一致同意，尽管制宪会议明确说明，取代（从而在根本上"修改"）联邦条约的新宪法将在13个州中的9个州认可的基础上发生作用（虽然它只能约束认可的州）。阿克曼相信，在所有这3个例子中，如果服从法律规定的修改要求，所需时间就太长了。他因此得出结论，作为非正式修改的结果，美国不是有一个而是有3个宪法体制。我们不是生活在被修正和解释的1787年宪法下，而是生活在1787年宪法、重建时期宪法和新政时期宪法下，所有这些都是非正规颁布的但是有效的。

在相信我们今天生活在其下的宪法与200多年前制定的文件仅有某种适度的相似这一点上，阿克曼并不是独一无二的。但是他并不像其他人那样,认为这种情况是错误解释、司法任性以及让书面的宪法通过一种不像修改程序那么麻烦的过程——即司法解释——适应社会变化的迫切需要的结果。他认为原始宪法与今日宪法之间的分歧是他称之为美国政治的二元主义属性的结果。在大部分时期,美国人对政治都无动于衷。这是一个"平庸政治"(ordinary politics)——充斥着利益集团政治、互投赞成票、政治游说、准贿赂、虚假陈述以及普遍自私的一个肮脏的、最好也不过是振奋人心的交易——的时代。但是在危机时期,人们对政治就变得很关心并投身其间了。在这些公众注意力高度集中于政治问题的时期产生的政治,就形成了一个更高的制定法律的要求,法院与其他政府机构必须服从这一要求,直到下一次巨变产生一个同样具有权威性的大众意志表达。因此,对最高法院来说,推翻新政时代的指导性判决就是违宪的,即使这些判决是对原始宪法或者重建时期修正案的错误解释;这些判决就是宪法修正案。

阿克曼寻求恢复——尽管不是复兴——最高法院所作的大量判决,这些判决看起来或者是错误,或者至少对大多数宪法学者而言是有问题的。这些判决包括洛克纳案[2](取消了一个州的最高工时法)、艾德金丝案[3](取消了一部联邦儿童劳动法)、莱德福特案[4](取消了一部联邦债务人救济法)、格利斯沃德案[5](取消了一部禁止已婚男女使用避孕工具的法律)以及罗伊案。[6]艾克曼辩称,前3个判决适当地尊重了重建时期修正案的自由主义前提。他声称,因为这些修正案旨在不仅通过宣布奴隶制为非法来保护"自由劳动",还在于通过防止政府干预雇用合同来达到这一目的。后两个判决,格利斯沃德案与罗伊案,(他辩称)尊重了新政时期"修正案"的个人

---

[2] Lochner v. New York, 198 U. S. 45 (1905).
[3] Adkins v. Children's Hospital, 261 U. S. 525 (1923).
[4] Louisville Joint Stock Land Bank v. Radford, 295 U. S. 555 (1935).
[5] Griswold v. Connecticut, 381 U. S. 479 (1965).
[6] Roe v. Wade, 410 U. S. 113 (1973).

–自由主义前提。这样他就对宪法的传统历史提出了挑战,传统历史否认宪法像他确信的那样经历了广泛的修改,并将诸如普莱西案、[7]洛克纳案这样被推翻的判决归结为成见、错误或者阶级偏见而不是宪法修正案的更替,并且给予此种场合下的持异议者(比如哈兰首席大法官、霍姆斯首席大法官与布兰代斯首席大法官)而不是主要意见的作者以殊荣。

阿克曼相信,罗纳德·里根以及更近的纽特·金格里奇曾企图发起一个超越文本的修改过程,旨在推翻新政时期"修正案",但是当里根任命罗伯特·鲍克为最高法院大法官的提名没有得到参议院的批准时,里根受到了阻碍,当克林顿连选为总统时,金格里奇也受到了阻碍。

到现在为止我所描述的,都是在前一章中描述的那类规范性史料运用在学界的对应物;当法官谋求历史支持时,他们所从事的就是规范性的史料运用。阿克曼试图给出一个关于规范性的概念、在他的研究里也就是一个关于修改宪法的正当方式的概念的历史谱系。要反对这一谱系与概念有很多可以说的。宪法第5条中明确规定了修改宪法的程序,显然旨在让修改更加困难。如果国会或者最高法院可以采用替代的、不那么严格的程序来达到同样结果的话,第5条规定的程序就起不到应有的作用了。即使替代程序并没有更不严格,而只是不同的程序而已,这些程序也会成问题,因为它们将在宪法政治中注入一个高度的不确定性。提案中的立法或者最高法院司法解释的支持者和反对者,没法完全肯定他们是否是在"纯粹"立法或"纯粹"司法解释上决斗——还是在宪法修正案上决斗。国会将不知道,什么时候它被授权以通常方式立法,什么时候它必须援用第5条,或者如果它想修改宪法而不求助第5条时该怎样做。如果国会试图以普通立法推翻最高法院的一个判决,最高法院会宣布这一判决具有宪法地位,以此来阻碍国会。所以,阿克曼的进路将改变国会

---

[7] Plessy v. Ferguson, 163 U. S. 537 (1896).

与法院之间的权力平衡,而产生无法预见的后果;但是,更基本的反驳是,它将摧毁宪法设计的一个重要特征——清楚、排他并极少使用的宪法修改程序。

对这一进路的另一个反驳是,它将各州排除于修改程序之外。虽然第5条赋予各州以一个重要角色,即授权1/4以上的州可以否决修正案,艾克曼却建议允许在完全不给各州任何发言权的情况下修改宪法。

最深刻的反驳是,将宪法的结构性特征视为非强制性的这一进路,在逻辑上不能只限于宪法第5条。这一进路暗示,国会或者总统(也可能是法院)可能会在联邦政府中增加国会的第三个院、一个对总统发号施令的独裁者,一个被授权对州法院根据州法律所作判决予以司法审查的法院或者一种独立的弹劾并开除总统的方式——因为这些都没有为宪法明确禁止。如果第5条并不是对于国会权力的限制,那么为什么任何其他的确立联邦政府结构的规定就应当被视为是一种限制呢?

阿克曼的进路让宪法第5条成为不充分的,而不是揭示并治愈其不充分性。如果法官不执行超越文本的修正案——例如,如果他们并不因为很多早期新政的立法侵犯了超越文本的重建时期修正案就认为它们是违宪的(基于阿克曼对最高法院那时正在做的、正确地做的事情的解释)——就几乎没有必要诉诸第5条,因此也就几乎没有要绕开它的压力。新政时期的立法将会被支持(无论如何大部分会),因此罗斯福不必试图通过提出他的在法院安插自己人马的计划来强制最高法院。他的宪法比任何其他人的都长,而且,宪法规定越多,就越需要简单的修改程序以避免政府瘫痪。

对作为惟一修宪方式的宪法第5条的严格遵守,不会像阿克曼辩称的那样要求法院将重建时期修正案宣布为无效。当一个修正案将被视为采纳了并且是有效的时,法院就可以采取——事实上也采取了——国会有最终发言权的立场。[8]法院的这一决定基于"政治问题"原则,这一原则是由法院发明的,并且在必要时法院偶尔会用它来避免大规模干预政府其他机构的运作。法律形式主义者可能会谴责这样谨慎的节制,但是阿克曼不是一个形式主义者,也不会解释他为什么认为政治问题路线是一种不令人满意的使重建时期修正案合法化的方法,虽然他或许会辩称这一原则回避了而不是解决了合法性问题。

重建时期修正案是否是贬义上的"强制"的产物,这一点也并不清楚。内战开始于南卡罗来纳对萨姆特要塞的无端进攻。中央政府有权自卫,占领敌人领土是一场合法战争的合法结果,因此中央政府在内战结束后建立的军事政府也是合法的,并可以要求每一个被占领的州的国会代表团投票支持提议的修正案,从而当国会以必要多数采纳这些修正案并将它们发送到各州时,也可以强迫人们投票认可它们。因此重建时期修正案是否违反了宪法第5条是很不清楚的。原始的宪法也不可能违反宪法第5条。阿克曼的历史分析的三个支柱倒了两个。第三个即一些新政时代的司法决定具有宪法地位的观点,看起来是最不合理的,因为没有任何与原始宪法或重建时期修正案相应的文本根据。

阿克曼关于美国宪法怎样或应当怎样修改的概念,既是一个为政策起见的坏概念,又没有真正的历史谱系(尽管这一点并不让我感到头痛)。但是我还想强调他的历史概念与作为数据集合的历史概念相差有多远,并且这一距离对于他的用历史指导法律的方案是多么地有害。在其抽象性和解释的野心上,他的宪法修改的历史理论将课以法院一种其无法承受的识别宪法的"时刻"并决定它们中的那些方面应当视为具有宪法地位的负担。这一负担也将加于法院的批评家的身上。一个司法判决与特定宪法规定的文本或背景或目的的一致性、与解释这些规定的过去的判决的一致性、与明智的公共政策

---

[8] Coleman v. Miller, 307 U. S. 433 (1939).

或者其他价值的一致性，都会与对判决正当性的评价无关。惟一相关的一致就是某一过去的时代精神(*Zeitgeist*)。

这种运用史料的模式所面临的困难，从阿克曼的努力中可见一斑。他是在他自己的沙盒(sandbox)*里玩，却玩得很糟糕。最高法院的重要判决反驳了他。在普莱西诉弗格森案(*Plessy v. Ferguson*)这样的案例中，最高法院拒绝承认合同自由，这表明，与阿克曼的主张相反，最高法院并没有执行什么超越文本的确保此种自由不受各州减损的重建时期修正案。在阿克曼认为绝对强化联邦对各州的权力的整个"重建宪法"时期，最高法院都对那些冒犯联邦权力的南方各州的黑人法律(Jim Crow laws)全然置之不管。

像布朗诉教育委员会案[9]以及格利斯沃德诉康涅狄格州案(*Griswold v. Connecticut*)这样的案例，不能被归因于新政时期"修正案"；无论是公立学校教育还是性自由都不是新政的兴趣所在。阿克曼将任命鲍克看作是一种撤销新政时期"修正案"的努力的解释，也没有根据。如果里根能够将鲍克和斯戈利亚安插进最高法院，罗伊诉韦德案或许就会被推翻，积极补偿行动就会被宣布为违宪，公立学校内的祷告就会被允许，刑事被告的宪法权力就会进一步缩减，联邦政府对州的权力也会削弱。在这一系列事项中——在写作本书时一个不那么保守的最高法院仍然还会全力追求，只有最后一条会触碰新政时期立法，然而也很轻微。毫无疑问，被鲍克－斯戈利亚法院推翻的纯粹作用就将是让宪法重新回到富兰克林·德兰诺·罗斯福死的时候！无论是鲍克还是斯戈利亚都不相信，洛克纳案、艾德金丝案或者任何其他创造了重建时期宪法的判决都是正确的。他们也不相信理查德·埃博斯坦(Richard Epstein)提出的对经济权利的宪法化，后者确信洛克纳案的判决是正确的，而很多新政时期修正案是违宪的。

---

* 装满砂子供小孩玩耍的小盒子。——译者
[9] 347 U. S. 483 (1954).

阿克曼特别希望在他所识别的3个宪法时刻之间建立起相似性,并在它们与失败的里根与金格里奇的第四时刻之间建立起不相似性。这种历史类比的联系让艾克曼更深地陷入档案之中。与对阿克曼研究的3个历史时期的理解相关的主要和次要材料为数众多;只有历史学家才可以对阿克曼对这些材料的筛选和解释作出评价。[10]阿克曼不是历史学家,历史研究只是其学术工作的一部分而已。历史,与大多数学术领域一样,越来越专业化。一个领域的专业化越强,非专业者的劣势就越大;"业余性"就越成为一种危险和当然的责难。[11]

任何人都不会否认阿克曼所描述的历史类似的独创性。他将1867年的重建时期法案与宪法第7条相比,认为前者通过以南部各州投票批准第14修正案作为重新接受其参议员和众议员进入国会的条件而修改了宪法第5条,而后者则稀释了联邦条例的全体一致要求。他将在重建时期控制了国会的激进共和主义者与富兰克林·罗斯福相比,将接任林肯的边界州(border - state)总统、反对激进共和主义者的安德鲁·约翰逊与试图(最初取得了一定成功)阻碍新政的最高法院相比。对于阿克曼,这些阻碍非正规的修正案(在重建时期修正案的场合是被强制的,在新政修正案的场合是非文本的)之"制定"的强大努力的失败,证明了大众意志的力量并因而证实了真正的宪法时刻的存在。而且,它还表明,重建和新政年代未能进行正

---

[10] 有关职业历史学家以及其他人对艾克曼方案的评价(既包括批评也包括赞美),参见,"Symposium: Moments of Change: Transformations in American Constitutionalism," 108 *Yale Law Journal* 1917 (1999); Colin Gordon, Book Review, "Rethinking the New Deal," 98 *Columbia Law Review* 2029 (1998); Larry Kramer, "What's a Constitution for Anyway? Of History and Theory, Bruce Ackerman and The New Deal," 46 *Case Western Reserve Law Review* 885 (1996); Michael J. Klarman, "Constitutional Fact/Constitutional Fiction: A Critique of Bruce Ackerman's Theory of Constitutional Moments," 44 *Stanford Law Review* 759 (1992).

[11] 正如职业历史学家不能建设性地促成对克林顿总统的弹劾所显示的一样,这一点是个双刃剑。参见,Richard A. Posner, *An Affair of State: The Investigation, Impeachment, and Trial of President Clinton* 234 – 237 (1999).

规的立法是一个微不足道的细节，就像司法授权书里的拼写错误一样。如果不是约翰逊总统在对其弹劾的审理中退缩的话，他就会被宣告有罪，让其离职，并且为一个激进主义者取代；如果美国国务卿苏尼德拒绝宣布正式通过第14修正案的话，国会就会跨过他；如果最高法院在1937年没有放弃其对新政的反对的话，罗斯福在法院中安插自己人马的计划就会被通过。

我不知道，这些或者任何其他反事实的主张或者散布于阿克曼书中的"替代性历史"（alternative histories）是否是真实的。（关于约翰逊的主张是最似是而非的一个）。这是职业历史学家的事，如果他们可以做到的话。我的猜测是，他们都会说推测阿克曼提出的诸如此类的反事实，比如，林肯安全度过了第二个任期或罗斯福没有安全度过他的第一个任期，从而使约翰·南斯·加纳尔能够成为总统并取代安德鲁·约翰逊的角色抵抗激进的国会，是不可能的。没有历史"规律"可以预测这些反事实的结果。

即使所有这些"如果……就怎样"的问题都可以被回答，也不意味着，像阿克曼相信的那样，法官应该试图回答关于最近的或者同时代的争议的反事实问题，从而摆脱立法形式的束缚。阿克曼的进路的逻辑是，如果法院相信某一法律将会被国会通过并被总统签署，但由于某一无关的原因（或许只是国会某院书记员的疏忽，或者是在某一无关问题上受到阻挠）却无法颁布，法院就会挺身而出并执行它，就像它已经被颁布了一样。阿克曼的形式主义的读者可能会感到自己的信念得到了加强，而实用主义者则可能会被迫承认，在法律中形式主义正当地起到了一种实用主义的作用。苏尼德行事所依据的制定法，要求在一项宪法修正案已被必要的多数州认可时由国务卿确认其有效，这一制定法开始成为一种相当吸引人的形式（formality）；而阿克曼将这一确认书称为"一份法条主义的文件"。[12]

阿克曼的识别三个宪法时刻——美国历史的三座高峰——并把

---

〔12〕 Ackerman, *Transformations*, 前注〔1〕, 页154。

剩下的历史当作平原的努力,过于概略了。他忽视了其他一些潜在的增强了公众对政治事件的注意力的时刻,比如独立战争,独立战争产生了独立宣言(林肯始终视其为美国"宪法"的创立性文件之一)〔13〕和联邦条例;忽视了宪法颁布后的最初几十年里联邦主义者(包括约翰·马歇尔)与杰斐逊派共和主义者之间就国家政府是否有效所展开的激烈竞争;忽视了开创平民主义民主的安德鲁·杰克逊的任期;忽视了包括西奥多·罗斯福(Theodore Roosevelt)、塔夫脱(Taft)以及威尔逊(Wilson)任职时期的进步年代(Progressive era),这一年代带给我们解散托拉斯、联邦储备法案、国家公园体系以及独立的文职部门。

阿克曼三部曲的第二部最后提出一个修改宪法第5条的激进提议——当然是超越宪法的。这一建议要求授权总统在连选连任的基础上提议修改宪法,后两次总统选举将对这些宪法修正案进行投票,一旦它们获得通过就成为正式的宪法修正案。换言之,一位非常受欢迎从而足以连任的总统有权发起相隔4年的两次公民投票,而两次公民投票的结果的一致将使该总统的提议成为宪法的一部分。这一提议可以体现在一部制定法中,该制定法规定,如果某一提议由处于第二任期上的总统提出,并得到了国会2/3多数的通过,然后在随后两次总统选举中得到投票者支持的话,该提议就生效。换言之,与原始宪法一样,这一制定法将规定自己的成为具有宪法修正案力量的修正案的模式。

隐藏在这一提议背后的动机是模糊的,因为它并不是针对为阿克曼证据提供必要性的历史事件提出的。它与建制无关;并且,就重建时期而言,在阿克曼所提倡的程序下,宪法修正案的提议直到1872年格兰特连任时才能提出,或者直到1880年重建时期结束而且没有重建时期修正案可以被通过时才能被采用。而新政时期修正案直到1936年罗斯福被连选时才能提出,或者直到1944年第二次世

---

〔13〕 回想导论中对"薄的宪法"的讨论。

界大战激战尤酣而新政在很大程度上已被遗忘时才能采用。这一提议是针对那些没有出现也永远不会出现的问题提出的,而不是针对引起这一提议的那些问题提出的。

阿克曼叙述(或创造)的历史与改变政策的提议(在这一提议中他对史料的运用达到了登峰造极的高度)之间的分裂,进一步说明了他并未把历史视为可以为今天的问题提供警示或其他线索的资料来源,比如,富兰克林·罗斯福的选举与就任之间的经济危机暗示了需要压缩离任总统班子的任期。阿克曼叙述的危机被实际克服的情况比起如果他的建议真被实行时的情况更令人满意,因为,他的建议需要一段比其实际可行更长的时间来实现改革。相反,阿克曼是在与事实的意义截然不同的解释的意义上、把历史看作一种把某一激进的提议合法化的适当方法;这一提议是好的,是因为过去曾经用过类似的东西。实用主义的社会改革家不会喜欢这样一种进路。他并不关心一项激进的提议有没有家谱,更不用说一项发明创造出来的提议了,而是对一项提议的收益是否大于成本更感兴趣。他希望阿克曼能集中于成本-收益问题——这一问题的答案比他设想的更不确定,而不希望他去建造什么历史的沙堡。

阿克曼并不相信往昔是规范性的,也不想把我们带回到对宪法修正过程的原始理解。他的目标在于通过提出历史类比而让其激进的提议显得自然,并且通过识别出那些如果类似于其提议的东西生效就可能避免的历史危机而使其提议显得可欲。但是,这些只不过是布莱克斯东或萨维尼或他们的众多追随者的方式之外的其他一些方式罢了,法律人根据这些方式对历史的运用被标志为修辞的而不是科学的,在某种程度上,尼采对于历史研究的批评可以帮助我们理解——并且可能原谅这一点。我们回忆一下,尼采赞美"行动者与有力者对历史的运用","……他从事着一个伟大的战斗,需要模范、师表、安慰者,可是这些在他的同辈中间他都不能得到"。我们或许认为,阿克曼在其克服宪法第5条局限的文章中是在追溯往昔之伟人,从中寻找模范和师表。如果宪法在过去曾经被超越文本地加以修改，并且如果一旦认识到这一点的话，国家的处境将变得更好，那么，宪法在未来或许就可以并且应当超越文本地加以修改。历史揭示了可能性，并且通过揭示可能性让我们敢于考虑改变我们当下的方法。阿克曼的方案是选择性记忆与选择性忘记的实践，它可能比其他法律史学家所作的更接近于满足尼采的建设性地利用历史的标准。然而，这一结论或许只是强化了我在前一章中表达的对尼采论文建设性方面的规范意义的怀疑。

考虑一下尼采自己所搞的、特别是在《论道德的谱系》中所搞的那种历史。尽管《谱系》一书声称是一部道德的历史，但是它不像是一位职业历史学家可能写的——或者不如说，在这一职业新近的重新发现之前可能写的任何东西，因为这一重新发现具有尼采的精神，即"历史可以被重新表述为基本上是修辞话语，而对往昔的描述是通过创造强大的、有说服力的图像进行的，这些图像最好被理解为创造出来的有关现实的物体、模型、暗喻或者建议。"[14]《谱系》一书是教导性的历史而不是科学的历史。它是为了生动性而以历史叙述形式进行的一场辩论，而不是一次"彻底弄清"历史事件的努力。它运用历史服务于人生，同样地，我们或许也可以把阿克曼的三部曲视为对人生的服务，至少是一种服务的企图。

然而，向后看对于那些相信我们应该向前看的人来说是一种奇怪的态度。尼采或霍姆斯或阿克曼也许会说，一种特定的向后看的态度、一种怀疑的、拆穿假面的向后看的态度，可以把我们从传统的束缚中解放出来，从而可以为向前看的进路做好准备。我认为，就霍姆斯而言，它主要起到的是这样的作用，但是就尼采、阿克曼或者我们同时代的主要实用主义哲学家理查德·罗蒂（Richard Rorty）而言却并不是这样。尼采向往前苏格拉底哲学家与悲剧作家的世界；阿克

---

[14] Hans Kellner, "Introduction: Describing Redescriptions," in *A New Philosophy of History* 1, 2 (Frank Ankersmit and Hans Kellner eds. 1995). 一般地参见, Hayden White, *Metahistory: The Historical Imagination in Nineteenth - Century Europe* (1973).

曼向往新政；罗蒂，另一位新政怀旧者，向往在瓦格纳法案中达到顶点的有组织的劳动力发动的经常性暴力斗争。[15]这些都是复古的态度，其所赞美的那些运动与前景，无论在当时具有何等价值，对于我们所处的时代都没有任何价值。

保罗·康恩也是耶鲁大学的一位法律教授，他曾经为他称之为一种新的(实际上是被他以新的方式发明的)、更好的法律研究形式、即法律的文化研究写过一个宣言。[16]他要求法律教授们停止他们正在做的事情而开始从事这一新的流派。眼下，文化研究在学术界是时髦；在这个交叉学科的法学研究方法的时代，一些人试图把法律纳入自己的研究领域是不可避免的。康恩的宣言并不是首次这样的努力，[17]但它是最彻底的。他的关于文化研究的特别版本是极为历史主义的，并且受惠于尼采；考虑到这两方面的因素，尽管它与人类学的亲密关系更甚于与历史学，它仍然在本书这一章的范围之内。

康恩相信，法律学者受到法律改革的种种方案的困扰，而且他们根深蒂固地是规范主义的，这就使得他们成为法律制度的参加者而

---

〔15〕 这是他的《哲学与社会希望》(1999)一书的后几章的一个非常明显的主题。参见，前引书，pts. 4 and 5.

〔16〕 Paul W. Kahn, *The Cultural Study of Law: Reconstructing Legal Scholarship*. (1999) 对这本书的引用的页码出现在本章的正文中。

〔17〕 他在耶鲁的同事，杰克·巴尔金(Jack Balkin)，连同密歇根大学的博伊德·怀特(Boyd White)，强烈地要求被承认为法律的文化研究的奠基人；但是他们两个人的要求都没有被承认，并且只有巴尔金在一个脚注里被引用过，而且是在关于一个不太主要的论点的。康恩提到了批判的法律研究运动，但仅仅将其作为法律改革中的一次失败的尝试。这一点没错，但是它同时也是从外部将法治视为"神话"——一个有害的神话——的一次尝试，对康恩而言它并不是这样，但这一点是一个细节。法官将法治内在化是因为遵循法治是他们决定玩的"游戏"——裁判游戏——的规则，这种观念也不是什么新东西。康恩没有讨论以前的由律师和人类学家，比如卡尔·雷瓦尔林(Karl Llewellyn)、西蒙·罗伯茨(Simon Roberts)以及约翰·柯玛若夫(John Comaroff)所创作的法律的文化人类学作品，或者法律和社会运动所产生的人类学与社会学文献，或者法律教授皮埃尔·希莱格(Pierre Scyhlag)与保罗·坎伯斯(Paul Campos)对法学研究方法的规范性所发起的令人振奋的攻击。

不是法律制度的观察者。甚至连法律理论都是康恩所称的"自动理论化的";它是在法律所规定的特定条件下理论化的。他认为,我们需要一种从外部走近法律制度的研究方法,这一方法不受法律制度之前提假定的有效性的任何约束,就像文化人类学者研究一个原始部落的信仰体系而没有规范性义务一样。法律的核心是信仰,而不是制度、专业人员或者特定规则。它们都被概括为"法治"的概念——美国法律意识形态的核心原则与目标。

法律文化研究者首先要将这一概念分解为作为组成要素的各种信仰,然后把康恩称之为"谱系"(尼采或者福柯意义上的)——从而某种运用史料对其课题的重要性——与"建筑"的方法学运用于它们中的每一个。第一步关注信仰的历史渊源与进化,第二步关注该信仰与其他信仰的关系。这两步都要受到旨在将规范性因素从法律研究中排除出去之假定的指导。特别地,这些假定包括,法律并不是一种失败的或不完全的旨在成就其他事情的努力(亦即,法律应当被视为自治的而不是工具性的);法律不是理性设计的产物;不应当依据任何进步的观念来评价法律;以及合法与非法是不可分离的——罪犯与法官一样都是法治的产物,同样地,司法判决在持异议的法官那里则被指责为"违法的"。

康恩所说的很多话都是有说服力的,例如他说法律"理论完全无法将自己与实践区分开来"(页7)——即使是那些提出的法律改革建议完全不切实际的最空想的理论家也假定"改革是[其]研究方法的恰当目的"(同前)。"法律学者不是在研究法律,他们是在搞法律。"(页27)这不仅仅是律师如何被训练、法律教授如何被征召的偶然事件。它是法律意识形态本身固有的,这一意识形态将法律置于理性与意志的交叉路口(他所说的"意志"是指民主社会里的公众的同意)。因为理性是这样一个"内在于法律秩序的基本价值⋯⋯,法律研究不可避免地成为法律改革的一种方案"(页18)。从这里开始我就理解不了他了。

1. 并非法律意识形态,而是法律训练作为法律教授接受的最基本训练基本上是规范性的这一事实,使理论崩塌为实践;律师被训练来进行旨在影响法庭的辩论。

2. 康恩同时进行了两个截然不同的区分:实证与规范分析的区分(前者是说明性的,后者是改革主义的)与从内部视角观察实践与从外部视角观察实践的区分(律师的法律视角对人类学家的法律视角)。律师可以尽力理解法律而不必尽力完善法律,而非律师则可以促进法律的变化。

3. "改革"无论是在改变物理环境的意义上还是在改变社会环境的意义上,都是大多数社会科学和自然科学的核心课题;它并不是法学研究方法的某个奇特的畸形。

4. 康恩夸大了法学研究方法的规范性重点,尽管这一重点是非常重要的。而且它确实很重要。今天,就像在任何时候一样,运用与法官或立法者相同的范畴和方法的规范性研究方法,是占统治地位的法学研究方法。正如康恩敏锐地观察到的那样,在罗纳德·德沃金有影响的法理学中,"法律通过理由充分的苦心经营而进行的改革,是法律已经成为的样子的一部分。"(页21,强调为原文所加)德沃金是自然法的信仰者;对他来说,恶法非法。但是,康恩忽视了经济学、社会学和政治科学中的很大一类研究方法,其中很多在法学院中为法律教授们使用;这类研究方法是根据有别于法律本身的东西来看待法律的——简而言之就是从外部视角看待法律(实际上,这即是本书的任务)。这类研究方法中的大多数都是规范性的,但并非全部都是。其中有一些是寻求理解而不是改变法律——例如,将法律理解为提高效率或实现矫正正义或维持社会平和的一种工具,而不担心它有没有可能是实现任何已经识别的目的的一种更好工具。这类研究方法几乎不具有文化人类学的浓厚描述性特征,却名副其实地是实证的,并且与康恩的将法学研究方法的重点从规范分析转向实证分析的任务相联系。

康恩肯定在某种程度上意识到了这一点,因为他在作为结论的那一章中没有收回他在前面所说的任何东西,而是援用了表明法律对诸如学校里的种族隔离等社会问题的干涉经常无效的政治科学文献(以我在导言部分引用的杰拉德·罗森伯格的《空虚的希望》一书为例)。("司法决定并不像它们看起来的那样。司法决定的诉求与它们的实际效果经常非常不成比例。"[页 128])康恩聪明地注意到,"法院可以把我们的注意力引向失常,亦即引向否则我们就会放弃的社会实践的残迹,但是它们不能使我们变得不同于我们自己"(页130)。然而,他似乎没有意识到,说明这一点的那些文献是一种实证的(区别于规范的)外部批评,而这一批评并不是法律的文化研究。由于这一疏忽,他采用了一对错误的反题:德沃金式的内部批评对法律的文化研究。

康恩或许可以通过将其主题重新定义为法治研究(既是外部的又是实证的)而非法律研究来回避这一批评。"法治"是法律职业者明示地或者普通公民暗示地对于合法属性持有的各种信仰的复合体。尽管这一复合体一直被从与文化人类学无关的外部视角加以研究,但是与其他任何一种神话一样,它仍然吸引了文化人类学家的注意力。把我们的意识形态称为一个"神话"(甚至就称为一个"意识形态"),或者像康恩有时候那样称为一个"虚构"(并不意味着它必然是假的),会激怒他的一些读者。但是,在有可能研究一组信仰而不对其真理价值加以评价这一点上,康恩是对的——例如研究阿芝台克人对人类牺牲的效验的信仰,或者天主教对圣餐的信仰,而不去问这些信仰、"神话"是否真实。当所研究的是我们自己的信仰——比如我们对法治是自由政体之基石的信仰——时,这样做是困难的,但并非不可能。"文化的进路看到,所有的法律文本都是虚构的作品。每一文本都通过把想像的世界描绘成我们的世界而维持着它"(页126)。这些虚构之一就是法律在引起社会变革方面所具有的效验;最高法院最近的判决似乎在把权力从联邦政府转移到州政府,而这些判决只不过是美国古老的"地方浪漫史"的一段情节罢了(页131)。

投入多少时间和精力研究这些"虚构",是一个关键问题。康恩希望法学研究方法能有一个巨大的转向,即从目前的关注转到法治的文化研究上来,但他并不清楚这样做将获得怎样的回报。他的书本身并不是法律的文化研究,而只是这一研究的一个序论而已,尽管由于一些具体的主张而使他的书显得异常尖刻。以下是这些具体主张的例子:

我们关于法治的概念包括了一些《旧约》关于"以色列国家线性历史"的概念痕迹(页46,省略了脚注),这就确立了"起源的权威"(同前)。法律"吸收并重新部署了[这一]历史的宗教性概念"(页48)。在重新部署中,"革命取代了启示"(同前)。因此"法律的源头以一个根本性的他性(otherness)为特征"(页49),即在宪法中被法典化的美国革命。美国法始于革命和宪法的传播,并且为了保持力量必须经常回溯这些事件。这就是康恩主要的历史主义诉求。它是对艾克曼历史主义的重复,后者将其关于宪法历史的课题描述为"旨在将美国人民的革命经历置于宪法思想的中心"。[18]

康恩主张,从文化的角度看,法治的概念包涵着一个强大的地域成分。这一点与法律的"意志"成分有关(我们还记得,对康恩而言,法律是意志与理性的交叉路口)。管辖权,一方面确立法律权威另一方面又限制法律权威而实际上是法律权威的条件,是法治的一个至关重要的成分——跟与之相似的财产一样,基本上也是一个地域性的概念。然而根据康恩的观点,管辖权在自由主义理论——其结局"似乎无情地转向世界政府"(页58)——中并不起作用。在康恩看来,这一点表明了基于世界政府的全球法理想与法治概念之间的张力;前者并不能顺利地从后者发展出来,因为它没有边界。

康恩继续说,法治是一种主张而不是一个事实。在一个案件被决定之前,律师可能会指责其对手鼓吹一个"违法的"结果,一个不能依据法律证明为正当的结果。持异议的法官可能会以同样的说法谴

---

[18] Bruce Ackerman, "Revolution on a Human Scale," 108 *Yale Law Journal* 2279, 2280 (1999).

第五章 法律文献中的历史主义:阿克曼和康恩

责多数意见。但是一旦决定作出了,它就成为一个先例,对这一先例,无论是失败的一方还是持异议者,都必须负有与他们对其所赞成的决定所持的同样的服从责任。"决定作出之后,不遵循这一先例本身就成为人治"而非法治(页68)。

法律贬低行动;这与法律是向后看的有关。"当一个事件表现为一项已经确立的规则的实例时,它就是合法的。"(页71,强调为原文所加)"对于法律理解而言,重要的不是做了什么,而是有合法确立的权力这样做。"(页75)这就导致了一个矛盾,即虽然宪法可能看起来是宣布制定法无效的权力这一司法要求的基础,但实际上是对这一权力的司法要求创造了"永恒的宪法"(页77)。由于这一权力,我们不断地被迫回溯1787年所写的文本并不得不承认其作为法律的连续有效性;我们变成受往昔统治的。这是康恩进路的历史主义特性的进一步的例证。

通过剥夺罪犯的政治发言权来剥夺罪犯的公民权,证实了我们对"作为我们政治文化之法治"(页82)的信奉。当(像少数法官所作的那样)法官们拒绝行使他们的投票权利以防自己成为政治动物因而模糊了法律与政治之间的界线时,法官们也作了同样的证实。

19世纪有很多关于"法律科学"的演说,但是社会达尔文主义的破产、影响了一个保守的最高法院的"科学"以及政策科学与被视为政府"科学"机构的行政机关的兴起,造成了科学热望从法院向行政机关的迁移。"美国律师之不愿意依赖对法律科学的诉求,是这一谱系的一个遗迹。"(页117)

"受害政治"(politics of victimization)(页85),更为人熟知的说法是"身份政治"(identity politics),通过将人们描述为外部人强加之法律的受害者而不是法律制定者,并因此授权他们去主张那些进一步将他们从共同体中分离出去的特殊权利,而破坏了法治。

所有这些主张都有一定的道理,但并没有康恩相信的那么大。他夸大了自己的论题。他试图把几乎每一个法律现象都联系到法治的概念和相应实践。为了显示我们对于法治的信奉程度,他辩称,我们与其他文明国家相比,把更大部分的人口关进了监狱——尽管其他文明国家认为我们将如此之大的监督不法行为的裁量权授予我们的检察官是违法的。他辩称,北方参加内战不是为了挽救联盟而是为了保护法治,尽管奴隶制是合法的,且德里德·司各特案的判决——即联邦政府不能阻止奴隶制向未成立州的领土扩张——是国家最高级别的法院作出的权威声明,而林肯延迟发布人身保护令状是违宪的。康恩相信,监禁的康复目标之所以变得模糊不是因为这一目标被证明不可能达到,而是因为它在治疗的方向上改变了法律,而复仇被禁止不是因为它是一种无效的、破坏性的维持秩序的方法,而是"为了使法律含义的维护成为可能……受害者成为证实规则含义的诱因,而不是犯罪行为含义的来源"(页97)。事实上,就像我们将在第9章中所看到的,互惠——既包括正面的也包括负面的——仍然是促成遵守法律与其他社会规范的一种重要方法。

康恩推测,禁止种族屠杀的法律规范的出现,或许增加了而不是像人们所期望的那样减少了种族屠杀的发生率或使其保持不变。禁令的宣布刺激了人们对于被禁行为的兴趣。他声称,"同归于尽"(mutually assured destruction)(即,拥有足够的核武器和安全可靠的运载火箭从而有能力在大规模的先发进攻之后进行大规模的报复)军事策略并非一个威慑性策略,相反,只是"国家的神秘躯体在同代想像力中的"残余,"国王的身体具有一种无穷大的、无与伦比的价值。法律统治下的国家的身体也是一样……与其失去政治身份,国家还不如宣布完全毁灭自身的意愿。"(页61-62)

这些都是些相当荒谬的不愿为社会实践寻找功能解释的例子。康恩暗示出,所有这些实践——奇特地处于一个社会科学繁荣发展、实用主义占统治地位的意识形态的文化中——都是神话而非理性设计的产物(在它们植根于神话而又超越神话的意义上,它们也可能同时是这二者的产物,因为它们可以满足重要的社会需求)。他夸大了法治的纯粹文化研究具有的解释力。他也未能提出一个指导这一研究的研究方案。还需要做什么,以及怎样去做?他将无法说服法律教授把自己重新武装成文化人类学家,因为他没有说明他们需要哪些工具,将这些工具运用于哪些材料,以及他们会生产出什么产品。初出茅庐的人类学家数年埋头于部落社会,以此作为其训练的一个关键阶段。显然,法律的文化研究中与之对应的将是一份法律实践的差事;而这份差事(特别是会对很多学术性职业产生不正确影响的最高法院的法官助理工作)很可能会让学生更难跳出内部视角。康恩提供的对法治的观察似乎与任何特定的理论领域或任何经验的方法论都没有关联;他从未指出能够反驳它们的东西。他也没有论证法学院——学费昂贵的职业学院——为什么应当支持一种他没能证明对律师有任何价值的研究方法。为什么它不是一个更适于职业人类学家——由于未受西方影响传染的文化已经不复存在,他们正忙于寻找新的信仰体系加以研究——的研究主题呢?

　　康恩的书的最奇怪特点就是他相信法治是一个独特的美国现象,是由国家在革命中诞生、随后不久又产生一个旨在纪念革命的成文宪法这一事实造成的;这一特点也说明了法律学者在采用外部视角时所面临的困难。"美国人相信,他们首先通过暴力革命推翻一个继承制的、不公正的、君主制秩序,然后通过一个民众立法的积极行为,自己创造了[宪法]。"(页9)然而这是错误的,因为"美国人"在革命前就被称为并自称为"美国人",而更重要的是因为现代美国人在考虑法律的时候,并不像康恩认为的那样,认为革命与宪法很重要。我们庆祝的是独立日,而不是宪法被批准的日子。康恩是在描述他自己的信仰体系,而不是美国人民的信仰体系;当他说"法治发殇于人类取代上帝的位置之时"(页16;省略了脚注)而对我们而言是伴随着国家的诞生而发生时,也是如此。

　　康恩本可以使用遗忘的药丸;他太全神贯注于美国革命以及一般的革命了。他把革命称为"法律的渊源与根本真理"(页121);"没有革命,法律就不会开始"(页69)。这是荒谬的。亚里士多德(与柏拉图和苏格拉底不同,康恩在其书中没有提到亚里士多德)已经清楚阐释了法治概念,并且是以与美国今天所采用的形式非常近似的形式来阐述的。其核心就是，对相似的案件作出相似的处理，以及把注意力从当事人的个人品质转移到法律争议（像目盲的女神一样公正）。有时候，康恩是在上述意义上讨论法治的——比如，他说"有美德的公民不应仅仅基于其品格而有胜诉的资格"（页 79）。但是他又把法治的概念视为某种美国的特质；事实上，法治是所有西方（在今天还是许多非西方）社会的共同特征，特别是没有成文宪法的英国——正如公元前四世纪、亚里士多德写作的时候没有成文宪法的雅典一样——的特征。

康恩把参议院对联邦法官的批准听证视为一种把私的公民转变为"法律代表"的重要"转化仪式"（页 84－85），但是英国的法官并不接受批准，更不用说公共听证了。康恩把无名士兵墓称为国王纪念碑的替代品；在美国"每个人都是国王"，因此，"每一个公民都可以成为一个焦点，通过这一焦点整个国家得以显现"（页 62）。但是（我相信）无名士兵墓是英国的发明，是受第一次世界大战中无名死亡者数字的刺激而发明的，我们又抄袭了这一发明；而英国过去是、现在仍然是一个君主政体。美国人确实比其他任何民族都更强调他们的法律权利。但是这也许仅仅反映了法律必须承担起在其他社会由被静态的、同质的地方共同体以及结合紧密的家庭所强化的非正式规范所承担的任务。

当康恩说美国最高法院"具有确定法律是什么的最终权威"（页 50）的时候，他犯了一个明显的错误，即认为最高法院是这个民族的起源与这个民族的法律之间的桥梁，而康恩认为这些法律必须总是同革命与宪法联系起来。最高法院并不具有确定法律是什么的最终权威。它仅有——即使是这一点在某些地方也受到挑战——确定联邦法律是什么的最终权威。大多数美国法律仍然是州法律，对州法律作出断言的最终权威在于各州的最高法院。这些法院不是由美国联邦宪法规定的，其权威也不来自于美国宪法。因此尽管康恩是从外部视角研究法律的支持者，他自己也不能跳出他作为宪法律师的内部视角。在其他一些方面，这本书也是偏狭的。比如，在辩称自由

第五章 法律文献中的历史主义:阿克曼和康恩

主义理论无情地导致世界政府的时候,康恩忽视了自康德以来至罗尔斯的自由主义哲学家就民族国家对自由主义的重要性实际上已经说过的东西。

在法律这门学科里,文本扮演着重要的角色;神话和虚构是文学批评的原材料;而且还有一个被称为"法律与文学"的不断壮大的交叉学科运动(康恩没有提到)。人们或许会指望康恩从文学或修辞的角度来考察法治。康恩没有,尽管在书中的某些地方他似乎差点儿这样做,比如,他把宪法司法解释宣布立法无效描述为一种"讽刺",因为由于这一决定,这一立法就被宣布为不是法律,而"仅仅是法律的一个讽刺性表演"(页76)。又如,他说,法院在宪法基础上宣布立法无效时,"是把体现于宪法批准行为中的公众主权(popular sovereign)的永久意志与暂时立法多数的单纯的民众意志(popular will)并列起来"(页13),从而用"人民"的口吻讲话(页79)。

在与法律修辞学的随随便便的相遇中康恩的触动是不确定的,比如当他提到霍姆斯大法官"让自己成为了美国法官的典型形象"(页101)的时候。霍姆斯值得注意是因为他的写作是一种我(仿效罗伯特·潘恩·沃伦[Robert Penn Warren])称之为"多彩的"(impure)风格——亦即避开僧侣式的、不受个人情感影响的腔调,避开被康恩视为法治文化固有的、夸大其辞的政治空谈的"直率的讲话"风格。[19] 康恩是正确的,有些法官确实是用"第一人称复数来确立与最高法院的全部往昔的同一性"的,比如当他们说"在某某案例中,我们认为……"(页113;强调为原文所加)——而那时写这话的人可能还没出生呢;但是,其他一些法官则对这种用法表示震惊。司法的"我们"并不总是指"一个单一的、超越时代的、团体性的自我"(同前)。

康恩没有考察,法律演说中的确渗透着的传统的法治修辞,究竟是我们的法律意识形态的一个有机要素,还是像我怀疑的那样是一个偶然的、完全非必要的因素。在康恩看来,以法治为构成要素的信

---

[19] Richard A. Posner, Law and Literature 288 – 293 (rev. and enlarged ed. 1998).

仰网络,也许只是一件可以抛弃而不会破坏法律的修辞性外衣。大多数美国人,事实上大多数法律教授在深思熟虑的时候,都知道法律在社会治理中扮演的角色在本质上是功利的。他们知道,法律能否成功扮演这一角色,取决于其坚持诸如公正、客观、公开以及可预见性等法治美德的程度。但是,他们并不把对法治的信奉看成是他们把自己"定义为"美国人的东西。他们并不认为革命、宪法或最高法院在自己的生活中很重要。对于三位最高法院大法官所作的如下康恩式的声明,他们会觉得莫名其妙:美国人"认为他们自己"是"渴望在法治原则下生活的人民"是"与他们对于最高法院的理解不可分的"。[20]笃信宗教的人的特性可能是由其信奉的信条构成的,而美国人的特性却不然,它并不是由法治的意识形态构成的。法律不是我们的市民宗教;自由、工作、财富与宗教才是。在康恩的书里,传统的司法修辞的膨胀是同法律在符号和心理学方面的扩张以及功能的萎缩相对应的。法治既不仅仅是神话,又不完全是神话(The rule of law is both more and less than myth)。

---

[20] Planned Parenthood of Southeastern Pennsylvania v. Casey, 505 U. S. 833, 868 (1992).

第六章

萨维尼、霍姆斯和占有的法律经济学

我在第 4 章中顺便提及的弗里德里希·卡尔·冯·萨维尼(Friedrich Carl von Savigny)(1770 – 1862),是历史法学派的奠基人,因而在讨论法律的历史进路时同样需要注意。他一直被视为法律思想史上最重要的人物之一,并且在整个 19 世纪都享有高度的国际声望。今天,至少在美国,他只剩下了这个名字![1] 尽管我在前面几章里对法律中的历史主义作了种种批评,但是我相信,当我们如此彻底地忘记我们知识上的祖先时,我们确实失去了什么东西。我将试图从奥利佛·温德尔·霍姆斯的《普通法》的方向来接近萨维尼,并由此说明这一点。《普通法》一书批评了萨维尼 1803 年的《占有法》一书阐释的影响深远的占有理论,从而为关于占有的现代经济分析铺平了道路。我之所以关注占有理论而不是他讨论过的任何其他法律领域,是因为这是他的著述中惟一得到霍姆斯较为详尽讨论的部分。这两位伟大的法律思想家在占有法上存在的分歧也将萨维尼所用方法的问题引入了我们的视野——萨维尼运用的方法是典型地历史主义的,并且他也是因这一贡献而闻名于世的(或者更确切地说,

---

[1] 比如根据 1999 年 11 月的《社会科学引用索引》,1972 年以来的刊物中,只有 180 条对萨维尼的引用,平均每年仅有 6 条。

曾经闻名于世)。萨维尼与霍姆斯不仅仅是或主要不是持不同的占有理论；他们关于法律理论、怎样"搞"(do)法律,特别是历史在法律中的恰当作用,均有不同见解。

我刚刚说过萨维尼在19世纪的权威是国际性的、盛大的,现在我还要加上一点,就是,这种说法在英美法系跟在任何其他地方都一样是正确的。他曾经的显赫以及现在的隐退,原因都与他在法律上的"工作"(take)有关,这一点可以概括为下面几个相联系的命题,并为我们提供一个理解他与霍姆斯的分歧的背景：[2]

1. 试图将一个民族的法律法典化是一个错误；法典化阻碍并扭曲了法律的生长。借用另一个民族的法典,比如日尔曼国家借用拿破仑法典则更是愚蠢。[3]

2. 每一个民族的真正的法律,包括萨维尼时期的、作为一个文化实体而不是政治实体的德国,都是那些从该民族原始的"民族精神"(*Volksgeist*)或者"人们的共同意识"(*der allgemeine Volksbewusstein*)中生发出来的,这种方式很像一个民族的语言是从

---

〔2〕 关于英文文献中对萨维尼的法律进路的有益讨论,参见,John P. Dawson, *The Oracles of the Law* 450 – 458 (1968); William Ewald, "Comparative Jurisprudence (Ⅰ): What Was It Like to Try a Rat?" 143 *University of Pennsylvania Law Review* 1889, 2012 – 2043 (1995); Susan Gaylord Gale, "A Very German Legal Science: Savigny and the Historical School," 18 *Stanford Journal of International Law* 123 (1982); Herrmann Kantorowicz, "Savigny and the Historical School of Law," 1937 *Law Quarterly Review* 326; Edwin W. Patterson, "Historical and Evolutionary Theories of Law," 51 *Columbia Law Review* 681, 686 – 690 (1951); Mathias Reimann, "Nineteenth Century German Legal Science," 31 *Boston College Law Review* 837, 851 – 858 (1990); James Q. Whitman, *The Legacy of Roman Law in the German Romantic Era: Historical Vision and Legal Change* (1990); "Savigny in Modern Comparative Perspective" (Symposium Issue), 37 *American Journal of Comparative Law* 1 (1989). 关于一个简明的书目,参见,James E. G. de Montmorency, "Friedrich Carl von Savigny," in *Great Jurists of the World* 561 (John Macdonell and Edward Manson eds. 1914).

〔3〕 参见, Friedrich Carl von Savigny, *On the Vocation of Our Age for Legislation and Jurisprudence* (Abraham Hayward trans. 1831).

古代渊源中有机地发展起来的,而不是理性设计的、"法典"的产物。[4]

3. 因此,要发现真正的法律,就需要历史研究。历史研究的重点应当是罗马法。罗马法是欧洲的普通法(取其非制定法的意义),[5]从而其原则就是德国的吾珥法(*Ur law*)。*法律理论的任务就在于发现这些原则并抛弃并非当前条件所必需的后来的增加,而后来的增加在很大程度上是难以避免的。

4. 一旦原初的罗马法原则为人们依据其本来面貌所把握,法律纠纷的解决就应当通过演绎进行。法律分析应当是演绎的("形式主义的")而非归纳的、诡辩的、社会科学的或政治的。假设罗马法创造阶段的罗马法学家本身又是决疑者,指导其工作的那些原则今天就应当被抽象出来并成为法律教义的逻辑体系之基础。[6]萨维尼自己所作的法律与语言的类比暗示了形式主义;语言是一个规则的体系,这些规则是你不能通过援用社会政策就可以违背的。

5. 在法律的制定中,最重要的角色不应是立法者或法官,而应

---

[4] 前引书,第2章;Friedrich Carl von Savigny, *System of the Modern Roman Law*, vol. 1, pp.12 – 17 (William Holloway trans. 1867). 计算机语言是运用理性原则创造出来而非有机发展出来的语言的一个例子。世界语是一个介于中间的例子。萨维尼关于法律的有机主义的概念被孟德斯鸠(Montesquieu)与伯克(Burke)所继受,参见,Peter Stein, *Legal Evolution*: *The Story of an Idea* 57 – 59 (1980).

[5] Savigny,前注[4],卷1,页3。不过,除非另行说明,我将使用"普通法"这一术语来指英美法系的普通法。

* 古代中近东主要法典之一,约公元前2050年为苏美尔人所制定。——译者

[6] "德国罗马法学家(包括萨维尼)对于追溯罗马法适应于同时代的社会需要的轨迹并不感兴趣……他们希望揭示隐含在[罗马]文本中的内在的理论架构。"Peter Stein, *Roman Law in European History* 119 (1999).

是法律教授,[7]只有后者才具有发现法律的真正原则以及将这些原则运用于现代需要所必需的时间、训练和态度。各大学才是德国私法的最高法院。

我们很容易理解为什么这些原则中只有第一个会与19世纪的美国律师和法学家产生共鸣,而为什么没有一个原则会与今天的美国人产生共鸣。因此,首先一个问题就是,为什么萨维尼会受到19世纪的美国法律思想者的高度尊敬。这部分是由于那时受到良好教育的美国人对当时世界上最棒的德国大学抱有仰慕之情;部分是由于萨维尼之法律概念的民族主义品格(然而,这是一种被罗马法的超国界品格所模糊的民族主义),而在19世纪,特别是后半期,两个国家*都经历了民族主义的迅速发展。他对美国律师的吸引力或许也应归于他将法律学术化或"科学化"的事实。[8]曾几何时,当法律学术研究在美国还处于早期,这一举动必然会受到法律教授以及其他法律知识分子的欢迎,而不论其具体方法的可适用性以及适用于美国的结果究竟如何。萨维尼在法律改革的最前线提出了通过历史研究获致对法律的学术或理论理解的需要,提出了一个更适合于法律理论家而不是法律实务者的任务。他设计了一个雄心勃勃的、能让成帮的教授们忙上几年的研究方案。但是当这一方案完成并且罗马法被完全理解时,被归为历史学派的萨维尼及其追随者的进路就衰落了。它不再能提供一个成功的学术思想流派所必需的研究方案了。

[7] 参见,Savigny,前注[4],卷1,页36-40;Savigny,前注[3],页149-151。萨维尼自己是个法律教授,最初是在玛尔伯格,他在那里写了论占有的论文(这是他的博士论文),然后是在柏林大学,他在这里从事学术研究的同时还担任普鲁士政府的高等司法职位以及其他职位,直到1848年革命。当普鲁士国王在失败的但令人震惊的革命之后不久决定让政府呈现更加自由的面貌时,萨维尼的政治保守主义就使他丢掉了政府职位。

* 美国与德国。——译者

[8] 对萨维尼的崇拜的这一基础可以参见,Joseph H. Beale, Jr., "The Development of Jurisprudence during the Past Century," 18 *Harvard Law Review* 271, 283 (1905)。

既然美国大学已经赶上了其欧洲对手,既然法律已经成为大学教育和研究的一个稳定部分,萨维尼的让法律成为受尊敬的学科的课题——事实上是使其成为"法律科学"(Rechtswissenshaft)——就变得与美国法律共同体无关了。它还留下了我在前面列出的五个命题,其中没有一个与美国的关注特别有关。法典化在现代美国法上不是一个问题。我们的法律范围太广,内容太驳杂,判例法体系的控制太严格,从而我们的法律不可能被一部法典甚至不可能被几部这样的法典所统帅。法典化被少量地、逐渐地推进,因为只能这样做——我们有联邦刑法典、联邦民事与刑事程序证据规则、破产法典以及处理买卖、流通票据、担保交易与其他商业问题的统一商法典,还有一些其他的法典。今天无人感到有将某些核心的普通法加以法典化的必要,比如侵权、合同(尽管统一商法典法典化了合同领域的一部分)、代理以及财产(知识产权除外)。萨维尼对于法典化的反对即使在德国也没有当下的适用性,德国在1900年不顾萨维尼的追随者而采用了一部宏大的法典——这一法典同时也抛弃了萨维尼很多关于占有的观点。

至于民族精神,这样一个概念对于像美国这样的国家,这样一个由来自许多不同国度的移民组成的国家,几乎没什么意义。这个国家的奠基人与大不列颠(其母国)闹翻了,从而磨蚀了将其束缚在吾珥法、也就是英国法上的绳索。无论如何,对我们而言,吾珥法绝不是罗马法。不列颠在后罗马历史早期就开始脱离罗马法。[9] 罗马法的痕迹存在于美国法律思想中,[10] 并且在占有法中相当重要。但是我们对它们已经淡忘了;罗马法在美国法学院中几乎是无人研究的一个学科。萨维尼的通过研究罗马法历史来发现那些真正符合

---

[9] 尽管有人主张"罗马法本身比任何基于罗马法的现代法典化体系都更接近于普通法",参见,Peter Stein, "Roman Law and English Jurisprudence Yesterday and Today," in Stein, *The Character and Influence of the Roman Civil Law: Historical Essays* 151, 165 (1988).

[10] 例如,参见,"The Attraction of the Civil Law in Post-Revolutionary America," in Stein, 前注[9],页411。

民族精神的法律原则这一课题,对绝大部分现代美国法律思想家来说都是很难理解的。[11]而且,这种不可理解还是一个更大的"现世主义"(presentist)倾向的一部分,这一倾向在美国人的天性中非常突出,它将历史探求作为一种帮助解决当下问题以及对未来提供指导的方法而使之边缘化了。对于大多数美国律师和法官来说,再没有比宪法更早的权威性文件了。我们已经看到,在美国律师和法官甚至法律教授援引历史时,历史通常起的是修辞作用。

至于从基本原则中推导法律解决方案的努力,大多数美国律师和法学家都将其讥讽为"形式主义"。我们是决疑者和实用主义者,我们在决定真实案件和制定一般法律原则时是自下而上而不是自上而下地处理的,也就是说,是从具体纠纷的事实与具体的社会政策出发——常常具有功利主义的色彩,而不是从无论是以历史方式还是以其他方式得出的普通原则出发来处理的。我们的法律体系仍然是一个判例法体系,一个由更重视先例与自己的政策直觉而不是法律教授的论文的法官掌管的体系。事实上,近年来,那些教授,特别是在那些最负盛名的大学中,已经越来越远离了这一职业的实践的一端。为一个司法决定而求助法学院的想法——在萨维尼的时间和地点是实际发生的——在我们的体系中是不可想像的。

美国对于萨维尼的排斥在1881年就由奥利佛·温德尔·霍姆斯宣布了。在《普通法》中涉及占有的两章[12]中,霍姆斯讨论了法律的"德国理论",我在霍姆斯全部作品中的任何其他地方都没有发现对德国法律理论的同样讨论。霍姆斯在这些讲稿里讨论最多的德国理论家就是萨维尼。霍姆斯把他与包括康德和黑格尔在内的其他德国思想家分为一组,因为他们主张,从法律的角度来看,占有要求自

---

[11] 在当代有影响的研究美国法律的作家中,只有理查德·埃博斯坦常常提到罗马法的思想。例如,参见,Richard A. Epstein, *Principles for a Free Society: Reconciling Individual Liberty with the Common Good* 258–259 (1998).

[12] 演讲Ⅴ("普通法下的受托者")以及演讲Ⅵ("占有与所有权")。

称的占有人(would-be possessor)以所有人的意图占据财产,而不是承认另一个人享有更为优先的权利,所以,在对承租人、受托人以及其他那些没有这一意图的人提供所有人救济时,现代法就为了便利而牺牲了原则。霍姆斯回应到,他

"看不到一个公开声明与方便和实际立法过程不一致的原则还剩下了什么。法律理论的第一个要求就是它应当符合事实。它必须解释立法所遵循的过程。并且,由于人们必定会制定一些在他们看来方便的法律而不会自找麻烦地去考虑他们在立法中遇到的原则,因此,一个蔑视便利的原则就很可能必须假以时日方能获得永久的实现。"[13]

然而,《普通法》可能会被认为——事实上已经被认为——是一个非常类似于萨维尼的"从对往昔的研究中获得指导现在的基本原则"的事业。[14]霍姆斯对德国理论家——显然包括萨维尼——的批评之一是他们"除罗马法系外一无所知",[15]并且着手证明,英美法的占有并非继受了罗马法而是继受了前罗马的日尔曼法。因而,正如萨维尼与其他历史学派的法学家一样,霍姆斯也是用历史考察来开掘和提炼法律的各项原则的。但是他们的考察关注的焦点不一样——萨维尼考察的是罗马法,霍姆斯考察的是日尔曼法(颇具讽刺意味),而且,正如我们将要看到的那样,历史考察发现的原则也是不一样的。但是这些似乎都是细枝末节了。霍姆斯对于萨维尼占有理论的"普适权威"的挑战[16]可能被认为是对民族精神概念的一个隐含的认可:不同的民族应当具有不同的精神。这就意味着,霍姆斯与萨维尼

---

[13] Oliver Wendell Holmes, Jr., *The Common Law* 211 (1881);还可参见,前引书,页207,页218-219(1881)。

[14] G. Edward White, *Justice Oliver Wendell Holmes: Law and the Inner Self* 193 (1993).

[15] Holmes,前注[13],页168。

[16] 前引书,页206。

共有一个对自然法的排斥：法律不能从一个普适的道德法典中被设计出来。对于职业者来说,《普通法》是一部学术著作而不是一本普通手册,它的博大精深标志着它是对法律科学的一种贡献。[17] 人们已经注意到了萨维尼对于亨利·梅因的影响,[18] 而梅因的《古代法》(1861)则影响了霍姆斯。因此,霍姆斯是受惠于萨维尼的(尽管这一点并没有得到公认)。[19]

然而,这两条进路之间的差异是深刻的。尽管萨维尼的论文以《占有法》为题,其真正的主题却是罗马法的占有,只有简短的最后一部分主要涉及了教会法。直到论文展开了 1/3 以后才开始承认罗马法与现代法之间存在差异的可能性,以及由此产生的修改前者使其能为今天服务的必要。[20] 而对于这些修改的讨论又非常之少。这一点值得注意。萨维尼是在 19 世纪写作的。查士丁尼生活在 6 世纪,在他的主持下收集整理的法律规则大部分都更古老。但是萨维尼相信,古老法律的原则在现代是有用的,因此,当他发现这些原则的时候,他的工作在很大程度上就算完成了。霍姆斯的兴趣则在于变化自身的过程,在于古老的原则如何演进为在很大程度上被改变了的现代法。演进的原动力就在于便利,或者政策。"就法律发展来看,法律的实质在任何时候都几乎与当时被认为便利的东西相符;但是,其形式和机制,以及能够产生可欲结果的程度,则在很大程度上取决于它的过去……古老的形式接受新的内容,最后形式甚至改变自身去适应它所接受的意义。"[21] 由于霍姆斯是实用主义的和向后看的,所以他满足于这一过程;他没打算让法律回到其发展的更早阶

---

[17] 霍姆斯因《普通法》一书而被任命为哈佛法学院的教授。
[18] Stein,前注[4],页 89 – 90。
[19] White,前注[14],页 149。
[20] "如果要在实践中对占有理论加以运用的话,就必须对罗马律师的观点附加一些修改,只有经过这些修改,前者的观点才能在今天的我们中间获得实践上的有效性。" *Von Savigny's Treatise on Possession*, Sixth Edition 134 (Erskine Perry ed. 1848).
[21] Holmes,前注[13],页 1 – 2,5。

段。

萨维尼与霍姆斯对历史的看法的差异,为占有概念在古代法中以某种与现代相似的形式存在这一事实模糊了。这个概念并非现代性的产物。它无疑是财产的最早形式或祖先,因而它本身就是一个古老的概念。占有的"问题",占有对我们以及对罗马人、萨维尼、霍姆斯具有恒久魅力的源泉,就在于其与财产的关系。一方面,占有似乎是财产或所有权的一个附带权利;另一方面,非所有人常常"占有"土地或其他有价值的东西而所有人常常不占有。而且,古罗马时代的法律与今天的一样,对占有人与所有人都给予救济,并且,有时给予占有人对抗所有人的救济(比如因时效,也就是时间的经过而获得所有权),有时给予所有人对抗占有人的救济。占有救济往往比所有权救济简单;罗马的禁止令(interdict)以及英国的不动产返还之诉(ejectment)———一种形式上的占有诉讼,通常用来证明对不动产的权利——或者与返还不动产之诉相对应的适用于动产的返还所有物之诉,都体现了这一点。因此,所有人也会寻求前一种救济。整理出这些关系曾经是、现在仍然是一项充满挑战性的智力训练。

对萨维尼而言,占有是两个事实的结合:对某一事物的物理上的权力,以及在事实的而非法律的允许使用该物的意义上、不受时间限制地、排他地为了自己的利益(支配意图)而占有该物的主观意图。如果你有了这种权力和这种意图,那么你就有了占有(因此,小偷也可以获得占有)。从而,你将获得一项对抗任何干涉你的占有的人的救济权,除非这个人可以提出一项法律认为更为优先的占有主张,所有人(如果占有人不是所有人的话)可以提出这样的主张,也可能不能提出。

从这一定义可以推导出很多东西。我们来考虑一下第一个要素——权力。如果你买了一些锁在仓库里的商品,那么在萨维尼的意义上,你就没有获得占有,除非你得到仓库的钥匙。你占有你的家畜,因为它们在你的物理权力之下。但是你并不占有野生动物,除非你诱捕或杀死了它们,但是有返回倾向(*animus revertendi*)即回归

(returning)习性的动物除外,这一习性使它们成为家畜(普通法也作出同样的区分),就像被一条长长的皮带牵着一样。

从萨维尼定义中的权力要素可以推出,占有与使用不同,后者经常是共享的,而前者则绝对不可能是共同的。如果你只能跟另一个人同时对某一事物发生作用,这就意味着你并不拥有物理上的占有。进一步的推论是,一个整体的各自独立的部分不能被分别占有:房屋与其所附着的土地,一座塑像的胳膊和头,马车与马车的车轮,同一所房屋的两层楼梯。然而对于土地,由于土地可以被分割而不破坏有机整体(边界可以是任意的),萨维尼则乐于允许共同占有。对一块土地享有1/3的权益,与拥有从较大的一块土地中切出的与其他土地受到同样对待的较小的一块土地是一样的,因为如果土地被分成彼此独立的三块的话,每一个所有人都可以排他地控制属于自己的那块土地。同样地,埋藏物与覆盖其上的土地也是可以分离的,因为埋藏物可以被分离出来而不必然破坏土地——最明显的例子是,埋藏物被土地所有人雇来挖井的人发现。埋藏物与土地不是一个有机的整体,不像塑像的各个部分或房屋与房屋附着的土地那样。生活在拖车房屋停车场时代以前的萨维尼,显然无法想像移动一座房屋。

作为占有的一个条件的物理权力概念,在土地的例子里是有问题的。一个人无法在与占有大量现金、马车甚至房屋相同的意义上占有土地,除非他在土地的周围打上栅栏,而萨维尼并没有把这一点作为占有的一个条件。萨维尼所要求的就是存在(presence)于土地之上(当然,要与支配意图相结合)。但是,由于存在是控制的一个模糊不清的标志,所以,如果其他人已经占有了这块土地的话,自称的占有人就必须通告他的占有意图(正如我们所称的,他的"对抗性占有"[adverse possession])。

一旦取得占有,取得占有所必须的物理权力的运用常常就停止了。你不必继续一直呆在你的土地上,而且事实上,你可能会把它出租给其他人从而再也不呆在你的土地上了;你把你的马车停在马路上，此时它不在你的控制范围之内。萨维尼并没有把这些情况作为抛弃的情况看待，在抛弃的情况下，所有人占有的权利和救济都被剥夺了。但是，他要求，如果要继续占有的话，"必须总是存在着一个再生产被规定为取得之基础的直接条件的可能性"。[22] 正如我们已经提到的，他将土地作为一种例外，在现在的占有人被通知有人企图从他那里夺取占有之前，其对土地的占有不会丧失。但是，丢失一件物品的人就不再占有它了；如果拾得者为了自己的使用而保留拾得物而不是还给所有人或者前一个占有人的话，拾得者就取得了占有。

萨维尼之占有定义的第二个要素——支配意图（animus domini）的要求——也能推出重要的、有时甚至是惊人的结论。其中两点特别值得一提。第一点是，受托人、承租人或者其他的管理人或占据者（occupier）等这些持有者（holders），通常都没有成为所有人的意图，因此不应当说他们占有他们所持有或占据的东西。第二点推论是，你不能占有你没有意识到你控制的东西，因为此种情形缺少支配意图。

承租人不占有其承租的房屋这一想法，看起来既怪异又不不切实际。萨维尼解释道，承租人总是可以请求房东保护承租人的权利。但这似乎太迂回了，[23] 而且也不符合萨维尼的其他观点；他认为，"租用人"（基于与所有人的合同而享有对某一物品之使用的人）、担保债权人（将借款人的财产作为一种抵押以担保债务偿还的贷款人）、以及"孳息收取人"（有权收取果实或者土地或其他物品的收益的人）都享有占有权，如果所有人赋予了他们这一权利的话。

上述这些承认就确立了萨维尼所称的派生占有。他将这些例子

---

[22] Von Savigny's Treatise on Possession, 前注[20]，页265（强调为原文所加）。
[23] 例如，房东可能不会关心承租人是否受到了承诺继续支付租金的债权人的驱逐，无论这一驱逐有多么不正当。承租人将不得不为由于被驱逐而承担的费用起诉房东，而房东可能会回过头来起诉作为最初的不当行为人的债权人。这是一种迂回的处理不当驱逐的方法——除非是承租人还没有取得占有。根据所谓的英国原则，如果在租赁开始时前一个承租人还保持占有，房东就有责任让他腾房。

视为反常的,因为派生占有缺少支配意图,但是他乐于承认"一种基于实践基础的反常",[24]这在担保债权人的例子里表现得最清楚:如果借款人可以剥夺债权人对抵押物的占有,抵押的目的就无法实现。在租用人或孳息收取人的场合,萨维尼辩称,在创设了此种关系之后,所有人可能会把土地卖给对于补救占有人不感兴趣的其他人。在此情形下,要求占有人——租用人或孳息收取人——请求所有人的帮助将是无效的。这一推理是合理的,但似乎同样也适用于租赁。而且,它表明,萨维尼乐于——无论如何在某种程度上乐于——让实践需要胜于精致法学(*elegantia juris*)甚至对罗马法律原则的忠诚。他明确承认,"纯粹理论的思考必须让步于日常生活的实际需要"。[25]

他强调因时效而获得权利,显然意在促进封建权利的逐渐废止。这样,他就以自己的方式成为一个土地改革家。[26]强调作为产权基础的占有——萨维尼的一贯重点——本身就有着确切无疑的反封建的弦外之音,因为那些具有显著封建性的权利(比如对服务和赡养的权利)是非占有的。而且,由于占有——特别是萨维尼意义上的占有——是积极的、行使的,他对这一点的强调可以看作是隐含批判了建立在继承而来的财富基础上的食利经济。但是社会改革的主题在萨维尼的论文中是沉默的。他不愿意让对法律原则的忠诚为实用主义考量所超越,因为,"即使后一种实践利益[即日常生活的实际需要],无疑也不能通过一个使所有确定的原则都变得不确定的程序而有所收获"。[27]

---

[24] *Von Savigny's Treatise on Possession*,前注[20],页95。还参见,前引书,页91。

[25] 前引书,页404。

[26] Whitman,前注[2],页183-186;Stein,前注[6],页119-120。由于时间的经过而取得权利就暗含了由于时间的经过而失去权利;在萨维尼写《占有法》一书的时候,许多封建义务已经陷于废弃,特别是由于受到法国革命之后法国对德国的入侵的影响。参见,前引书,第5章。

[27] *Von Savigny's Treatise on Possession*,前注[20],页404。

当我们回到《普通法》一书论占有的章节时,我们可能首先会想到霍姆斯与萨维尼之间的差异很大程度上是技术性的,因而会对霍姆斯敌视德国学派感到惊奇。霍姆斯同意萨维尼的说法,认为占有要求对所占有的物体拥有物理权力(并且有更大的获得而不是继续占有的权力),连同特定的意图。只是对霍姆斯而言,这一必需的意图只是排除其他人干涉其使用的意图(所有人除外,除非所有人已经移转了占有)。这就解释了受托人享有的获得对抗剥夺其受托物的不当行为人的普通法占有救济权。霍姆斯讨论了一个案例。在这个案例里,原告委托被告代其出卖一个保险箱,被告在保险箱的缝隙里发现了一些钞票——显然是原告的,原告要求被告返还这笔钱。霍姆斯辩称,原告有权要求返还;与萨维尼的观点相反,他认为原告并没有放弃这些钞票,尽管由于他没有意识到它们(或它们在保险箱里的存在),不能说他对它们有支配意图。简言之,霍姆斯把占有与所有权切断;前者,以及前者衍生的权利,不必跟所有权的任何主张有关。

霍姆斯的占有理论与萨维尼及其追随者还有其他差异——而且,这些差异比19世纪特别是今天真正的德国占有法与英美的占有法之间的差异还要大。[28]特别地,霍姆斯驳斥萨维尼的再生产用来获得占有的物理权力的可能性是保持占有的条件之一的主张。他举了一个例子:某人在乡间房屋里留下了一袋金子,现在他正在100里外的监狱里,而"[在房屋的]20里以内惟一的一个人就是大门前全副武装的夜盗,他从窗子里看到了金子并想立刻进入房屋得到这袋金子"。[29]在霍姆斯看来,认为金子的所有人在夜盗拿到金子之前就丧失了对金子的占有,是古怪的。但是,他认为这一结果恰是萨维

---

〔28〕 参见,James Gordley and Ugo Mattei, "Protecting Possesseion," 44 *American Journal of Comparative Law* 293 (1996).

〔29〕 Holmes,前注[13],页237。

尼的理论必然产生的,因为所有人失去了重新产生使他在第一场合得到金子的物理权力的能力,而夜盗则获得了对金子施以排他性控制的能力。

霍姆斯的占有定义与萨维尼的一样,也碰到反常。例如,在普通法(普通法对霍姆斯而言就像罗马法对萨维尼而言一样)——那些需要矫正、澄清、提纯和阐释的原则的构成体中,一个偷了雇主的物品的雇员是小偷。也就是说,他被视为已经从雇主的占有下拿走了商品,尽管根据霍姆斯的占有定义,雇员是具备占有的,因为他对该商品有物理控制力并且有排除他人使用的意图(他讨论的一个类似的例子是,一个酒馆顾客偷了用来盛他所点食物的盘子)。霍姆斯认为这一原则是纯粹的历史遗迹,反映了奴隶——雇员的历史先辈——没有法律地位因而不能视为占有人的事实。

迄今为止,还没有什么东西暗示萨维尼与霍姆斯之间在方法论上有断裂。这一断裂不会在特定的原则和结果里发现,而存在于对理论与历史的态度的分歧中。霍姆斯并没有挑战萨维尼或者其他德国法学家对于罗马法的解释。但是他不相信罗马法是德国法律理论、特别是萨维尼的占有理论的真正渊源。他认为,这一渊源应当是哲学,特别是康德与黑格尔的哲学(尽管事实上萨维尼是敌视黑格尔法律理论的)。[30] 霍姆斯告诉我们,根据这一哲学,"占有应受保护,因为一个人通过占有一件物体而使之进入其意志的范围之内……占有是自由意志的客观实现。"[31] 因此,在霍姆斯看来,支配意图是占有的要素之一的思想——将萨维尼的占有理论与霍姆斯的占有理论在操作层面上区分开来的主要思想——并非源自罗马法(尽管霍姆斯认为它与罗马法是一致的),也不是源自便利、政策或者"日常生活

---

[30] 萨维尼与康德之间的统一性有较强的基础。参见,Ewald,前注[2],页 1935–1938。

[31] Holmes,前注[13],页 207。

的真正需要",而是源自德国的道德哲学。[32]

对霍姆斯而言,这是一个被污染了的渊源。霍姆斯是一个道德怀疑论者,他蔑视道德哲学,相信对法律的清晰理解要求把法律责任与道德责任以及法律术语与道德术语清晰地区分开来。他可能误解了萨维尼。民族精神的概念(这一概念并没有出现在论占有的论文中)表达了一个法律的历史概念而非理性主义概念,在这一意义上它与霍姆斯应当是相宜的——而霍姆斯却一再谴责萨维尼及其追随者的"普适主义"主张。[33]但是这两个人对于历史的态度确实是极为不同的,甚至几乎是相对立的。萨维尼是出于尊敬的;法律史有一个"完成使命的神圣职责",而不仅仅是"保卫我们的头脑不受当下的偏狭影响",也就是说,要保持"与民族的原始状态的鲜活联系……这种联系的丧失必然导致每个民族丧失其精神生活的最佳部分"。[34]霍姆斯对于历史的态度与尼采的一样,是批判性的。在萨维尼看来,最好的法律思想家是罗马法学家,现代法律的任务就是重新发现那些赋予罗马法律思想以活力的原则。在霍姆斯看来,最好的法律思想是现代的,因为只有现代的思想家能够把握现代的问题。历史提供了一整套可以拿来处理现代问题的概念和程序。在这一意义上,历史是一个来源,也是一种帮助。但是,由于法律职业在方法论上的保守性,它也是一个累赘;这一保守性要求保持往昔的连贯性,从而阻碍了对当下需要的适应。因而,霍姆斯将雇员并不"占有"雇主信托给他的商品这一原则作为历史遗迹加以抛弃,就是霍姆斯的一个别具特色的举动。他是一个古生物学家,他确认存在于现代法律中的原则与实践,并不是由于它们有用,而是由于推动进化的生存斗争并没有把它们淘汰出局。

而且,如果像霍姆斯强调的,"法律的最贴近的基础必然是经验

---

[32] "Roman law comes in to fortify principle with precedent." 前引书,页209。
[33] 前引书,页167 – 168,206。
[34] Savigny,前注[3],页136。

的",即,如果"法律,作为一种实践事物,必须把自己建立在真实力量的基础之上",[35] 我们就可以期待那些不能被称为普遍原则的法律原则产生变化。霍姆斯用他知道的不同原则来说明对鲸鱼的法律占有的取得。根据一个原则,如果第一个用鱼叉攻击鲸鱼的捕鲸人无法抓获鲸鱼,那么如果鲸鱼为最后一个人杀死的话,前者对鲸鱼就没有权利;根据另一个原则,他对鲸鱼有一半的权利;而根据再一个原则,如果鱼叉的尖端留在鲸鱼上的话,他就对鲸鱼拥有全部的权利,即使鱼叉绳已经被切断了。请注意,后两个原则是普通法原则的例外;普通法原则与萨维尼所阐释的罗马法原则近似,都要求要取得对野生动物的占有就必须实际捕获它。

尽管霍姆斯解释了应当塑造法律来为当前的实践需要服务的信念,然而,他没有采取进一步的行动;他没有评价诸多具体原则与依据这一标准作出的决定。与萨维尼一样,他关注于法律职业的内部逻辑而非法律对社会需要的适应。对于反对支配意图的要求,而赞同仅有排他的意图即可这一核心主张,他所给出的惟一的解释就是,法律责任先于法律权利。占有法创造了不干涉占有人对占有物的排他性使用的责任;这一责任产生了一项相应的禁止干涉或者获得救济的权利;因此,一个占有人所需的惟一意图就是排除这样的干涉的意图。[36] 这一"因此"并不是必然的。将对抗所有人的占有救济仅限于意图保持占有的人并没有什么不合逻辑的,无论它明智与否或者与英美法是否一致。

霍姆斯所缺少的是可以代替他所诋毁的德国理论中的内在法律理论的社会理论。现在我们有了这一理论;它的名字叫做经济学。

除非一种有价值的资源从属于排他性的使用、控制和利益,投资生产有价值商品的动力就不会是最优的;例如,农场的所有人将无法

---

[35] Holmes,前注[13],页213。
[36] 参见,前引书,页219–220。

确保他可以收获他所播种的东西。[37] 而且,一些资源会被过度使用——比如,公共所有的草场。没有一个在草场放牧牛群的牛群所有人会考虑其使用草场所减少的草料数量施加于每个人的成本。效率要求产权。[38]

我们可以想像两个完全相反的产权体系:仅仅依据书面权利(paper rights)体系的所有权,以及仅仅通过物理占有的所有权。任何一个都会引起严重的无效率。一个书面权利的统一体系假定,所有东西都是有主的,[39] 并且只有通过正式的让与(例如,证书的交付)才能转让,因此,它无法处理无主财产的取得问题,不管因为无主财产是从来就无主的还是因为已被抛弃。在这样一个体系下,那些可以排他地使用财产的非所有人——比如承租人——的地位也不明确。而且,它也无法处理书面权利体系产生的不可避免的错误。在另一种完全相反的制度下,排他地使用财产的权利是在对财产的物理控制的基础上产生的,这一制度强调保持这一控制。它对区别于当下使用的未来使用权也未作规定。一个例子就是在美国西部各州生效的水权占有体系,在这一体系下,一个人通过占有即使用(例如灌溉)来要求对水的权利。这一体系鼓励将当下的浪费使用作为一种提出对水的未来使用主张的方法。从占有人的角度来看,未来使用对他可能非常有价值,从而当下浪费的花费是值得的,尽管从社会整体的角度来看,书面权利体系或许更为有效。

因此,一个有效的产权法律制度可能是一个混合体系,它将书面权利与占有性权利结合起来了。我们需要详细说明这一有效的结

---

[37] 这并非一个现代的洞察;霍布斯与布莱克斯东都熟知这一点,更不用说其他人了。

[38] Richard A. Posner, *Economic Analysis of Law* 36–37 (5th ed. 1998). 有关对占有的经济学的一般性讨论,参见,Richard A. Epstein, "Possession," in *The New Palgrave Dictionary of Economics and the Law*, vol. 3, p. 62 (Peter Newman ed. 1998);还可参见,Dean Lueck, "First Possession," 前引书,vol. 2, p. 132.

[39] 一个例外——通过授权获得权利——将在后面被讨论。

合,并且把它与法律习题中实际发现的结合相比较。我们可以从无主财产是否应当仅通过占有而取得还是也可以通过授权或其他非占有的方法而取得这一问题入手。一般的答案是,仅通过占有。假设一个新大陆——为简化分析起见,假设是一个无人居住的大陆——被发现了。在发现者占据大陆全部或至少大部之前,赋予其对整个大陆的权利是有效率的吗?也许不是。这样一个广泛的授权将引发在探险方面的过度投资。仅比其对手早一天发现大陆的探险人将获得大陆的全部价值。由于预期获得大大超过其对该创造所作的真正贡献的价值,这将促使他以及他的对手,在这一寻求上投入比这一投资的社会价值更大的投资。[40]一个更极端的例子,也是在欧洲早期对其他大陆探险时期非常常见的一个例子,是君主(包括人民)通过让与授权而在未知土地上创设产权的努力。

代替以发现或让与授权作为获得先前无主财产的所有权之基础的另一有效途径是以物理占据意义上的占有为基础。[41]这使净报酬成为第一位的,通过迫使自称的所有人承担占据的成本从而缓解了过度投资的问题。它还倾向于把资源分配给那些最能富有成效地使用它们的人,因为他们最可能愿意承担占有所涉及的成本。一个

---

[40] 假设奖金(利用新发现的大陆的排他性权利)价值 X 美元,并且,如果只有一个潜在的发现者,他将花费 0.1X 美元来发现它而这将花上他 t 年的时间。但是有 10 个潜在的发现者,如果他们都有成为第一个发现者的平等的机会,那么他们每个人都将(假设他们并不是风险规避者)在争当第一个发现者的竞赛中花费 0.1X 美元。总花费将是单一的潜在发现者的花费的 10 倍。假设竞赛会导致大陆早一年被发现;考虑到时间的价值,这将提高这一发现的价值,假设提高到 1.1X 美元,但是这一提高(0.1X 美元)远不能弥补增加的费用(0.9X 美元)。因此,这一竞赛从社会角度来看就是浪费。然而,Lueck 指出,如果竞赛者之一比其他人的费用低得多可能就不会有竞赛了,因此,如果要来一个竞赛(并且每个竞赛者都有平等的就竞赛费用向资本市场融资的机会)的话,那么显然这个人从一开始就赢定了。在此情形下,其他人就会避免参加竞争。参见,前注[38]引书。

[41] 关于一个商标法的类比,参见,William M. Landes and Richard A. Posner, "Trademark Law: An Economic Perspective," 30 *Journal of Law and Economics* 265, 281–282 (1987). 占有的经济原则在知识产权上有很多应用,但我不会在这里讨论它们。

可以通过宣称或者申请获得对整个大陆的权利的发现者,会迅速地反过来廉价出售大部分甚至全部土地,因为他不是全部土地的最有效开发者。一开始就把所有权给予那些将真正占有土地的人是更有效率的。

让我们来考虑一下霍姆斯讨论的鲸鱼的例子。如果把对鲸鱼的权利给予第一个用鱼叉刺到鲸鱼的人,即使鱼叉很快就脱落了(或者绳子断了)因而并没有使鲸鱼慢下来,我们可能会发现海洋将挤满那些擅于掷鱼叉而并不真正擅于杀死鲸鱼的业余者。这将成为一个从社会角度来看很浪费的、争当值钱财产的第一个"发现者"的例子。但是,如果法律反之把对鲸鱼的财产权利给予杀死鲸鱼的人的话,就可能不利于合作活动,而这一点对于有效的捕鲸作业又是非常重要的;然而大多数捕猎作业并非如此,因而在这些领域盛行只有通过占有才能获得所有权的原则。霍姆斯讨论的"半条鲸鱼"的解决办法可以被理解为对阻碍合作这一问题的回应。尽管这样就在权利或预期体系的方向上与纯粹占有性权利体系偏离了一步,[42]但它与一个把对鲸鱼(或者新发现大陆,一条新发现的鲸鱼在经济上与之相类似)的排他性权利授予第一个发现鲸鱼商业价值的人从而创设这些权利的体系还差得很远。它表明,产权的最优制度可能是把占有性和非占有性的权利结合起来。

霍姆斯关于藏有钞票的保险箱的案例进一步说明了占有性权利。在普通法里,为了所有人的利益而持有保险箱的代理人不能取得对钞票的占有;在罗马法里,根据萨维尼,代理人则可以取得。从经济学的角度考虑,发现丢失的财产是一项有价值的服务,应当加以鼓励。但是正如对新大陆的发现一样,把财产的全部价值都给予发现者将会导致过度的探险投资。一个在发现新大陆的案例里不存在的更进一步的问题是,给予找到丢失财产的发现者以财产的全部价

---

[42] 有关从经济学角度对 19 世纪捕鲸作业的规范所进行的更充分的讨论,参见, Robert C. Ellickson, *Order without Law: How Neighbors Settle Disputes* 196–206 (19991).

值可能会使所有人在维护其财产安全上过度投资。比给发现者所有权更好的是给他一笔报酬,这属于关于补偿的法律的领域。[43] 这也比把找到的财产在原始所有人与发现者之间平分要好。除非这一财产是可以轻易分割的,否则分割就会减少其整体价值(然而,对钞票并不存在这一问题),因而当事人各方均不得不在有关把当事人一方的份额转让给另一方或将双方当事人的份额转让给第三方的谈判中花费资源,以保持财产的整体性。

我一直在假定保险箱所有人拥有钞票的所有权。假设他没有。让我们设想一个更清楚的例子:某人在超市的付款台丢了他的钱包,钱包里面装有钱。一个顾客拾到了钱包。所有人一直没有要求返还。是顾客还是超市(正如判例里所说的"现场"[locus in quo])有权保持对钱包和钱的占有呢? 支持由顾客占有的理由是:既然是顾客拾到了钱包,他理应获得报酬;超市什么都没有做。但是假如由于顾客知道如果所有人不要求返还,他就可以保留该钱包,因而顾客拿着钱包走掉,那么钱包就比由超市的雇员拾到时更不可能物归原主。因为,当钱包所有人发现钱包丢了时,他会到当天去过的地方去找,因而他很快就会找到超市。

正是在这一与"占有"的详细解析无关的基础上,美国法在传统上区分了遗失物与搁忘物(mislaid items),"遗失"意味着所有人没有意识到财产丢了。由于没有意识到财产丢了,他就不可能去找,因此法律将遗失财产的法定占有赋予了发现者,而不是像在搁忘物的判

---

[43] 参见,Nadalin v. Automobile Recovery Bureau, Inc., 169 F. 3d 1084 (7th Cir. 1999), 以及其中引用的判例; William M. Landes and Richard A. Posner, "Salvors, Finders, Good Samaritans, and Other Rescuers: An Economic Study of Law and Altruism," 7 *Journal of Legal Studies* 83 (1978); Saul Levmore, "Explaining Restitution," 71 *Virginia Law Review* 65 (1985). 霍姆斯所讨论的另一个与保险箱案例相似的例子是,"一块木材被冲到某人的土地上"(假设他并不知道)。"他因此取得'占有权',这一权利可以对抗为了移走木材而进入这块土地的真正发现者。"Holmes, 前注[13],页 223(省略了脚注)。最优的解决方案可能是给发现者一笔报酬,同时把产权赋予土地所有人——假设木材在被冲上岸的时候是无主物。

例里那样赋予搁忘物被发现场所的所有人。这一区分是脆弱的,并且备受批评。[44]如果发现搁忘物的人在超市留下了自己的名字和地址,从而所有人可以与之联系,为什么不能把对搁忘物的占有权给予发现者?但是,我想要强调的只是,当从经济学视角来看待这一问题时,指导这一分析的并非占有的概念。把占有给予谁,是由哪一种占有权利的分配更有效率决定的。

另一个反对让顾客发现者在所有人没有提出主张时保留遗失物或者搁忘物的理由是,他获得的报酬可能会大大超过他付出的成本,而我们已经看到,给予发现过高报酬会吸引过多的资源投入到产生这样报酬的活动中。没错,只有根据事后的情况,顾客发现者才能得到这笔报酬;即,只有当所有人不主张其财产时。而这一点意味着,发现者预期的这一报酬可能很小,因为大多数丢失值钱财产的所有人都会努力找回财产。但是既然超市的雇员可能在顾客之后很快找到钱包,顾客发现钱包的价值就可能微不足道——事实上可能是负的,因为所有人要求顾客归还钱包会比要求超市返还遇到更大的困难,即使顾客必须在超市留下其姓名和地址也是如此。

因此,假设规则是超市有合法的占有,但是顾客发现者由于不知道或者根本不在乎法律规定如何因而拿着钱包走掉了——然后他把它落在了他走进的下一家超市。这次,超市的雇员发现了钱包而顾客回到超市并要求返还。这个顾客——一个非法占有者,应当压倒超市——这个后来的合法发现者吗?[45]大概不应该;剥夺其占有是对其先前不法行为惟一可行的处罚,而且对这一剥夺的预期可能是对不法侵占的惟一可行的威慑。

保险箱案例提供的信息让我们更加清楚,物理控制——无论是完全的还是以萨维尼详细说明的被削弱形式(仅仅是再生产这一控

---

[44] 例如,参见,R. H. Helmholz, "Equitable Division and the Law of Finders," 52 *Fordham Law Review* 313 (1983).

[45] 参见,Jesse Dukeminier and James E. Krier, *Property* 100 – 103 (4th ed. 1988).

制的权力)——是不是保持以及取得占有的要求。一般地,经济学给出的答案是否定的。这样一个要求会导致浪费并阻碍专业化。让我们想像一下,由于房东因租赁而失去了对房产的物理控制,承租人被认为是被租赁房产的所有人;也就是说,在租赁的期间,房东不能闯入房产。萨维尼通过否认承租人一度占有的事实来逃避这一问题,但是我们看到,这是一个不能令人满意的解决办法。更为明智但偏离萨维尼的体系的是,承认房东与承租人的共同占有,并依据特定环境下的比较利益在他们之间分配提起法律诉讼以保护其占有利益的权利。我提到了承租人不取得占有的情形。适合这种情形的例子有,侵入者剥夺占有的情况是在承租期限快届满时才发生的,以至于承租人几乎没有动力起诉;侵犯对房东的损害比对承租人的损害更大(例如,如果承租人是被一个违法的药材贩子剥夺占有的,这就会把其他承租人也吓跑);以及,承租人只是没有足够的资源起诉侵权人。

然而萨维尼对共同占有表示忧虑是对的,尽管这并非因为共同占有与占有的定义不一致——这是纯粹形式主义的观点。如果法律不是把使用财产的权利赋予一个人而是要求两个或者更多的人一致决定财产应如何使用的话,交易成本就会比较高。普通法通过让每个共同占有人坚持主张用分割共同占有的财产来处理这一问题,从而使这一财产重新成为分别被单个人控制的独立份额。当然,如果分割会大大降低财产价值,比如萨维尼所举的塑像的手臂与头被分别所有的例子,就不能允许这种办法。在此种情形下,效率要求以被占有物是整体为前提。

萨维尼承认,要保持占有性权利就必须切实行使,即以通知作为使房东失去占有的前提,这一点是有问题的。假定,一块土地以前是无主的,无人要求,且无人占据,而且也不存在一个关于它的书面权利凭证。因而,第一个占有人就是所有人。但是如果这个人并没有连续不断地呆在土地上会怎么样呢?如果另一个人占据了土地,他是占有人吗?萨维尼的答案是否定的。这当然是正确的;相反的答案将导致所有人用栅栏围住土地和在土地上巡逻的浪费。这是一个以占有作为取得新发现财产的权利之条件的观点,正如我先前主张的一样;但是,一旦通过这一途径取得了权利,在公开的证书登记簿上进行登记,以警告偶然的侵犯者,对于这一权利的保持就足够了。这是一个较之精心签名和围栅栏都更便宜的办法,更不用说可能对于保持对匿名土地(terra incognita)的权利是必要的那种现场的、普遍的使用了。它是又一个关于纯粹占有性财产权利体系为什么会不经济的例子。

然而,记录并不确实可靠;它们通常也不对权利的抛弃予以登记。如果一块为另一个人正式所有的土地的新占据者能够说明,他一直在主张对这块土地的权利而所有人若干年来都没有作出对抗其这一主张的举动,那么法律就会将这块土地的所有权转移给这个新占据者,这时候,我们就说这个新占据者通过"对抗性占有"取得了所有权。对抗性的要求(隐含在我对新占据者"一直在主张对这块土地的权利"的要求中)是必需的。否则,一个租赁期限长至以时效(即通过时间的经过)取得所有权所要求年限的承租人,就将在租赁期届满之后成为租赁财产的所有人。

承租人的占有并不"像所有人的"(owner-like)占有;对抗性占有则是。根本的区别在于占有者的意图,这一意图常常可以从一些"客观"标志中推出,比如租赁的存在、所有人的行为(是否是"像所有人")、以及占有人的行为——例如,他是否对财产作了永久性的改进,这意味着他是以所有者自居的。事实证明,萨维尼把占有性权利与"所有人的"(ownerly)意图联系起来是对的,但是他假设这样的意图对于一项占有性权利的产生总是必须的,则错了。

对抗性占有在经济学上被解释为一种没有谈判或者书面转让收益的所有权移转方法;这一经济学解释十分明了,就是关于什么时候应当认定财产被抛弃了,即成为公共领域的无主资源,从而可以为某个他人通过强占据为己有。经济学家认为,在有可能促进对有价值资源的有效利用时,就应当这样认定。由于通常人们不希望财产留在公共领域,因此,最明确的抛弃情形就是占有人故意"扔掉"财产,实际上是自愿让它回到公共领域。他的行为意味着该财产在他手里没有价值。因此法律通过认定该财产被抛弃了因而可以为其他人重新据为己有,就在不增加权利体系的谈判成本的前提下促进了财产重新分配给估价更高的使用。同样地,若干年来一直没有对针对其财产的对抗性占有作出反应的所有人的行为表明,该财产对他来说价值不大,而这正是抛弃所具有的实践上的经济学意义。我已经讨论过的一个不那么明确的关于抛弃的情形,是所有人丢失了财产而没有努力要求返还或者放弃要求返还的情形;但是这一情形不太可能发生在土地上。

当所有人确实扔掉财产时,这就说明该财产对他一文不值,因此,任何一个愿意费力得到财产的人对该财产的估价都肯定更高。在此情形下,并不需要通过谈判来保证发现者对财产的据为己有确实是一个价值最大化的交易,因此谈判成本就会是一笔过重的(deadweight)社会成本,是一种浪费。但是,对抗性占有几乎总是针对土地的,而土地很少被扔掉、丢失或搁忘。当交易成本很低时,市场交易是比强制交易更有效的转移财产至社会价值最大的使用的手段。但是,即使是在处理小块土地时,交易成本也可能会很高。所有人可能是未知的。更为常见的是,其财产的确切边界是未知的,因此,对抗性占有人并不知道他正在越界或者所有人并不知道其财产正在被侵占。等到所有人意识到并且行使其权利的时候,证据可能已经消灭了,对抗性占有人可能已经合理地信赖自己是真正的所有人。由于认为财产是自己的,他就可能在上面进行投资;而如果让原初所有人得到土地的话,这一投资就会变得没有价值,因为从原初所有人在权利上睡觉就可以看出,该财产对他可能是没有价值的。当仅有的竞争者对商品的估价极为悬殊时,交易成本就可能很高,因为每个竞争者都会争取尽可能最大的价值份额。[46]对抗性占有是一种在市场成本很高的情况下矫正书面权利的方法;[47]它完善了而不是挑战了产权制度。

萨维尼提出一个有趣的建议,即抛弃财产的意图有时候可以从忽视财产使用中推出。[48]更直截了当地说就是,漫不经心的占有人通过他的行为不仅暗示了该财产对他没有多大价值,而且还给潜在的发现者造成了财产实际上已经被抛弃因而是一个获取对象的印象。在这些情形下认定财产被抛弃就成为一种减少交易成本并增加财产向更有价值的使用转移的可能性。

经济分析进一步暗示,对抗性占有的权利应当限于那些对抗性占有者善意行事的情形——亦即,他确实相信财产是自己的。否则,这一原则会鼓励交易成本较低情形下的强制性财产交易者。由于这一原则限于那些真正所有人不能轻易识别或找到或者所有人似乎已经确定地抛弃了财产的情形,因此这一原则实现了法律的从经济学角度来看的一个传统功能,即,在高交易成本阻碍市场形成资源的有效配置时,或者,在抛弃的情形下资源会成为一种纯粹的浪费时,模拟市场。

现在,我们可以看出占有与书面权利之间在作为确立产权的手段上的紧密关系(以及相互依存),以及前者的历史优先性了。假设占有是"公开的和众所周知的",就像有关对抗性占有的情形表明的那样,它就与记录在公共登记簿上的权利证书一样,都是对外宣布权

---

[46] 假设土地对于对抗性占有者值100万美元(可能是因为他知道这块土地上有矿藏)而对原始所有人仅值10万美元。那么,以10万美元与100万美元之间的任何一个价格进行交易,当事人双方的处境都会变得更好。但是每个人都渴望尽可能多地独占这一差价,由此可能导致,不通过漫长和昂贵的讨价还价,他们就很难在价格上达成一致。

[47] Thomas W. Merrill, "Property Rules, Liability Rules, and Adverse Possession," 79 *Northwestern University Law Review* 1122 (1985).

[48] *Von Savigny's Treatise on Possession*,前注[20],页270–271。

利主张之存在的一种方式。[49]这可能是社会的最初阶段惟一可行的方式了。栅栏是早于书面权利凭证的公示产权的方法。一旦将其与告知联系起来理解,我们就可以看出,一个要求占有性权利的取得或者保持必须有物理权力的运用的原则,涉及传达权利主张的特定物理行为的成本与清楚的信息传达的收益之间的平衡。所要求的行为越是精制复杂,信息的传达就越明确无误(它们就越类似一道栅栏),这是有利的,因为产权的清晰的公开界定降低了交易成本而且往往使投资最优化;但是这种告知形式也会变得越昂贵。以占有形式作出的最精确复杂的告知行为的成本——完全的、持续不断的、显而易见的占据行为——常常会抵消收益。这就说明了为什么较低程度的积极占有对于保持财产权利已经足够了,而要取得财产权利则需要较高程度的积极占有。

让我们来考虑一下那个古老而丰富的哈斯勒姆诉洛克伍德案(*Haslem v. Lockwood*)。[50]原告将散落在公共马路上的马粪堆成堆,准备第二天用车推走,因为他最早也只能在第二天得到必要的运输工具。被告抢在了他的前面。原告起诉要求返还粪肥并胜诉。这是一个经济学意义上的正确结果。粪肥的原初所有人,即排泄粪肥的马的所有人,已经抛弃了粪肥;原告发现了它们。他把它们堆成堆因此占有了它们,而这些堆对于第三人,比如被告,形成了关于粪肥(不再)是被抛弃的适当告知。为了保护产权而要求原告在堆集粪肥以外再围上栅栏,或者持续看守,或者提前在适当地点安排一辆车以便在粪肥堆好后马上移走,都会增加"交易"成本而不会产生能够抵消这一成本的收益——通过这一"交易",对原初所有人而言一文不值的粪肥成为一种有价值的商品。

当财产被盗时,不能认定财产被抛弃了,从小偷那里获得财产的

---

[49] 有关对占有的这一功能的强调,参见,Carol M. Rose, "Possession as the Origin of Property," 52 *University of Chicago Law Review* 73 (1985).

[50] 37 Conn. 500 (1871).

购买者,即使是完全地并且符合情理地不知道其占有在前手上的瑕疵,也没有对抗所有人的权利。这一原则由于可以减少盗窃的收入,降低盗窃发生的可能性,因此得到辩护。但是,一个可靠的经济学分析还需要更多东西,正如对被盗艺术品的产权问题的诸多讨论显示的一样。[51]艺术作品在结束于半个多世纪以前的第二次世界大战期间被盗。人们可以辩称,如果原初所有人一直没有采取任何行动试图收回这些艺术作品的话,他的权利就应当被剥夺以免现在的所有人由于害怕引起沉睡的前手注意而不愿意展出这些作品;这些作品应当认定为被抛弃了。如果原来采用的就是这一原则的话,那么原初所有人就会有动力采取额外的预防措施避免其艺术作品被盗。但是创造这样一个动力并不像这一原则显现的那样,似乎是一个纯粹的收益。这些预防措施的成本——可能包括拒绝让艺术品被广泛展览的成本,必须与购买者为防止艺术品被发现而作出的额外努力的成本,以及如果原始所有人享有要求返还的权利、甚至要求从小偷那里购买艺术品的善意(bona fide)购买者返还的权利话,他将为发现其被盗艺术品而承担的额外的寻找成本权衡一下。如果在一个所有人占上风的体系中购买者隐藏以及所有人寻找的成本不会大大超过在一个善意购买者占上风的体系中所有人采取预防措施的成本,那么,让被盗物品更易于买卖的不可欲性就可能会使天平向不利于让购买者取得权利的方向倾斜。

这一问题是普遍的,并且又回到保险箱和钱包的例子。如果让发现者太轻易就通过对遗失物或搁忘物的占有而取得权利,那么我们就会鼓动所有人采取额外的预防措施以避免其物品遗失或搁忘。这些预防措施都涉及真正的成本。我们需要的是那些可以节省成本的规则。在遗失的艺术品或者其他价值不菲之财产的情形下,最优

---

[51] 参见,William M. Landes Richard A. Posner, "The Economics of Legal Disputes over the Ownership of Works of Art and Other Collectibles," in *Essays in the Economics of the Arts* 177 (Victor A. Ginsburgh and Pierre‐Michel Menger eds. 1996).

的解决办法可能是将其归还给原初所有人,但是给予发现者一笔大到可以鼓励对遗失艺术品的寻找但还不至于让所有人过分担心财产丢失之风险的报酬。

我们回想一下,霍姆斯认为,不认定雇员占有雇主信托给他的财产是反常的。但是这一原则具有经济学的意义。信托(比如将餐碟信托给酒馆顾客)受到严格的限定,几乎没有让保管人自行决断的空间。因此,如果故意违反信托条款,就可以很容易地得出故意不法行为应当受到严厉惩罚的推论。偷走盘子的酒馆顾客与进入酒馆并偷走盘子但没有要求服务因而没有成为顾客的人之间,或者开着雇主装满现金的装甲车潜逃的车手(Brinks driver)与唆使其从事这一犯罪的陌生人之间,并不存在经济学上的差异。

在描述过去两个世纪以来历经了三个阶段的关于占有的法律思想时——第一个阶段以萨维尼的法律理论为代表,第二个阶段以霍姆斯的法律理论为代表,第三个阶段则以经济学理论为代表——我很可能被误解为在暗示,萨维尼坐失了良机,他没有使用霍姆斯的功能主义进路或者现在已经引入实际操作阶段的经济学进路而犯了双重错误。这可不是我的意图。假定每一个现代的洞察力或者进路总是可用的,因而它们直到最近才被发现并利用的事实应当归因于我们的前辈较之我们自身更愚蠢,是错误的。不同的时代有不同的需要。要记住,萨维尼在塑造法律时意识到了"日常生活的真正需要"的重要性。但是他强调的与他所处的时代和场合相适应的日常生活的真正需要,是对明确与统一的法律规则的需要。1803年的德国分成几百个独立的邦,而其各项法律制度又太薄弱、太破碎,不能形成明确与统一的法律。[52]特别是在德国西部(马尔堡——萨维尼写作论占有的论文的地方——坐落之处),法国革命及其余波动摇了德国思想,甚至使其迷失方向。正如我们从萨维尼后来对法典化的批评

---

[52] "讲德语的地区是一块不同寻常的法律拼凑地。"Whitman,前注[2],页102。

中了解到的,萨维尼并不认为,德国法律文化已经提供了一个成熟的时机,以对从功能上推导出来的法律规则和原则进行明确而简洁的法典编纂——这正是边沁主义者的课题。于是他便代之以用大学的智力资源从罗马法———一个高度复杂的法律实体——中抽出一系列明确的原则组成德国的普通法。

针对特定的法律问题,人们常说,法律的确定比法律的正确更为重要。这个格言一样的句子道出了支持区别于标准的规则的主张。规则从每一个真实案例的复杂环境中抽象出一些相关的事实,并让这些选定的事实在法律上起决定性作用。由此导致了规则与环境之间的不完全适合,从而造成了一些从作为这一规则之根基的基本原则的角度来看是错误的结果。这是一项成本,但是它肯定能被规则在减少诉讼成本和减少法律不确定性方面的收益抵消。不确定性本身是昂贵的,可能还会通过让外人很难判断某个司法决定是否合法而引起司法腐败,无论是经济上的还是政治上的。如果明确的法律规则在一个社会法律发展的特定阶段是特别迫切的需要,那么萨维尼就占有法采用的进路就很可能是最好的进路——从经济学的立场来看,正如我关于规则对标准的成本收益讨论想暗示的那样。

萨维尼提供了一个明确的关于占有的定义,并用它推导出许多具体规则。这一构造物在某种程度上是武断的,但是其明确性却是非常出色的。设计这样一个构造物曾经可能比努力从对社会政策的考量中推出规则或者标准更为重要。这不仅是因为日尔曼法像萨维尼感到的那样急需系统化,[53]而且还因为德国的不统一创造了能够由罗马法满足的政治需求。这一法律提供了一种由于其种族和时间上的遥远而在政治上表现为中立的通用语(*lingua franca*),相比之下,一个自认为以当前的社会需要——那些因邦而异并且不可避

---

[53] 这一混乱状态以 18 世纪影响深远的法学家莫塞尔(Moser)的著作为代表。参见,Mack Walker, *Johann Jakob Moser and the Holy Roman Empire of the German Nation* 130 – 135 (1981).

免地受到政治影响的需要——为基础的法律制度则不然。与麦克斯·韦伯的信念——即,为了给经济进步提供一个明确、确定、政治上中立的框架,法律必须达到"形式理性"——相一致,罗马法或许对欧洲商业社会的兴起有所贡献[54]——这是萨维尼让它扮演的一个角色。颇为悖谬的是,罗马法的个人主义和(正如我在前面暗示的)"反封建"偏见,使它成了一个重要的现代化手段。

萨维尼承认大学作为一种与德国的政治不统一相对的智识统一力量的重要性,这也颇有预见性。大学通过从德国各地招收学生,并且将其法律教员的研究和教学集中在同一个法律原则实体即罗马法上,成为了统一的司法体系的替代物。

霍姆斯发现自己与萨维尼处于完全不同的境遇。内战后美国的法律制度是成熟、稳固并且十分专业化的。国家在内战的创伤后统一了,而且,虽然它还是一个联邦制国家并且各州在法律上特别是财产法方面保留有很大的自治权,但是进路上仍然有相当大的同质性。美国法律制度(人们可以恰当地谈及美国法律制度,尽管不同州有不同的法律)具有灵活性,人们相信它能够让法律原则适应当下的社会需要,而没有牺牲合法性或产生削弱法律确定性的不适当危险。在这一背景下,萨维尼及其追随者的形式主义就让人感到是束缚性的而不是解放性的了。

但是,尽管霍姆斯对于扔掉往昔的枷锁、让法律服务于当下的社会需要充满热情,他也没能明确说明这些需要。《普通法》往往把这些需要看成是无法预料的、武断的偏好甚至本能。特别有代表性的是,霍姆斯在某处讲到,"一个人凭着其与家犬所共有的本能,……不会让别人剥夺其所持有的东西而不努力把它夺回来,不论这种剥夺是通过暴力还是通过欺骗,对于法律而言,这一点就足够了。"[55] 这

---

[54] 例如,参见,James Q. Whitman, "The Moral Menace of Roman Law and the Making of Commerce: Some Dutch Evidence," 105 *Yale Law Journal* 1841 (1996).

[55] Holmes, 前注[13], 页213(省略了脚注)。

或许可以让我们知道为什么会有占有性权利,但不能告诉我们占有性权利的具体轮廓(让我们回想一下他是怎样只提出了取得对鲸鱼的占有性权利的三个规则,而没有指出哪一个是最好的,以及经济学可以怎样区别这些规则)。对这些轮廓的描绘以及图画的填充,还需要再等上一个世纪,等到经济学工具能够达到富有启发性地处理占有法问题所需要的精致水平时。

第三编

心理学

第七章

法律中的情感

正如我们在第 1 章中提到的,有两个关于经济学的基本概念。一个强调主体,即认为经济学研究市场;另一个关注方法,即认为经济学是把理性行动者的模型应用于人类行为。那些坚持第二个概念的人或许看起来与心理学背道而驰,因为心理学的重点放在人类行为的非理性(nonrational)和不理性(irrational)因素上。心理学家以雄辩的气势主张,人类行为以非理性为其特点,经济学上的"理性人"在现实世界里很少见,即便是在经济市场上也是如此,就更不用说在这些市场之外了。在本书的这一章里(在某种程度上也在下一章里),我将把这一主张作为一个关于心理学可以为理解和完善法律提供什么的更广泛兴趣的一部分加以考察。我认为,这一主张在很大程度上是与理性模型相一致的。

以情感分析开始这样一种考察是很自然的,因为,情感分析是理性同仁的传统对立命题,而且显然也是法律必须与之妥协的一个主题。法律所规制的大部分行为要么是极端情绪化的——想一想谋杀通奸配偶的谋杀犯,被否决监护权的家长对孩子的绑架,或者动物权激进主义者在毛皮上的涂鸦等等;要么是令人吃惊地缺乏情感的("冷血"杀手);要么是可以唤起听说或读到有关事件的人的情感的——常常是对犯罪或侵权行为的受害人的同情以及对侵害人的愤慨,但有时是对侵害人的同情,比如在"遭毒打的妻子"所为的谋杀这种情况下。传统上,法律本身被认为是"理性"(被视为情感的对立命题)的堡垒。法律的功能被理解为抵消法律纠纷在当事人与外行的观察者中引起的情绪性。然而任何一个曾经作为诉讼当事人、律师、法官、陪审员或者证人卷入诉讼的人都知道,这一解决法律纠纷的典型办法是一个极度情绪化的过程,就像它所替代的那些解决纠纷的暴力手段一样。

那些为法律规制的行为的情绪性,以及法律对于这一情绪性的回应,给法律体系提出了一些问题。我在这一章中要处理五个问题。首先,不法行为是被情感激发的,这一事实应如何影响法律对于这一行为的评价?情绪性应当使法律对违法者更严厉还是更宽松?我将特别联系到"仇恨犯罪"法,[1]以及作为刑罚的一个减轻情节的挑衅,来讨论这一问题。第二个问题是,法律是否应当以及应当如何运用情感。第三个问题是法律的管理人——无论是法官、陪审员、检察官还是警察——的情感状态应该如何。他们应当像计算机一样没有情感吗?如果不是,情感到底应当怎样进入他们的判断?第四,应当用什么样的屏蔽或过滤器来保证法律的管理人在执行法律职责时处于正确的情感状态之下(不论这种状态是什么)?第五,法律如何可以避免诉讼过程的情绪性在这一过程结束之前阻碍解决案件的努力?

在回答这些问题时,我们可以从情感的认知理论中寻求帮助;这

---

[1] "仇恨犯罪"应当与我在第2章中讨论的"仇恨演说"相区别。仇恨犯罪是由对某一群体(比如黑人或者同性恋者)的仇恨所激发的普通犯罪——比如谋杀,该群体的成员是这一犯罪的受害人。

一理论发源于亚里士多德并且近年来为哲学家和心理学家详细阐述。[2]这些现代理论家挑战亚里士多德的尽管早已变得(不仅仅在法律上)十分传统的理性与情感的对立命题,而主张情感是认知的一种形式。这不仅体现在情感反应通常是由信息激发的这一明显的意义上,还体现在情感表达了对信息的评价因而可以替代通常意义上的推理这一意义上。例如,当我们得知某种污辱而作出愤怒反应时,这一反应就表达了不赞成,一种我们通过一步一步的推理过程最终可能得出的评价。情感的评价功能暗示了:不能对某一特定情形作出某种特定情感反应,可能显示的不是推理能力很好,而是理解上的无能,或者在诸如同情和愤慨之类的道德情感场合,可能显示了排斥社会道德规则。这样;特定情形下的特定情感反应通常就可以被评价为适合此种情形,还是由于受错误信息误导或基于对情势的不正确评价而不适合此种情形。

反对理性与情感两分法的另外一个理由是,它令人迷惑地构想了一场人格的动机与非动机因素之间的斗争。理性并不是(承蒙康德谅解)动机;知道做什么是正确的一定要与为产生行为的结果而做正确的事的愿望相结合。当我们说一个人没有让自己屈服于其情感(例如,他抵抗住一块巧克力)的时候,我们的意思是,厌恶性情感

---

〔2〕 例如,参见,John Deigh, "Cognitivism in the Theory of Emotions," 104 *Ethics* 824 (1994); Jon Elster, *Alchemies of the Mind: Rationality and the Emotions* (1999), esp. pp. 283 - 331; Susan James, *Passion and Action: The Emotions in Seventeenth - Century Philosophy* 20 - 22 (1997); William E. Lyons, *Emotion* (1980); Martha C. Nussbaum, *Upheavals of Thought: A Theory of the Emotions* (Cambridge University Press, forthcoming), esp. chs. 1 and 3; Keith Oatley, *Best Laid Schemes: The Psychology of Emotions* (1992); Ronald de Sousa, *The Rationality of Emotion* (1987); Robert C. Solomon, *The Passions* (1976); Michael Stocker with Elizabeth Hegeman, *Valuing Emotions* (1996); R. B. Zajonc, "Feeling and Thinking: Preferences Need No Inferences," 35 *American Psychologist* 151 (1980). 将情感的理论——认知的或其他的——应用于法律的努力很少。但是,参见,Susan A. Bandes, *The Passions of Law* (1999),本章以前的版本被收入了这一最近的文选;"Symposium on Law, Psychology, and the Emotions," 74 *Chicago - Kent Law Review* 1423 (2000).

(aversive emotion)("自我控制"——对意志薄弱的厌恶)比引诱性情感(attractive emotion)更强大。[3]

然而,认为情感的认知进路废弃了对情感主义的传统关注,这种认识是不正确的。理性与情感的两分法,虽然是误导的,却抓住了一个正确的真理。我们都有过由于骄傲、愤怒或其他情感而犯错误的经历。情感在某些场合是认知的一种有效方法,而在另一些场合则不是。它阻碍了被视为一个有意识的、清晰明白的商讨、计算、分析或者反思过程的理性。有时这有好处;情感集中注意力,形成评价,并在反思将无休止、无重点和非决定性的情形下促进行动。[4]但是在那些需要仔细、有序分析或反思才能作出深思熟虑的决定的情形下,让情感取代这一过程就可能产生一个次等的决定。爱可能导致糟糕判断是众所周知的事实,恐惧与愤怒也一样;后者会激起自我中心的、走极端的想法,而这一想法遮蔽了造成愤怒的情形的有关特征。[5]

但是,更准确的说法可能是,过多的情感或者错误类型的情感会产生次等的决定。因为,正如我将在讨论法官的情感时主张的那样,对于促进作出任何不仅仅是三段论或其他纯粹形式推理——那种电脑比人脑做得更好的推理——之结论的决定而言,情感是必要的。决定是一种行动的形式,而不存在没有情感的行动。

具体而言,当我们说某个人是"情绪化的"或者某个人的判断为

---

[3] 这在本质上是霍布斯的观点。参见,詹姆斯书中对霍布斯及其评论家的有益讨论,前注[2],页269-288。

[4] 比较,Elster,前注[2],页291-293,对一项表明由于大脑受损而在情感上很平板的人很难做决定的研究进行了讨论。同样的讨论参见,Arthur J. Robson,"The Biological Basis of Economic Behavior" 11-13 (将见于 *Journal of Economic Literature*),该文作了一个清楚的经济学解释:受情感驱使的选择在面对复杂问题时起到一种合理的、节约信息的、凭经验的决定方法的作用。

[5] 参见,Aaron T. Beck, *Prisoners of Hate: The Cognitive Basis of Anger, Hostility, and Violence*, pt. 1 (1999).

"情绪太重"歪曲时,我们指的是,他不适当地突出了某一情形的某一个特征及其相关的情感刺激,而忽视了其他重要特征。因此我们也许可以把一位法官称为"情绪化的",如果他为侵权诉讼中原告遭受的可怕伤害情况极大影响而无视案件的其他法律上的相关特征的话。在这一意义上,我们料想上诉法官比初审法官更不情绪化,因为他们远离案件最显著的情感特征。他们并不亲自接触当事人和证人,而仅仅接触律师和法庭记录以及其他文件(只是偶尔才接触照片)。[6]因此,上诉程序的设计可以看作是对情感主义的一种回应,而情感主义就是过份强调复杂情形中的某个显著特征。在日常生活中,我们通过各种个人化的策略来回应这一危险,比如努力"控制"自己的愤怒从而避免导致草率的、未经充分考虑的、事后就后悔的行为。

情感是一种认知捷径的思想说明了,为什么陪审员比法官更容易像孩子一样作出情感化的判断。一个人在就某一问题进行推理时越没有经验,就越容易"作出情感化反应",亦即退步到更原始的作出结论的模式——情感化模式。这里的原始是一种文学意义上的用法。情感,与性一样,是我们与其他动物共有的东西,动物的大脑皮层比人类少因此他们比我们更加依赖情感来指导其行为。情感在最年幼的婴儿身上也能辨认出来这一事实,进一步证明了我们讨论的是一种先天特征。与我们的"动物性"亦即"自然的"——有别于文化的——天赋的其他部分一样,我们的情感可能是非常适应我们祖先环境——进化生物学家用它来描述人类从其中进化到其现在的生物形态的前历史时期——的各种条件的。我们的全部情感可能不是很适应我们今天生活其中的各种条件。这就是为什么我们担心情感有时会让我们迷失方向的一个原因,比如情感会促进决定,然而由于问题的复杂性——这一复杂性可能不是我们祖先环境的一个常见特

---

[6] 参见,John C. Shepherd and Jordan B. Cherrick, "Advocacy and Emotion," 138 *Federal Rules Decisions* 619 (1991).

征,如果经过仔细、耐心的推理可能会作出更好的决定。

我并不想留下这样一个印象,因为我对作为一种认知捷径的情感的描述可能会产生这样一种印象,即每一个"正确"的情感反应都可以被解释为一个分析性判断。这种观点过于理性主义了。我们的很多被完全认可的情感反应都是先于任何理性重构的,在这样的场合下理性重构只不过是一种理性化罢了。试着为因看到动物受虐待而感到不安给出一个好"理由"吧。我在后面还要回到这一点。

到现在为止,法律制度对于信息或者信念不可能有一个统一政策,它对情感也不可能有,这一点应当是显而易见的。相反,法律规制的行为所具有的情感成分,其意义必然取决于特定法律的目的。以刑法为例。如果一个人假设刑法的基本目的在于限制危险性活动,那么,刑法应当如何对待情感这一问题就要求把情感与危险性联系起来;而且,显然地,这一联系不仅因犯罪而异,而且在同一种犯罪里也不尽相同。在谋杀的场合,强烈情感的存在往往会减轻罪犯的危险性,而强烈情感的缺乏则会加重罪犯的危险性。精神变态的、冷酷无情的"冷血杀手"——比如受雇的杀手——就特别危险。他的杀人倾向并不限于那些非同寻常的情形——在这些情形下他对杀人的自然厌恶崩溃了,就像在大多数激情犯罪的场合中一样;而且,他的冷酷会让他更容易设法逃避抓捕。

似乎犯罪越"情绪化",刑罚就应当越严厉而不是相反,因为在这种情形下更大的刑罚威胁对于阻止可能的罪犯或许是必需的。但这一点是不对的。这不仅是因为抓捕情绪化的罪犯更容易,而且情绪化罪犯再犯的危险也更小(因为其犯罪的情形是特定的,而这一情形不那么容易重现),从而往往抵消了提高刑罚以确保威慑犯罪和剥夺犯罪能力的需要,而且还因为,大多数激情犯罪都涉及受到被害人挑衅这一因素,这也为较轻的刑罚提供了一条理由。[7]不错,较轻的

---

[7] 参见,Alon Harel, "Efficiency and Fairness in Criminal Law: The Case for a Criminal Law Principle of Comparative Fault," 82 *California Law Review* 1181 (1994).

刑罚会增加对挑衅者实施犯罪的可能性,因为它降低了此类犯罪的预期惩罚成本。但是它也通过增加挑衅的预期成本而减少了犯罪发生的可能性。攻击者的预期惩罚成本越少,挑衅者就容易受到攻击,而了解了这一点人们就更不容易挑衅了。如果后一效果(通过抑制挑衅的发生而降低犯罪率)占优势的话,在挑衅的场合下降低刑罚的严酷性就会减少犯罪的数量。

并不是所有的凶手都适合我在前面所描述的两种类型——"冷血犯罪"和"激情犯罪"。"连续作案的"(serial)杀人犯,以及特定类型的性犯罪罪犯(很多连续作案的杀人犯都是性犯罪罪犯),尤其危险,因为他们为一而再、再而三地实施同一种犯罪的强大情感所驱使。他们的情感使得他们更加危险而不是相反,因此他们应当受到更加严酷的刑罚。总之,法律意识到了情感是人类行为的一个维度,但是法律对这一事实的回应却是由适用于特定情形之特定法律的目的所型塑的,而不是由一个高高在上的关于情感的善恶的见解所型塑的。[8]无论是最不情绪化的罪犯还是最情绪化的罪犯,比如在谋杀的场合,可能都是最危险的从而都是最应当受到严酷刑罚的。我承认,这一结论是以刑法的目的是威慑或者避免犯罪为前提假设的。并不是每个人都同意这是刑法的目的。但是不管怎样,我的一般观点就是:不能指望法律绝对支持或绝对反对情感或情绪性。

我被引到了这一问题,即是否应当存在独立的一类"仇恨犯罪",它们较之没有受仇恨激发的同类犯罪是否应当受到更为严厉的惩罚。[9]与大多数情感一样,仇恨在道德上是中立的。其道德不道德

---

[8] 因此,我不同意认为刑法采取了"一种对情感的充满矛盾的态度"这种观点。Dan M. Kahan and Marhta C. Nussbaum,"Tow Conceptions of Emotion in Criminal Law," 96 *Columbia Law Review* 269, 325 (1996). 这种观点暗示着,法律应当下定决心,不论它是支持情感还是反对情感。(而我认为)恰当的态度应当是一种微妙的态度,而不是只能二选一的。

[9] 参见,James B. Jacobs and Kimberly Potter, *Hate Crimes: Criminal Law and Identity Politics* (1998).

(valence)取决于其对象。除非你是基督教的严格主义者,在圣坛上逐字布道并将其作为此世生活的指引而不是(像其意图的那样)为那被笃信即将来临的来世生活作准备,你就不会感到仇恨希特勒或斯大林是不道德的。我还要补充说——我不是道德上的严格主义者——我也不认为仇恨罪犯、玩弄女性的男人、吹牛者甚至乞丐(今天,至少在富国,乞丐大多是骗子)不道德,尽管我还要论证,对于政府官员特别是法官而言,当他们在执行公务时,仇恨任何人都是不对的。激情犯罪常常是由对受害人的仇恨激发的,而如果这一行为的情绪性表明它是由不可能重现的环境的影响引发从而不可能再次发生的话,这一情绪性就可以恰当地作为一种减轻情节。

"仇恨犯罪"一词指的是某种非常特定的内容——罪犯仇恨的对象是(1)一个群体而不是一个个人,(2)这一群体的成员不是不受法律保护的人,因为如果他们不受法律保护的话,对他们的侵犯就不构成犯罪。在这些条件下,加重刑罚也许是有益的,即使刑法所关注的只是危险性。首先也是最不足道的是,目标是群体而不是个人的罪犯可能比一般的罪犯更加危险,因为好像他的目标是更多的人。这一点是可疑的,因为它没有将仇恨罪犯与夜盗者区分开来,对于后者而言,每一处居家或者商用房屋的所有人或占有人都是潜在的受害人。较好的一个论点是,如果特定群体——比如黑人时代(the Jim Crow era)的南方黑人群体——的成员较之其他犯罪的受害人更不容易告发对其施加的犯罪或者更不容易从警察和其他法律执行权威那里获得救济,那么,罪犯对这一群体的成员实施犯罪的预期收益(完全抛开罪犯的情感状态不论)就会增加,而这就使更加严重的刑罚成为正当。[10]第三,如果此类犯罪的受害人在得知罪犯系部分或完全受到对其所属群体的仇恨激发时,心理上受到的伤害更大,或者如果较之由其他条件所激发但与之类似的犯罪,此类犯罪给那些害怕成

---

[10] 参见,Lu-in Wang, "The Transforming Power of 'Hate': Social Cognition Theory and the Harms of Bias-Related Crime," 71 *Southern California Law Review* 47, 57–58 (1997).

为犯罪受害人的人们施加的情感成本更大,或者如果作恶者从犯罪中获得一种体现为提高其在盲目追随者中的地位的额外收益,较重的刑罚就是正当的,第四,仇恨不同于愤怒,它常常是"冷的"而不是"热的"。[11] 因愤怒激发的犯罪所具有的冲动性常常让人更容易理解罪犯,从而这一冲动性就成为较轻刑罚的一个理由。"冷血的"罪犯,更为理智,因而更容易采取有效步骤避免被发现。当然,愤怒常常伴随着仇恨(反之亦然),但并不总是如此。

区分愤怒与仇恨有助于我们区别三种类型的仇恨犯罪的犯罪者:冷血的盲目追随者;冲动的未成年人,事实上他们要对大部分仇恨犯罪负责;[12] 以及极度情绪化的仇恨罪犯,这类罪犯以"同性恋憎恶者"(homophobe)为代表,他们对自己的性取向怀有病态的焦虑,因而会杀死向其提出发生性关系要求的同性恋者。最后一类的仇恨犯罪与激情犯罪相交迭,并提出了对于很多仇恨犯罪而言挑衅是否不应当导致较轻刑罚这一问题。憎恶同性恋的凶杀是一种激情犯罪,与其他激情犯罪一样,它是在特定情形下发生的。但是,在对象并不限于与凶手有直接关系的人这一点上,它又类似于杀害妓女的凶杀,比如后者的对象不限于与凶手有直接关系的通奸配偶。相反,冲动的未成年人可能比同性恋憎恶者更容易通过威慑制止,因为他们的情感并不那么根深蒂固,或者相反,他们可能比同性恋憎恶者更不容易通过威慑制止,因为他们具有青年人的情绪性。

尽管在平均水平上仇恨犯罪较之其他不是因仇恨某一群体激发的类似犯罪更为危险,但是,主张对他们施加更重刑罚的人并没有坚持把更重的刑罚与更大的危险性联系起来。经典的仇恨犯罪是谋杀妓女,比如碎尸者杰克(Jack the Ripper)及其众多仿肖者之所为。因而,对这类谋杀施以比一般谋杀更重的刑罚就可以以相对危险性作为支持理由。然而这并不是主张对"仇恨犯罪"加重惩罚的人使用这

---

[11] 关于一个很好的讨论,参见,Elster,前注[2],页62-67。
[12] Jacobs and Potter,前注[9],页89。

一术语的本意。他们指的是那些针对他们所特别关注的群体——如黑人、犹太人以及同性恋者——的成员的犯罪。[13] "有关仇恨犯罪的法律……体现了身份政治对刑法的影响。"[14] 通过依据受特殊对待的团体而定义仇恨犯罪并因而切断针对群体的仇恨犯罪与危险性之间的联系,这些支持者就在刑法中注入了政治因素,如同苏联提出的"阶级敌人"概念一样。为了维护刑法的政治中立性,如果刑罚分级的适当标准是危险性的话,那么仇恨的存在与仇恨的对象就仅在它们与罪犯的危险性有关的范围内才是有关的。一个由于仇视同性恋者而杀死同性恋者的人比一个杀死给他扣绿帽者的人更危险,但并不比一个由于仇视妓女而杀死妓女的人更危险。只要刑法的量刑充分考虑到犯罪对象与罪犯危险性之间的联系,促使"仇恨犯罪"分级的非政治性关注就会自动地被加以考虑,从而也就没有必要进行这一分级了。

不仅没有必要;而且在此种情形之下,用这一分级来调整刑罚与思想自由也不相符。如果两个犯罪在危险性上根本没有不同而只是其中一个犯罪是由司法权威非难的一种信仰——比如同性恋是罪恶的——激发的,那么,对这一犯罪施加更重的刑罚就是在惩罚信仰,而不是惩罚行为。让我们对两个针对同性恋者的敲诈勒索者加以比较。他们的区别仅在于其中一个纯粹为了金钱而另外一个则部分地由于仇视同性恋者。[15] 第一个敲诈勒索者的敲诈勒索不是仇恨犯罪;第二个敲诈勒索者的敲诈勒索则是仇恨犯罪。对第二个罪犯施以更重的惩罚就是在惩罚(其程度由第二个罪犯所受刑罚超过第一个罪犯所受刑罚的增量部分来度量)有关同性恋的意见。意见引发情感,而情感可能激发行动。正如情感的认知理论暗示的,当一个罪

---

[13] 例如,参见,Kahan and Nussbaum,前注[8],页 269,313 – 314,350 – 355 (1996)。

[14] Jacobs and Potter,前注[9],页 77。

[15] 我假定这两个罪犯的受害人并不知晓罪犯的动机,因为第二个敲诈勒索者所表现出来的对同性恋者的厌恶可能会增加对其受害人造成的心理上的伤害,尽管这一点是很不确定的,正如我们马上将要看到的那样。

犯由于他实施犯罪时所处的情感状态而受到较重刑罚时,我们就可能实际上是在惩罚认知,亦即意见或者信仰,而不仅仅是"原初的"(raw)情感。

最高法院否定了这一进路,他们的理由是,仇恨犯罪造成的伤害比其他犯罪更大,因为它们"更容易激发报复性的犯罪,使受害人遭受明显的情感伤害,并引起共同体的动荡。"[16]然而,第一点,也就是报复,暗示着作为目标的团体越是软弱,引起报复的可能性就越小;从而根据最高法院的分析针对这一群体的犯罪危害性就越小。[17]关于共同体的动荡这一点——假设这一点并不是第一点或者第二点的另一种说法——可能是有效的,但是可能仅仅在关于黑人对白人的犯罪与白人对黑人的犯罪时才是有效的,这些犯罪确实有可能恶化我们已经非常严重的种族冲突。最高法院的关于"明显的情感伤害"这一点可能也有一定的有效性,[18]但是也可能没有,[19]而且无论如何,这一点正是通常最高法院否定的那类为惩罚意见所作的含混而粗糙的辩解。由于你是攻击者仇视的某一群体的成员而遭到攻击,是不是真的就比由于攻击者对你个人的仇恨而遭到攻击更让人痛苦呢?如果你是黑人,是知道一个白人想杀你是因为他仇视黑人更糟糕,还是知道你的儿子想杀你是由于他想继承你的钱更糟糕呢?这些问题的答案将依个案的不同而异,这就让我们对仇恨犯罪的分类是否足以区分出更为严重的犯罪产生了怀疑,更不用说这些分类的任意性以及并没有对这些分类的迫切需要了。相对危害问题可以轻易地在个案中加以解决,或者根据以非意识形态的评价标准——比如联邦量刑指南,该指南要求对以"易受攻击的受

---

[16] Wisconsin v. Mitchell, 508 U. S. 476, 487-88 (1993).
[17] 参见,Jacobs and Potter,前注[9],页88。
[18] 正如 Wang 的论文所主张的,前注[10]。
[19] Jacobs and Potter,前注[9],页83-84。

害人"为对象的犯罪从重处罚——为基础的原则或者标准加以解决。[20]

现在让我们来注意这一矛盾,即当犯罪是谋杀时,对仇恨犯罪的从重处罚更没有意义。因为,受害人常常不会知道谋杀者的动机——事实上,他事先都不知道凶手是谁因此也就不会感到情感上的痛苦(尽管其所属群体的其他成员可能会感到)。有关仇恨犯罪的立法并没有意识到这一矛盾。

简言之,我反对的并不是根据受害人所受的伤害或者罪犯的可威慑性来调整刑罚的严厉性;而是反对为了政治或者意识形态的声明,或者为了调和有政治影响力的集团施加的压力——这跟前者常常是一回事——而调整刑罚的严厉性。意识形态和利益集团政治在刑事司法体系中并没有正当的位置。仇恨犯罪的支持者要反对这一规则就要冒极大的风险。就在不久以前,有关刑罚作用的政治或意识形态观念还证明对黑人、同性恋者以及其他少数群体予以较少的而不是较多的法律保护是正当的。有关仇恨犯罪的法律的支持者可能会反驳说,在以前那恶劣的旧时代里,代表这些群体的刑法执行常常缺乏热情。此话不错。但是,不能充分保护人们免受私人恶意的攻击与让这一恶意成为加重法律惩罚之基础,这两者之间是有区别的。前一实践是错误的;后一实践不仅是错误的而且还确立了一个危险的先例。

所有这些并不是说刑罚不应当给仇恨以及同类的诸如憎恶与反感之类的情感留有位置。我们决不能把罪犯对受害人的仇恨与社会对罪犯的仇恨(或者憎恶)相混淆。后一类型的仇恨至少从三方面而言都是刑事司法的一个不可避免的特征。首先,憎恶是将那些不可

---

[20] 例如,参见,United States v. Lallemand, 989 F.2d 936 (7th Cir. 1993),该判例支持对受害人是同性恋者的敲诈勒索从重处罚,但是,这并非由于被告受到对同性恋者的仇恨的激发(表面看来他的动机纯粹是金钱上的),而是由于同性恋者非常"封闭"(closeted),因而他们不太容易提起控诉,这就减少了敲诈勒索者的预期惩罚成本。

能对人类产生世俗危害的"不道德"行为——比如与动物性交或者虐待动物,亵渎尸体或者公开裸体——作为犯罪的基础。第二,在最高法院所创造的本质上无标准可言的死刑量刑制度下,仇恨引导判处死刑。第三,即使以量刑指南限制司法裁量权在量刑上的运用并且部分地通过消除众多"情感化"因素来实现这一目的,无论是量刑指南的起草者或是在缩小了的领域里行使自由裁量权的法官也都必定会考虑情感因素,比如悔罪表现,而这些情感因素会增加或者减少该罪犯的可责性。

当憎恶足够广泛时,它就成为与切实的伤害一样实在的一个进行法律规制的基础。否认这一点——主张刑法(或者任何法律)的惟一正当基础应当是功利主义或者其他的道德理论——就会夸大道德推理在道德或刑事法典中应起的恰当作用以及实际所起的作用。并非在缺少"理性的"基础时,而是在缺乏一致同意的支持时,道德规制才变得不名誉地政治化或意识形态化起来。正是由于关于同性恋之罪恶的道德舆论的瓦解,才使得反肛交法律成为如今美国刑事司法的一个如此受到怀疑的特征。

在进行这番论证的时候,我是在向道德的表达理论表示同情。一个道德判断表达了对受评价行为的强烈吸引或反感。情感激发的原因不必与道德学家可能给出的任何"理由"有关。理由总是可以提出的,但是它们却有着理性化的味道。论证为什么不应允许父母谋杀婴儿是没有意义的;这就好比向一个认为性令人作呕的人论证他的憎恶没有道理一样。把整个刑法典置于"理性的"基础之上会给我们的道德法典带来灾难。[21]

最高法院以宪法的残酷与罕见之刑罚条款的名义禁止将死刑作为对特定类型之行为的必然刑罚甚至假定刑罚。立法可以明确规定

---

[21] 关于对这种理解道德性的方式的更充分的辩护,参见,Richard A. Posner, *The Problematics of Moral and Legal Theory*, ch. 1 (1999); Simon Blackburn, *Ruling Passions: A Theory of Practical Reasoning*, ch.3 (1998).

那些被告"适合"死刑的特定类型之行为，但是陪审团在决定是否对其施加死刑时可以结合适格被告的个性特征加以考虑。其结果是，死刑量刑听证中的焦点问题就往往变成了到底被告有多么可恨。被告律师试图把被告描述为病态的、缺少必要教育的、或者悔过自新的，而检察官则试图把被告描述为邪恶的和不思悔改的。由于邪恶的道德分类、疯癫的医学分类以及缺乏教育的社会心理学分类全都交迭在一起，而很多凶手又被认为是处在重叠领域，因此陪审团在死刑案件中常常是完全依据他们自己的方法来决定是否宣判死刑。

法官和陪审员要求被告表现出悔过之意，[22]也就是说，认识到他们作了错事并且为其错误及其对受害人造成的后果表示悔恨。但是，悔过是一种内在精神状态，因此，司法体系对被告确有悔过之意而不只是法庭上的策略表现不可能有很大把握。而且，被告对其行为接受的责任越大——这表明了其悔过之意，就使得其行为越邪恶，从而使行为者（被告本身）显得越邪恶，因为这样一来他就把自己的行为描述为自己堕落的意志而不是邪恶的激情、缺乏教育的成长环境、强迫性生理需求抑或精神病学上的疾病的产物。[23]在死刑案件中，由于复杂的量刑听证程序，被告有时候要采取一种双轨策略：他要在自己的证词中对自己的罪行承担全部责任，而他的"减刑专家"则要提出证据表明被告对自己要求过于严苛、事实上被告的罪行是外界环境而不是其堕落意志的产物。那些不相信自由意志是一种先验实在的人会认为，被告显示其悔过之意的惟一意义就在于表明他并不是公开反对法律制度的反叛者——这一点会使他更为危险，比方说并且有迹象表明：一旦从监狱获释他很容易再犯更多的罪行。

在对仇恨犯罪的讨论中，我强调了把刑法的基础置于阻止或避

---

〔22〕 例如，参见，Todd E. Hogue and Jason Peebles, "The Influence of Remorse, Intent and Attitudes toward Sex Offenders on Judgments of a Papist," 3 *Psychology, Crime and Law* 249 (1997).

〔23〕 这是实行联邦量刑指南中的"责任接受"这一从轻情节时所面临的一个严峻问题。参见，United States v. Beserra, 967 F.2d 254 (7th Cir. 1992).

免施加未被证明为正当的世俗伤害上,而不是用法律来推行关于政治上正确的行为的通行想法或者使死刑施加随意化。但是现在,我们看到,考虑到那些我们希望体现在法律中的我们最深层的道德直觉缺乏功能上的正当化根据,我们无法在什么是刑罚的适当范围这一观点上走得太远。

在使用蒙羞刑(shaming penalties)上,新近的兴趣主要是各种形式的示众,例如要求一个被判有罪的性侵犯者在其前院贴出一份海报,或者在其汽车的保险杠上贴上一片粘纸片,写上"我是一个被判有罪的性侵犯者",或者要求一个故意破坏他人财物者穿着囚服打扫人行道。这使得另一个有关法律对情感的态度问题成为焦点。这一问题就是,法律在什么时候应当引入情感状态作为刑罚的一个成分。蒙羞刑令人回想起一段很长的关于旨在羞辱并贬低罪犯尊严并且威慑或恐吓旁观者的公开刑罚的历史。随着监狱在19世纪的出现,其结果是刑罚现在通常虽不是非常秘密地执行至少也是在公众的视野之外执行,这一历史似乎在很大程度上要结束了。[24]但是,监禁变得如此昂贵,所以重新激发了人们对选择性刑罚包括蒙羞刑的兴趣。[25]由于人们可以被迫遭受"情感痛苦"(有意地施加这种痛苦构成侵权,除非是立法用它来惩罚罪犯!),蒙羞刑就是一种对被判有罪的罪犯施加负效用的方式。立法不是剥夺罪犯的自由,而是让他们经受耻辱。这种方法与监禁一样,可以施加相同的负效用,从而取得

---

[24] 关于这一故事的生动描述,参见,Michel Foucault, *Discipline and Punish: The Birth of the Prison* (1977).

[25] 例如,参见,Dan M. Kahan, "What Do Alternative Sanctions Mean?" 63 *University of Chicago Law Review* 591 (1996); Kahan, "Social Meaning and the Economic Analysis of Crime," 27 *Journal of Legal Studies* 609 (1998); 关于对此的批评,参见,Toni M. Massaro, "The Meanings of Shame: Implications for Legal Reform," 3 *Psychology, Public Policy, and Law* 645 (1997); James Q. Whitman, "What Is Wrong with Inflicting Shame Sanctions?" 107 *Yale Law Journal* 1055 (1998).

相同的威慑犯罪的效果,而成本更低。

"蒙羞刑"这一术语是一个使用不当的词。它们常常被用来使人羞辱(humiliate)而不是蒙羞(shame)。当一个人被圈内人士、他所崇拜的人(经常就是他的近亲属)发现参与了与其所属团体的规范不相符的行为时,他会蒙羞。揭露就是一种羞耻,而你并不会在他的头上扣一顶高帽子。高帽子的目的是羞辱人,是让人成为公众耻笑和诅咒的对象。然而,在受到压力时,蒙羞刑的现代支持者就往往退回到各种形式的示众,例如保险杠上的粘纸片与张贴于前院的标志,将它们作为首选的"蒙羞"刑,而处罚越是仅涉及到揭露,使用"蒙羞"这一术语才越适当。这里也涉及到羞辱,但不涉及表现为高帽子的故意的"加码"(piling on)。

对既涉及蒙羞又涉及羞辱的揭露刑的另一种解释应当予以注意。对隐私的法律保护削弱了社会规范的规制作用,因为这样的规制取决于违法行为能够被大众、即放逐者(规范执行者)发觉。因此,剥夺隐私就是一种在行为控制上寻求加强规范之有效性的合理方法。但是,这样的剥夺会产生蒙羞和羞辱的结果,即使并不是有意的。[26]

尽管蒙羞、羞辱或者纯粹的揭露刑都不昂贵,但是仍然有一些反对观点。一种观点认为,在一个多半犯罪或至少多半被发现的犯罪都由黑人或者西班牙人所为而刑事司法体系却由白人和安格鲁人主导的社会里,对罪犯施加耻辱性刑罚可能会使本已极为严重的种族和民族紧张进一步恶化。另一种担心是蒙羞刑支持者对刑罚的表达或信号功能令人吊诡的缺乏敏感。刑罚在我们的文化中要发出的一个重要信号是,官方尊重哪怕是社会下层中的最下层——亦即仇恨罪犯——的尊严。这就是为什么注射刑不能采用注射鼠毒的方式。在我们的社会里,罪犯并不是——用卡尔·施密特(Carl Schmitt)的不吉利的措辞——"内部敌人",要用我们对外部敌人的全部考虑加以

---

[26] 第9章还要对羞耻和社会规范进行更为详细的探讨。

对待。他们是社会共同体的边缘成员。像对待儿童或动物那样对待他们,会在我们的公共政策中加入一种"我们—他们"的想法,而历史表明[27]这一想法会导致粗暴的监狱环境、简化的司法以及残忍的刑罚。让私人去仇视罪犯就可以了;刑事司法体系的公务人员不应当仇视罪犯,至少不应当把对他们的仇恨表达出来。

反对蒙羞刑的另一个理由是,在监禁的威胁起到威慑犯罪作用的同时,只要罪犯一直呆在监狱里,监禁本身就可以避免犯罪。当公开羞辱代替全部或者部分徒刑时,这种预防作用就丧失了。如果没有替代——如果蒙羞刑是作为徒刑的附加刑,以增加宣判刑的严厉性——也就不会节约成本,尽管在威慑犯罪方面可能会有所收获。

预防犯罪的作用可能不会完全丧失。张贴于性犯罪者住所外的标志不仅起到羞辱罪犯的作用,同时还起到警告潜在的受害者远离罪犯的作用。但是这种预防作用将小于监禁,除非警告有效存续的期限大大地长于其替代的监禁期限,因为不是所有潜在受害人都能知道这一警告或相应地采取有效预防措施。这就意味着最有效的蒙羞刑是那种附加于一般徒刑执行完毕后的附加刑。但是,我再次重申,在这种情况下,除了蒙羞刑的示众效果因警示潜在受害人或加大威慑而减少了累犯外,亦即蒙羞刑使刑罚更为严厉从而减少犯罪的数量并因此减少监禁罪犯的总成本外,这样做并不能节约监禁的成本。而延长徒刑刑期也能取得同样效果。因为,认为延长刑期必然会使监狱人数增加的想法是错误的。这一假设忽略了监禁的威胁具有威慑犯罪的效果。

例如,如果刑期延长1%会导致犯罪率降低2%,那么,在其他条件不变的情况下,监狱人口就会大致减少1%。假设在时间 t 上,在刑期延长之前,罪犯人数为200人,其中一半(100人)被捕并被判刑,平均刑期为100个月,那么监狱体系必须承担的人数-月份数就是10 000。如果在时间 $t+1$ 上,由于较长的刑期产生的威慑犯罪的效

---

[27] 但是,我们不要忘了过分依赖历史类比的危险。参见第4章。

果,只有196名罪犯了(减少了2%),其中一半(98人)被捕并被判刑,平均刑期为101个月,那么人数－月份总数就从10 000下降到了9 898。

另一个反对蒙羞刑的理由是,如果蒙羞刑的负效用对不同人的方差比剥夺自由的刑罚的负效用对不同人的方差更大,那么,校准蒙羞刑的时间表就更加困难。这种困难在采用不只一种蒙羞刑时特别容易发生。

我曾说我要在本章中论及的第三个问题是司法官员——包括法官也包括陪审员——的恰当的情感状态。他们是否并在何种程度上应当把自己的情感搀杂进案件?一个形式主义者,亦即以解决逻辑难题或者数学问题的模式来考虑法律分析的人,可能会回答,"完全不应该"。这可能不完全对,即使是在形式主义前提下。解决最困难的、电脑都无法解决的逻辑和数学问题,可能会需要诸如惊奇、欣喜和骄傲等等的情感;回想一下我在前面所说的情感对于决策的不可或缺。然而,一些最强烈的情感,比如愤怒、憎恶、愤慨以及热爱,可能是不合适的。它们可能不仅会阻碍解决问题的进程而不是提供有效的捷径,而且可能通过剥夺人们依法有权享有的救济而在法律中引起重大扭曲。热爱诉讼当事人之一可能会阻碍法官正确思考问题,而且还可能引导法官作出不公正裁决,尽管他的头脑很清楚。

那些提出困难法律问题的案例——这种难不仅表现为分析的复杂性而且表现为理性的不确定性——显然不能完全脱离道德感受或政治偏好而得到解决。在这些案例里,一块较为丰富的感情调色板似乎是适当的,或至少是不可避免的。在某种程度上,这一点是对的,特别是对像我一样持一种本质上情感主义道德观的人而言。但是在决定疑难案例时,过分的情绪性必须否定。决定的任务越不确定,"客观"(在缺乏感情的意义上)因素对于不适当情感的抵抗力就越弱。大多数人都可以正确计算2+2而不论其情感状态如何,但是在面对更大的智识挑战时,人们的回答可能受情感"影响"的危险也更大了。这是支持那些用来限制法官在案件中的情感卷入(emotional involvement)的规则的一个理由,比如禁止法官审理其近亲属是一方当事人或是律师的案件,或者与其有经济利害关系的案件。

即使是在简单案件里,合理司法决策需要的情感也往往要比完成非对抗性任务需要的更多。特别是,它可能需要愤慨与移情。愤慨是人们对违反其所属社会的道德规范之行为作出的通常反应。更为重要的是,愤慨常常是一种识别违反行为的方式。正如我在讨论违背道德行为的情感基础时暗示的,为一条道德规则——包括法律对违反该规则附加了制裁的道德规则——给出一个有说服力的理性根据常常很难。这一点千真万确,无论是反对在公共场所小便或者手淫的规则,还是反对公开裸体、反对肛交、反对一夫多妻或者一妻多夫、反对杀婴、支持或者反对堕胎、反对非自愿安乐死、反对与牲畜或者与死人性交、反对虐待动物、反对卖淫和淫秽、反对赌博、反对自我奴役、反对公开执行死刑、反对将残害肢体作为刑罚的一种形式、反对贩卖或使用某些会改变精神状态的物品(而不包括其他一些),抑或反对某些形式的差别待遇(而不包括其他形式)的规则。我们"知道"在公共场合小便不好,只是因为我们强烈的反感这种想法。我们很多其他的道德确信也同样地拒绝反思或重新审视,因为它们都体现在顽固的、说不清楚的情感里。而很多这样的非理性确信又体现在法律中,并强加给那些并不分享这些确信的人,或者更为普遍的情况是,强加给那些因从法律禁止的行为中获得效用而不依此确信行事的人。

因此,我把情感的认知意义看得非常重要,以至于我不愿意让理性成为审查情感并决定法律应当鼓励(也许是容忍,但不是憎恶)什么的裁判者。我们的很多道德规则的基础都是情感,而不是评价情感的理性。假设某一法律规则——像很多法律规则一样,其目的在于对违反某一道德规则施加制裁,而该规则缺乏可靠的社会功能意义上的正当化理由——在一位没有情感的法官面前受到了挑战。这位法官将很难驳回这一挑战,因为他没有也无法获得支持这一规则的有理性说服力的根据。这一规则(假设是反对母亲杀婴的规则)会给他武断的印象,但是一个有通常情感天赋的人却会坚决地驳回这一挑战,因为他的情感告诉他要这样做。如果你像我一样认为,废除其所在社会的道德法典,或者同样地,坚持要求这一道德法典令人信服地理性化,都不是法官应当做的事,那么,这就是正确的回答。

当法官面对一个不能以纯粹形式推理作出判决的案件时,他要感受的另一种重要情感就是移情或者同感(fellow feeling)。移情是关于情感的认知特性的最好例子之一。移情中的认知因素在于,想像另一个人的处境;其中表达情感的因素,亦即使移情成为一种情感而不仅仅是理性的一个维度,就是感受那个人因其处境而产生的那种情感状态。我的论点不是法官应当偏向案件中更强烈地拨动其心弦的那一方当事人。实际上恰恰相反。移情在执行司法职能中的重要性就在于使法官认识到不在场的当事人的利益,换言之(用作为下一章的主题的认知心理学的术语来说),就是防止"有效启示"。这是指一种倾向——我们在一开始讨论"情绪性"时就谈及了这一点——即,太看重生动而直接的印象,比如说亲见优于叙述,从而太强调法庭上的当事人的感受、利益和人性,而太忽视可能受判决影响的不在场当事人。

有效启示是认知心理学家指出的存在于推理中的一长串扭曲中的一个。它们也不是全都涉及情感。直木棍在水中呈现的扭曲外观就是一个与情感或者情绪无关的感性扭曲的例子。有效启示与把情感认知与"纯粹"认知区分开来的那条线相交叉;它对与回忆或遗忘事件的情绪性无关的一些记忆花招影响颇大。但是,当受到某一情形的具体特征的情感冲击激发时,它就很恰当地被视为有关情感与理性冲突的一个例子。它的运作可以用围绕堕胎进行的辩论予以说明。在为早期的胎儿做超声波图像成为普遍之事以前,这种启示有利于堕胎权支持者,因为他们可以讲述生动的故事甚至拿出那些因拙劣的非法堕胎而死亡的妇女的照片,然而堕胎的"受害人",即胎儿却从人们的视野中隐去了。超声波让胎儿变得可见,这就取消了堕胎权支持者因有效启示而享有的修辞优势。

有效启示容易导致目光短浅的司法判决,无论是对以动人言辞请求宽恕、而受害人却因死亡不能提出反请求的凶手给予过于宽大的处理;还是为了保护承租人权利而无视这会对其他承租人将必须支付的租金产生的影响,因为房东会把法庭造成的较高房屋租赁成本算在其他成本中,并把其中一部分,甚至可能是一大部分,以更高租金的形式转嫁到承租人身上;抑或是为一个挣扎中的公司免税,而忽视其他企业将因此必须支付更高赋税并会把一部分增加的成本转移给消费者。无需太多东西,你就可以以移情方式为一个表现出色的诉讼当事人的请求打动。挑战这种移情想像力就应当考虑或者阅读这一诉讼带给将因你的判决而受影响的不在场的——常常是完全不为人知的甚至尚未出生的——其他当事人的后果。法律的经济学进路是移情的,因为,尽管它并不展示情绪(相反,因为它并不展示情绪),它却把不在法庭上的人——比如谋杀者的未来受害人、未来纳税人和未来消费者——的较远的但累积起来具有重大价值的利益引入了审判过程。正如莎士比亚让安格鲁(一个法官的角色)在《一报还一报》中针对伊莎贝拉恳求赦免她弟弟的请求所说的,"我在秉公执法的时候,就在大发慈悲;因为我怜悯那些我不知道的人,若我网开一面他们以后就会备受这一罪行的折磨。"[28]

在司法的超然与司法的移情之间并不一定存在紧张。当超然涉及在法官与当事人(以及证人和其他在场的人)之间制造一段情感距离,以便创造空间为富于想像力地重建潜在受到法官决定影响的那些不在场者的感受和利益时,超然并不是"冷漠"。法律制度给这一移情上的超然所起名字是"司法气质"(judicial temperament)。与案件的最直接方面有情感牵连而无视不在场当事人的利益的法官被认为缺少司法气质;最近的一个最著名例子就是已故的最高法院大法官哈里·布莱克门。对表现出情感主义的对立形式——以对面前的当

---

[28]《一报还一报》,第二部,第三幕,第 127—129 行。

事人保持完全的、非人性的冷漠为骄傲——的那些法官,我们还没有一个正式的称谓。但是这样的法官是不值得钦佩的。

作为对我将在第 12 章中进行之讨论之预备,我现在提出应该怎样让证据规则帮助司法工作人员达致前一部分勾画的适当情感状态这一问题。我们可以考察死亡案件中的"受害人影响"(victim impact)陈述而使这一问题集中化。在最高法院认定此类案件中的被告可以提出旨在吸引陪审团慈悲感的证据之后,这个问题就出现了。如果最高法院仅停留在此而不允许受害人的家人和朋友也提出类似证据——那些旨在引起对于受害人的同情的证据,就像被告试图为自己引发慈悲一样——的话,最高法院就会扭曲移情考量的过程。可怜地乞求活命的被告就可以带着可感知的人性站在法官和陪审团面前,而已经死亡并且消逝的受害人则无法被看到了。想一想《尤利乌斯·凯撒》中安东尼在凯撒的葬礼上展示凯撒的尸体并让凯撒的伤口为其辩护的例子。这是有关受害人影响陈述的一个早期和虚构的例子,但是它说明了其要义:生者遮蔽了亡者与不在场者。受害人影响陈述就是试图恢复这一平衡;它与我前面所举的胎儿超声波照片的例子一样。任何一个真正关心有效启示对判决的扭曲作用而不只是关心死刑执行数减少的人,都应当赞同最高法院作出的承认受害人影响陈述的判决。[29]

然而,有人辩称,既然陪审团在法庭审理的定罪阶段就会得到有关受害人的大量信息,因此,与受害人有关的证据在量刑阶段就多余了。[30]但是,这一点同样适用于谋杀者,在定罪阶段辩护律师就已

----

[29] Payne v. Tennessee, 501 U. S. 808 (1991).

[30] 对于这些以及其他反对受害人影响陈述的论证的概述,参见,Note, "Thou Shall Not Kill Any Nice People: The Problem of Victim Impact Statements in Capital Sentencing," 35 *American Criminal Law Review* 93 (1997). 还参见,Susan Bandes, "Empathy, Narrative, and Victim Impact Statements," 63 *University of Chicago Law Review* 361 (1996); Martha C. Nussbaum, "Equity and Mercy," 22 *Philosophy and Public Affairs* 83 (1993).

经试图把他置于同情的目光下了。而且,很多受害人影响之证据都涉及到受害人死亡对生存者的影响,而这样的证据不能出现于定罪阶段。而且,到了证据确系多余的程度时,证据的情感力量——反对的焦点——就会削弱。

有人认为受害人较之谋杀者更可能来自与陪审员相同的生活等级,因此陪审团在理解贫困或者缺少教育或者歧视等有可能迫使谋杀者犯罪的可能的减轻情节时需要额外的帮助,这一观点也没有说服力。如果推向极端,这一论调意味着,在受害人属于富有等级而陪审员与谋杀者属于中等收入等级时,就应当允许提出受害人影响的证据而不允许提出减轻情节的证据。在更为一般的意义上,这一论调意味着把诉讼程序同与美国意识形态格格不入的等级因素纠缠在一起。无论如何,大多数谋杀都在发生于同一社会等级——过去常常被称为"下层等级"——的成员之间。大多数谋杀的受害人都有着与谋杀者一样的贫困背景,因此,禁止受害人影响陈述实际上就是惩罚守法的穷人。没错,允许受害人影响陈述"歧视"了那些没有亲爱亲属的谋杀受害人,因而它可能被认为会使贫穷而无亲无友的人的生命廉价,并放大了社会等级对于刑罚的作用。但是,这一点并不支持排除受害人影响陈述,而是支持指定无亲无友的受害人的诉讼代理人,使之成为被杀者尤利乌斯·凯撒的安东尼并让凯撒无言的伤口说话。排除受害人影响陈述可能会挽救少数杀害富人和名人的谋杀者的性命,但却会使穷人和小人物的命更不值钱,因为它减少了处决杀害这些人的谋杀者的可能性。

认为受害人影响陈述会投合陪审团的复仇感而不是"更高尚的"怜悯情感,也不是反对受害人影响陈述的一个好的理由。怜悯只是在它更不自然[31]和更不实际的意义上比复仇更高尚。在这两方

---

[31] 不是非自然的;它与利他主义紧密相关,而且我们知道,有一些情形会产生甚至是对陌生人的利他主义的冲动。然而,"怜悯"这个词却常常被用来指那种与基督教的道德教义相联系的极端的利他主义。

面,它都对我们的现代道德严格主义者(很多是在学术界)更有吸引力;与早期的基督徒一样,他们过的是(今天,他们更可能只是主张——俗话说,"思想左派,生活右派")一种与大多数人不一致的并且如果有足够多的人坚定拥护就可能使社会嘎然停滞的生活,以此试图让自己远离芳草的诱惑。复仇是值得怀疑的,但它并不是不理性的。[32]复仇文化连同它激励的夸大地和危险地强调荣誉(对我们而言),在法律薄弱或者不存在的时间和地点是理性的,虽然它的理性依赖情感来创设对于一个分散的纯粹非正式执行体系之运转非常必要的坚定承诺。这一体系在美国南方一直延续到今天(尽管是以大为削弱了的形式),[33]似乎让人费解。可能有人会认为,因为南方的暴力发生率显著地高于北方,因此,如果旧南方的荣誉法典的遗迹[34]能够彻底清除,南方的境况会变得更好。不尽然;我们可能不得不看到,如果没有荣誉法典,暴力发生率会达到何等水平。也许,在南方各州,犯罪的需求相对于刑事司法体系的资源来说太大了,以至于荣誉法典继续发挥着基本的威慑犯罪的功能。

我们注意到,生活在联系紧密的家庭内的南方人比不生活在联

---

〔32〕参见,Robert L. Trivers," The Evolution of Reciprocal Altruism,"46 *Quarterly Review of Biology* 35,49 (1971); J. Hirshleifer, "Natural Economy versus Political Economy,"1 *Journal of Social and Biological Structures* 319,332,334 (1978); Richard A. Posner, *The Economics of Justice*, ch. 8 (1981) ("刑罚的报应与相关概念");Posner, *Law and Literature*, ch. 2 (修订版与放大版,1998); Robert M. Axelrod, *The Evolution of Cooperation* (1984); Chirstopher Boehm, *Blood Revenge : The Enactment and Management of Conflict in Montenegro and Other Tribal Societies* (1984); Robert H. Frank, *Passions within Reason : The Strategic Role of the Emotions*,页1-70 各处 (1988); William Ian Miller, *Bloodtaking and Peacemaking: Feud, Law, and Society in Saga Iceland* (1990); David J. Cohen, *Law, Violence, and Community in Classical Athens* (1995); Dov Cohen and Joe Vandello, "Meanings of Violence,"27 *Journal of Legal Studies* 567 (1998); Steffen Huck and Jörg Oechssler, "The Indirect Evolutionary Approach to Explaining Fair Allocations,"28 *Games and Economic Behavior* 13 (1999).

〔33〕例如,参见,Cohen and Vandello,前注〔32〕。

〔34〕关于这一点,参见,Jack K. Williams, *Dueling in the Old South: Vignettes of Social History* (1980).

系紧密的家庭内的南方人更重视荣誉法典,这是很有趣的。[35] 这一模式具有很好的经济学意义。关于复仇的文学强调家庭在使报仇之威胁可信上的重要性。一个没有家庭的被谋杀者无人替他报仇,因此,在复仇文化中,谁若不是联系紧密的家庭的一员,他的成本就会非常高。那些脱离家庭的南方人大概有其他可以代替荣誉法典的自我保护手段。

除了那些可以解释荣誉法典在南方得以延续的不管是什么的条件之外,某种程度的复仇情感仍然是控制和威慑罪犯及其他反社会行为所不可或缺的。如果没有这一情感,就只有相对极少的犯罪会被告发,从而威慑作为社会控制的一种方法就常常会失败。过量的怜悯可能与过量的复仇欲一样对社会是破坏性的。作为圣坛教义的"转过另一边脸"*的道德,并不是生活的实际法则。因此,对受害人的怜悯就意味着对罪犯的严厉,而对罪犯的怜悯则意味着增加犯罪受害人。天平两端都有怜悯,但是,在其中一个托盘上还有正义,而另一个托盘上则是——促成片面、短视、感情用事的刑事实践的有效启示。

我并不是在辩称,法律应当总是为诉讼中的情感诉求大开方便之门。为了既把仇恨在量刑过程中的运用减到最少而不倾斜受害人与谋杀者之间的天平,又减少刑事活动的长度和成本,可以支持禁止受害人影响陈述和被告的乞求怜悯的请求。而且,的确存在会损害而不是帮助认知过程的情感诉求,比如,控方不是为了证实受害人影响而是为了证实有罪(这一问题常常与照片无关)而想作为证据提出的谋杀受害人的可怕照片。情感认知理论家虽然正确指责了过分的理性与情感的两分法,但他们也应当第一个承认,情感可能成为理性过程的障碍并产生可避免的错误。

---

〔35〕 参见,Cohen and Vandello,前注〔32〕,页582。
* 出自圣经,有人打了你的左脸,转过你的右脸。——译者

在社会进化中,法律取代复仇成为威慑和矫正各种侵犯社会合作规范的主要方法。从这一角度来看,法律诉讼不过是决斗、世仇、打架和战争的低成本替代。法律疏导、教化、克服但并没有消除人们在认为自己的权利受到侵犯,或者自己的利益受到那些指控他们侵犯了他人权利的人的威胁时感到的愤怒和愤慨。但是,在一个像美国这样的法律制度中,法律纠纷的数量比起法律制度为纠纷解决提供的资源来说太大了,因而,这些纠纷中的大部分都必须以某种方式在从起诉到审理到穷尽所有上诉救济的整个诉讼过程完成之前得到和解。幸运的是,有强大的激励因素促使人们一有机会就进行和解:诉讼比和解昂贵得多,大多数人都是风险规避者,因而他们更喜欢确定,而不是运气。即使没有风险规避(但假定是风险中立的而不是风险偏好的亦即热衷赌博的),所有的案件也几乎都会得到和解,如果当事人对若案件不和解则可能作出怎样的判决达成一致的话。假定他们同意,如果案件付诸判决的话原告有 50% 的赢得 10 万美元的概率,继续诉讼对每一方当事人的成本都是 1 万美元,而和解对每一方的成本只有 2 000 美元。那么,原告继续诉讼的预期收益就是 42 000 (100 000 × 0.5 − 10 000 + 2 000)美元,[36]而被告的预期成本为 58 000(100 000 × 0.5 + 10 000 − 2 000)美元,因此,在 42 000 美元与 58 000 美元之间的任何价格上,双方当事人的处境都可能因和解而改善,而且他们大概也可以通过谈判在这一相当宽阔的范围的某一点上达成一致。

主要的危险在于,他们无法对如果案件一直进行到判决时结果会怎样达成一致的估计。具体的危险则在于每一方当事人都会夸大自己胜诉的概率,因为,这种"相互的乐观主义"的情形会压缩甚至消除一个重叠的和解范围。法院的反应并不总是容易预测的,而由于审理过程中出其不意具有的价值,当事人经常会基于战略考虑而保留自己占有的那些可以帮助其对手对继续诉讼可能产生的结果作出

---

[36] 因为如果不进行和解就可以节省和解的费用。

更准确猜测的信息。而且,每一方都可能不愿意第一个提出和解建议,以免这一建议传递出弱势信号从而让另一方当事人提高和解条件。如果当事人的头脑被情感特别是被那些典型地由激烈争斗激起的情感类型笼罩时,双方当事人的估计趋同,以及在趋同的前提下为在重叠的和解范围内达成一个一致同意的和解点而进行谈判,就都更不可能了。愤怒引起正直,而正直感有可能增加对司法部门——作为正义的库房——会作出有利于自己之裁决的确信;它还让人很难察觉对方当事人立场的优劣。在这两方面,愤怒都可能强化有关诉讼结果的相互乐观主义,从而减少和解的概率。

在和解谈判中使用调解人,是法律制度越来越频繁地试图用来处理阻碍和解的信息、战略以及情感问题的一种设置。调解人是一个中立的第三方,与仲裁员(私下的法官)不同,他没有决定权。因此,他似乎没有能力促成和解。然而实际上,调解处理了我所识别的全部三个问题。因为,调解人通常分别会见双方当事人并且与他们的讨论是秘密的,因而他们对他很可能比他们彼此之间更加坦诚,所以,他较之双方当事人就处于一个能够对当事人各自见解的真实优势与弱势形成更为准确印象的位置上。而且,由于他可以提出和解建议,当事人就不需要了解一项提议是自己发出的还是调解人发出的(从而,是哪一方首先提出和解的提议因而发出了弱势信号),因此,与直接向另一方当事人提出建议比起来,他们更有动力向调解人提出建议以(暗地里)传达给另一方当事人。最后也可能最重要的是,调解人不是双方当事人愤怒的对象。他的存在是一个缓和因素,并鼓励各方当事人现实评价若诉讼继续其胜诉的机会。而且,当他分别与各方当事人谈判并因此遮蔽了各方对另一方的愤怒时,双方当事人就可以谈判达成和解而从不必走进同一间屋子。

第八章

行为主义法律经济学

有一篇论文为本章的讨论提供了基本尽管不是唯一的文本,在这篇文章中,克里斯汀·卓尔斯(Christine Jolls)(经济学家和律师),卡斯·桑斯登(法律人)和理查德·泰勒(Richard Thaler)(经济学家)努力用行为主义经济学的洞察——心理学在经济学中的应用——来改进法律的经济分析,他们认为法律的经济分析因奉行理性人假设而受到阻碍。[1]既然 JST 三人不无公道地抱怨经济学家与有经济学头脑的法律人不能总是清楚解释他们所说的"理性"所指为何,就让我在一开始就解释清楚我用这个词的意思:为了选择者的目的而选择最佳的可用办法。例如,一个想保暖的理性人会根据成本、舒适程度以

---

[1] 参见, Christine Jolls, Cass R. Sunstein, and Richard Thaler, "A Behavioral Approach to Law and Economics," 50, *Stanford Law Review* 1471 (1998)(以下称"JST"),转载于 *Behavioral Law and Economic* 13 (Cass R. Sunstein ed. 2000);及该书中的其他文章;Jolls, Sunstein, and Thaler, "Theories and Tropes: A Reply to Posner and Kelman," 50 *Stanford Law Review* 1593 (1998); Sunstein, "Behavioral Law and Economics: A Progress Report," 1 *American Law and Economics Review* 115 (1999); Jon CD. Hanson and Douglas A. Kysar, "Taking Behavioralism Seriously: The Problem of Market Manipulation," 74 *New York University Law Review* 630 (1999); Russell B. Korobkin and Thomas S. Ulen, "Law and Behavioral Science: Removing the Rationality Assumption from Law and Economics," 88 *California Law Review* 1051 (2000). 有关行为主义经济学对法律的经济分析的含义的早期讨论,参见, Thomas S. Ulen, "Cognitive Imperfections and the Economic Analysis of Law," 12 *Hamline Law Review* 385 (1989).

及效用与负效用的其他维度来比较他所知的各种可供选择的保暖办法,并从中选择那个可以粗略地定义为以收益对成本的最大边际效益获得温暖的办法。理性选择并不必然是有意识的选择或者必然需要大费脑筋。至少在理性定义为以最少成本达到目的(对老鼠而言是生存或者繁衍)时,老鼠与人类同样是理性的。强调这一点尤为重要,即理性既不需要完全信息也不需要凭着可获得信息进行完全没有错误的推理;信息的获得(特别是及时获得)是昂贵的,及时并集中处理信息也是昂贵的,因此一个人有时基于不完全信息行事或者有时利用心理捷径包括我们在前一章中所考察的理性的情感化短路,并不是不理性的,尽管这样做可能产生错误的结果。我们会看到,这些问题可能会使区分对经济或法律行为的行为解释与非行为解释变得困难。

行为经济学家不是挑战人类行为理性模式的惟一来源,虽然他们最复杂细致。那种认为理性模型实在太"冷酷"了的观点非常普遍和强大,尽管我们在第7章中已经看到,"情感的"行为常常可以被赋予一个理性的说明,并且,尽管把模型与描述相混淆并因模型不同于描述而谴责模型是一个基本的错误。因此,我想稍微离开 JST 三人的文章而先简要地考察两个有关与行为主义者强调的认知扭曲毫无关系的表面不理性的例子。第一个例子是最近在巴尔干半岛以及非洲与亚洲部分地区表现非常激烈的种族仇恨现象,这一现象似乎让任何理性解释都无能为力。正如提莫·库仁(Timur Kuran)所解释的,在从前爱好和平的南斯拉夫人中造成迅速升级的种族暴力的"一窝蜂作用"(bandwagon effects)很可能每一步都是理性的,尽管其结果对于身陷其中的每个人都是灾难性的。[2]铁托(Tito)死了,种族团结的收益由于中央政府稳定的不确定性上升了,同时种族团结的成本

---

[2] Timur Kuran, "Ethnic Norms and Their Transformation through Reputational Cascades," 27 *Journal of Legal Studies* 623 (1998). 又参见, Eric A. Posner, "Symbols, Signals, and Social Norms in Politics and the Law," 27 *Journal of Legal Studies* 765 (1998).

由于其不再受惩罚而下降了。一些南斯拉夫人非常强烈地感到种族问题(他们也许有很好的理由,尽管可能是完全自私的理由),并且他们现在可以自由地表达自己的感受。在这样的情况下,比方说对于那些实际上不关心种族问题的塞尔维亚人而言,向对他们最具价值的互动团体——这一团体还包括塞尔维亚人中那些热衷于种族问题的少数人——表达忠诚的净成本就下降了。随着越来越多的塞尔维亚人对塞尔维亚事业表示忠诚,其余的塞尔维亚人承受的表达这一忠诚的压力就变大了,因为坚持不合作者越少,这些人就越容易被辨认出来并被作为不遵守传统规范者而遭到排斥。正如库仁表明的,通过这一过程,即使一个无明显种族团结的平衡状态发生一个相对轻微的失调,也会很快地让步于一个致命的种族对抗的平衡状态。

我的第二个例子涉及哲学家伊丽莎白·安德森(Elizabeth Anderson)提出的论点,即理性选择的经济学家都抱着不可救药的非现实主义而致力于假定每个人都是"一个 A 型人格,他不屈从于社会习俗、传统甚至道德",相反,"他是自治的、自立的、始终如一的、沉着算计的"。[3]这种关于理性选择理论的观念意味着,把许多公开地反对 A 型人格模型而赞成强调利他主义、有限信息、习惯和情感的人类选择模型[4]的那些著名的经济学家——比如加里·贝克尔——排除在经济学家之外,并导致安德森得出这样的结论,即:一个承认天主教会权威的人是不理性的,因为 A 型人格不会接受别人的引导。她或许还会说,让她承认高能物理权威或者让一个学钢琴的学生承认其老师的权威也不理性。

我这里批评的安德森论文的大部分都集中批评克里斯廷·露科

---

〔3〕 Elizabeth Anderson, "Should Feminists Reject Rational Choice Theory?"(1997 年 4 月 19 – 20 日芝加哥大学法学院举办的社会规范、社会意义与法律的经济分析大会上提交的论文)

〔4〕 我还要加上一点,即 A 型人格也不是沉着理性的,他们实际上也是极度情感化的甚至自毁的。然而即使是 A 型人格的人——可能说工作狂更好——也可以被有益地用经济学的术语加以模型化:A 型人格简单说来就是对闲暇具有非常高的机会成本的人。

尔(Kristin Lucker)的有关女性的堕胎决定一书。[5]露科尔不是经济学家,但是她假设女性的堕胎决定是理性的,并且试图识别那些可能——似乎不很乐观——证明其假设的收益与成本。乍看起来这本书并不是一个检验理性选择理论的有前途的候选者,因此安德森选择这本书作为检验工具可能会被认为对这一理论过于挑剔了。露科尔的样本是20世纪70年代加利福尼亚一个堕胎诊所里接受堕胎的女性。然而露科尔在理性假设指导下的调查是有启发性的。它表明,尽管堕胎决定意味着怀孕成本超过其收益,但这一成本仅仅是一个预期成本并且可能被无保护性交的收益抵消。这些收益包括避免违反反对避孕的宗教规范、隐瞒性经历并获得对方承诺从而增加与性伴侣结婚的可能性、[6]以及仅仅是投其所好地不使用避孕套——使用避孕套会减少男性的性快感。安德森认为第一个收益——避免一个宗教禁令——不理性是因为,天主教对堕胎的谴责甚于对避孕的谴责。这点批评忽视了怀孕是一个概率事件而不是无保护性交的必然结果,以及在决定无保护性交时堕胎选择本身不过是一种概率而不是确定。安德森强调了很多女性对因特殊性行为怀孕都有误解,但是,缺乏信息并不等于不理性。

露科尔的研究并不都与理性选择理论相符合。在她的样本里可以看到女性有某种程度的自欺欺人与矛盾混乱。但是,其中也有足够的理性能够让一个经济学家运用这一研究来为面对堕胎风险的女性假设一个效用函数,这一假设可以用避孕方法的成本和有效性、性传染疾病的风险、堕胎的可得性、未婚妈妈的福利水平以及女性工作机会成本的变化的数据来予以检验。如果这一效用函数产生的预测能够经受住这些数据的考验,我们就有一定的根据可以得出结论,即

---

[5] Kristin Lucker, *Taking Chances: Abortion and the Decision Not to Contracept* (1975).
[6] 根据安德森对露科尔所作的释义,"如果她怀孕了,他就不得不显示出他有多么在乎她,他或者同意与她成婚或者从此断绝关系。她则或者得到一个丈夫或者得到他不值得她进一步投资的知识以及寻找一个更值得与之结婚的伴侣的自由"。Anderson,前注[3]。

大部分面对堕胎风险的行为确实是理性的。[7]

现在让我回到行为主义经济学,并让我从讨论一开始就说明,我并不怀疑行为主义经济学是对法律的有价值洞察的一个来源。[8]我在前一章中使用了有效启示一词,在论证据的章节中我将再次使用这一词语,连同卓尔斯、桑斯登与泰勒强调的其他认知怪癖。他们提出的一些论点是为那些在任何明显意义上都与行为主义经济学不沾边的针对行为的经济学模型的旧有挑战——我一直在讨论这些挑战——贴上了新标签。一些观点可以根据在行为主义经济学中不起作用的进化因素得到最好的解释。另一些观点则只得到了微弱的支持。

JST 归因于行为主义经济学的很多洞察已经成为法律经济分析的一部分;法律的经济分析并没有放弃信奉人类行为的理性模型,但是业已放弃了 JST 似乎常常归因于法律经济分析的那种超理性、无情感、非社会、极端自我主义、无所不知、极度自私与非战略的(non-strategic)男人(女人)在获取和处理信息均无需成本的条件下行事的

---

[7] 参见,Tomas J. Philipson and Richard A. Posner, "Sexual Behaviour, Disease, and Fertility Risk," 1 *Risk Decision and Policy* 91 (1996).

[8] 有关一个对行为主义经济学的有用的调查——这一调查与 JST 的不同之处在于它并不特别强调法律应用,参见,Matthew Rabin, "Psychology and Economics," 36 *Journal of Economic Literature* 11(1998). 由这一领域的领导者之一所作的范围更广的论述,参见,Richard H. Thaler, *Quasi Rational Economics* (1991). 有关一个简单的批判性的讨论,参见,Jennifer Arlen, "The Future of Behavioral Economic Analysis of Law," 51 *Vanderbilt Law Review* 1765 (1998). 有关对作为行为主义经济学之基础的认知心理学的原则与调查结果的有益讨论,参见,Detlof von Winterfeldt and Ward Edwards, *Decision Analysis and Behavioral Research*, ch.13 (1986); Albert J. Moore, "Trial by Schema: Cognitive Filters in the Courtroom," 37 *UCLA Law Review* 273 (1989); 特别是,Richard Nisbett and Lee Ross, *Human Inference: Strategies and Shortcomings of Social Judgment* (1980).

模型。[9]仅举一例说明就是,一旦我们承认富于想像的重建更需要"努力"(即成本)而不是直接的感受,有效启示与理性就一致了。回忆一下我们前一章中讨论过的"受害人影响"陈述这一问题。支持在死亡案件中允许这一陈述作为证据的理由正好是,如果没有这些陈述,陪审员或者法官将不得不通过额外的努力来想像受害人遭受的痛苦,以便与为活命而求情的痛苦被告对其造成的直接感受的影响相平衡。只有当人们不再因有效启示而作出调整时,有效启示才会成为不理性的证据。但是,我们已经看到,法律制度承认受害人影响陈述可以作为证据,从而对它加以适应;我们还将在第 11 章和第 12 章中看到更多这样的例子。

JST 解释到,行为主义经济学反对人们是理性的追求幸福最大化者的假设而赞同"有限理性"、"有限意志力"与"有限利己主义"的假设。现在就让我们来对这三个假设进行一番考察。

有限理性是指人们有阻碍他们理性处理信息的认知怪癖。除去有效启示之外,这些怪癖还包括过于乐观、沉没成本谬误、回避损失以及决策形成效应(framing - effects)。关于这些怪癖有大量证据。但是由于大部分证据是对学生作的试验或者对调查作出的反应,因此并不能确定这些怪癖在多大程度上归因于理性行动所面临的严重、顽固的障碍,或者仅仅归因于在(由于对试验或调查中提出的问题彻底思考的意义不大)对思考的最优投资较低的情况下心理捷径之操作。

由于 JST 没有区分清晰的工具性推理障碍与开明观察者可能认为愚蠢的偏好,他们就夸大了这一证据的作用。设想这种情景:一个

---

〔9〕 值得注意的是,被 JST 恰如其分地称为非行为主义法律经济学(正如我们在导论中看到的,科斯定理确实可以称为其奠基石)的重要创始人的科斯教授,反对那种传统的把人看成是理性的追求其幸福的最大化者的经济学模型。参见,Ronald H. Coase, *The Firm, the Market, and the Law: Essays on the Institutional Structure of Production* 4 (1988); Coase, "The New Institutional Economics," 140 *Journal of Institutional and Theoretical Economics* 229, 231 (1984).

假如没有看见龙虾活着的样子就会心安理得地吃龙虾的人,在被要求从龙虾池中把龙虾拣出来的时候,就会失去消受它的胃口。JST会说,这个人的脑袋已经被有效启示弄迷糊了。另一种解释则是,他对两种不同的商品有不同偏好:一种是在烹饪后看到的龙虾,另一种是烹饪前、在活着的状态下和烹饪后都看到的龙虾。这两者是不同的商品,就像包装漂亮的商品不同于装在棕色纸袋里的商品一样。我们没有理由断言对这样一对商品的不同偏好不理性(虽然道德上的批判或许可能,就像动物权利支持者提醒我们的那样),或者把这种差异作为"情感"产物而不予理睬。当人们对恐怖电影作出恐惧的反应时,我们很可能说他们不理性,因为电影是虚构的。但是,偏好不能与情感脱离,或者说情感不能与其刺激物相脱离,因此,我们就不能仅仅因为工具性推理的通常目标是假若我们不是情感化生物我们就不会有的偏好而认为这一推理充斥着不理性。区分真正的认知怪癖与受情感驱策之偏好的方法是,问一问自己:如果你指出一个人行为"不理性",他是否会改变其行为或至少承认自己是不理性的。显然,指出恐怖电影是虚构的与对恐怖电影的喜好无关;看恐怖电影的人已经知道这一点了。

而且,人类并不总是理性的甚至有些人大部分甚至全部时候都是不理性的,这一事实本身并不构成对理性选择经济学的挑战。很多人对于飞行都有一种不理性的恐惧。这是一种不理性的恐惧,而不只是一种不为我们共有的反感,因为怀有这一恐惧的人承认它是不理性的。他们知道地面运输的替代方式更危险并且他们最关心的是避免死亡,然而他们到底还是选择了更危险的方式。他们的后悔、困窘以及对自己的恼火区分了他们和那些喜欢恐怖电影的人。但是他们的不理性并没有使关于运输的经济分析归于无效,尽管这可能表明了,为什么金钱与时间方面的成本以及事故发生率不能解释对航空运输与替代运输方式的需求之间的差别。经济学家对行为作出的大多数通常预测都经受住了检验:航空运输的价格的下降会导致对其需求的上升,替代品的价格的上升或者互补品的价格的下降也一样。偏好可以当成是已知的,从而经济分析可以像通常那样进行,即使偏好是不理性的。

投票——JST 所举的不理性行为的例子之一——也可以同样分析。当看成是一种工具性行为时,选举中的投票是不理性的,因为投票是有成本的(主要是时间),而对每个个别的投票人而言,并没有可以与之相抵消的收益,因为实质上这样的选举不可能被一票决定。但是,假如把投票的欲望看成是已知的,就像其他表达行为(比如在音乐会或者其他公共表演场合鼓掌致意)一样,经济学家就可以回答有关投票行为的种种重要问题了。这些问题包括为什么年长的人比年轻人更爱投票,为什么退休的人比失业者更爱投票(即使这两组人的时间成本似乎都很低),以及为什么势均力敌的选举中参加者更多。[10] 势均力敌的选举参加者更多不是因为一张投票就能起决定作用——即使是势均力敌的选举也不能为一票决定,而是因为这个选举竞争越能吸引公众的注意力,信息成本就越低,而势均力敌的选举比一边倒的选举更能吸引公众的注意力。[11]

有限意志力不过是给意志的弱点贴上了另一张标签。我们大多数人都有过挣扎于两个自我之间的感受——把我们的长远福利放在心里的"好"的自我与"坏"的、短视的自我——而只有作出异常艰苦的努力才能打倒"坏"的自我。双曲线的贴现可以描绘出意志弱点的运作情况,尽管它同样可以根据信息成本而理解。随着一个人贴现成本或者收益越来越逼近,双曲线的贴现者就会提高他的贴现率。例如,如果你问我是愿意在 2011 年拥有 1 000 美元还是愿意在 2010 年拥有 800 美元,我几乎肯定会说愿意在 2011 年拥有 1 000 美元。但是如果你问我是愿意今天拥有 800 美元还是愿意一年后拥有

---

[10] 参见,Richard A. Posner, *Aging and Old Age* 148–152 (1995).
[11] 另一种解释着重强调政党所具有的在可能势均力敌的竞选运动上加大投资的动机,参见,Ron Schachar and Barry Nalebuff, "Follow the Leader: Theory and Evidence on Political Participation," 89 *American Economic Review* 525 (1999).

1 000美元,我很可能会说愿意今天拥有 800 美元。而这就表明我是一个双曲线的贴现者。但是产生不同反应的原因可能只是由于我对自己十年后的消费需求缺少一个清楚的概念;换言之,原因可能就是我在前面提到的想像成本。我不能想像什么事情真能让我付出一笔巨大的利率来重新分配 2011 年与 2010 年之间的消费。知识与想像是"有限的"这一事实正好说明了任何理性选择的经济学家都深信不疑的一点,即信息成本是正的。

没有人会怀疑有意志弱点这回事,虽然双曲线的贴现并不是一个很好的例子。但是,与认知怪癖("有限理性")不同的是,我们可以在理性选择理论的框架内分析意志弱点[12]——这一分析在我们因不确定性而摇摆于两个行动方案之间时是很容易的,而在不存在不确定性的场合,比如由于怀疑一个人克服诱惑的能力而不把巧克力放在屋内的场合,就不那么容易了。要用理性选择来解释第二种类型的行为可能需要放弃大多数经济分析的一个暗含假设——即自我是一个统一体,而赞同人是不同自我之结合体的观念。所有的自我都是理性的,但是他们有着——合乎理性地——不一致的偏好。比如,年轻的自我对年老的自我,前者不愿意省钱以让后者可以享受高水平的消费;不愿在意外事故保险上花钱太多的意外事故前的自我对希望意外事故前购买了大量意外事故保险的意外事故后的自我;以及巧克力的那个例子中的,生活在目前的着眼于现在的自我与着眼于未来的自我[13](最后一个例子与第一个例子有关)。统一自我的假设并不是经济学使用的理性这一概念所固有的;它只是经济学家分析的大多数情形下的一个方便假设罢了。

正如在这个例子里一样,行为主义经济学家往往太急于放弃理

---

〔12〕 参见,Rabin,前注〔8〕,页 40。

〔13〕 例如,参见,Thomas C. Schelling, "Self - Command in Practice in Policy, and in a Theory of Rational Choice," 74 *American Economic Review Papers and Proceedings* 1 (May 1984); Richard A Posner, "Are We One Self or Multiple Selves? Implications for Law and Public Policy," 3 *Legal Theory* 23 (1997).

性选择的经济学了。迈泽鲁·拉宾(Matthew Rabin)写到,"在通货膨胀率为12%的时期内名义工资增长5%对人们的公平感的打击比没有通货膨胀的时候名义工资下降7%显得要小"。[14] 人们知道并不是所有人的工资都会随着通货膨胀率而增长——通货膨胀会带来经济问题;只有在完美的自动增加工资(indexing)的情况下,真实工资才会不受其影响。因此,一个人的工资没有随着通货膨胀率而增长并不必然意味着其雇主不满意其工作。但是,完全出乎意外的工资大幅削减则是对雇员工作不满的一个信号,因而会引起焦虑或怨恨。

JST评论说,贝克尔已经表明,稀缺情形下的随机选择会产生向下倾斜的需求曲线,[15] 由此JST得出结论说,向下倾斜的需求不能作为支持理性行为模型的证据。贝克尔的论证是,消费者只有有限的预算,因此平均起来,即使他们的购买决定是随机的,他们也只能购买较少的昂贵商品,因为一笔数额确定的钱不能想买多少就买多少。但是,他并没有暗示,大多数消费者是不理性的,或者除了向下倾斜的市场需求曲线之外的其他经过充分检验的经济现象,例如经过均等化处理的同样商品的价格走势,可以离开理性假设而予以解释。事实上,购买者并不是随机选择的。理性是对他们针对相对价格变化作出反应的惟一合理解释。

理性选择经济学中的随机性的真正意义体现为,它可以进一步解释,为什么这种经济学可以包容大量的不理性行为却不会从根本上丧失其预测能力。经济学家所提出的大多数问题都是关于整体而非个体行为的,比如说香烟消费税提高对于香烟购买量的影响而不是对吸烟者A先生或者吸烟者B女士的影响。假设香烟税提高了2%,理性吸烟者对此作出的反应是平均减少了1%的购买量而不理性的吸烟者的反应则是随机的——比如,一些人减少了50%的购买

---

〔14〕 参见,Rabin,前注〔8〕,页36。
〔15〕 Gary S. Becker, "Irrational Behavior and Economic Theory," 70 *Journal of Political Economy* 1 (1962),再版于,Becker, *The Economic Approach to Human Behavior*, ch. 5 (1976).

量而另外一些人实际上增加了购买量,等等。如果这些随机行为的分布平均值与理性吸烟者对税率作出的反应相同,那么,香烟税对于香烟需求量的影响就与所有吸烟者都理性时的影响是一致的。无论不理性的香烟消费者所占的比例多大,这一点都是对的。

JST声称,分析自毁行为——比如吸毒成瘾和不安全性交——的经济分析家把理性当成了给人们选择自己喜欢的行为这一同义反复的命题穿上的化装舞会服装。并非如此。JST所指的经济分析家是假设人们不想上瘾或染上艾滋病的。这些分析家研究的是这些行为的成本——尽管极为高昂——仍然可以被感受到的收益抵消的条件。他们从理性选择理论出发推出关于这些不合传统行为的非直觉假说,然后再进行经验检验。这种假说的一个例子就是假定上瘾药品的长期价格弹性很高,而不是像传统认为的那样很低,因为理性的上瘾者预见到其对上瘾药品的消费会随时间增加,因此,这一商品的价格上升(如果这一上升被预期是长期的)对其花费的长期影响就要比非上瘾商品价格的同样上升的影响大。[16]另一个例子是假定艾滋病的流行会通过促使避孕套对药物的理性取代而引起不必要怀孕率的上升,前者预防疾病的效果很好但对于避孕则效果平平,后者则是很好的避孕品但却不能预防疾病。[17]

上瘾,无论是对可卡因还是对不安全的性交,都是显而易见的意志薄弱;经济学家却可以用理性分析的术语将其模型化。行为主义经济学强调的不理性,并不是非得脱离理性选择的经济学。

有限利己主义指的是人们有时会出于似乎不能用利己主义——即使是在利他行为也是利己的这一如今在理性选择经济学中很常规的意义上——加以解释的动机(对JST而言,简单地说即是"公平")

---

[16] 参见,Gary S. Becker, Michael Grossman, and Kevin M. Murphy, "Rational Addiction and the Effect of Price on Consumption," 81 *American Economic Review Papers and Proceedings* 237 (May 1991),又载于,Becker, *Accounting for Tastes* 77(1986).

[17] 参见,Philipson and Posner,前注[7]。

行事。如果 A 的效用增加会增加 B 的效用,这就意味着 B 是对 A 利他的,因而把资源转移给 A 可能就是为了 B 自己的利益。JST 关心的不是效用相互依赖意义上的利他主义,无论是正的还是负的。[18] 他们关心的是这种情形,即人们会为了其他人的利益或者不利益而行事,而他们之所以这么做是因为他们觉得这么做是公平的。

JST 把公平与认知怪癖和意志薄弱搅和在一起,这表明行为主义经济学只不过是理性选择经济学的反面——不能用理性选择经济学予以解释的社会现象的残留物。JST 没有把他们的主张(根据"以善敬善,以恶制恶"的为人准则[golden - rule]界定的"公平"在某些时候对于某些人是重要的)与他们其他的主张(人们在处理某些类型的信息以及让短期利益服从于长远利益上有困难)联系起来。这些都是残疾或缺陷;依照公平观念行事则是一种优点。认知怪癖属于认知心理学,而意志薄弱则属于神经官能症和其他变态心理学,而公平则属于道德哲学或道德心理学。

JST 用从心理学理论的不同领域抽出的 3 个"有限"描绘出的是这样一幅图画,即一个人在正确思考或关心未来上有麻烦,同时又受到公平对待他人包括完全陌生的人的想法驱使。这可能是一幅现实主义心理学的关于一般人的图画,[19] 并且回应了"经济人"在现实生活中不被承认这一常见抱怨。但是,它却存在着方法论上的问题。在理论构建上,描述的准确度是以牺牲预测力为代价获得的。理性选择经济学家追问的是,在一种给定的情形下一个"理性的人"会怎

---

[18] 嫉妒是负的利他主义的一个例子——在此情形下 A 的效用的减少会增加 B 的效用。

[19] 它是关于一般人的一种含蓄的现代自由主义的观念——善良但却无能,并且由于这两个原因而不是很容易对激励因素作出反应,虽然可能是更富于弹性的。相反,关于一般人的含蓄的保守主义的观念则是,他是有能力的,但却是不善良的;因此,保守主义者强调激励与制约。

样行事。[20]对这一问题的回答通常是非常清楚的,并且可以将之与实际行为比较以检验这一预测是否证实了。有时候它没有被证实——因此我们就有了行为主义经济学。然而,"一个行为主义的人"在某种给定的情形下会怎样行事则非常不清楚。作为理性的与非理性的能力和冲动的结合体,他可能做任何事。既没有一个关于行为主义的人的因果关系的说明,也没有一个关于其决定的结构模型。这些空白产生了很多问题:认知怪癖会不会随着向怪癖屈服的成本增加而减少?如果会,为什么?意志薄弱是不是因人而异的,同样地,如果是,为什么?JST是否相信他们的分析也受到认知怪癖或者意志薄弱的困扰,或者受到公平感的驱策,或者在遭受不公平对待时会受怨恨感驱策?[21]如果不是,为什么?怪癖是可以医治的吗?意志薄弱是可以医治的吗?[22]

由于行为主义经济学的理论化不足,使得这些问题显得既急迫又神秘。它的理论化不足是由它的残余以及因此而来的纯经验的个性决定的。行为主义经济学是由其研究对象而不是方法定义的;而其研究对象又只是理性选择模型(至少是最简单的理性选择模型)所不能解释的那些现象。许多这样的现象证明没有关联,就像人类不能食用的东西包括石头、毒菌、雷鸣以及毕达哥拉斯定理一样,并不让人感到吃惊。对一个理论所不能解释的某些经验现象进行描述、确

---

[20] 我再重申前面说过的一点,他只要针对他所面临的特定选择是理性的就可以了。那些对飞行具有病态的恐惧的人也被假定为对机票价格的变动作出合理反应,尽管理性地估计他们的恐惧是有困难的。

[21] 我一会儿要举出一个JST似乎也受制于属于认知上的一种怪癖的后见之明的谬误的例子。拉宾声称,经济学家也受制于属于认知上的一种怪癖的"同一证据的偏震"(same-evidence polarization),参见,Rabin,前注[8],页27,注[21]。不过,拉宾,与卓尔斯和泰勒一样,也是经济学家。

[22] 像在我所举的巧克力的例子里一样,这些问题是不能被克服的,但是它们又可以被解决,从而人们不再受认知上的残缺与意志力的弱点的折磨。奇怪的是,JST对于这些怪癖和弱点是宿命论的。这可能是由于他们缺乏关于这些事物的产生的理论。我将在本章的最后回到这一点。

定并且分类,是有效和重要的学术性活动。但是,这不能成为可以替代原来理论的理论。

绝不能把解释和预测加以混淆。系统地表达一个可以解释——在包容的意义上——其领域内所有观察结果的理论是很容易的,而不论这些观察结果在另一种理论观点看来是多么反常。而其中的诀窍就是放宽(relax)另一理论中的那些使得某些观察结果看起来反常的假设。木星的卫星的旋转在中世纪的宇宙哲学看来是反常的,因为每一颗行星(除了地球,地球不能被看成行星,而应当被看成行星围绕其旋转的中心)都被认为是与一个结晶的球体牢固地结合在一起,而卫星在其旋转中会与之相撞。这一反常可以通过假设球体是可以穿透的,或者假设(就像贝拉铭红衣主教在其与迦里略的著名辩论中所做的一样)望远镜观察到的揭示木星卫星旋转的观察结果是魔鬼制造的假象而消除。无论采用那一条路线,修正以后的理论都不会产生任何对行星的卫星的预测;它可能预测的只是:不管是什么,就是什么。类似地,如果理性选择突然与某一不理性行为的例子相冲突,理论就可以变通接受不理性行为,换言之就是用行为主义代替理性,从而包容这一例子。但是其预测力的收获并不比宇宙哲学例子中的更大;事实上,在这两个例子中,都有损失。如果一个理论是如此模糊或者如此富于弹性,以至于它不可能被证伪,那么,无论是这一理论还是其预测就都不可能证实;但凡发生的每件事都可以被界定为是与这一理论相一致的。当人们理性行事时,行为主义者并不认为这与有限意志力这一假设相矛盾。当人们抵抗诱惑,从而显示了意志力时,这不被认为与有限意志力这一假设相矛盾。而当他们自私行事时,这也不被认为与有限利己主义相矛盾。如果人们变得更加理性,这还会被归因于他们接受了行为主义经济学的教诲,从而确认了而不是反驳了这一经济学。因此,问题就产生了,什么样的观察结果——如果有的话——会证伪这一理论?如果没有,那么,就没有什么理论了,而仅仅是对理论建构者——在相关实例中是理性选择经济学家和进化论生物学家——提出的一些挑战罢了。

"公平"是语言中最模糊的一个词语,同时也是行为主义经济学缺乏理论雄心的最明显例子。然而,在正、负利他主义的进化论生物学的帮助下,它可以在一个宽泛的理性概念下加以明确、解释并包容其中。进化论生物学把利他主义解释为促进包容适宜性(inclusive fitness)的特征,而适宜性则被定义为把因关系密切而携带某个体基因的生物的数量最大化,从而把基因的复制最大化。[23]一种社会动物——比如人——的包容适宜性会由于具有帮助其亲属的倾向而被大大加强,因而假设这一倾向是作为一种适应性机制进化形成的,似乎挺合理。[24]在形成我们的天性偏好的前历史时期,人们生活在很小的、孤立的群伙中。一个人所属之共同体的大部分成员不是他的亲属就是与他有着非常密切情感联系(例如其配偶以及他或者她的家人)的非亲属,或者至少是有着非常频繁的——事实上几乎是连续的——面对面交往关系的非亲属。在这样的环境下,一方面不需要具备一种区别对待亲属与其他密友的先天能力,另一方面也不需要具备一种区别对待亲属与那些与之并无反复面对面交往的人——他们被称为"陌生人"——的先天能力。[25]

今天的条件完全不同了。我们大量与陌生人交往。但是当我们面临人类从来没有机会予以生物适应的条件时,我们的直觉就很容

---

[23] 因此,在同等条件下,3个侄子(每一个都具有你25%的基因复制)对于你的包容适宜性的贡献就比1个子女(具有你50%的基因复制)。这里的限定(在同等条件下)是至为关键的。如果你的3个侄子存活到繁殖年龄的可能性大大小于你的子女的话,他们对于你的包容适宜性的贡献就比子女的小了,至少在一个预期的基础上是这样。

[24] 例如,参见,Susan M. Essock - Vitale and Michael T. McGuire, "Predictions Derived from the Theories of Kin Selection and Reciprocation Assessed By Anthropological Data," 1 *Ethology and Sociobiology* 233 (1980).

[25] 比较,Charles J. Morgan, "Natural Selection for Altruism in Structured Populations," 6 *Ethology and Sociobiology* 211 (1985); Morgan "Eskimo Hunting Groups, Social Kinship, and the Possibility of Kin Selection in Humans," 1 *Ethology and Sociobiology* 83 (1979). 然而,这一分析也受到质疑,参见,Allan Gibbard, *Wise Choices*, *Apt Feelings*: *A Theory of Normative Judgment* 258 n. 2 (1990).

易受愚弄。这就解释了为什么一部色情电影可以刺激一个人的性欲或者一部暴力电影会使观众受到惊吓,为什么人们可以像爱己身所出的孩子一样爱一个收养的孤儿,为什么人们对于蜘蛛的恐惧更甚于对于汽车的恐惧,而对于飞机的恐惧更是远甚于对其他危险的陆地运输方式的恐惧,以及为什么男人不会强烈要求允许他们向精子银行捐献精子。投票、捐赠公益事业以及禁止乱丢垃圾,在既对这些合作行为没有可见的奖赏又对违背行为没有可见的惩罚的环境下,或许可以例证合作从小团体交往向大团体交往的本能的普及化(尽管这种本能从生物学上看似乎是个错误);在小团体的交往中利他主义是有奖赏的(因而是互惠的)而不给予互惠是要受惩罚的,而在大团体交往中奖赏与惩罚的预期都非常微小因而合作就不再是理性的了。[26]

负的利他主义不仅可以用嫉妒(参见第3章)予以说明,而且还可以用我们在某人侵犯我们权利时感到的愤慨予以说明。愤慨的极端就是报复的激情。这似乎是理性思考的对立命题,因为它蔑视了经济学家关于忽略沉没成本、让过去的事成为过去的戒律。并非为了威慑侵犯而威胁报复就是不理性;但是如果威胁没有起到威慑作用的话,实行威胁就常常是不理性的。无论你对侵犯者施加多大的伤害来回报他给你施加的伤害,你所遭受的伤害都无法挽回了。你为了实施报复而承担无论什么危险或其他负担,都只会增加最初的侵犯对你的成本。但是,如果报复对于理性人是无效的,这就会导致侵犯者更容易进攻的不是一般人而正是——理性人。侵犯者知道理性人会把过去的事看成过去的事(或者用经济学家的话来说,就是忽略沉没成本)因而比一般人更不容易报复。这一计算会降低实施侵

---

[26] 参见,Cristina Bicchieri, "Learning to Cooperate," in *The Dynamics of Norms* 17, 39 (Cristina Bicchieri, Richard Jeffrey, and Brian Skyrms eds. 1997); Oded Stark, *Altruism and Beyond: An Economic Analysis of Transfers and Exchanges within Families and Groups* 132 (1995). 普及(低调一点说,就是模式承认)似乎是人这种动物所具有的与生俱来的、非常有价值的、但又容易犯错误的一种才能。

犯的预期成本。

因此,在人类社会没有任何正式法律或政治制度之前,也就是在作出一个具有法律强制执行力的报复侵犯者的承诺成为可能之前,为威慑犯罪从而争取生存所需要的,就是一个本能的进行报复的承诺。那些秉有报复本能的人在生存斗争中往往比其他人更成功。有时候报复会以灾难告终;但是无法作出可信的报复威胁会导致一个人在一个前法律、前政治的社会中几乎完全没有抵抗能力。因而,那种为真实的或假想的伤害而复仇的欲望——不计算复仇的净收益,因为,就像我指出的那样,这样的计算会减少报复威胁的可信性并因此会招致侵犯,而这一侵犯反过来会降低一个人的包容适宜性——就可能成了人类基因结构的一部分。

我已经把理性人与复仇心盛的人作了一个对比,但是这一对比还是表面的。真正的对比是在事前理性与事后理性之间。一个不可动摇的报复承诺可能是事前理性的,因为它降低了成为侵犯受害人的风险,虽然说,假若这一风险现实化了,那时(即事后)实现这一承诺就变成不理性了。换句话说,一种确定的情绪性可能是理性的一个成分,而我在一开始就把理性界定为根据目的采取手段而不是推理的一种特别形式。

在这一例子中我们可以看到,把进化论生物学引入视野——与JST所采用的不同的一种策略——如何使理性概念扩大到涵盖了那些被JST归为不理性的现象的(不仅是公平,至少还包括作为一种认知怪癖的沉没成本谬误)。然而,要对JST使用的公平概念有一个全面评价我们还需要再向前迈一步。我们必须思考为什么一个人不仅会在自己的权利受到侵害时会感到愤怒,而且在其他人的权利受到侵害时也会感到愤慨。其中的关键就是利他主义(因此正的利他主义存在于负的利他主义的基础上)。在权利遭受侵害的人是这个人的亲属或密友的情形下,这一点很好理解。但是,甚至在受侵害人是陌生的时候,利他主义仍然起作用。因为,在此种情形下,"愚弄本能"(fooling the instincts)的现象在起作用,并且我们对即便是完全陌生的人所拥有的被削弱但仍然为正的利他主义感受,会在陌生人权利遭侵犯时产生一种相应的愤慨。

这一分析或许可以解释长期困扰着道德哲学家的问题,即为什么我们对因过失而撞死一个孩子的司机所感到的愤慨更甚于对于更粗心大意但由于纯粹的运气而没有撞到孩子的司机的愤慨。[27] 利他本能在第一个例子里被激起,而在第二个例子里却没有。在第一个例子里,我们由于孩子的夭折而受到伤害,虽然孩子并不是我们自己的。而在第二个例子里没有孩子夭折。

JST 所举的公平可以怎样战胜理性的主要例子是从"最后通牒游戏"中引出的。"最后通牒游戏"是这样玩的:A 获得一笔钱,他愿意给 B 多少就可以给多少,如果 B 接受了 A 给的钱,那么 A 就可以保留剩下的钱;如果 B 拒绝接受,那么他们谁也不能得到这笔钱。因此,人们可能会设想,无论这笔钱有多少,A 都愿意只付出 1 分钱,因为他指望着 B 接受这一出价而不是空手离去。可是实际上,最后通牒游戏中的 A 都不可避免地付给 B 这笔钱中一大部分。JST 对这一结果的解释是,出价人(A)与接受人(B)共有一个公平的概念。但是这只不过是给这一游戏的结果贴上的标签罢了;导致产生这一结果的过程在这一分析中仍然带着神秘的面纱。

我们可以通过透过负利他主义这一透镜来观察这一游戏而取得某些进展。要想从玩这一游戏中得到点儿什么,出价人就必须给出一个足够慷慨以至于接受人可以接受的出价。由于无论出价人是否有公平观念都存在这一必要性,因此,他要给出多于 1 分钱的出价就无论如何不能说是不理性的——因此也就不需要用公平概念加以解释。所以我们大可忘记出价人而集中于接受人,并问,他为什么不会接受这 1 分钱? 其原因跟我不愿意为了 1 000 元钱而对 JST 卑躬屈

---

[27] 例如,参见,Bernard Williams, "Moral Luck," 收于其书 *Moral Luck: Philosophical Papers 1973 – 1980* p.20(1981); 还参见,Williams, "Moral Luck: A Postscript," 收于其书 *Making Sense of Humanity, and Other Philosophical Papers 1982 – 1993* p.241 (1995).

膝的原因一样。1分钱的出价向接受人发出信号表明,出价人确信接受人对自身价值的估价很低,确信他对于残羹冷炙都会心存感激,确信他能够忍受虐待,确信他没有自豪感、荣誉感。[28]这种忍气吞声的生物正是在前政治的、以复仇为基础的政策下将遭到攻击性邻居的践踏并由于资源被剥夺而留下较少后裔的那种类型。他的邻居会践踏他的权利,因为他们知道他没有任何享有权利的意识而且无论如何都很难抵御他们。我们现代人中的绝大多数都来自这些攻击性邻居,我们在很多方面都展现了我们值得骄傲的遗传,其中之一就是最后通牒游戏。这一游戏本身表明,这一遗产在很多例子里仍然是理性的——它使最后通牒游戏里的接受人以及在与之类似的真实世界中的类似人物可以避免彻底的失败。复仇精神是核威慑的基础,而核威慑是保证半个世纪没有发生世界大战的因素之一,甚至可能是极为关键的一个因素。正如我在第7章中强调的,它还是那种无论是犯罪受害人还是犯罪的其他潜在告发人或证人都没预期从告发中获得私利的情形下——这种情形很常见——的大多数告发犯罪的基础。[29]

我提到了发信号,但是我并没有暗示最后通牒游戏中的接受人是为了能与同一出价人再玩一次最后通牒游戏而追求坚韧(toughness)的名声。如果是那样的话,理性选择就很容易了。困难的是没有重复游戏的打算——事实上根本无法观察到游戏者会采取什么步

---

[28] 与这一暗示相一致的是,一项实验研究表明"[最后通牒游戏中的]出价人并不想公平行事而只是想显得公平,以免接受人拒绝其出价。"Werner Güth and Eric van Damme, "Information, Strategic Behavior, and Fairness in Ultimatum Bargaining: An Experimental Study," 42 *Journal of Mathematical Psychology* 227, 242 (1998).

[29] 人们可能愿意看到一系列最后通牒游戏的试验,其中出价人出价相同,而接受人不仅彼此之间而且与出价人之间在年龄、性别、收入和教育程度上都存在差异;而这些因素被认为是社会地位、自尊、或其他与导致游戏中接受人拒绝低廉出价的自豪感相关的似是而非的东西上差异的象征或者源泉。我们或许可以了解到,最后通牒游戏与那些类似于我们的猿人祖先的黑猩猩与其他猴子之间的地位争夺是多么地一致。

骤。在此情形下,拒绝一个侮辱性低出价的反应在严格意义上而言就是感性的而不是理性的,但是在一个较为宽泛的意义上则仍然是理性的,因为引发这一反应的情感在某种程度上是一个认知上的情感复合体,而这一复合体使作出事前理性的承诺成为可能。

对最后通牒游戏中游戏者的理性的灵敏检验是:如果出价——虽然是那笔钱的很小一部分——的绝对值很大。[30]假设那笔钱是100万美元,出价是1万美元。尽管这一出价在相对意义上是很微薄的(仅是那笔钱的1%),但是如果很多接受者拒绝这一出价的话,人们还是会感到惊讶。理性人对于骄傲、自尊以及复仇这些"商品"的需求并不是完全没有弹性的,因此当这些商品的价格从10美元(假设)上升到1万美元时,我们就可以预见到需求的数量会下降,从而会接受更多的出价。

行为主义经济学的另一个关注焦点是"持有效应",这一作用在对一种原始权利意识的描述上与公平的联系不那么紧密。这是一种只因为拥有了才重视所拥有的东西的倾向,即使这件东西是最近才获得的。在试验中,当给予学生可以自由出卖给其他学生的咖啡杯时,只有很少的交易发生,因为杯子的"所有者"会很奇怪地提出一个比其他学生愿意支付的价格更高的要价。但是,其实这也没什么可神秘的,这比我在第6章提到的在前历史的社会里惟一的"权利"就是占有性权利、因而不能紧紧抓着所有之物不放的人会处于不利境地的那种情况差远了。或许,咖啡杯试验的结果是理性适应一种已经消失的境况的痕迹。

在任何讨价还价的情形下,潜在的出卖人(被给予一只杯子的学生)最初可能提出一个比潜在的购买人愿意支付的价格更高的要价。讨价还价会一直进行到要价和出价相交或者交易双方放弃的时候为止。当争议商品的价值很低时,在讨价还价过程完成之前就放弃的

---

[30] L. G. Telser, "The Ultimatum Game and the Law of Demand, 105 *Economic Journal* 1519 (1995).

情况很常见。这就说明了为什么在实际生活中而不是试验条件下，价值低的物品通常是以一个确定的、要么接受要么离开的价格而不是可以讨价还价的价格卖出的。

体现持有效应的更常见的情况是，被要求让渡的商品已经被某人占有很长时间了；在此情况下，用简单的理性选择术语就可以解释所有人不愿意让渡这一商品的原因。[31]任何一个拥有一件商品的理性人，除了边际的所有人之外，对该商品的估价都会在市场价格之上——否则他就会卖了它。这意味着商品所有人作为一个阶层对于商品的估价要比非所有人阶层的估价高。

另一种解释用到了理性的适应偏好这一思想。我们理性地适应于我们所有的东西，而适应新的东西则要承担新的成本。在意外事故中失明的人要承担适应失明状态的成本。但是一个由于医生的过失而不能重新恢复视力的人则已经适应了失明状态，因此他的（预期的）视力丧失成本就小于原来视力正常者的视力丧失成本。

可能有人会反对说，谈论适应偏好，就像谈论多重自我一样，违背了理性选择经济学家的关于稳定偏好的正常假设。但是，人们的偏好显然是变化的。那一假设的全部意义就在于，一般来说，用人的偏好改变来解释行为变化（比如由于相对价格上升导致对同一商品的需求下降）是不费力的和没有意思的。这就像用人们并不总是理性的——一个正确但无用的说法——来"解释"不理性行为一样。拒绝偏好变化这一不费气力的咒语，并不会把对为什么会发生某些确定无疑的偏好变化的解释置于经济学范围之外。[32]

有关对国家公园或其他供娱乐的公共领地的态度的调查体现了非常强烈的持有效应。当被问到愿意以多少钱出售他们享有的使用这些领地的权利时，人们给出的数字比当问他们愿意花多少钱购买

---

〔31〕 以下的分析摘自，Richard A. Posner, *Economic Analysis of Law* 20, 95 – 96 (5ᵗʰ ed. 1998).

〔32〕 关于偏好形成的经济学，参见，Gary S. Becker, *Accounting for Tastes* (1996).

这些权利时高得多。这一差距不一定要视为不理性的。它可能反映出,这样一个假设的交易与我们有关市场的经验相距甚远(我在第3章中提到的森的论点)。它还可能只是反映了缺乏国家公园的相近替代品。[33]缺乏相近替代品意味着一种商品如果失去了就无法轻易被取代。因此所有人会提出很高的价格来让渡它。但是,如果他并不拥有它,他就不愿意为其支付很高的价格,因为他并不知道他未得到的是什么;根据假设,他拥有的任何东西都不太像这一商品。

这些例子可能比课堂试验更能让人了解正常的人类行为。在现代经济中,商品与服务(除了劳动力)的出售在相当大的程度上是专业化的。大多数个人,事实上还包括所有的大学生——他们是比标准经济学更依赖于试验的行为主义经济学的主要试验对象——都是买者而不是卖者,而且是向商店或者其他机构而不是——只有很少例外——个体购买的买者。当我们有什么东西要卖的时候,我们通常通过中间人比如不动产经纪人,而不是直接向最终消费者出售。在试验条件下,要求试验对象彼此交易是不真实的,就像那些调查让我们用金钱来评价国家花园一样,因此对于将试验结果适用于真实市场上,我们没有多大把握。

这里还有一个关于假设情况与真实情况之差异的重要性的例子。当问及已婚人士他们离婚的概率时,他们给出的数字非常低,通常在5%左右;然而目前的离婚率却是50%甚至更高。这是否表明了人们不理性地乐观呢?不尽然。人们的表现并不像他们真的相信离婚概率非常低那样。婚前与婚后协议的上升,首次婚姻的高龄化、女性日益婚前让自己得到市场承认从而避免离婚风险、低出生率、婚前同居(一种"试验性"婚姻)发生率提高以及低结婚率,这些都是对离婚风险事实上非常之高这一"直觉感受"(gut feeling)的认可的反应

---

[33] 参见,Daniel S. Levy and David Friedman, "The Revenge of the Redwoods? Reconsidering Property Rights and the Economic Allocation of Natural Resources," 61 *University of Chicago Law Review* 493 (1994).

(无论如何在某种程度上是)。运用行为学家得出的离婚估计结果来预测离婚率或者由此认为婚姻是一种不理性制度的社会科学家们对于现代婚姻的理解,会比那些把未来的配偶模型化为理性行为者的社会科学家们的理解更差。

在理性选择的视角看来,如果持有效应在大量的真实世界的环境下是有意义的,那么咖啡杯试验的结果可能就只说明了没有任何神秘可言的习惯运作——而这并不是不理性的。习惯性行为发生在这样的条件下:成本与收益均随时间而定,并且,成本与时间成负相关,收益与时间成正相关。[34] 不仅在刷牙成为习惯后刷牙更为便利,而且停止刷牙(也许是回应刷牙确实有害牙齿的确凿证据)会让人感到不舒服。打破一种习惯,就像戒掉一种瘾(习惯的一个极端的例子),会造成断瘾的症状,尽管在纯粹习惯的场合这些症状通常是轻微的和暂时性的。习惯的形成是"通过做而习得"起作用的一种情形;当任务成为习惯时完成任务可以更快而且更不费力。如果由于我前面给出的真实世界的例子(比如理性的适应偏好)依照持有效应行事是符合理性的习惯,那么,这或许就可以解释咖啡杯试验的结果了,虽然如果忽视习惯,这一结果就是不理性的。

试验还存在一个更深层次的问题。我在前面把发信号作为对最后通牒游戏之结果的一种可能解释,而没有考虑游戏匿名这一假设的暗示。即使这一假设是对的,也不一定就能得出发信号完全不可能解释这一游戏结果的结论。因为,如果作为试验对象的这类行为为他人特别地予以观察,而不是匿名的,那么试验中的行为就可能类似于习惯或惰性。更有意思的一点是,匿名的假设有可能不正确。大多数行为学家对其试验的描述都没有提到是否为保证试验匿名做

---

[34] Gary S. Becker, "Habits, Addictions, and Traditions," 45 *Kyklos* 327, 336 (1992), 再版于, Becker, 前注[32], 页118; Marcel Boyer, "Rational Demand and Expenditures Pattern under Habit Formation," 31 *Journal of Economic Theory* 27 (1983). 对应的情形——成本与时间成正相关而收益与时间成负相关——是厌倦的情形。

了什么努力。然而如果一个游戏者的行为被老师和其他同学观察到的话,试验就会成为试验对象发出具备某些特性之信号的一个机会,例如最后通牒游戏中的慷慨以及咖啡杯试验中的财富(咖啡杯接受者以他的拒绝出售发出了他不需要钱的信号),而这或许可以强化他在其老师与同学们中的名声。激励这样发信号就会扭曲试验结果。[35]

根据咖啡杯试验,[36]交易成本是可以忽略的然而却有一个持有效应:在试验一开始被给予咖啡杯的学生提出一个大约两倍于其他人愿意支付的价格的要价,因此,虽然最初的分配是随机的而不是根据咖啡杯对学生的价值大小来分配的,交易发生也很少。相反,同样是这些学生,在交易可兑换现金的代币时却没有一点不情愿。这可能只是这样一种情况,一个人不愿意因价格的微小上升而出售一件消费品,因为愿意出售会发出一个弹性需求的信号并因而表明这个人并不富裕。

列奥温斯坦(Loewenstein)与伊塞卡洛夫(Issacharoff)在他们进行的咖啡杯试验中加入了下面的变化:一个人是否能得到咖啡杯取决于他在试验开头进行的短暂考验中表现如何。[37]当得分低者得到咖啡杯时,他们对于咖啡杯的估价不会高于未得到咖啡杯的得分高者。但是,当得分高者得到咖啡杯时,他们对于咖啡杯的估价则大大高于未得到咖啡杯的得分低者。对这些结果传递的信号的解释是:当咖啡杯被得分低者获得时,咖啡杯就具有末奖的性质;而这会降低它们的价值,因为占有它们传递了一个负的信号;它标志着占有者是得分低者。得分低者就会乐于让渡这一标志着他们考验差劲的标

---

[35] 下面的讨论摘自,Gertrud M. Fremling and Richard A. Posner, "Market Signaling of Personal Characteristics"(未发表,2000年11月).

[36] Daniel Kahneman, Jack I. Knetsch, and Richard Thaler, "Experimental Tests of the Endowment Effect and the Coase Theorem," 98 *Journal of Political Economy* 1325 (1990).

[37] George Loewenstein and Samuel Issacharoff, "Source Dependence in the Valuation of Objects," 7 *Journal of Behavioral Decision Making* 157 (1994).

记。

在一篇著名的论文中,理查德·泰勒(即"JST"中的"T")举出了他认为可以证明理性选择经济学的预测错了的几个例子,但是所有这些例子都可以被看作与发信号有关。第一个例子是关于 R 先生的,R 先生"在 50 年代晚期以每瓶 5 美元的价格买了一箱上好葡萄酒,几年以后卖给他葡萄酒的商人提出以每瓶 100 美元的价格买回这些葡萄酒,R 先生拒绝了,虽然他从来没有以超过 35 美元的价格买过一瓶葡萄酒。"[38] 泰勒认为,R 先生的反应就是因为持有效应(页 44),但一个似乎更为合理的解释是 R 先生想让其他人视其为富人并且时间的机会成本很高。一个职业的葡萄酒交易者会为高价出售葡萄酒而赚取高额利润而感到骄傲。但是 R 先生是一个消费者,他拒绝 100 美元的高价,这传递的信号是,他消费得起葡萄酒,尽管这会让他付出很高成本(机会成本)。他还发出了另一个信号,即他非常忙,以至于不愿意为得到 100 美元而让把葡萄酒退给销售商这样的区区小事打扰自己,而他不愿意为一瓶葡萄酒付出多于 35 美元传递的信号并不是他的贫困,而是他轻蔑享乐消费。通过发出富足、繁忙和俭省的信号,他让自己成为一个更有吸引力的潜在交易对象,无论是在市场上还是在私下交易中。

泰勒的第二个例子也为了展示持有效应的效果,这个例子是关于 H 先生的。H 先生"修整自己的草坪,邻居的儿子愿意为了 8 美元而替他修整草坪,而他[H 先生]不愿意为了 20 美元去修整邻居家同样大小的一块草坪"(页 43)。事实上,很少有人会想到花钱让邻居或同事为自己修整草坪或者打扫房间。但是原因可能是这一要求会传出这样的信号,即相信邻居或同事非常贫困,或者可能非常缺乏自豪和自尊——或者非常贪婪——以至于乐于做这样地位低下的工作。换言之,出价传递了一个关于受价人的负面信号。它是侮辱性

---

[38] Richard Thaler, "Toward a Positive Theory of Consumer Choice," 1 *Journal of Economic Behavior and Organization* 39, 43 (1980). 更多的参考页码出现在本文的正文中。

的并且会招致怨恨,因而除非出价人真的想侮辱受价人,他不会发出这一信号。

语境在这里是非常重要的。很多十几岁的青少年都为挣钱而为别人修整草坪,因此询问一个邻居家的十来岁的孩子是否愿意做园艺工作并不无礼。极少数青少年能找到一份兼职的、高收入的、受尊敬的工作,即便是那些在他们圈子里相当有头有脸的人也是如此,而且,即便是他们的父母很富有,人们也希望青少年能够通过工作学会承担责任或挣点零花钱去买那些他们的父母不给他们买的东西。由于每个人都假设青少年不是高等级的工人,因此,提议他们做园艺工作就不是挑战他们的社会地位,因而也就不是无礼的,当然,向以园艺为生的人提出这一提议也是如此。请你的邻居或者同事为你"帮帮忙"也不一样,因为,这里发出的信号是他乐于助人,而不是他很穷、太缺钱或缺少自我价值的意识。

泰勒举出了第三个他认为是不理性行为的例子:

"两个调查问题:(a)假定你接触到一种疾病,这种疾病一旦感染就会导致感染者在一个星期之内快速而无痛苦地死亡。你患上这种疾病的概率是 0.001。你愿意为治疗付出的最大价格是多少?(b)假设为研究上述疾病需要自愿者。你所要做的一切就是让你自己面临感染这一疾病的 0.001 的概率。对作为这一方案的自愿者,你要求的最低报酬是多少?(不允许你花钱治疗)"(页 43–44)

对(a)的代表性回答只是 200 美元而对(b)的回答则是 1 万美元,而泰勒再次把这一差距归因于持有效应。由于是以学生作为试验对象,还可能存在一个可以解释这一差距的变现作用(liquidity effect);但是一个更有趣的解释是,故意接触一种疾病(b)是不体面的。它类似于对实验室动物、战争罪犯和监狱与精神病院居住者——全都是社会地位低下的"人"——所做的试验。而拒绝购买昂贵的治疗则没有类似的言外之意。因此,虽然死亡的概率在(a)中和(b)中是一样的,但是后者还涉及额外的成本,即传递了一个关于某人社会地位的负面信号的成本。

泰勒举出了一个关于后悔可以怎样引起不理性反应的例子。"A先生正在一家电影院排队。当他排到售票窗口时,他被告知作为该家电影院的第100万位顾客他此刻赢得了100美元。B先生在另一家电影院排队。排在他前面的人作为第100万位顾客赢得了1 000美元。B先生赢了150美元。你愿意成为A先生还是成为B先生?"(页52)泰勒认为一些人会选择成为A先生,而泰勒对此的解释是"得知自己正好错过了赢大奖的机会会让B先生感到遗憾"(同前)。传递信号再次为我们提供了一种可供选择的解释。A先生是赢家;B先生是获得了一笔较大末奖的输家。尽管这个特定例子不涉及成就问题,但是,成为赢家会使人成为注意力的焦点,而且还可能带来运气好的名声。一个更清楚的例子是关于能力竞赛或技能竞赛的。跑得最快的运动员从获得第一名中得到的社会地位要比从比第二名快多少秒中得到的社会地位多。由于排名非常有效地传递了基本的信息(这就是为什么很多未来的雇主更愿意知道一位应聘者的班级排名而不是他的平均绩点的原因),因此它本身就具有一小笔钱所不能达到的价值。

发信号是对着某个人,因此在试验条件下,即在教授和其他学生对试验对象的回答传达的任何信号作出的反应可能非常重要的条件下,匿名的程度可能会对试验结果产生影响。大多数实验仅在不公开试验对象问及的问题的答案的意义上是"匿名的"。大多数试验是在一节课时间内进行的,并且事后学生们和教授会讨论,而在这些讨论中面纱肯定经常被揭开。由于在这些试验中交易或没有交易的物品通常都只值几美元,而教授和同班同学的看法则对每一个学生都意义重大,因此学生们很可能会在回答中表现出某种程度的自觉,因此这些答案就可能包含了信号成分。想到未来的班级讨论或者学生之间在试验后的非正式交谈,可能影响学生们的反应,尽管这些反应在作出的时候完全是匿名的。比如,如果某人声称他已经以某一确定的方式回答了某个问题而班级讨论却显示他给出的全部答案都可以被归入完全不同的范围,这一谎言就会被揭穿。

在使用彩票而不是咖啡杯的关于持有效应的试验中,[39]试验者惊奇地发现,彩票通常是以比预期获利高得多的价格来交易的。但是一项后续调查则显示,学生非常渴望参加抽彩,因为"与集体一起参加抽彩的社会乐趣超过了奖金的价值"。[40]如果社会影响对奖金有着如此重大的影响,那么,发信号作为一种社会交往的形式就可以解释某些甚至是大部分试验对象的看似不理性的行为。一项试验中的一个学生问"这是'用来偷拍的袖珍照相机'吗?",而一个参加一项类似咖啡杯的调查但是是以钢笔为对象的研究的学生回答说"我觉得仅仅为了一个锡克尔[希伯来的一个很小的货币单位]而坐等很长时间用一只钢笔交换另一只钢笔很傻,但是看起来这是一件'正确的'事"。[41]之所以坐等很长时间来做成一笔很小的交易"很傻",是因为这传达了时间的机会成本很低的信号。

正如我们已经看到的,最后通牒游戏检验了利他主义与公平概念对于试验对象的行为的影响,"独裁者"游戏也是如此。在"独裁者"游戏中,会告诉游戏者与另一个人分一笔钱,比如会问游戏者"如果你得到 10 美元,你会怎样与另一间教室里的试验对象分这笔钱?"很大一部分"独裁者"会把为数不少的一笔钱分给另一个人,而这一比例在最后通牒游戏的则更高。行为主义者把这一差异归因于出价人考虑到受价人会因为觉得"不公平"或"受侮辱"而拒绝令人极度不悦的分割。还有一种替代的解释。就像在独裁者游戏中一样,一个

---

[39] Jack L. Knetsch and J. A. Sinden, "Willingness to Pay and Compensation Demanded: Experimental Evidence of an Unexpected Disparity in Measures of Value," 99 *Quarterly Journal of Economics* 507 (1984).

[40] 前引书,页 513,注[8]。

[41] Maya Bar-Hillel and Efrat Neter, "Why Are People Reluctant to Exchange Lottery Tickets?" 70 *Journal of Personality and Social Psychology* 17, 23–24 (1996).

自愿提供某物的人传递了他是一个利他主义者或至少他很在乎别人是否认为他是一个利他主义者的信号。[42]在最后通牒游戏中,出价很小不仅表明了利他主义的欠缺(或者不关心是否被人视为利他主义者),而且是对受价人之社会地位的一种侮辱性挑战(我前面所举出的不愿意为了1 000美元而对JST卑躬屈膝的例子也说明了这一点)。由于出价人知道若受价人接受1分钱的出价会传达受价人的负面信号之后,出价人会害怕被拒,并因此有动机——不同于他自己的发信号的动机——给出更加慷慨的出价。通过拒绝不慷慨的出价,受价人也传递了自己挺富有的信号。而这样的拒绝还传达了有关骄傲、自尊或其他相关个性特征的信号,为此支付的价格就是放弃出价人给的那笔钱。

匿名性影响了独裁者游戏的结果。[43]游戏的匿名性越强,"独裁者的"礼物就越小。这一结果支持了有关信号传递的假设,从同一研究中得到的次要发现也支持了这一点。这一次要发现是,在一项假定可以要求每个"独裁者"把他的礼物放在一个密封信封里从而保证较高程度匿名的试验中,很多学生都不这样做,而且他们的选择并不是随意的。"那些没留下钱的学生有密封信封的显著倾向,而那些留下钱的学生则有不密封信封的显著倾向。"[44]类似地,试验还发现"如果公平是一种指导分配行为的社会规范的话,那么它需要监督,也就是说,只有在行为看得见的环境下公平才能够奏效。"[45]另一项研究发现,匿名性会让最后通牒游戏的受价人更愿意接受游戏

---

[42] 另一种可能性是习惯性行为。独裁者游戏类似于给小费,即一种通过服务员对没有正当理由而不能在消费限度之内给小费的人摆出的臭脸来"执行"的社会规范。参见, Bradley Ruffle, "More Is Better, But Fair Is Fair: Tipping in Dictator and Ultimatum Games," 23 *Games and Economic Behavior* 247, 258 (1998).

[43] Elisabeth Hoffman, Kevin McCabe, and Vernon L. Smith, "Social Distance and Other - Regarding Behavior in Dictator Games," 86 *American Economic Review* 653 (1996).

[44] 前引书,页656。

[45] Güth and van Damme,前注[28],页243。

出价者的"最后通牒"。[46]

所有这些都不是要否认:利他主义,而不仅是一种想被当作利他主义者的愿望,在独裁者游戏和最后通牒游戏中起着作用。特别是当最后通牒或者独裁者游戏的游戏者彼此熟悉并且至少在某种程度上是朋友关系的同班同学时,或者当未来的受价人是慈善团体的传统对象时,[47]我们就发现某种程度的利他主义行为,尽管没有一个游戏者持有行为主义者假定的那种"公平"概念。但是我们也可以预料,显得慷慨和值得信任的名声收益会增强从事这一行为的倾向。[48]

有人主张,"最后通牒、独裁特权以及许多其他讨价还价游戏的结果,与礼貌的关系比与利他主义的关系更大",因为拒绝较小的出价,最后通牒游戏中的答复者表现出,他们对于出价人并不慷慨。[49]不错,利他主义并不能完全解释这些结果——只有圣人才能对侮辱或以其他方式虐待自己的人表现出慷慨大度。因此,当最后通牒游

---

[46] Gary E. Bolton and Rami Zwick, "Anonymity versus Punishment in Ultimatum Bargaining," 10 *Games and Economic Behavior* 95 (1995). 还参见,Iris Bohnet and Bruno S. Frey, "Social Distance and Other‐Regarding Behavior in Dictator Games: Comment," 89 *American Economic Review* 335 (1999); Bohnet and Frey, "The Sound of Silence in Prisoner's Dilemma and Dictator Games," 38 *Journal of Economic Behavior and Organization* 43 (1999); Catherine C. Eckel and Philip J. Grossman, "Are Women Less Selfish than Men? Evidence from Dictator Experiments," 108 *Economic Journal* 726 (1998); Duncan K. H. Fong and Gary E. Bolton, "Analyzing Ultimatum Bargaining: A Bayesian Approach to the Comparison of Two Potency Curves under Shape Constraints," 15 *Journal of Business and Economic Statistics* 335 (1997).

[47] 参见, Catherine C. Eckel and Philip J. Grossman, "Altruism in Anonymous Dictator Games," 16 *Games and Economic Behavior* 181 (1996).

[48] 有关这一点的证据——这一点进一步支持了对行为主义试验的结果的发信号解释。参见, Kevin A. McCabe, Stephen J. Rassenti, and Vernon L. Smith, "Reciprocity, Trust, and Payoff Privacy in Extensive Form Bargaining," 24 *Games and Economic Behavior* 10 (1998).

[49] Colin Camerer and Richard H. Thaler, "Anomalies: Ultimatums, Dictators and Manners," *Journal of Economic Perspectives*, Spring 1995, pp.209, 216.

戏中的回答者知道低出价是计算机作为时,他们就不拒绝这一出价,[50] 因为在此情况下既没有报复的动机也没有发信号的动机让他们拒绝这一出价。我们还要注意的是,为了让出价人保持"正直"本色而拒绝低出价的"报复者"也是一种利他主义者;他的自我牺牲行为是促成维护有效社会秩序的因素之一。所有这些都与"礼貌"无关,礼貌一词含有一种以早期训练或"文化"为基础并且与对自我利益关系甚微的不假思索的反射作用。

另一个慎重解释行为主义经济学的经验发现的理由是选择作用,这一作用提示试验环境与真实世界环境有系统性的差异。试验对象的选择或多或少地是随意的;但是人们并不是随意地被分到不同工作岗位或其他活动中去的。[51] 不会计算概率的人要么不去赌博——如果他们知道自己有这一认知弱点的话,要么就是——如果他们不知道的话——很快被淘汰出局从而被迫停止赌博。那些非常"公平"的人会避免(或者,也是被排挤掉)从事粗野的活动——包括高度竞争的商业活动、诉讼律师以及学术上你死我活的争斗。双曲线的贴现者会避免从事金融服务业。这些选择作用不会完全有效,但会造成试验得出的不理性结果与真实世界得出的不理性结果之间不一致。因此,将行为主义经济学家所进行的试验中那些在理性上得分较高的学生后来的职业和收入与得分较低的学生后来的职业和收入作一比较,会非常有趣。

我一直在强调试验结果,但是试验结果并没有涵盖行为主义者为反对非行为主义者列举的全部经验证据。比如,JST 提到罪犯对未来所受刑罚的贴现,并主张这一贴现是双曲线型的,从而得出犯罪与刑罚的理性选择进路是错误的结论。我在前面已经解释了为什么我不认为双曲线贴现并不必然与理性相矛盾,而且即便二者矛盾,

---

〔50〕 前引书,页 215。
〔51〕 部分例外的是陪审团服务——这是对模拟陪审团的研究寄予更大的信任的理由,正如我在第 12 章中所指出的。

JST的分析也没有说服力。

当刑罚采用作为本国刑罚标准形式的监禁时,刑罚的一个特点就是,刑罚概率的减小不能简单地为刑罚严厉性的增大所抵消。增大严厉性的惟一方式就是在罪犯刑期结束时增加监禁的时间。如果刑期已经很长了,那么,仅仅由于普通贴现而不是双曲线贴现的原因,刑期长度的任何增加对于罪犯的计算都不会有太大意义了。例如,把徒刑的刑期从20年延长到25年增加的负效用(就"当前价值"而言,也就是,像被告在决定是否实施这一会让他遭受此种刑罚的犯罪时所估计的那样)将远远小于25%;根据10%的贴现率,这一增长将只有6%。

但是我还是情愿承认,很多罪犯是双曲线贴现者而不只是普通贴现者。事实上,我觉得这是有可能的。因为我们必须考虑刑罚制度的选择作用。如果刑罚制度的目的在于威慑犯罪,那么罪犯——也就是说,那些没能被威慑的人——就不是人口中的随机抽样。我们可以想见,那些不能被威慑的人有特定的气质,包括对徒刑体系下的未来结果的反常漠然。大多数罪犯都不非常聪明,这一点可能使他们很难想像未来的痛苦。这并不表明,刑事司法体系的设计应当以潜在罪犯——即我们认为可以阻止他们成为真正罪犯的人——主要是双曲线贴现者这一假设为基础。

正确的一点是,任何高于为适应死亡风险而作必要调整的人身性贴现率,[52] 从最严格的理性选择观点来看都是不可信的,因为它暗示了一种武断的对当前消费而非未来消费的偏好。但是,正如我在前面提出的,通过多重自我概念(当前自我控制着一个人当前的行为,并且不重视未来自我的福利),或者由于信息成本(这一成本使我

---

[52] 我用这一术语来使利息率与非金钱的贴现率相区别,利息率不仅是时间偏好、违约风险与管理成本的函数,而且还是资本供给的函数。利息率高可能不是因为人们对于当前消费比对于未来消费有着更强的偏好,而是因为资本由于一些不相关的理由是稀缺的。

们非常难以想像我们未来的精神状态),我们大可以依据理性选择对这种对当前消费的倾向予以有益的分析。[53]

选择作用也解释了至少是某些过分乐观("赢家的祸根")的现象。一项活动如果人们觉得他们能做得很好的话,就更乐于参加。但是这些人之间的竞争会减少成功的可能性,因此从事后的角度观察,他们原先的预期就显得不切实际。

JST 的最有趣、并且从法律和公共政策的观点来看有可能是最重要的关于理性偏离的例子是强制生育健康保险,而且它还确保了是一个真实世界的具体现象。在他们援引的研究中,[54]在以投保的全部成本来强制推行这一保险时工人的工资有所下降,这一事实意味着工人是以投保的全部成本来估价这一投保的,[55]虽然在强制推行这一保险之前,他们对它的估价并没有这么高。因为如果他们对其估价那么高的话,雇主就会自愿提供这一保险了。JST 从中得出的结论是,这一保险改变了女性的偏好;她们本来不喜欢的东西,一旦她们拥有之后她们就喜欢了,正如咖啡杯的例子一样。

然而,他们对于这一研究的解释最多也只是提示性的。因为这里又面临着一个选择的问题——或者不如说是两个这样的问题。计划生小孩的女性会为可以为她们投生育保险的工作所吸引,[56]从而由于竞争而降低了工资水平。该项研究的作者推测,这一保险有可能导致过多的剖腹产[57]——指出了妇女和医学行业对助产手术

---

[53] 参见,Becker,前注[32],页 11-12; Becker and Casey B. Mulligan, "On the Endogenous Determination of Time Preference," 112 *Quarterly Journal of Economics* 729 (1997).

[54] Jonathan Gruber, "The Incidence of Mandated Maternity Benefits," 84 *American Economic Review* 622 (1994).

[55] 如果他们不是这样,雇主就要被迫"咽下"这一计划的某些额外的成本。

[56] 从古贝尔(Gruber)的文章中无法清楚地看出,作为其主要研究对象的州法律在投保范围上是否有例外规定。但是,即使所有受雇的人都在投保范围内,法律也往往会把那些育龄的和打算生育的妇女从家中吸引到有报酬的工作中来。

[57] Gruber,前注[54],页 640。

可获得的新的资金来源作出了绝对理性的反应。

　　武断地把行为主义经济学的前提假设与理性选择经济学的前提假设结合起来的,并不是这项研究本身(它并未提及行为主义经济学),而是 JST 对这项研究的分析。JST 假设雇员的雇用行为受持有效应的控制,还假设,如果雇员们在法律规定强制投保生育保险之前是以保险成本或者高于保险的成本来评价它的,雇主就会主动提供这一保险而无需政府推动。JST 用雇主没有主动提供这一事实来暗示雇员对其评价并不高于其成本。但这就要假设,在此种法律通过之前雇主和雇员都是完全理性的。没错,在此种法律通过之前还没有发生持有效应。但是持有效应只是被 JST 视为充斥于劳动力市场的大量不理性行为中的一种。JST 并没有解释,为什么在强制性生育保险推行之前任何一种不理性行为都没有起作用。

　　为了表明在原告成功取得法院颁发的禁令以后诉讼各方当事人不会再重新缔约(这一点被提出来作为证明科斯定理错了的证据),[58] JST 依赖于瓦尔德·方斯沃斯(Ward Farnsworth)的一项研究,[59] 但是,这一研究的样本数(20)太小了,因而在统计上并不显著。而且,如果其研究中的法院"是正确的",也就是说,法院只在那些原告因禁令可以获得的利益比被告因禁令而遭受的损失更大的案例里颁发了禁令,那么诉讼当事人之间就没有必要进行一个矫正性交易。但是,JST 从方斯沃斯的研究中概括了一个一般性的结论,即一旦人们收到法院判决,他们就不愿意与对方当事人谈判了。事实上,当事人在一审判决之后不是碰运气上诉,而是进行案件和解,并

---

　　[58] 我认为 JST 的意思并不是说科斯定理真的是错的;他们只是很随便地一说。科斯定理是一个同义反复。JST 的意思很可能是,如果这一定理被改写为这样的假设,即在交易成本低于重新分配财产权利的收益时,财产权利的配置是无关紧要的,这一假设就是错的。

　　[59] Ward Farnsworth, "Do Parties to Nuisance Cases Bargain after Judgment? A Glimpse inside the Cathedral," 66 *University of Chicago Law Review* 373 (1999),再版于,*Behavioral Law and Economics*,前注[1],页 302。

没有什么不同寻常的。[60] JST 可能想把他们的观察限定于那些在穷尽上诉救济之后判决才发生终局效力的案件上。如果是这样的话，这就大大削弱了他们希望从方斯沃斯研究中得出的推论，即持有效应阻碍了有益的、判决后的转移。如果一个在穷尽上诉救济之后成为终局的案件本来可以和解，因为原告寻求的这个救济会令被告的花费超过该救济将给原告带来的收益，那么，这一案件就会更早和解了——最晚在初审法院判决之后上诉之前。而这一点暗示，方斯沃斯的研究结果证实了而不是挑战了理性。要是当事人一直等到穷尽所有上诉权利之后才就其争议找到价值最大化的解决方案，即如果最终判决最后证明是解脱双方的谈判之开端，那就意味着当事人未能理性地节约他们的诉讼成本。

为了支持让原告承担更大的证明过失的举证责任来限制侵权责任的激进提议，JST 还依赖于陪审团偏袒原告这样一个印象的证据。他们把这一偏袒归因于后见之明的偏见，并轻描淡写地提到这一偏袒或许是由"公平"考虑促成的，并且可能具有分配的性质——被告或其保险人有着可以赔偿原告损害的"大口袋"（deep pockets）。诉求公平在侵权案例中随处可见。[61] 但是我批评的主要是，如此激进的提议竟然以如此有限的证据为基础。我们将在第 11 章中看到侵权案中的陪审团偏袒被告而不是原告的证据。

为了支持有效启示引起了"轶事立法"（legislation by anecdote）这一论点，JST 提出了他们自己的轶事，即爱心运河（Love Canal）附近的人大量患病的曝光引起了超级基金法（Superfund law）："对超级基金的行为主义解释是，'爱心运河'作为废弃的危险废料倾泻处的有效

---

〔60〕 大约 1/4 的在联邦上诉法院登记的案件都在书面审完全展开之前未经司法行为而得到了解决。关于这一估算，参见，Richard A. Posner, *The Federal Courts: Challenge and Reform* 72 (1996)（表 3.6）。其中未知的但并非微不足道的一部分是和解的，此外，比例非常小的案件进行了书面审并经过了辩论但没有作出判决。

〔61〕 例如，参见，James A. Henderson, "Judicial Reliance on Public Policy: An Empirical Analysis of Products Liability Decisions," 59 *George Washington Law Review* 1570 (1991).

符号,极大地加重了公众的担心并使之达到几乎非立法不可的程度,而不论事实真相可能怎样。"[62]虽然这种说法是描述的、看似可信的,但是,它把什么归功于了行为主义经济学或者任何其他组织起来的思想,这一点并不清楚。

JST引用了一项研究,这一研究假设,在教师的集体讨价还价谈判中,每一方在试图用可比社区的教师工资数据来支持自己的谈判地位时,都会"采用为自己利益服务的、关于哪些社区有'可比性'的判断,并由此造成僵局"。[63]这并没什么可惊讶的,就像法律诉讼中每一方都会作出为自己利益服务的、关于哪些案例为手头案件提供了最相近的类比或哪些事实最可以提供证据的判断一样。JST主张,在集体讨价还价的研究中,作出为自己利益服务之判断的战略性动机为研究中的回答的惟一听众就是研究者这一事实排除了。这种说法是幼稚的。谈判者不可能在与教授交谈时放弃自己的(理性的)偏见,特别是因为他们可能不相信自己坦露的心声会一直处于秘密状态。JST认为,存在这样一种角色偏差,它在律师与谈判者中间是常见的,并且它可能就是为什么不是所有案件都能和解——尽管大部分能——的一个因素,这些都是对的。但是这项研究没有为这一直觉知识增加任何东西。

为了证明行为主义经济学具有为一些令传统经济学家为难的法律提供解释的能力,JST把一些法律拽进来了,如高利贷法律,而这些法律与短缺无关;回避价格欺诈,这并不是法律所强加的负担,而是一种大概可以抵消消费者面临之风险的缓冲器;以及禁止倒卖戏票的法律,这些法律仅在少于半数的州有效,并且让人不解地与那些允许票证经纪人从剧院大批购买戏票并以"倒卖者"的价格转售的法律并存。

高利贷法律与其他两类法律并没有联系,这一点可以从如下这

---

[62] Jolls, Sunstein, and Thaler, 前注[1], 页1521。
[63] 前引书, 页1502。

一事实中看出:高利贷法律并没有"参考点"利率,因而也就没有引发作为JST的公平概念之有关成分的愤慨感的基准。典型的情形是,贷款人不会拒绝以高于市场的利率向有风险的借款人贷款,无论"市场"在这一语境下的确切含义是什么。银行向其最佳顾客提出一个头等利率,但不一定是同一个利率,而是对其他每个人——即有较大风险的借款人——收费更高。("头等利率"是指银行的最好利率。)抵押贷款人以变化的百分点来收费。债券——贷款的一种形式——是根据风险估价的,估价较低的债券支付较高的利率而并没有人大呼"高利贷"!信用卡利率通常不同于短期利率。担保贷款的利率比那些无担保贷款的利率低。利率随着通货膨胀上下波动,当然也随着资本需求与资本供给的变化而变动。即使是在消费者信用交易——现代高利贷法律的重点——中,正如我举出的很多例子表明的那样,也没有统一的利率。今天,在信用卡与分期付款信用的利率常常达到20%但人们仍然认为它们合法时,这些法律还起任何作用吗?

可能误导JST的是,如果借款人有一个确实很高的不能偿还贷款的风险,可能就不会有一个使贷款无论对贷款人还是对借款人都很值得的利率了。这一点尤其是可能的,因为,由于利率是借款人的一笔固定的而不是可变的成本,所以利率越高,不能偿贷的风险就越大。这就解释了为什么风险最大的贷款与由此产生的天文数字利率都专属于放高利贷者(loan shark)的领地;由于面临非常高的不能偿贷的风险,他们用暴力威胁代替合法贷款人可以使用的较为温和的救济。

JST暗示说,解释高利贷法律、价格欺诈法律以及倒卖戏票法律的同一个公平概念也解释了禁止卖淫和拒绝强制执行代孕母亲合同的法律、禁止买卖人体器官和政治选票的法律以及拒绝强制执行反对种族或性法律的约定交易的法律。这是一个不同种类的法律的集合,而且,把它们都归诸于"普遍的关于公平的看法"[64]也不是在解释它们。JST应当解释,所有这些法律共有的东西为他们的"公平"思想提供了某种形式和内容,并应当考虑的对这些法律的各种竞争解释之可能,比如,它们在政治上服务于强大的特殊利益,或者它们是与三个"有限"中的任何一个都无关的误解的产物(投票人几乎没有动力全面了解各种政策,特别是因为他们是选代表人而不是选政策本身)。例如,对收养价格的限制就得到了担心赢利收养机构竞争的非赢利性收养机构的支持,也得到了因公众忽视限价之后果的支持。

我一直集中于考察行为主义经济学对于实证分析的意义,但是我希望简单地考虑一下它可能的规范性寓意。一方面,JST描绘的人类是一张关于不稳定偏好与(被证明是有关的)无限可操作性的图画。如果你为一名工人投保婴儿出生保险,她就会喜欢它(持有效应);但是如果你不给她投保,她就不喜欢它了(更确切地说,是她不愿意以较低工资作为代价)。如果你强迫她接受 HIV 检验,她事后会感谢你,尽管她当初会因反对这一规定的检验而又踢又喊。如果你以某种方式向一位妇女描述了乳癌的威胁,她会要求做一张乳房 X 线照片,但是如果你以另一种逻辑上等效的方式来描述的话,她就不会了。从而,似乎 JST 偏爱的、与政治隔绝的专家团将承担起决定百姓真正的偏好的使命了,而这似乎是极权主义的。另一方面,JST 的分析中的任何一点都没有让"专家"免于认知怪僻,免于意志薄弱,或者免于关注公平。专家也是行为主义的人。行为主义的人以不可预测的方式行为。我们敢把治疗不理性的责任授权给不理性的人吗? 这样,我们不就面对僵峙了吗?

人们可能会认为,行为主义经济学至少有一个清楚的规范性寓意:应当努力通过教育并且可能通过精神病学来治疗阻碍人们理性行事,又不会带来补偿性收获的认知怪僻与意志薄弱。正如我相信

---

[64] 前引书,页 1516。

的,即使沉没成本谬误有生物根基,通过教育让人们摆脱它也不是不可能的。行为治疗让很多人能够克服对于飞行的恐惧,而我认为这一恐惧有更多顽强的生物根基。JST把那些构成行为主义经济学的研究对象的不理性都视为人类个性中不可改变的组成部分。他们提出的所有法律改革的建议都只是绕开,而不是消除,我们的不理性倾向。

第九章

社会规范以及一个宗教札记

社会规范(简称为"规范")是一种规则,这种规则既不是由官方信息来源——比如法院或者立法机关——颁布的,也不是以法律制裁为威胁来强制执行的,然而却是作为惯例被遵守的(否则就不能说它是一种规则了)。[1]礼仪规则,包括恰当的穿着以及餐桌上的礼貌;语法规则;标准的商业惯例;以及前政治社会与私人团体的习惯法,都是规范的例子。规范似乎更多地属于社会学而不是心理学范畴;但是,我所关注的焦点将是规范的执行,而其中的关键就是心理学——包括情感的心理学[2]——与经济学。

要完全理解法律,就需要对规范进行仔细的考察。例如,法官的行为就主要是受规范而不是法律控制的。而且,法律比政治社会更古老,这就意味着它是作为一套规范出现的——并且在国际公法的场合,由于缺少一个世界政府,它在很大程度上仍然是一套在法律上无法强制执行的规范。即使是在那些具有强有力政府的社会里,规范也既是法律的一个来源,也常常是法律的一个便宜的、有效的替代物(但有时是与法律不相容的)。有很多反对偷窃和撒谎的规范,但

---

[1] 然而,我并没有要求规范必须被内在化为一种偏好。关于对规范的这种定义,参见,Gary S. Becker, *Accounting for Tastes*, ch. 11 (1996).

[2] 参见,Jon Elster, *Strong Feelings: Emotion, Addiction, and Human Behavior* 98–102 (1999).

是也有反对这些行为的法律。这两种规则在创设方式、对违反行为的定义、施加惩罚的程序以及惩罚本身诸方面，都存在差异。法律是由公共机构——比如立法机关、制定规章的机关以及法院——以明确的审议程序为基础颁布的，并且是由国家的警察力量来强制执行的——这意味着在根本上法律是由暴力威胁强制执行的。规范并不必然要颁布。如果它们被颁布，也不是由国家颁布的；否则它们就是法律了。一项规范常常是一个逐渐出现的合意的结果（并使之明确化）。规范是通过内在化的价值、通过拒绝与违反者交往、通过谴责其行为，并且有时通过私人暴力，来强制执行的。

基于我们对私人秩序文化所假定的合法性，并且，由于虽然一项规则可能是可欲的，但是明确表达与颁布规则相对于这一规则对国家的收益，再加上国家排得满满的日程和麻烦的程序来说实在是太昂贵了，以至于无法实行，因此，规范就成为了极富吸引力的一种社会控制方法。比方说，一项反对拙劣的餐桌礼仪的规则，就基本上不适合在法律中加以具体化。但是，规范相对于法律也有很多缺点。规范比法律更具有公共善品的性质，因为，没有一个人或者政党可以要求获得创设了一个规范的殊荣。而且，对违反规范施加惩罚的成本不可能得到强制性税收的财政支持，因而必须由那些执行规范的人自愿承担。显然，由于规范具有这些属性，从社会角度来看，它们的生产和执行将是不足的。但也不尽然。与法律一样，规范可能是坏的，在这种场合，对其创设与执行的阻碍就可能实际上促进了社会福利。与之相联系但更为微妙的一点是，由于规范一旦被创设出来就很难再消灭，所以规范的存量可能是很大的，即使其流量很小。

有关规范的学术性文献所关注的焦点，一直是规范的重要性以及它们的功效或者无效。[3] 在本章中我所关注的焦点则在于：规范是怎样运做的，进而执行规范的各种制裁、与每种制裁相联系的执行不足的程度，以及创设由每种制裁执行的规范的不同难度。[4]

有时候制裁是包含在违反行为之内的，比如，在马路不正确的一侧驾驶的人，就冒着撞上另一辆汽车而伤害自己又伤害他人的风险，但是，这种制裁可能不够——即使是在在马路不正确的一侧驾驶的例子里，因为，违反者可能仅仅考虑了违反规范对自己的成本而没有考虑对其他人的成本。能最有效自我执行的规范，是那些以有益的制裁为其构成成分的规范。如果你不讲这种语言，别人就没法理解你。如果你不按规则下棋，你就根本不是在下棋，所以如果你喜欢下棋的话，你就不会弄虚作假，除非这样做的净预期利润非常大。

这一点或许可以解释约束司法行为的那些规范的功效。我说的不是那些以法律为后盾的规范，比如反对受贿的规则，而是那些更为微妙的非正式规则，这些规则命令法官抑制自己的个人或党派同情，不顾公共毁誉，控制自己的情感，以及遵循先例而不是自己的价值——简言之，就是坚持传统的"法治"美德。法官对这些规范的遵守远非始终如一，因为存在背离这些规范的激励因素，而且背离的成本又很小。但是问题是，为什么会存在一些遵守规范的情形。要回答这个问题就要认识到，一方面，遵守规范的私人成本很低，因为以法

---

[3] 可以作为说明的晚近的文献，参见，Lisa Bernstein, "Opting Out of the Legal System: Extralegal Contractual Relations in the Diamond Industry," 21 *Journal of Legal Studies* 115 (1992); Avner Greif, Paul Milgrom, and Barry R. Weingast, "Coordination, Commitment, and Enforcement: The Case of the Merchant Guild," 102 *Journal of Political Economy* 745 (1994); Robert D. Cooter, "Decentralized Law for a Complex Economy: The Structural Approach to Adjudicating the New Law Merchant," 144 *University of Pennsylvania Law Review* 1643 (1996); 以及收录于 *Reputation: Studies in the Voluntary Elicitation of Good Conduct* (Daniel B. Klein ed. 1997)中的文章。

[4] 后面的讨论引自，Richard A. Posner and Eric B. Rasmusen, "Creating and Enforcing Norms, with Special Reference to Sanctions," 19 *International Review of Law and Economics* 369 (1999). 还参见，Eric A. Posner, *Law and Social Norms* (2000).

律为后盾的司法行为规则(不仅包括法官不得受贿,还包括法官不得审理自己或其亲属可能从中获得金钱利益的案件)让法官很难从偏袒中获利,另一方面,遵守规范的私人收益却非常显著。它们之所以很显著是因为,"法治"规范是审判实践的基本规则;如果你不遵守这些规则,你就没法玩这一司法"游戏"。法学院和司法人员教新的法律职业者来玩这一游戏,司法选择程序挑选出那些想玩司法游戏而不是其他游戏(比如党派政治)的人。即使是在司法职位由选举而不是任命产生时,或者是在司法职位以恩惠或意识形态而不是以优秀为基础时,也是如此。无论是通过选举还是通过任命,自我选择在寻求司法公职的决定中,都是存在的。

　　规范的违反者之所以感到违反行为是不好的,可能是由于教育和教养,而不是由于收益有任何损失或者有什么外在后果。大多数人都至少会对盗窃感到一种罪恶感,即使他们确信自己肯定不会被抓到。羞耻是一种不同于罪恶感的对违反规范行为的制裁。违反者可能会感到,自己的行为贬低了自己,无论是在自己眼里(一种"多重自我"的情形——参见第8章,在此种情形下个体既是行为者同时又是其行为的观察者)还是在别人眼里。即使一个人的行为没有什么错误可言,并没有违背道德法典的要求,他也可能感到羞耻。一个人可能会为自己作了一件没有伤害任何人的蠢事而感到羞耻,仅仅是因为愚蠢的行为不能达到自我形象的要求。一个人还可能为自己参与了违反的并不是自己的道德法典的行为而感到羞耻——不过更好的词可能是"耻辱"(参见第7章),因而他不可能感到罪恶。那些在中国"文革"时期戴着高帽子游街的人就感到耻辱,尽管他们不赞成当时的政权,因而并不为违反该政权的规范而感到罪恶。

　　罪恶感尤其可能被认为是一种自动的或者自我执行的制裁,因为,违反者把违反行为理解为对自己的成本,很像如果他在马路不正确的一侧驾驶就将承担的受伤害的风险。但不同之处在于,创设罪恶感需要进行投资。人们在将感到罪恶的潜能灌输给其他人(有时甚至是他们自己)时,必须选择作出一定水平的努力,以及选择试图灌输罪恶感的数量。罪恶感可能是天生的,但是,正式的学校教育、父母和亲属有意的道德影响,以及——这一点可能是最重要的——成年人与同龄人所提供的榜样,使罪恶感得以强化与集中。

父母对于给孩子灌输罪恶感既有自私的考虑又有利他的考虑(因此,从孩子的长期自我利益的角度来看,父母可能会就某些过错,比如,对长辈的无礼或负恩,灌输过多的罪恶感)。一个有罪恶感的孩子更容易遵守规范;而其他人了解这一点,会使他在以后的生活中成为一个值得信任的交易伙伴,从而从中获益。但是,理性的父母不会愿意创设过于强大的罪恶感,以免阻碍对规范的有效率的违反。违反一个规范常常是有益的,特别是如果其他人坚持这一规范的话。理性的父母也将努力保持对违反规范行为的边际威慑:他们不会试图让孩子对不刷牙产生与对商店扒窃一样的罪恶感。

让我们来考虑一下下面这个例子。在这个例子中,父母要决定是否向他们的女儿灌输对盗窃的罪恶感。当她长大以后,雇主将决定是否雇佣她,如果她被雇佣了,她将决定是否从雇主那里盗窃。假定,工作对于女儿的价值(工资)是40,而雇主从其工作中获得的收益是50,而她从盗窃中获得的利润与雇主因盗窃遭受的损失的价值都是30,而且盗窃不会被发现。那么,女儿从受雇和行窃中获得的净金钱利润就是70(40+30),而雇主雇佣女儿的回报则是-20(50-40-30)。假定,如果女儿的父母已经给她灌输了罪恶感的话,那么假如她行窃的话,她就会遭受罪恶感的痛苦,而这会使她的效用减少G。进一步假定,父母与女儿有着共同的利益,并且雇主可以确定她是否有罪恶感(可能是通过她的学校记录、证明信和个人举止)。

如果G小于30,父母就没有动力给她灌输罪恶感,因为,无论他们是否这样做,他们的女儿在受雇后都会去行窃,因为她从偷窃中得到的回报,即70-G,大于40,即工作对于她的价值(不算盗窃)。了解了这一点,雇主就不会雇佣她,因为他的净预期利润将是负的。但是,如果G大于30,父母就会给他们的女儿灌输罪恶感;她受雇后就会克制自己不去盗窃;从而,雇主就会雇佣她,因为她从诚实工作中得到的回报——40,大于从不诚实的工作中得到的回报,而这会使雇主从中获得一个净收益,即 10(50 – 40)。

这个例子暗示的是,违反规范的私人成本与社会成本可能会有分歧。这一点非常重要。违反者得到的可能比失去的更多;而了解了这一点,父母就可能灌输一个比社会作为整体可能要求的更小的罪恶感和更低的羞耻限度。这意味着,社会控制力量将不愿意授权父母进行全部的道德指示,而且,如果社会在很大程度上依赖规范而不是法律来控制行为的话,就更是如此。而违反规范的私人成本与社会成本之间的分歧意味着,父母可能更有动力给他们的孩子灌输羞耻感而不是罪恶感。从孩子的自私的——可能是父母的利他的——视角来看,最佳的策略是违反规范而不被抓住。在羞耻是一种外部制裁因而依赖于信息的意义上,由于只有违反行为被发现时才能惩罚违反者,羞耻就可能为最佳欺骗提供(从私人而不是社会立场来看)合适的动力。

在 G 大于 30 的场合,父母通过减少自己的女儿从在职行窃中得到的回报,而让她因第三方——雇主——对他们的行动所作出的反应受益。并且,我们应当注意到,虽然除非她具有感受罪恶的潜力她就不可能得到这份工作,但是,她并不会遭受任何实际的罪恶感的痛苦,因为她是诚实的。说"她是诚实的"——即,对一种已经成为不自觉的性格倾向的评价——就意味着,诚实的规范已经成为一种习惯,如果打破这种习惯,即使是在成人之后并且即使是在面对"自我利益"的相反方向的猛拉时,都会让她感到不舒服。[5]我在前一章中指出,习惯就跟上瘾一样,其成本——可能纯粹是心理上的——与时间成负相关,而其收益则与时间成正相关。一旦一种实践成为习惯性的,服从的收益—成本比率就会变成高度的正值,以至于即使因中断而产生的实际损害微不足道,中断也会被认为是一项真正的成本。

---

[5] 参见,Assar Lindbeck, "Welfare State Disincentives with Endogenous Habits and Norms," 97 *Scandinavian Journal of Economics* 477, 479 (1995).

通过习以为常而使规范内在化,似乎是非常有效的,因为它减少了服从的成本。但是,规范显然也有可能是坏的。即使规范在某些群体内部是有约束力的,因而往往是有效的,它对于作为整体的社会也可能是功能失常的。反对揭发同谋的规范就是一个例子。

规范的内在化还有另一个黑暗面,尽管这一结论取决于相互矛盾的道德假设。当从选择的范围这一角度来看待自由,而不是形式主义地把自由视为不受法律约束时,规范的内在化就减少了人类的自由。当通过外在的制裁来执行规范时,个人就会权衡违反规范的收益与成本。当规范被内在化时,他没有选择——选择是由他的父母、老师或同辈为他作出的。〔6〕如果我们从功能上或者道德上来评价选择的话,我们可能会觉得,缩小人们不加考虑地服从规范的领域、"不必加以考虑的"、毫不犹豫的服从的领域——是可欲的。在乔治·奥维尔的《一九八四》所描述的噩梦般的世界里,没有正式的法律;统治者通过洗脑来灌输社会规范,从而成功地获得几乎全体人口的毫不犹豫的服从。

因而,与认为更多通过法律而不是社会规范来实现管制的趋势标志着自由的丧失这一"保守的"确信相反,对用法律来控制反社会行为的增强的倚重,可能恰恰标志着深思熟虑的、自觉论证的人类选择的加强。但是,"可能"这一限制是重要的。提出一个像不加考虑的服从对自觉论证的人类选择这样的问题,过于究兀了。违反的诱惑可能会被良心的痛苦所抑制,这一痛苦会给违反行为施加成本,又不会完全破坏——像法律可能起的作用一样——选择的权力。

即使与罪恶感脱离开来,羞耻也可以像罪恶感一样起到制裁的作用,尽管其他人对违反者并没有采取任何行动。如果一名教授因嫖妓被捕一事被宣扬,他就会在他的同事面前感到羞耻,即使没有一个人对他提起逮捕的事,或者可能正是因为没有一个人提起这件事

---

〔6〕除非一个人故意地着手使某种实践——比如每次饭后刷牙——习惯化,以便减少该实践的成本。

——他们的沉默,对不体面行为的一种尴尬反应,表明这一行为的确是不体面的,而且是不能一笑了之的。

尽管羞耻并不依靠揭露违反者的个性信息来实现其效验,但这常常是一个要素:一个因酒后驾驶而被捕的人被揭露出,从常规的基础来看他可能确实喝多了,而他对人们对这一事实的反应有所意识,可能就是让他产生罪恶感的主要原因。自我揭露也可以是一个因素:某个第一次看到性异常的色情文学而获得刺激的人可能会为发现自己具有他从未怀疑自己可能会有的性倾向而感到羞耻。

羞耻常常是施加双边或多边制裁的副产品。当人们批评一个规范违反者时,他们是在努力施加一个多边制裁;但是,批评对于违反者的负效用,从而制裁的效验,可能完全是由于羞耻。如果违反者把批评作为无知、恶意或者嫉妒的产物而毫不在意,并且预见到将批评传播给其他人不会给他带来坏的后果,那么,批评就无法起到制裁作用。

我到目前为止讨论的制裁具有的一个共性就是,执行是没有成本的——而当规范违反者的行为传达出(经常是无意地)关于他自身的有价值的信息时,执行的成本可能实际上就是负的了。一名学生穿着非正式服装参加求职面试,这一举动就无意地传达出他对能否得到这份工作并不十分在意的信号。因此,他就得不到这份工作,而未来的雇主处境就变得更好。这名学生对求职衣着规范的"违反",以得不到工作的方式受到"惩罚"。[7]这一惩罚是轻微的,因为在前提假设上这名学生并不很在乎能否得到工作。但是惩罚对于惩罚者(雇主)的成本实际上是负的,因为通过避开违反者,惩罚者避免了一

---

[7] 参见,Eric A. Posner, "Symbols, Signals, and Social Norms in Politics and the Law," 27 *Journal of Legal Studies* 765 (1998); Eric Rasmusen, "Stigma and Self–Fulfilling Expectations of Criminality," 39 *Journal of Law and Economics* 519 (1996); Rajiv Sethi and E. Somanathan, "The Evolution of Social Norms in Common Property Resource Use," 86 *American Economic Review* 766 (1996); Niloufer Qasim Mahdi, "Pukhtunwali: Ostracism and Honor among the Pathan Hill Tribes," 7 *Ethology and Sociobiology* 295 (1998).

次有害的合作。同样地,如果一个男人打了女人,他受到的惩罚是找不到任何其他愿意与其交往的女人;在这里,惩罚对于违反者的成本是很沉重的,但是执行的成本很低(甚至为负),因为违反者已经通过其行为表明,与他交往的价值微不足道,甚至为零(常常为负)。放逐对于放逐者可以是很便宜的。

违反规范行为所揭露出的个人特点或商业特点,与违反行为的联系可能非常遥远,但仍然可以传达出有价值的信号。让我们来考虑下面这个例子:自然选择的结果是90%的工人是"稳定的",其生产力 $p = x$,10%的工人是"野蛮的",其生产力 $p = x - y$。一名工人决定是否要结婚。婚姻给一个稳定的工人增加的效用是 m,给野蛮的工人增加的效用是 $-z$。雇主只能观察到工人是否已婚而不能观察到他是否是野蛮的,他根据工人是否已婚而提供为 wm 或者 wu 的工资。雇主没有内在的理由关心工人是否已婚。野蛮的工人生产力较低,但是否已婚对他们的生产力没有影响。婚姻对于雇主的惟一意义就在于,它标示着稳定性。如果雇主成功地雇佣一名工人,他的回报是 pw,一个已婚的受雇工人的回报是 wu,一个未婚的受雇工人的回报是 w,一个已婚的未被雇佣的工人的回报是 u,一个没有雇佣工人的雇主的回报是 0,一个未婚的未被雇佣的工人的回报也是 0。如果 z 大于 y,雇主支付 $wu = x - y$ 与 $wm = x$ 的工资,则稳定的工人将结婚,而野蛮的工人仍将保持单身。

并不存在未婚工人为了骗雇主付给他们更高的工资而结婚的危险,因为在本质上,对这些工人来说,工资津贴小于婚姻对于他们的负效用(源于他们的"野蛮")。他们的不情愿可能会被婚姻补贴克服,但是如果真是这样的话,补贴就将通过让雇主失去关于工人的边际产品的有用信息而减少劳动力的生产力。然而,对婚姻征税也一样;如果由于婚姻税而使婚姻绝迹的话,婚姻信号就会遭到破坏。同样地,假如政府禁止雇主决定雇佣时利用求职者的婚姻地位,也会造成这样的结果。这些论点举例说明了政府与规范相较量所存在的危险。

对违反规范行为的非正式制裁可能看起来欠缺比例性。如果违反行为传达出违反者不能成为值得信赖的朋友或商业伙伴的信号，那么，一个轻微的违反规范行为也可能引发放逐。此时，违反者因放逐而承担的成本，大于其违反行为的社会成本。但是，这不必然构成过量的惩罚。它矫正了信息的不对称，并由此形成一个有别于遏制作用的社会收益。

现在让我来区分两种类型的对违反规范行为的昂贵制裁——双边制裁和多边制裁。有时，规范的违反者只受规范指明的另一个人施加的昂贵惩罚。射杀引诱其妻或者只是在发现妻子的私通行为后与（他所热爱的）妻子离婚的嫉妒的丈夫，承受了惩罚违反规范行为的巨大成本。要创造充分的动力，以实施对惩罚者而言昂贵的惩罚，可能需要第二位的规范，例如，复仇的规范通过放逐不愿执行报复伤害行为责任的人，用多边制裁来补充双边的、昂贵的制裁。[8]在这个例子中，惩罚是通过减少净成本——即惩罚的成本与不惩罚的成本之差——而顺利实现的。通过让惩罚者不因其惩罚行为受到通常的制裁——正式的或非正式的——惩罚的成本也可以减少。通常情况下，公开侮辱他人的人会受到严厉的批评，但是，如果侮辱的目的是对其他人的违反规范行为进行惩罚，这一侮辱就很可能获得开释。

提到复仇让我们想起了情感作为规范执行者的重要性[9]——这一点对于理解法律的出现也至为关键。我在第7章中提到的旧南方的荣誉法典，是以复仇为基础的法律体系的遗迹，更确切的说，是前法律体系的遗迹。在政府出现之前，我们现在称之为法律的东西是一个社会规范体系，遵守这些规范，部分地是出于对放逐的畏惧，部分地是出于对复仇的畏惧。在对侵犯者的"盲目愤怒"下猛烈还击

---

[8] Jon Elster, *The Cement of Society* 127 (1989).

[9] 又参见，Jack Hrishleifer, "On the Emotions as Guarantors of Threats and Promises, in *The Latest and the Best* 307 (John Dupre ed. 1987); Robert H. Frank, *Passions within Reason: The Strategic Role of the Emotions* (1998).

的冲动而不顾成本与收益的平衡——受害人在决定是否报复时必须考虑这一平衡——是一个人在作为生存繁衍之基本条件的"权利"遭到侵犯时作出的本能反应。

最后,规范的违反者可能由于几个或者很多其他人的昂贵的行动而受到惩罚。例如,一个离婚的人可能会发现,他再也收不到社区内部的宴会邀请了,即使他是"社交场合的灵魂人物"。[10]多边惩罚比双边惩罚更需要信息。由于涉及的人更多,因此搭便车的问题就更为严重,但是,由于每一个惩罚者的惩罚成本也因同样的整体性威慑作用而减少,搭便车的问题又可以得到缓解。

让我们来考虑一下阿米希人(Amish)躲避反对教堂规条的冒犯者的做法。像其他门诺派教徒(Mennonites)一样,阿米希人既有反对违反行为的规范又有反对起诉的规范。因而,起到放逐作用的逐出教会,就成了最大的惩罚。[11]但它是有效的,因为阿米希人形成了一个隔绝的亚文化群,而离开这一亚文化群是昂贵的。这里的限定非常重要。只有在留在群体内部有净收益的前提下,放逐才是一种有效的制裁。然而,创造这些收益可能是极为昂贵的。阿米希人不允许自己的孩子接受小学以上的教育。这使得阿米希人很难在更大的文化中生活,从而增大了离开的成本,但是是以限制自己的潜在收入为代价的。

将隔绝的亚文化群的成员与包围这一亚文化群的更大文化隔离

---

[10] 在罗伯特·艾里克森的术语里,罪恶和羞耻是与"第一方"制裁相对应的,双边的昂贵制裁是与"第二方"制裁相对应的,而多边的昂贵制裁则是与"第三方"制裁相对应的。Robert C. Ellickson, *Order without Law: How Neighbours Settle Disputes* 130–131 (1991). 他并没有把自动的和非正式的制裁包括在其分类法内,因为它们并不是执行他所定义的"规范"的方法。其他的定义性的问题可参见, Richard H. McAdams, "The Origin, Development, and Regulation of Norms," 96 *Michigan Law Review* 338 (1997).

[11] 参见, John Howard Yoder, "Caesa and the Meidung," 23 *Mennonite Quarterly Review* 76 (1949). 关于对一个多次重复的游戏中的昂贵的贝壳放逐法的理论探讨,参见, David Hirshleifer and Eric Rasmusen, "Cooperation in a Repeated Prisoner's Dilemma with Ostracism," 12 *Journal of Economic Behavior and Organization* 87 (1989).

开来的隔膜的厚度,取决于更大的文化对差异的宽容程度,以及亚文化群与更大的文化的差异大小。更大的文化越宽容,对亚文化群的成员而言,就越容易逃入与之相异的外围而不必花费多大成本。不宽容的文化可以通过加强社会内部各个群体的规范性管理来促进良好行为。一个群体可能由于受歧视而壮大;然而,其成员的处境,较之可以轻易地被同化到更大的社会中的处境而言,有可能更好,也有可能更遭。[12]

即使某一群体与更大文化的不和谐程度很高,而且更大社会对于不和谐的不宽容程度也很高,除非作一个放逐者是有净收益的,否则放逐也不会是一种可行的制裁。由于放逐者是无偿的规范执行者,因此就存在着一个潜在的搭便车问题;每个人都有动力在承担这一昂贵的行动面前止步不前,而希望其他人可以勇往直前。情感对克服这一倾向有一定作用,因此,正如我们在前面已经注意到的,情感在一个更为传统的意义上是利己的;我们看到,放逐对于放逐者的成本有时候是负的。这就是受规范支配的群体越小,规范就越容易有效的一个原因。重复性制裁在小群体的成员间比在大群体的成员间更为常见,[13]它不仅减少了放逐对于放逐者的成本——他们所要做的就是停止与违反者的交往,而且可能对私人和对社会都有利——这样做使辨认规范违反者更加容易了。

美国社会的一个显著特征就是宗教的多元化,考虑到宗教作为社会规范的来源与执行者的历史重要性,我们应当想一想这一特征是怎样与通过社会规范治理的效验相联系的。一方面,宗教多元化方便了规范的选购(shopping),不仅因为一个人可以找到不会限制其行动的流派,而且还因为他可以找到在他觉得合适的程度上限制其行动的流派。归属于一个惩罚离经判道行为的教堂,可能就像拥有

---

[12] 参见,Eric A. Posner, "The Regulation of Groups: The Influence of Legal and Nonlegal Sanctions on Collective Action," 63 *University of Chicago Law Review* 133 (1996).

[13] 参见,Ellickson,前注[10],页177–180。

灌输罪恶感的父母一样,对一个人的长期福利是有益的(在相当唯物主义的意义上)。另一方面,多元化可以通过推动很多小流派的出现而促进规范的执行。因为,正如我们看到的,通过规范进行管理,在小群体里比在大群体里更加有效。但是,得到执行的是社区本身的规范,而不是更大社会的规范;并且,这两套规范之间可能有分歧。

有助于规范的有效执行的条件——较少的成员人数与被放逐的高成本——最可能在隔绝的、原始的共同体中得到满足。这一点或许可以解释,像法律这样的东西是如何可以在任何执行法律的中央权威出现之前,作为一个社会规范体系产生的。一个促成因素是,非正式规范的管理在一个静态的社会——初民社会就倾向于如此——中更加可行。没有一个中央权威,大的规范改变是很难安排的,因为改变的成本很高而且这一高成本产生了搭便车的诱惑。进化,作为一个轻微的、渐进的并因而常常是便宜的改变过程,可以克服规范创设所面临的这一障碍,但却是缓慢的。因此,如果一个社会正在迅速地变化,通过规范来管理就不太可能满足社会的管理需要。

现在让我们来考虑一下规范的创设、破坏与改造。在某种强烈的意义上,规范是一种"公共善品",也就是说,规范的成本不会因更多的人运用它而上升,并且对规范的执行没有贡献的人也可以享受它的收益。很显然,任何具备如此特征的善都面临着生产不足的危险,因此规范很可能是生产不足的。但是,出于同样的原因,一旦规范被创设出来,它就很难改变。创设规范需要宣传规范并创设对违反行为的制裁。消除规范也需要宣传,还需要对预期和品味的破坏——预期和品味支持着对违反行为的制裁,它是一个改变的过程,可能与当初创设品味的过程一样昂贵。改变规范,既需要破坏的成分也需要创设的成分,就可能是最困难的把戏了。

当然,并不总是这样。如果说"再见"成为一种无效率的告别形式,人们就会毫不费力地转向说"珍重"。改变以后的任何人都能传达出与改变之前同样的意义,而不会被其他人认为处境变糟了。很多作家都从用"他"转变为用"他或她"或者"她"来表示不确定的非中性代词。作家所表达的意义仍然是明白的,就像在从"再见"转变为"珍重"的例子里一样,但是在他/她的例子里,对语法规范的违反分散了读者的注意力,减慢了交流,因而导致一些作家使用精心设计的迂回说法来避免使用代词。尽管如此,由于传达出信仰女性主义者目标这一信号对很多人都很重要,这一规范还是迅速地改变了。但是,它还没有完全改变,因为一些作家希望传达出这样的信号,即他们反对被他们视为极端主义的女性主义意识形态的东西,或者仅仅是他们更注重写出优秀的作品,而不是被视为政治正确。

在这两个例子里,改变现行规范都是可行的,因为改变可以循序渐进地进行因而不需要中央化的指导。但是,让我们试试颠倒交通信号灯,让红灯表示"行"绿灯表示"停",或者改变道路交通规则,从靠右行改为靠左行。与较小的语言的改变不同,这样的规范改变必须被每一个人立即接受,才能避免庞大的转变成本。对这些规范的遵守所具有的习惯性特征会增大改变的成本。

与在一种语言内改变词语的用法相反,试图从一种语言转换为另一种语言,将在更大规模上产生类似的问题。[14]国语确实可以改变,但通常是经过一个过渡性的双语阶段实现的。更为常见的是书写上的改革,比如20世纪汉字的简化,[15]第二次世界大战后德国用罗马字母取代了哥特体字母,[16]以及韩语在书写上逐渐用汉字代

---

[14] 参见,Richard Adelstein, "Language Orders," 7 *Constitutional Political Economy* 221 (1996).

[15] 例如,参见, Insup Taylor and M. Martin Taylor, *Writing and Literacy in Chinese, Korean and Japanese*, ch. 8 (1995); *Language Reform in China: Documents and Commentary* (Peter J. Seybolt and Gregory Kuei – ke Chiang eds. 1979).

[16] Kenneth Katzner, *The Languages of the World* 71 (new ed. 1995).

第九章 社会规范以及一个宗教札记 313

替高度表音的韩语"音节表"。[17]但是在汉语和韩语的例子里,改变是由政府实现的,正如瑞典在一夜之间从靠左行改为靠右行的例子一样。[18]

我一直讨论的、转变中存在的问题,是我们的老朋友(从第4章开始)路径依赖,它可以帮助解释为什么规范应当慢慢改变常常是可欲的,即使改变明显是在朝着更好的方向转变时也是如此。因为,较好的规范可能需要假以时日才能逐步被采用,而如果较老的、较差的规范在转变完成之前就消失的话,社会控制结构就会有一个缺口。作为威慑和惩罚犯罪的法外规范体系的复仇的逐步衰落,是与防止犯罪的法律手段的效验的增强并行的。要是复仇规范突然崩塌的话,就会造成无政府状态,因为控制犯罪的法律手段(涉及警察、法官、立法者等等)还没有发展起来。

旧南方男性白种人过度发展的荣誉感,与之类似的,如今我们城市中贫穷的黑人小子具有的"阳刚之气"的价值观,以及令人吃惊地"充满弹性的"抽烟之"酷",都是在当前条件下明显功能失调、但仍然存续着的规范的例子。它们例证了前面的一点,即规范的消灭与创设一样,都是公共善品,因此有可能规范的流量非常之小而存量却非常之大。通过罪恶感和羞耻感来强制执行的规范,尤其难于创设或者改变,因为它们受到以家庭——这一制度对试图改变其信念和行为的政府努力有很强的抵抗力——为媒介的社会条件的很大影响。

当频繁的改变本是就是一种规范时,比如在女性时尚的例子里,可能会让人产生错误印象,以为规范的改变是频繁而轻易的。假如

---

〔17〕 参见,Taylor and Taylor,前注〔15〕,第二部分。政府在15世纪早期引入的韩语字母表明,书写的改革并不是新近的发明。语言改革的失败尝试很多。想一想爱尔兰扩张盖尔语的使用的企图,或者加拿大传播法语的使用的企图吧。也有引人注目的成功,但是大部分成功都是征服的结果;一个例外是希伯来语(其使用范围已大大缩减至仪式场合)作为以色列国语的幸存。

〔18〕 参见,"Sweden Tells Traffic to Keep to the Right",*Business Week*,Sept,2,1967,p.26.

"改变规范"本身突然地改变——假如某一年的女性时尚与前一年的相同,就会让人大吃一惊。梯穆尔·库仁已经说明了,那些看似非常强大的规范是如何可以突然消失的,它们的执行仅仅是因为人们相信其他人会继续执行它们。[19]

理解规范是如何改变的,可以帮助我们理解它们是如何被创设的。当逐渐的改变可行时,只要有足够的时间,即使是复杂的规范也可以从微小的开端发展出来。把《伊利亚特》第 20 卷中描写阿基里斯之盾的一幕与司法行为的现代规范作一比较,人们就可以瞥见,这些规范是如何在长达 2500 年的时期内,从最基本的程序发展出来的。阿基里斯之盾描写了在外行组成的审判机构前进行的非正式的、自愿的仲裁。这与现代诉讼鲜有关联(但与现代仲裁的联系并不远),但是,要勾画出从古代争端解决实践到现代争端解决实践的一步一步的进化过程,却很容易。

现在,我们必须考虑一下规范在整个社会控制体系中所处的位置,进而考虑一下法律与规范相比所起的作用。我提出以下五点。第一点涉及法律作为规范的补充执行者所起的作用。在单个违反行为过于琐碎,或者证明罪行的难度过大,因而审判、警察、监狱的开销都没法合理化时,规范就是一种比法律更为有效的社会控制手段。但是,对违反规范的制裁常常过于微弱,无法遏制足够多的人不去从事不法行为,同时,规范的创设又进展得过于缓慢,无法为社会治理提供所必须的全部规则——因此,法律也在社会治理中占有一席之地。如果对违反行为的非正式制裁不足,除了以法律形式创设新的规范之外,政府还可以对违反现行社会规范的行为规定补充性的惩罚。比如,针对盗窃行为政府就是这样做的。当社会中的很多人并不为非正式制裁所动时,对违反规范行为的法律制裁就特别重要。这些人或许是缺乏罪恶感或羞耻感,或许是对放逐并不在意(因为即

---

[19] Timur Kuran, *Private Truths, Public Lies: The Social Consequences of Preference Falsification* (1997).

便他们遵守了规范他们也没有有价值的交易机会),而且并不会失去什么名声,但是他们仍然会受到法律的切实制裁的影响。

第二,法律在管理和保护对违反规范行为的私人制裁方面都起到一定作用。法律过程的目的在于,把错误施加正式法律制裁的概率减到最小。对大部分由规范而非法律调整的行为而言,对无辜者的周到保护是没有必要的,因为对违反行为的制裁并不严厉。但是,当违反行为受到特别严厉的法外制裁的惩罚时,为避免错误施加制裁而公开听证,就可能是正当的。这就是针对侮辱(defamation)提供法律救济的法律规定所基于的经济学原则;侮辱是对违反规范行为作出的一种信息制裁,它是通过破坏声誉从而让人们不再与被侮辱的人打交道来实行的。但是,由于侮辱是对违反规范行为的一种重要制裁,因此法律就不应该不加鉴别地或者过于严厉地对其加以惩罚,特别是不应惩罚真实的侮辱;否则就会摧毁对违反社会规范行为的信息制裁体系。如果对诽谤(slander)(与书面侮辱相对的、由诽谤法调整的口头侮辱)的惩罚过高,人们就会担心不能确保自己的叙述完全正确,从而不敢散布流言蜚语。流言蜚语是促进对违反规范行为予以制裁的一个重要因素。[20]

举一个更加极端的例子,实际上也是一个古老的例子,即,如果像因孕而婚这样的双边制裁能够实行,法律就可能不得不放松对暴力的垄断。有人主张,19 世纪 60 年代非婚生育规范的改变,原因就在于生育控制和堕胎的增长,因为它们减少了强制婚姻的收益。[21]

第三,政府可以为执行对违反规范行为的私人制裁提供动力。

---

[20] 参见,Sally Engle Merry, "Rethinking Gossip and Scandal," in *Toward a General Theory of Social Control*, vol. 1, p. 271 (Donald Black ed. 1984).

[21] George A. Akerlof, Janet L. Yellen, and Michael L. Katz, "An Analysis of Out-of-Wedlock Childbearing in the United States," 111 *Quarterly Journal of Economics* 277 (1996). 当然,大多数这样的婚姻并不是像字面含义那样通过暴力威胁来强制执行的;我也没有暗示说,对此种威胁的使用可以因非婚生育的社会成本而得到正当化,尽管这些成本是实际存在的。

考虑一下那些约定仲裁合同争议的合同。一份合同就是一套由合同各方当事人建立起来的规范。如果法律强制执行仲裁裁决(实际上就是这样),就为规范的私人安排和执行提供了法律支持。合同创设出适应极为独特甚至是特质的活动的规范,而一个中央法律权威则无法调整这些活动,因为它缺乏足够的信息(法律拒绝强制执行与公共政策相冲突的合同——即创设坏规范的合同,也是基于同样的原因)。尽管缺乏执行法律的可行手段,考虑到二者的相互性,法律对合同的强制执行仍然强化了(补充了)规范,但不是创设了规范(也就是说,如果不是因为很多合同得到履行,规范就不会存在或者不会被遵守)。

第四,政府可以鼓励规范的创设。对于协同性规范,政府可以宣传新的规范,比如我前面给出的例子。当罪恶感和羞耻感作为制裁时,政府可以协助向孩子及成人灌输这些观念。但是,由于道德教育与智力教育的目标可能是冲突的,增加投入教育的资源,并不是促进通过规范进行治理的可靠手段。通过强调获得知识与智识技巧,典型的现代教育鼓励学生独立思考。在这一过程中,学生们学到了规避道德规范的智识工具,比如合理化、诡辩的推理、在道德规范之间发现潜在的矛盾、多元主义、道德怀疑主义(价值并不是客观的,而只是看法而已),甚至虚无主义。[22]对可选项的无知,是自由选择的一个巨大局限。让学生们了解可供选择的规范鼓励了规范的选购,而这也许会导致学生像成年人那样抛开令人生厌的道德约束。城市与农村地区之间的道德差异——这一差异得到了文献的充分支持,[23]

---

[22] 参见, Richard A. Posner, *The Problematics of Moral and Legal Theory* 70 – 75 (1999); Matthew Rabin, "Moral Preferences, Moral Constraints and Self – Serving Biases" (Wkg. Paper No. 95 – 241, Dept. of Econ. Univ. of Cal. at Berkeley, Aug. 1995).

[23] 例如,参见, Edward L. Glaeser and Bruce Sacerdote, "Why Is There More Crime in Cities?" 107 *Journal of Political Economy* S225 (1999); Robert J. Sampson, "The Effects of Urbanization and Neighborhood Characteristics on Criminal Victimization," in *Metropolitan Crime Patterns*, ch. 1 (Robert M. Figlio, Simon Hakim, and George F. Rengert eds. 1986).

例证了作为一种现象的规范选购的重要性,虽然另一个因素是,放逐在一个大多数交易都在陌生人之间进行的环境下不那么有效。

简言之,"文科"(liberal)教育就是"解放"(freeing)教育,而其中一种解放就是对规范的摆脱。当然,教育在这一或者任何其他方面的有效,都被所有层次上的教师认为是无望的事。然而,一场看似远离规范管理而通向法律管理的长期运动,或许反映了一个社会的教育水平与规范管理的效验之间的反向关系。

在另一方面,教育可以破坏通过规范进行的社会治理。一般来说,在权限范围内,国民的受教育程度越高,国家就越富有。被放逐的成本,作为对违反规范行为的制裁,是与一个社会的收入水平负相关的。在富有的社会中,个人更不依赖于其所属之特定社区的友好关系——或者是因为他本身就很富有,或者是因为他处在社会保险网的保护之下,或者是因为他拥有便携的职业和社会技术因而具有很强的机动性。这些因素使得规范管理成为经济学家所称的劣等商品,即,收入的增加会导致对其需求下降的商品。另一个因素是:私隐是优等商品,因此在一个富有社会里私隐更多;而私隐让邻居、熟人、流言蜚语和花边新闻无法获取羞耻这一多边信息制裁所需要的信息,从而减弱了规范的效验。[24]法律越是保护私隐,对作为规范管理之替代物的法律的需求就越大。这就让我怀疑,那种认为在美国发动一场道德革命、以使规范治理回复其一度占有的重要地位的时机可能已经成熟的想法——就像一些共产主义者和社会保守主义者所设想的那样,是否具有现实性了。

最后,政府在打击坏规范方面起到了一定作用。它可以把坏规范创立者作为靶子,就像为减少纽约市及其他地方的街头犯罪而进行的成功战役一样。通过把富于侵略性的乞丐、故意破坏者、醉汉、吸毒者、卖淫者、成群结伙者、闲荡者及其他显而易见的反社会者从

---

[24] Yuval Tal, *Privacy and Social Norms: Social Control by Reputational Costs* (unpublished diss., University of Chicago Law School, 1997).

街头赶走,警察就清除了反常行为人的各种典型,而如果允许这些人不受任何干涉地活跃于街头的话,他们可能就会确立起要社区中更胆小的成员遵守的规范。[25]法律也可以通过创设有效的、针对故意伤害的法律救济来减少服从坏规范的收益;这些救济将减少基于个人荣誉(honor)的复仇规范的收益。法律也可以增大服从这一规范的成本,最简单的方法就是附加一种法律惩罚,比如让决斗成为一种犯罪。然而,由于一个以荣誉为基础的复仇体系的核心就是自愿行动而不考虑成本与收益的平衡,因此增大服从坏规范的成本并不像看起来那么简单。[26]一旦附加了法律惩罚,对规范的服从就可能更有效地传达出决斗者珍视荣誉的信号。但是荣誉意味着仅仅对特定的成本漠不关心,这在很大程度上就像贫困只可能让人对缴纳不起的罚金而不能对监禁无动于衷一样。惩罚决斗的适当"通货"(currency)就是使它成为不名誉的,比如让决斗者丧失担任由有名誉的人义不容辞地担任的公共职务的资格。[27]

  法律人认为,法律很像教育,是规范的塑造者(而不仅仅是执行者)。支持这一猜测的证据很薄弱,正如我在导论中谈及宪法时描述的那样。而反对它的证据比如,亚群体常常依照自己的方式行事,坚持那些服务于自己的需要的规范。[28]这一分歧可能是由于对法律的彻底的(理性的)无知而产生的——这一无知尤其可能存在于法律正好是非直觉的、因而理解法律的成本较高的场合,因为此时法律与一个人直接所属的社区的规范不一致。既然一个群体的成员可以在群体之外——向法律——寻求保护,从而减小了群体成员服从群体

---

〔25〕 参见, Dan M. Kahan, "Social Influence, Social Meaning , and Deterrence," 83 *Virginia Law Review* 349 (1997).

〔26〕 我在此是把决斗规范视为次要于荣誉法典的——实际上我也是这样认为的,即,把它视为一个执行规范而不是一个实体规范。

〔27〕 Lawrence Lessig, "The Regulation of Social Meaning," 62 *University of Chicago Law Review* 943, 971 – 972 (1995).

〔28〕 艾里克森的一个主要的主题,前注〔10〕。

规范的动力,那么法律就可以破坏好的规范也可以破坏坏的规范。[29]

如果不考察宗教的作用,对社会规范的讨论,或者就此而言,对情感在规范人类行为方面的作用的讨论就不可能完整。亚当·斯密教导我们,宗教流派必须很小,以克服成员之间的搭便车问题从而有效塑造他们的道德行为;因而,他的讨论非常符合社会规范之现代经济学分析的精神。大卫·休谟强调,一种地位巩固的宗教很可能会减少宗教之间的竞争从而抑制宗教热情——这又是一个很好的经济学的论点。西欧宗教信仰的现状支持了休谟的猜测。[30]西欧各国都有地位巩固的教会,但是除爱尔兰以外,其他国家的国民笃信宗教的程度与美国相比都很低,[31]这种情况就阻碍了地位巩固的教会的发展。

斯密与休谟的分析不仅在他们赋予宗教的价值上有所不同,而且在他们所暗示的针对宗教的公共政策上也存在差异。斯密相信,宗教总体上对于塑造道德价值是有用的,而休谟则相信它在总体上是破坏性的,因为它激起战争、民间冲突、迷信以及迫害。今天,在我们这个国度里,宗教的破坏性潜力体现为受宗教煽动的攻击堕胎医生与诊所以及阻碍传授进化论的努力,在其他国家还表现为长期的、大规模的宗派暴力。斯密强调的与规范有关的收益,即对小宗派的促进——在此他暗示出不应有地位巩固的教会,需要与休谟所强调的成本相平衡,即由宗教造成的宗教冲突与镇压——他认为这样的后果从反面支持了应当确立地位巩固的教会的观点,这就暗示出应当减少宗派的数量。如果推至极致,地位巩固的教会可能获得全面

---

[29] 参见,波斯纳,前注[12]。

[30] 关于经验性的证据,参见,Laurence R. Iannaconne, "The Consequences of Religious Market Structure: Adam Smith and the Economics of Religion," 3 *Rationality and Society* 156, 169 (1991).

[31] 例如,参见, *Gallup Report No*. 236, May 1985, pp. 50, 52.

的宗教垄断,这时斯密的目标将彻底失败,而休谟的目标将完全实现。

关于宗教的现代经济学文献[32]强调宗教团体的两种活动,这两种活动都与规范相关,但第一种活动与宗教的联系更为根本。这种活动就是,宗教团体努力向其成员灌输非主流的(deviant)行为或表现特征来增大叛教或退出的成本,即一种贴标签的方式;我在前面就提到了阿米希人。但是最好的例子之一却是世俗的。也就是犹太复国主义者——他们是宗教的异教徒——决定把希伯来语而不是德语或者英语作为那时的巴勒斯坦的官方语言。这样做的一个作用就是让巴勒斯坦的犹太人后代更难移民国外。

在现代社会的主流条件下,宗教能否为社会规范的执行作出很大贡献,是一个未决问题。阿米希人的例子是非常隔绝的。这并不是一个偶然事件;假设更大社会的价值观念和行为方式在某种意义上是最优的——因为,否则为什么它们是较大社会的价值观念和行为方式呢?——那么一个群体为培养非主流的价值观念或者行为方式而付出的代价对其成员而言就是非常高的。

让我们来考虑一下类似的、正统犹太人的例子。利用放逐的有效威胁,他们已经可以在国际钻石交易中取得控制地位而不必诉诸法律来执行交易规范。[33]但是他们仅仅是犹太人口中的一小部分。尽管犹太人作为一个整体的收入水平和教育水平非常高,但是大多

---

[32] 例如,参见,Laurence R. Iannoccone, "Household Production, Human Capital, and the Economics of Religion," in *The New Economics of Human Behavior* 172 (Mariano Tommasi and Kathryn Ierulli eds. 1995); Iannoccone, "Progress in the Economics of Religion," 150 *Journal of Institutional and Theoretical Economics* 737 (1994); Iannoccone, "Sacrifice and Stigma: Reducing Free Riding in Cults, Communes, and Other Collectives," 100 *Journal of Political Economy* 271 (1992); Edward L. Glaeser and Spencer Glendon, "The Demand for Religion" (unpublished, Harvard University Department of Economics, Oct. 23, 1997); Glaeser and Glendon, "Incentives, Predestination and Free Will," 36 *Economic Inquiry* 429 (1998).

[33] 参见,波恩斯坦,前注[3]。

数犹太人都不遵守规范和法律,或者勉强称得上遵守规范和法律。犹太人在美国取得的令人吃惊的经济和职业上的成功,与犹太人的同化密不可分。比如当前高达50%的通婚率就可以表明同化的程度。因此,人们不会对犹太人的收入优势与正统性成反向关系感到惊奇:正统犹太人的平均收入水平比保守的犹太人低,而保守的犹太人的平均收入水平比改革的犹太人低。[34]对犹太人而言,至少并且可能通常在现代社会的主流条件下,通过培养独特的性格和行为而增强的规范管理的效验,是不足以被这样的性格和行为造成的交易机会丧失抵消的。这一点可以一般的适用于以社会规范管理代替法律管理的努力。

现代文献强调的第二种宗教活动是,宗教团体通过形式多样的教化——在反对者看来不过是种种洗脑的方法——塑造成员的价值观和偏好的努力。与此类似的世俗的例子是极权主义,而这正好可以作为一个证据,说明法西斯主义者和共产主义者在最终告败(或者只是部分成功)的集体洗脑的努力上,从天主教那里借用了某些技术。[35]

政府与宗教在规范灌输上的竞争也饶有趣味。法院以宪法的名义坚持公立学校应当是完全世俗的,提高了对(私人)宗教机构服务

---

[34] Esther I. Wilder and William H. Walters, "Ethnic and Religious Components of the Jewish Income Advantage, 1996 and 1989," 68 *Sociological Inquiry* 426 (1998). Esther I. Wilder, "Socioeconomic Attainment and Expressions of Jewish Identification, 1979 and 1990," 35 *Journal for the Scientific Study of Religion* 109, 123 (1996); Barry A. Kosmin and Seymour P. Lachman, *One Nation under God: Religion in Contemporary American Society* 266 (1993).

[35] 我在我的论文《奥维尔对赫胥黎:经济学、技术、隐私和讽刺》中进一步发展了这一主题。"Orwell versus Huxley: Economics, Technology, Privacy, and Satire," 24 *Philosophy and Literature* 1 (2000).

的需求,由此也加强了宗教。[36]社会保守主义者指责最高法院的宗教判决具有反宗教特性,这一特性或许实际上就是美国人比大多数其他现代国家的国民更加信教的原因。

但是,现有的论述宗教的经济学文件,似乎完全专注于宗教所具有的与本章主题相关的作用,而把很多人们可能关心的问题排除在宗教理论之外。我们不应让对规范的迷恋窒锢了宗教的其他功能。经济学文献忽视的值得注意的一点,就是对宗教教义内容的分析。就通过提高成本而阻碍叛教行为的目的而言,宗教教义或仪式的合理性或许是无关的。但是解释这些教义和仪式,而不是把它们视为任意的,也应当成为宗教理论的一个关注点,并且对这一解释的研究也可能并不完全在经济学的范畴之外。那些很容易被我们轻率地当作纯粹迷信的产物的宗教实践,在更加仔细的考察下,可能会显出节约的属性。以我们嘲笑的女性"生殖切除"(genital mutilation)为例(过去常被称为"女性割礼"[female circumcision]),没那么轻蔑但容易误导,但更为精确和中性的描述则是阴部切分法和阴部扣锁法)。主要的实行者是奉行一夫多妻制的非洲穆斯林(伊斯兰教允许一夫多妻),而这一实践的一个可能的功能就是减少女性的性快感,从而减少一夫多妻制社会中女性通奸的诱因。[37]由于一个男人的妻子们分别居住在独立的房间里,丈夫轮流与每个妻子在各自的房间里进行有限的性交,并对她们进行有限的监视,所以这种诱因是非常大的。

我知道,功能主义是一种危险的解释模式;它通常容易——太容易——为任何一种社会实践想像出一种功能,无论这种功能是多么离奇,然而它又很难在这一实践的功能与对这一实践的接受和坚持

---

[36] Richard A. Posner, "The Law and Economics Movement," 77 *American Economic Review Papers & Proceedings* 1, 11 (May 1987). Michael W. McConnell and Richard A. Posner, "An Economic Approach to Issues of Religious Freedom," 56 *University of Chicago Law Review* 1 (1989).

[37] 参见,Richard A. Posner, *Sex and Reason* 256–257 (1992).

之间确立起因果关系。但是,我提出的对女性器官切除的解释具有足够的可信性,因此,我们在作出这一实践是非理性的而不只是让我们觉得恶心的结论之前,有必要进行进一步的考察。

我进一步主张,宗教不能被理解为主要是一种灌输价值的制度,就像经济学不能被理解为主要是灌输价值的制度一样,虽然经济学研究生教育的一个功能是灌输特定的职业价值,比如诚实地使用数据,恰当地评价其他学者的贡献等等。宗教类似于理解与控制人们的社会与物理环境的科学,并且实际上与之竞争——在古代和原始文化中二者相继出现甚至无法区分。它为一些重要问题提供了答案,诸如世界是如何形成的,人类生命是如何起源的,以及我们死后会怎样等等;它也为控制自然、在战争中取胜等等提供了技术,比如祷告、占卜和献祭。

古希腊的宗教是自然主义、实用主义和原始科学主义的。众神是各种各样的自然力和人类特性的有似可信的人格化;而且,主要通过献祭进行的安抚众神的努力,也是看似可信实则谬误的控制自然环境的企图——现代科技追求的也是同样的目标并获得了更大的成功。宗教之间的、宗教与其世俗替代物比如马克思主义和科学之间的竞争,一直是——无论如何在某种程度上是——理论之间的竞争。新教特别是加尔文主义新教取得胜利的一个原因,可能就是仁慈的(of grace)教义比天主教教义更接近于对人类行为的科学思考方式。上帝在我们出生之前就决定了谁将获救以及谁将受罚这一想法,是一种行为的宿命论,正好与行为的科学世界观相似(换言之,即基因决定仁慈)。而且,追忆起来,基督教的胜利显然在某种程度上归因于殉教者的模范作用,他们在面对死亡时的平静表明了对其宗教原则的虔诚信仰。后来,基督教与伊斯兰教都通过辩称自己的军事征服显示了上帝与其同在,从而赢得了众多皈依者。简言之,宗教常常是通过理性诉求获得成功的。

提到殉教者和征服,就把宗教在认识论上的困难摆在了我们面前。科学方法的最有说服力的模式涉及到提出可以用数据(无论是否是由试验产生的)证伪的假设,在此,对数据的解释独立于观察数据的科学家所持的特定价值或观点。在某些例子里,比如进化论,该理论的核心假设不能用数据来检验;人类与其他灵长类动物从共同的祖先进化而来是没法观察到的。但是通常情况下并且即便在这个例子里,假设是可以被间接地但仍然可信地检验的,无论是通过在实验室里繁殖再生速度极快的果蝇或者其他动物(或植物)的试验,还是通过对不同地区的动物种群或者化石记录的研究,或者通过相联系的动物种群的 DNA 比较,或者通过计算机模拟。对于没法观察到的现象,没有一种单独的解释方法是决定性的,但是大量不同方法的彼此一致,再加上没有一种看似合理的可供选择的假设,或许就可以令接受这种解释成为正当的了,尽管这也总是实验性的。

在类似的意义上,宗教理论通常也是无法检验的,尽管有一些例外:当一种宗教预言世界将在某一天终结,而这一天到来了并且没有发生特别事件时,这一预言的被证伪就可以让大多数人确定这一宗教信条的虚假性。大多数宗教都避免作出可以被证伪的预言,而是作出要么是不可能被检验的预言,比如涉及死后生活的预言,要么是很难被检验的预言,比如涉及祷告的效验的预言,因为人们知道,除了没有上帝聆听祷告这一原因之外,还有很多东西可能阻碍祷告产生意图的效果。宗教一般都诉诸证词,比如基督奇迹的所谓见证人所作的的证词,或者寻求通过发信号来增强其主张的可信性,就像我在前一段里举的例子一样[38](我将在下一章中讨论证词作为合理化之信念的基础所具有的缺陷)。

很多宗教都争取创造对信念的垄断,因为宗教多样性会导致怀疑主义。例如,假如宗教之间存在着竞争的话,帕斯卡的著名的赌注(即使上帝存在的可能性微乎其微,由于若上帝确实存在则相信上帝

---

[38] Rodney Stark, *The Rise of Christianity: A Sociologist Reconsiders History* 173 (1996) 斯塔克的书强调设计,通过这些设计,宗教可以增强其主张的可信性。特别参见,前引书,第8章。

的收益——不灭的永生——是极大的,因此,"打赌"上帝确实存在的预期收益肯定是正的)就不可行。它就不再是一次安全的打赌,因为如果你把赌注放在了"错误的"上帝(事实上并不存在的上帝)身上的话,你就会受到真正的上帝的惩罚。[39]尽管有多元主义的特点,宗教在美国依然具有生命力,除了美国的宗教多元主义,这一情形似乎推翻了多元主义激发怀疑主义的暗示;但是正如我们将要看到的,美国的很多宗教信仰可能只是名义上的。

进化论否定了最强有力的支持宗教的科学论证,即任何与人类有机体一样复杂的东西一定都反映了有意识的设计。这一论证暗示着有一位令人敬畏的强有力设计者——除此之外还能怎么解释呢?达尔文回答了这一带有修辞色彩的问题,从此以后,只有少数受过教育的人才会把宗教看作科学真理的一种来源,看作科学理论的替代物。

科学和宗教历来是作为技术(控制环境的方法)而不只是关于世界结构的理论而相互竞争的。宗教在传统上有很大的巫术成分,而科学则是我们的大多数现代"巫术"的来源。由于科学的巫术被证明比宗教的更为有效,因此,宗教往往退出直接的竞争,而日益变为形而上的和心理学的,它通过回答科学还不能回答的问题来迎合我们对于不确定的厌恶心理,并且通过提出一个身后之世的许诺来迎合我们对于死亡的恐惧心理。[40]哲学——科学昔日的另一个竞争者——也经历了类似的发展;它已经在很大程度上把解释自然世界的

---

〔39〕 如果不可知论与"错误的"信念将受到同样严厉的惩罚的话,它就仍然是一个好的赌注;但事实上可能并非如此。

〔40〕 参见,Ignacio Palacios‑Huerta and Jetsús J. Santos,"An Essay on the Competitive Formation of Preferences"(unpublished, Amos Tuck School of Dartmouth College and University of Chicago Graduate School of Business, Nov. 26, 1995).

任务拱手让给了科学。[41] 这类似于，当摄影术在肖像画和其他写实的描绘方面展现出艺术功能时，抽象性就在艺术中抬头了。来自一种新兴技术的竞争促使艺术家们去寻找新的市场。同样地，科学技术的上升让宗教离开了巫术而转向形而上学和心理学，也转向经济学文献所强调的社会功能。

由于智识越发达的人越容易发现现存宗教在智识上的不当之处，因此新的宗教不成比例地从这些人中，而不是像人们料想的那样从迷信者中吸引它们的信徒。[42] 这就暗示出宗教"市场"上有一个活跃的竞争过程，以及对这一市场上的科学与技术竞争者的出现的迅速适应。

在宗教一度作为科学知识与实践技术（对气温的控制，等等）的主要来源的时候，没有必要提供诸如幸福的身后之世这样的心理安慰；希腊宗教就是一个典型。当宗教在科学前线上撤退时，其社会功能和心理功能就显著了。在这里，它也面临过并且正在面临着来自科学的竞争，不仅仅是精神病学与药理学，而且还有延续生命和减少痛苦方面的医学进展，这些发展都减少了人们对于精神安慰的需求。

至少在富足的、科技进步的国家里，当宗教逐渐把理论和巫术让给科学并代之以治疗功能与社会功能时，它对行为的控制就放松了。宗教原本具有的震慑和威胁的力量消失了。宗教对科学的这一让位（尼采称之为"上帝之死"）被相当一部分美国人——可能有1/10——仍然坚信《圣经》的正确性而排斥大量的现代科学这一事实掩盖了。但是这一确信在行为方面的意义是可以质疑的。我们有必要在两种类型的确信——即名义上的确信与付诸行动的确信——之间作出区分。这一区分与决策行为理论（博弈论）中轻易的谈话与可信的承诺

---

[41] 然而，如果人们想一想从宗教到作为解释自然现象的体系的科学的转变，这一类比就更加相近了；几乎没有人，即使是在那些基督教信徒中，再把《创世纪》中的亚当与夏娃被从伊甸园中逐出的故事看成是对蛇为什么没有四肢或者对女人怎样出现的看似可信的解释。然而几个世纪以来，《创世纪》的故事曾经是对这些现象的最备受信任的解释。

[42] Stark，前注[38]，第2章。

("一诺千金")之间的区分相对应。回想一下,宗教多元主义的一个后果可能就是让人们找到一个宗教的壁龛,在这个壁龛中,他们所偏爱的行为可以不受限制甚至得到赞许。如果要你从一大堆备选方案中选择你的绳索的长度,你最终很可能会选择一条很长的。尽管在美国笃信宗教与犯罪行为之间仍然存在着强大的负相关,[43]但是造成这一结果的是教堂的成员与行动,即宗教的社会维度,而不是信仰(例如对地狱的确信)。[44]这一点支持了亚当·斯密的论点,即宗教对于行为的意义在于促进社会规范的治理,尽管他的进一步假设——即宗教的作用与团体的规模成反比——还没有得到支持。[45]美国的监狱里有很强的宗教狂热,特别是伊斯兰教徒,这一点很引人注目,然而这对于累犯率似乎没有什么影响。可以想像的是,它可能还会提高累犯率,因为相关的社会群体是罪犯并且该群体的规范大概是适宜犯罪行为的。

然而,至少是在现代条件下,斯密所识别的这一作用的大小可能值得怀疑。而且今天,像往常一样,宗教仍是暴力的一个通常的来源,这一点正是休谟忧虑的。与国家主义一样,宗教减少了暴力的预期成本。如果你觉得自己确实只是被称为土耳其或者波兰或者德国

---

[43] 参见,Lee Ellis and James Peterson, "Crime and Religion: An International Comparison among Thirteen Industrial Nations," 20 *Personality and Individual Differences* 761 (1996); T. David Evans et al., "Religion and Crime Reexamined: The Impact of Religion, Secular Controls, and Social Ecology on Adult Criminality," 33 *Criminology* 195 (1995); Jody Lipford, Robert E. McCormick, and Robert D. Tollison, "Preaching Matters," 21 *Journal of Economic Behavior and Organization* 235, 244 (1993); Brooks B. Hull and Frederick Bold, "Preaching Matters: Replication and Extension," 27 *Journal of Economic Behavior and Organization* 143 (1995); William Sims Bainbridge, "The Religious Ecology of Deviance," 54 *American Sociological Review* 288 (1989); Rodney Stark, Lori Kent, and Daniel P. Doyle, "Religion and Delinquency: The Ecology of a 'Lost' Relationship," 19 *Journal of Research in Crime and Delinquency* 4 (1982); Lee Ellis, "Religiosity and Criminality: Evidence and Explanations of Complex Relationships," 28 *Sociological Perspectives* 501 (1985).

[44] 参见,Ellis and Peterson,前注[43],页765–766;Evans et al.,前注[43],页210。

[45] 参见,Hull and Bold,前注[43]。

的更大有机体的一个细胞,因而死亡仅仅意味着人身体中的一个细胞的死亡,或者如果你觉得自己的精神是不朽的因而身体可以复生,那么,你就会觉得因追求或捍卫某种道德或宗教目标而死的成本并不高。宗教向其信徒灌输增进其效用的信念——比如对于永恒生命的信念——是一回事,促使人们合乎道德地行事——意味着让自私服从于其他价值——则是另一回事。正如我一直强调的,宗教在促进社会规范治理方面具有的有益作用(这一作用为亚当·斯密着重强调并依赖于宗教的社会维度而不是认知维度)与休谟所担心的宗教的破坏性作用(以宗教的真理诉求从而以其认知维度为基础的作用)之间存在着张力。

第四编

认识论

第十章

证　　词

　　法律制度所做的最重要的事情之一,就是解决事实争议。大多数法律争议都起于真真假假的意见分歧,所计较的,是在引发这一争议的事件中究竟发生了什么情况,而非应该是什么样的支配性规则(governing rule)。即使在事实没有争议的时候,这些事实"加总起来"是否违反了某些法定义务,也经常会有意见分歧;并且,正如我们将在下一章看到的,这类意见分歧——比如,被告供认的行为是否可以归于过失——通常可以被分解为纯粹的事实争议。

　　许多对美国法律制度的不满,都植根于这样一种确信:这个制度不大擅长于解决事实争议。这一怀疑主义有个著名的哲学血统。[1]许多哲学家都怀疑"证词"的真相价值(truth value),他们是在包括但并不限于审判中采信的那类证据的宽泛意义上使用这个术语的。在宽泛意义上理解的证词,可以是用于努力说服一个人相信某个事实的任何陈述,可以是口头的也可以是书面的。就我的年龄、出身、名字和出生地而言,我的出生证明就是"证词"。它碰巧是个有缺陷的证词,正如证词最经常所是的那样,因为根据出生证明,我的名字本来是"艾伦·理查德·波斯纳",但是我总是被称为"理查德·A(指艾伦)·波斯纳"。正如这个例子所揭示出的,有关证词的怀疑主义是与

―――――――
〔1〕 参见,C. A. J. Coady, *Testimony: A Philosophical Study* (1992).

有关历史知识的怀疑主义密切相关的,因为两者涉及的都是那些不能直接观察到的、过去的事件。

以证词为基础作出的事实判断,正如法官或陪审团在审判中所作的那样,必定不是依据裁判机构(tribunal)自己的第一手知识、而是依据其他人所说或所写的那些东西作出的。因此,作为知识的来源——如果它的确可以作为知识来源的话,证词不同于感觉、记忆(一种次级的感觉)和推断(对由感觉或记忆而来的知识所作的逻辑推理或归纳推理)。即使在证词不是来自二手——也就是说,不是法律上所谓的"传闻证据"(hearsay evidence),参见本书第 12 章的讨论——的时候,据此作出的事实判断也仍然是二手的。事实发现者(factfinder)(法官或陪审团)不可能躲在二手证据之后并依据实际情况来核实它们,因为,除了通过证人之外,再没有可以接近实际情况的其他途径了。有时候,经过审判,实际情况的真相可以无可怀疑地确立起来。但是这样的时候很少见,因而在普通案件中以审判为基础所得出的裁决无法被证实是正确的;可以说,陪审团认定自始至终都是依据证词作出的。因此,证词怀疑论者也必定是陪审团认定的事实准确度的怀疑论者。

像任何建立在证词之上的确信一样,一个由法官或陪审团作出的事实认定类似于形成这样一种确信:对于人们自己不大可能查证、甚或是不大可能理解的那些问题,其确信纯粹是基于某个假定的专家具有的权威。而且事实上,诉诸于专家的权威,是一个传统的以证词而非感觉、记忆或推断为根据形成确信的例证。[2] 既然我们的大多数确信依据的都是权威的证词,那么,哲学家们对于以证词为基础的确信能否符合知识状态的质疑,就很可能会让一个务实的人觉得是术语学上的吹毛求疵。确实,由于维特根斯坦所阐明的理由,这些

---

〔2〕 例如,参见,Douglas N. Walton, *Appeal to Expert Opinion: Arguments from authority* (1997),该书将这一观点应用于专家证人的证词,这一我在第 12 章所关注的主题。

怀疑可能还算不上什么出色的哲学。[3]由于时间和智识所限,我们必然要把我们的大多数确信建立在证词之上,比如科学家关于宇宙和微观世界现象的证词。这些确信中的大多数都同我们依据感觉、记忆或推断所形成的那些确信一样可靠,而且许多更为可靠。即使我们对证词可靠性的判断在很大程度上还是依据的其它证词,事实也是如此(我相信我的出生证明上的出生日期是正确的,部分是因为我了解了有关人口统计的政府记录,部分是因为我父母告诉我的出生日期也是如此);即使我们可能为证词所愚弄。确实,许多证词是虚假的,但是我们也会在感觉上犯很多错误,也有很多时候会记错,也会使用错误的推断程序或者在运用这些推论程序时出错。

甚至休谟,这个最著名的证词(特别是所谓证人对基督复活[Resurrection]的证词)的怀疑论者,[4]也认为它一般来说是可靠的。不过他认为,只有在直接地证实了证人的可信性之后,才有可能信赖证词;而这几乎是不可能的。大多数对可信性的判断,都依据的是我们无法证实或者至少是未经证实的证词。"毫无疑问,小孩子是妇女所生,这是我们众所周知的事情,并且也是可以观察到的事实,但是我们中的很多人甚至一次也没有亲眼看到过小孩出生。"[5]而且,我们也很少有人询问过那些亲眼看到过这种事情的人,或者试图证实这些亲眼所见者的可信性。证词,正如生小孩这个例子所表明的,是基本的而非派生的知识来源,在认识论上是可以与感觉、记忆和推断相提并论的。[6]

---

[3] Ludwig Wittgenstein, *On Certainty*, 特别是, pp. 114, 240, 282, 288, 604.
[4] David Hume, *An Enquiry concerning Human Understanding* §10, pt. 1(1748).
[5] Coady, 前注[1], 页 81。
[6] 这是 Coady 的重要作品的主题。有关其论证的最清楚的陈述,参见,前引书,页 143-151。还可以参见, Wittgenstein, 前注[3]; Alvin I. Goldman, *Knowledge in a Social World*. Ch. 4(1999).

尽管如此,由于以证词为基础的判断具有毋庸怀疑的高度易错性,[7]虽然并不是绝对的,这就为质疑法律判断的准确度和寻求改善法律事实发现程序(legal factfinding procedure)本身,敞开了一个广阔的空间。在下一章,借助于经济学理论,我尝试着创造了一个框架,以评价法律事实发现这一证据法领域。我将指出,法律没有也不应该在事实判断方面追求完美的准确度。于是某种对法律证词可靠性的怀疑主义也就是理所当然的了。不过,怀疑主义可能太多了,过度的怀疑主义反映的是一种关于个体权力与责任的英雄观念,其源头是柏拉图哲学(尽管在柏拉图那里仅仅是例外的个体*),即:个体有权力也有责任将其确信建立在其个体理由之上、而不是遵从于其他个体的证词。对证词的怀疑主义会很容易走火,导致毫无根据的丧失对法律制度之准确度的信心。比如通过下面这个案件,这个原本藉藉无闻、但因为记者的注意力受到了极大误导而获得了一定声名的案件,我们就可以看到这一点。

1990年,一个联邦陪审团判决弗吉尼亚州亚历山大市的刑事辩护律师希拉·美高妇(Sheila McGough)犯有诈骗、伪证、胁迫证人等相关罪行,判处3年监禁。对她的定罪和处罚已经生效,并且后来依据新发现的证据而提请重审的动议也被否决,而且该否决也已经生效。

---

[7] 这是奥维尔(Orwell)的伟大小说《一九八四》的主题之一。通过重写作为过去的知识之根据的档案——证词,党控制了过去。"窜改过去是英社的中心原则。这一原则认为,过去并不客观存在,它只存在于文字纪录和人的记忆中。凡是纪录和记忆一致的东西,不论什么,即是过去。既然党完全控制纪录,同样也完全控制党员的思想,那么党要过去成为什么样子就必然是什么样子。"(p. 176 of 11961 New American Library paperback ed.)(本段译文援引自董乐山先生翻译的《一九八四》,辽宁教育出版社,1998年。——译者)这里尤为值得注意的是证词与记忆的契合。不用说,奥维尔本人并不是一个后现代主义者;他的小说强烈地暗示了,极权主义者是后现代主义者。

* 之所以说是例外的(exceptional,同时具有杰出的意思),是因为,在柏拉图那里,只有哲学家,才能将确信建立在自己的认识之上。这是因为在柏拉图看来,知识是信仰的根据;而只有哲学家才拥有真正的知识,只有哲学家才可能知道真实事物的自然属性(在他的那个时代,真理和自然的正当性还没有受到质疑)。——译者从监狱释放出来之后,她写信给著名的记者珍妮特·玛尔克姆(Janet Malcolm),说她受到了陷害,因为她固执地为其委托人努力辩护而激怒了联邦检察官和法官。玛尔克姆核对了情况并且断定,美高妇被判有罪确实不当。"在这个国度中有人会因为仅仅是激怒而入狱,这似乎是根本不可能发生的事情,但是就我所知,这样的事情确实发生在了美高妇身上,"[8]尽管玛尔克姆也并不相信,控告美高妇的诉讼中的法官和检察官是在"陷害"她,是在处心积虑地捏造案件来对付一个他们也确信是清白无辜的人。

玛尔克姆的书跨着两个流派,而两者又都为对证词的怀疑主义传统所滋养。首先是修正主义法律史(revisionist legal history)的传统,在这一传统中,历史学家或者搞调查的记者试图显示,审判——无论是德雷福斯(Dreyfus)审判、还是萨柯和万泽蒂(Sacco and Vanzetti)审判、还是阿杰尔·希斯(Alger Hiss)审判*——造成了不公。另一个传统以诸如梅尔维尔(Melville)的《比利·巴德》和加缪的《局外人》这类著作为例,通过现实的、或者如这两个例子一样通过虚构的法律诉讼,对法律发现真相和实现正义的能力提出深刻的质疑。珍妮特·玛尔克姆不但想要显示,这个法律制度没能在希拉·美高妇案中实现正义,而且她同时也想暗示,由于认识论上和伦理上的不足,这个法律制度在任何案件中都不可能实现正义。

---

[8] Janet Malcolm, *The Crimes of Sheila McGough* 6 (1999). 本章的下文中对该书的引用直接注明页码。

* 艾尔弗雷德·德雷福斯(Alfred Dreyfus)(1859 - 1935),犹太裔法国炮兵军官,法国历史上著名冤案"德雷福斯案件"的受害者。反犹太分子伪造了证明他有罪的证据,被以叛国罪判终身监禁。

尼古拉·萨柯(Nicola Sacco)(1891 - 1927)和巴托洛梅奥·万泽蒂(Bartolomeo Vanzetti)(1888 - 1927),都是意大利裔美国无政府主义者,一起因被控双重谋杀(a double murder)而被判处死刑(1921年)。尽管不利于他们的证据具有很大的偶然性,并且全世界都广泛抗议这一出于政府偏见、带有政治正确的判决,两人还是在1927年被处死。

阿杰尔·希斯(Alger Hiss),生于1904,美国政府官员。在共产主义恐慌达到高峰时被指控为间谍,后来于1950年,在备受争议的审判中被认定犯有伪证罪。——译者

323　　　修正主义者通常都是挑选著名的案件,因而有可供查阅的公共记录,以评判他们的主张。玛尔克姆挑选了一个藉藉无闻的案件,同时又有一个技术意义上的公共记录——审判记录、案情摘要和其他通过公开审查政府档案可以得到的档案——这些档案,既没有出版,也不是联邦司法人员以外的其他人可以轻易得到的(她的那些案件中的初审法官和上诉审法官的意见也是不出版的)。因此她的大部分读者将发觉,无法评判她的主张,因而他们幸运地无从知晓她对记录使用的断章取义和引人误解。我将概括美高妇审判中出示的证据,进而讨论,玛尔克姆是如何出于法律和道德的责任心,来努力为她"高雅的女英雄"(页 161)——她对美高妇的称呼——开脱罪名的。

　　1986 年,美高妇受雇于一个叫做鲍勃·贝勒斯(Bob Bailes)(实际上这只是他用过的多个名字中的一个)的骗子大师(con artist),为其因银行诈骗、使用虚假的社会安全身份证号码行骗而受到的联邦检控提供辩护。美高妇听说过那多个名字,也知道贝勒斯有一长串的犯罪记录,甚至知道他因为出售诈骗性的保险许可(insurance charter)正在被美国联邦调查局调查。知道这些事情,她本应该保持警惕——本应该知道正在同她打交道的是哪一类人。贝勒斯向那些潜在投资人令人难以置信地描述道,他所出售的保险许可——他伪造的保险许可——授权购买者可以在美国的任何地方从事保险业务,而不受繁琐的州法律束缚。最终他被判犯有诈骗罪,当然,还被判处了 25 年监禁,这是他一大串长长的犯罪记录应得的。后来他死了。

　　在美高妇为贝勒斯的银行诈骗案准备辩护期间,他用她的律师事务所来经营自己的保险骗局。他为这些许可在《华尔街日报》上刊登的广告收到了效果,名叫曼弗莱迪(Manfredi)和鲍克格纳(Boccagna)的两个人,派了一个叫莫里斯(Morris)的律师来与贝勒斯磋商,想购买两份许可。贝勒斯要 75 000 美元的保证金,莫里斯和他的委托人则坚持,这笔保证金要放入美高妇的代理人信托账户,而且如果交易失败还要退还给他们。他们 3 个全都作证说,美高妇一而再、再而三地向他们保证,这笔保证金会保存在她的信托账号中,直到交易结束。但是,这笔保证金一到,她就全都取了出来,其中7万美元给了贝勒斯,剩下的5 000美元,他让她独自保管——她也那样做了。其后不久,她收到了莫里斯的来信,要求确认作为保证金的那笔钱还保存在她的信托账户中。她既没有回信,也没有要把75 000美元放回她账户之中的任何举动。

出这笔钱的是一个叫做麦克唐纳(MacDonald)的投资银行家(莫里斯的委托人实际上是这笔交易的中间人)。当他开始探查这个他已经同意购买的许可时,他产生了怀疑。他的律师布莱扎(Blazzard)问美高妇,这75 000美元是否仍然在她的信托账户中,而她告诉他说,仍然在,尽管她几乎在两个星期以前就已经把钱支给了贝勒斯和她本人。她告诉麦克唐纳说,经许可授权的某些保险公司已经开张营业;其实根本没有。

麦克唐纳很快意识到,自己上当了。他要求美高妇归还他的75 000美元,并且在遭拒绝后,对她提起了诉讼,要求返还这笔钱。在就该诉讼所作的宣誓证词(deposition)中,她否认在保险许可交易中代理过贝勒斯。这是一个谎言,是一个在宣誓后的谎言,并且对于麦克唐纳的诉讼非常重要。

在麦克唐纳诉美高妇案的审判前夕,美高妇的律师向法庭递交了两份文件,标题是"替代合同",据称签名是曼弗莱迪(莫里斯的委托人之一,请回忆)。据称,这些文件是贝勒斯与曼弗莱迪签订的合同,以替代贝勒斯向鲍克格纳和曼弗莱迪出售保险许可的原始合同。与原始合同不同的是,这份"替代合同"将购买者已经交付的75 000美元保证金变成了不可返还的,从而使麦克唐纳的诉求从根本上丧失了基础。但是"替代合同"上的曼弗莱迪签名是伪造的,几乎可以确定是贝勒斯所为。美高妇正是从他那里拿到了这些文件,并在审判中使用。她试图让贝勒斯的一个叫做盖因(Cain)的朋友对伪造的曼弗莱迪签名加以公证,但没有成功。在盖因拒绝她的第二天,她挂了白旗认输投降,并且根据麦克唐纳的诉求支付了他要求的全部

75 000美元。很自然的推断是,她在将面临以伪造罪为基础的审判的情况下,退缩了。

退回到 1986 年,在与莫里斯的委托人谈判期间,另一个想买伪造许可的购买者出现了。在美高妇的事务所,这个叫做约翰逊(Johnson)的男人与贝勒斯和美高妇见了面。贝勒斯要求交付不可返还的保证金 25 000 美元。约翰逊则坚持,保证金应当可以返还,而且要保存在美高妇的信托账户中,直到交易结束为止。贝勒斯和美高妇同意了这个条件,这笔钱也按时汇入了后者的账户——她立刻全都取了出来,交给了贝勒斯,其中 7 200 美元留给了自己。随后,约翰逊又将另外 12 500 美元汇入了她的账户,这笔钱也同样被贝勒斯和美高妇私分了。跟与麦克唐纳的交易不同的是,与约翰逊的这笔交易实际上已经结束了;由于贝勒斯正在坐牢,这笔交易是由美高妇代为签署的。他们同意给约翰逊一些文件,以显示他购买的保险许可确实可以在所有 50 个州使用。没有任何文件是现成的,而当约翰逊向美高妇抱怨时,她抬出的理由是,造成延误的原因是贝勒斯"尚在路上";而实际上,是贝勒斯"尚在狱中"。

第三笔业务中陷进来的,是名叫欧文(Irwin)和萨利(Sali)的这对搭档。美高妇否认曾经收到过他们交付的 25 000 美元保证金,而实际是,欧文已经把这笔钱汇入了她的信托账户,并且她随即就把钱给了贝勒斯。而当萨利(欧文已经死了)要求归还这笔保证金时,她威胁要起诉他、要让人把他抓起来。

她深深卷入了这桩保险骗局,而且在某种程度上,她也必定认识到,自己是诈骗参与者。然而,这只是个开始。贝勒斯又策划了另一个异想天开的计划,就是把他本人从监狱中释放出来,交由美高妇监护。为了落实这一计划,首先由美高妇代表贝勒斯拥有的一个没有资产的公司填写了破产申请书。然后她又代表其他贝勒斯拥有的空壳公司提出反对破产的主张,并同时请求释放贝勒斯交由自己监护,理由是,如果贝勒斯出狱了,他就可以采取必要的步骤,设法使破产公司的债权人得到清偿。根本不存在的债务人寻求从其对根本不存在的债权人所负的根本不存在的债务中解脱。美高妇不仅在这些诈骗性诉讼中准备了大量的诉状和动议,而且介绍和雇佣律师扮演了虚假的债权人。

这时大陪审团正调查美高妇。在她获悉了政府计划传召到大陪审团前作证的3个证人的身份之后不久,贝勒斯决定对他们每个人提起5 000万美元的诉讼。美高妇带着诉状到了联邦法院,要求立案(for filing),但却拒不交纳立案费。结果该诉状没有被接纳立案,尽管向被告送达了一个副本。

还有其他关于美高妇诈骗、胁迫证人等相关罪行的证据。她都没有在自己的答辩中说明。

我勾勒的这个案件震动了初审的法官和陪审团,也震动了上诉审法官,把他们都惊得目瞪口呆。惟一令人不解的是美高妇的动机。动机看来不在于金钱——与她花在代理贝勒斯业务上的时间相比,她从自己的信托账户中挪用的作为保证金的那些钱是微不足道的。那一时期的大部分时间里,她根本没有从贝勒斯那里得到任何补偿,而她却抛了她其余的所有客户,把所有时间都奉献给了贝勒斯的那些事务。一个可能是,她坠入了与他的罗曼谛克之中——她在为他代理业务时四十多岁,从没有结婚——但更大的可能是,她就是被他给"蒙骗"了。据说,他魅力十足并且能说会道——是一个真正的骗子大师。她信任他,而且不择手段的推进他的利益、要把他从法网中拯救出来。

让我们来看一看,玛尔克姆是如何竭力反驳这个针对美高妇的案子的。她的招数之一,是对证据上的细节吹毛求疵。几乎每个法律案件都充满了未决的枝节(loose ends),充满了自相矛盾、前后不一,充满了可疑的证人、不匹配或者彼此抵触的证据。辩护律师会经常试图利用这些污点,向那些对如何证明罪行抱有理想化观念的陪审员的脑海中灌输怀疑。曼弗莱迪作证说,律师莫里斯通过电话给美高妇念一封将要寄给她的信,要求她将其委托人的75 000美元保证金存放在她的信托账户中,当时他在场。但是电话公司的记录单显示,这次通话只持续了一分钟。尽管信不到一页长,但这么短的时间也实在不足以让他大声念完这封信。莫里斯在这段时间里同美高妇有过多次交谈,并且在4年后作证说,曼弗莱迪可能是把这些谈话搞混了。但不存在任何疑问的是,这几笔保证金——不但有莫里斯的委托人代表麦克唐纳交付的保证金,而且有约翰逊和欧文-萨利交付的保证金——确实进入了美高妇的信托账户。本来这样做的惟一目的就是要确保,在交易结束前这些钱不会被支出,因而如果交易没有结束,存款人将肯定可以拿回他们的钱。美高妇声称,任何交易都"是不白看的交易(a no-free-look-deal),她也不是个托管机构"(页72),尽管这套说词让玛尔克姆心悦诚服,但实际上并不可信。要是这笔交易的性质确实如此,保证金就应该支给贝勒斯的账户——与美高妇告诉玛尔克姆的正相反,他确实有一个账户。换句话说,美高妇自己没有任何理由要求将保证金放入她的信托账户中,这必定是存款人的主意,而且目的只可能是,保证这笔钱不让贝勒斯插手,直到交易结束。

由于没能给莫里斯回信,美高妇的"不白看"主张遭到了进一步削弱。那封信写得明明白白,那确实是笔"白看的"交易,而且美高妇还要用她的信托账户把这笔钱一直保存到交易结束。假如这样理解并不正确,美高妇大概就会告诉莫里斯,免得自己遭人指控,说是盗用了存在她信托账户中的钱财。

证词并没有自来就贴上是"真"是"假"的标签。要对其作出评判,就必须根据:证人相对于任何一个可以提供相反证词的证人的动机和能力、其证词的内在一致性以及该证词与本案其他证词的一致性、其证词在常识上的可接受性,等等。过滤(sifting)、权衡(weighing)和比较(comparing)证词的过程常常会驱散或者解除哲学传统所关注的对于证据可靠性的怀疑。在美高妇案中,这一过程使我们有相当大的信心,将曼弗莱迪证词的错误归因于不完美的记忆,信任他证词的精髓部分,把美高妇的否认作为谎言予以驳回。

玛尔克姆非常重视如下这一事实:莫里斯被剥夺了律师资格,并且随后就被投入监牢,尽管这一事件发生在美高妇的审判之后而且与之毫不相干;而且曼弗莱迪和鲍克格纳也都是声名狼藉的人物(济科[Zinke],另一个保险许可销售经纪活动的参与者,同样如此)——大概本身也是骗子大师。但是无论麦克唐纳还是他的律师布莱扎,都没有被指控干过什么违法的事。而且,一个检方证人有犯罪记录这一事实,虽然应该引起人们的警惕,但是并不能使其证词无效。刑事辩护律师有很好的理由,正如我们将在第12章中看到的,对用被告的犯罪记录来颠覆其可信度提出批评;而且要一视同仁。莫里斯的委托人品行不端,与他想要把自己的保证金保存在一个律师的信托账户中、直到他与贝勒斯的交易结束这件事,并不相互抵触。有充分的理由可以肯定,品行不端的人物,会比那些与他们做生意的人中的普通人,有更多的而不是更少的猜忌,因而可能会尤其热衷于信托账户所提供的保护,以防被其他品行不端的人欺骗——尽管如此,最终鲍克格纳和曼弗莱迪还是设法避免了出任何钱;所有钱都是麦克唐纳出的。

至于美高妇尽力要使那些伪造的"替代合同"——她向麦克唐纳对她提起的诉讼所提交的——得到公证的这件事,玛尔克姆争辩说,既然"合同的副本已经是本案法庭记录的一部分(美高妇的律师已经提交)",美高妇就"不可能"还要让盖因在公证合同上签名(页67)。根本不是这样;如果案件接受审理的话,一个被公证了的签名往往会推翻陪审团原本会被引导作出的关于伪造罪的推断。而且,尽管实际上盖因本人也品行不端,并且美高妇在麦克唐纳案中的律师在对她的刑事审判中提出了与盖因的某些证词相抵触的证词,但是,这个律师也承认,他并没有出席在盖因的宾馆房间中举行的会议,而根据盖因的证词,在这次会议中,美高妇要求盖因对该文件进行公证。作为贝勒斯的朋友,盖因没有动机提供不利于贝勒斯同谋的虚假证词。

玛尔克姆声称,约翰逊的律师说了谎——他作证说,当约翰逊了结这笔保险许可生意的时候,美高妇告诉他贝勒斯"尚在路上"。这个律师的确弄错了。陈述是在晚些时候作出的,当时约翰逊变得急不可耐,为了将保险公司推进到所有五十个州,他需要那个文件。但是,日期的混淆与这个陈述的诈骗性质并不相干。这是在所有法律案件中都会发现未决枝节的又一个例证。这也是对把记忆视为比证词更为可信的知识基础这一脉哲学传统的质疑。

玛尔克姆为美高妇所作的最为幼稚的辩护,完全是由信任美高妇的那些否认所组成。而这些否认并不是宣誓作出的——请回忆一下:美高妇并没有在审判中作证,如果她在那次审判中提供了虚假的证词,她就会因伪证而面临加重的处罚[9](与她早些时候在麦克唐纳对她提出诉讼时她在宣誓证词中作的伪证,又有不同)。在审判结束的数年之后再提出这些否认,那都是给玛尔克姆听的。由于幼稚地听信了这些出尔反尔、难以置信的否认,玛尔克姆好像淡忘了被一个骗子大师的律师所骗的可能性。她可能相信,根据一个人态度的真诚与否,你就能断定,这个人是否说了真话。研究已经揭示了这样的确信是非常靠不住的,[10]并且恰恰是成功骗术的前提,对此,作为贝勒斯同谋的美高妇也有点天分。鉴于证人的风度举止会给人造成这么大的误导,我并不认为,由于我没有像玛尔克姆在准备她这本书时的那样,"大胆地抛开审判记录",而采访她和本案的其他证人,因此我就会在评价美高妇的诚实度时处于劣势。[11]

她对美高妇摆出的是屈尊降贵的态度,美高妇使她想起了"一个来自斯卡斯代尔、*到城里参加便装舞会的社团的妻子"(页11)。她根本就没有想到,美高妇会骗她。因而,在听信美高妇关于贝勒斯商业交易的天真无邪的声明时,玛尔克姆未能记录美高妇对她所作的

---

[9] 参见,U. S. Sentencing Guidelines §3 C 1.1 and Application Note 4.

[10] 法官和陪审团也都经常被那些出色的惯骗所愚弄。Michael J. Saks, "Enhancing and Restraining Accuracy in Adjudication," 51 Law and Contemporary Problems, Autumn 1988, pp. 243, 263-264. 记者就应该被认为是更少轻信的吗? 请注意,如果玛尔克姆没有相信美高妇,她大概不会写一本书。轻信就存在于她的职业和金钱利益(至少是短期内的)之中。

[11] 珍妮特·玛尔克姆给编辑的信,《新理想国》,1999年5月31日,页4。

* 美国纽约东南部的一座城市,为纽约市的居住郊区。——译者

夸夸其谈的意义,美高妇夸耀说,在她30多岁进法学院之前,在她作为一个基金会的主管的职业中,她"有责任为"她的雇主"协商合同"(页160)。玛尔克姆也没能注意美高妇向她承认的那些有出入的地方:美高妇承认,贝勒斯伪造了一个文件,但是她又声称,政府陷害了他。玛尔克姆表现出了几乎是让人觉得可笑的耳软心活,当她意识到美高妇——她"对真相的热爱",玛尔克姆说,"是一种令人激动的恩赐"(页130)——说了谎话时,她评论说:"她对我承认她误导了夸尔斯(Quarles),这恰恰是她诚实的证据。她可以胡说八道或者含糊其词,但是她却选择了说出让她蒙羞受辱的真相。"承认说谎倒成了说真话的证据?这是在说什么?

无论如何,她就是在胡说八道。夸尔斯,那个对《华尔街日报》的广告作出反应、但明智的决定拒绝购买任何保险许可的人,作证说,他直截了当的(质问),鲍勃·贝勒斯在过去的两周里是不是出了什么事(页129),而美高妇在回答时并没有透露,贝勒斯已经被判处了银行诈骗罪。美高妇向玛尔克姆承认说,她误导了夸尔斯,告诉他"一切都未终局,正在提起上诉"(同上)。但是,夸尔斯的证词并不是那样,而且他是辨方证人。他作证说,她没有告诉他定罪的事,他第一次得知这件事是在多年以后。如果她告诉了他"正在提起上诉"的话,他一定会接着问,是什么"事"在提起上诉。美高妇的那个关于他们对话的版本,让人难以置信。

玛尔克姆用来让她的读者质疑美高妇有罪的那些手段中,在伦理上最可疑的、但在修辞上也最有效的是,她对许多美高妇审判中提出的杀伤性证据不予理睬。考虑到玛尔克姆的大多数读者都接触不到法庭记录,她的这个封锁策略正好呼应了她正试图为她的"高雅的女英雄"开脱的诈骗罪。玛尔克姆并没有提及美高妇挪用了约翰逊那25 000美元保证金。她根本没有提及,美高妇同欧文和萨利之间的交易,在这笔交易中,她不仅挪用了另外25 000美元保证金,而且威胁说要让人逮捕萨利。她没有提到,对付大陪审团证人的数百万美元的诉讼。说贝勒斯独自策划了这些诉讼——美高妇仅仅是他向法庭送文件的通讯小姐,不能让人信服。这些诉讼中的被告——这些诉讼意图滋扰从而不让他们在大陪审团作证的那些人——正是不利于美高妇的证人,而不是不利于贝勒斯的证人。

玛尔克姆确实提及了对美高妇参与贝勒斯空壳公司虚假破产的指控。但是,在没有评判这一指控究竟是真是假的情况下,她就认为那似乎与对美高妇的检控不相干,并且实际上是在暗示,其惟一的意义,就是要为一个更大的指控铺路搭桥,而对于这个更大的指控——即美高妇在关于贝勒斯的监护方面误导了一位联邦法官,她根据美高妇给她写的一封信,就断然的予以了否认。美高妇确实误导了这位法官,她向他隐瞒了早先已经有一位法官拒绝过释放贝勒斯的请求。但是,这个谎言比起她在诈骗性破产方面所干的不计其数的诈骗行为来,还不是最该受谴责的。而且,玛克尔姆也没有注意到美高妇信中最重要的一点,即她所作的如下声明:她请求释放贝勒斯"是为了让他在一个第 11 章(破产)案件中与律师通力合作"(页 117)。那个案件是个虚假的案子,是美高妇为贝勒斯提起的那些虚假破产案中的一个。她必定知道这件事,因而她是在对玛尔克姆说谎,而玛尔克姆本应该也意识到这一点。

玛尔克姆也没有提及,律师布莱扎就他与美高妇对话所做的无可指摘的证词;他的名字就没有在书中出现。她也没有提及,"几乎是超乎寻常地诚实的"美高妇(正如玛尔克姆对她性格所作的刻画那样,页 6)在麦克唐纳对她提起的案件的宣誓证词中所犯的伪证罪,——当时她声称,自己没有代理过贝勒斯有关保险许可的业务。而这个伪证罪,只是美高妇被判处的 14 项重罪中的一项。

玛尔克姆故意不予理睬的所有这些证据都支持了对美高妇的指控,而且从总体上看来,这些证据毫无疑问都是真实的——而在玛尔克姆那本书的、没看过美高妇审判的实际记录的读者中,没有几个会认识到这一点。

玛尔克姆还试图以其他方式颠覆美高妇有罪的可信性,比如改变话题。她请她的读者考虑,联邦检察官和联邦法官对美高妇怀有恶意动机的可能性,——在遇到贝勒斯前,美高妇代表她的委托人的努力就已经激怒了他们。这一可能性因为如下事实而趋近于零:在其卷入与贝勒斯的纠葛中之前,美高妇没有在联邦法院系统从事过法律业务;贝勒斯因银行诈骗而受到的检控,是她的第一个联邦法院案件。

玛尔克姆又让她的读者考虑一个更为让人吃惊的可能性:美国法律制度没有能力作出关于有罪还是无罪的真实判断;而特别是在这一点上,人们与那个不相信证词的哲学传统产生了一个扭曲的和放大的共鸣。她说,"在某种意义上,每个被审判的人,无论是民事的还是刑事的,都是受了陷害",因为"这把牌对被指控者是不利的"(页14);她还说,"实际上,检察官对一个无辜的人提起公诉,或者辩护律师为有罪的委托人辩护,都比其对手要容易得多"(页26)。这一疯狂主张的基础在于,由于"真相的凌乱不堪、支离破碎、漫无目的、枯燥乏味和荒谬可笑",只有当它"被费劲地转换成了一种对自己的戏仿"(travesty of itself)时,它才能在审判中胜出。于是,美高妇被判定有罪,是因为她不会说谎("几乎是超乎寻常的诚实");她情不自禁的要讲真话的习惯,使她被当作可疑的人来谴责。

"法律故事",玛尔克姆解释说,"是空洞的故事。它们让读者进入一个完全由偏颇的争论构成的世界之中,并且彻底的背离了真实世界的真相,在真实世界中,任何事情都可能发生"(页78-79)。什么是玛尔克姆所说的那个"真实世界"呢?她会是在严肃的提醒:法律只不过是偏颇的争论、法律是彻底的背离了真相吗?通过这样的提醒,她颠覆了她自己所提出的美高妇无罪的主张。如果法律过程不能发现真相,难道一个记者就能吗?如果法律证词根本不值得相信,难道对一个记者所作的非正式证词就值得相信吗?

在对相信美高妇有罪的那些读者的灌输中,玛尔克姆试图通过降低贝勒斯罪行的严重性,为她的女英雄争取同情心。她双管齐下——将骗子大师们浪漫化,并且奚落他们的受害者。骗子大师之所以叫做"骗子大师"(con artist),她解释说,"正是为了慰藉他们与普通大师(regular artist)所共享的那些品质",比如,"对自由的热爱"(页8)。大多数的罪犯可以说都是如此;他们对法律试图强加到他们的行动自由上的限制感到厌烦。骗子大师的真正本事——实际上,也就是他们的看家本领——在于他们有魅力。这使他们进入了美国文化中赞叹罗曼蒂克的逍遥法外的血脉之中(正如早期的英国文学,从中产生了诸如《莫尔·佛兰德》(*Moll Flanders*)和《乞丐的歌剧》(*The Beggar's Opera*)这样的著作)。[12]玛尔克姆是在一个长长的贬低骗子的传统中写作的,一直达到钦佩的程度。[13]

  骗子大师们的部分吸引力在于这样一个事实:他们经常捕食那些贪婪、轻信和有时候不太老实的人——最好是"天生的笨蛋"(born suckers),至少也是骗子大师们的同道,莫里斯和他的委托人可能就是一类。但是,贝勒斯决不仅仅是一个骗子大师;他受到公诉的银行诈骗罪——美高妇第一次代理他的业务就是在这个案子——是一个显而易见的案例:他通过提供有关借款人资产的虚假陈述(依据伪造的文件)得到了银行贷款。说他的犯罪生涯仅仅是"各种微不足道的小花招,他那么做只是为了吃口饭、为了交煤气费"(页42),那可不是真的。在他漫长的犯罪生涯中,他不仅窃取了多达成千上万、可能有几百万的美元(单单是这个保险骗局就让他弄到了至少25万美元),而且将大笔费用施加于法律制度和公共记录部门,他不断地提出伪造的或者其他假冒的文件,提出无关紧要的主张、民事诉讼和破产请求。像贝勒斯一样的罪犯施加于法律和行政系统的这些负担,并非微不足道。玛尔克姆奚落说"贝勒斯在书记官办公室制造的麻

---

〔12〕 关于这一点,参见,Martha Grace Duncan, *Romantic Outlaws, Beloved Prisons: The Unconscious Meanings of Crime and Punishment*. Pt. 2 (1996).

〔13〕 "一个骗取信任的人能够发达,仅仅是因为其受害人根本上的不诚实……骗取信任的人很少是通常意义上的罪犯,因为,他们能够发达,借助的是对人性的出众的知识;他们与那些使用机关枪、二十一点或者乙炔喷灯的骗子相去甚远。他们的手段,与那些更加合法的生意所采用的手段相比,更多的是程度上的不同而不是种类上的不同。"David W Maurer, *The Big Con: The Story of the Confidence Man and the Confidence Game* 16 (1940).

烦,并不是指控他的罪行,但却是判处他的罪行"(页42)。她并不理会书记官的抱怨——他不得不花费100多个小时来"尽力解决贝勒斯先生引起的麻烦",而是把它当作"回响在贝勒斯穿越法庭通道的历史纪录之中的众多哼哼唧唧中的一个"(同上)。她本应该说的是,贝勒斯的受害者不仅包括为他欺骗的那些人和机构,而且包括还纳税人,他们担负了被他所滥用的法律和行政服务的成本。

而且,也不是骗子大师的所有受害者都活该被他欺骗。许多人不过是在金融方面经验不足。他们被骗子大师们搞破了产,可不是什么美事。只有极端的社会达尔文主义者,才会相信应该默许骗术,以此作为筛选掉商业和消费者群体中弱势成员的方法。我们并不清楚,是否贝勒斯漫长的犯罪生涯中的每个受害者都适合于这一描述。但是玛尔克姆暗示所有受害者都是他"精神上的同事",这是错的。贝勒斯诈骗的那些银行就不是。麦克唐纳看起来也是一个无辜的受害者。玛尔克姆对此有自己的怀疑,但是她对他的主要批评在于,他是"一个没有软蛋哲学的软蛋",他不是"悲痛地磕磕绊绊离开了自己下一个灾难的路"(玛尔克姆觉得一个骗子大师的受害者在发现自己被骗(一次不错的达尔文主义手法)之后应该作出这样的反应),而是成了一个试图弄回自己的钱不算、还要让美高妇受到公诉的"苛刻而严厉的人"(页16)。在批评麦克唐纳时,玛尔克姆激烈谴责了这个受害者:不仅因为他首先上当受骗,而且还因为他非要让骗人者受到惩罚。这是对尼采(Nietzsche)的效仿,尼采认为,一个受到伤害的受害者寻求获得补偿而不是对此不屑一顾,是软弱的标志。[14]

玛尔克姆评论说,贝勒斯被判有罪是因为他弄糟了官僚机构的记录保管,而不是因为他被指控的实际罪行,这使人想起了《局外人》中的暗示:默尔索(Meursault)被指控犯有谋杀罪,而实际上被定罪的原因是,他在自己母亲的葬礼上没有哭。换句话说,他被定罪是因

---

〔14〕 例如,参见,Friedrich Nietzsche, *Thus Spoke Zarathustra*: *A Book for All and None*, pt. 2, p. 95 (Walter Kaufmann trans. 1966).

为,他是那个令人窒息的中产阶级环境的叛逆。玛尔克姆认为,贝勒斯因银行诈骗而受到严厉的惩罚,是因为他被捕的时候,正生活在他的汽车中,车里充满了肮脏的衣服和肮脏的餐具。"肮脏的衣服和肮脏的餐具不是联邦罪行;但是联邦法官和陪审团一样,形成了他们的印象,并且依这些印象行事"(页41)。另一个加缪式的暗示是,玛尔克姆声称,陪审团在给美高妇定罪之前仅仅思量了6个小时,因为那天是感恩节的前一天,陪审团"显然需要用下午来购物"(页6)。这一关于陪审团尽职方面的指责,没有任何根据。

对玛尔克姆的理由而言,一个更大的尴尬是,她那位情不自禁的真相告白者、真理的殉道者,行使了不在自己的审判中作证的宪法权利。[15] 玛尔克姆接受了美高妇的解释:她是担心,如果她作证,她就要被迫去说那些会伤害贝勒斯的话。玛尔克姆相信,如果美高妇去作证,她本来是会被判无罪的。在玛尔克姆眼中,美高妇为了委托人而牺牲自己的决定,使她达到了英雄的境界。美高妇"拒绝把(贝勒斯)看作一个骗子和看不起他",这象征着"相当崇高的……一种令人激动的理想主义"(页43)。

每个因某一罪行而受到指控的人,都应当受到律师的忠诚对待,但这是有限度的。律师不应为其委托人的利益而犯罪。没有法律制度会容忍这样的行为。如果法律制度根本上是不正义的,甚或是在一个基本上正义的制度的框架内,被告人确实是受到了"陷害"并且没有合法的途径洗脱他的罪名,那么以破坏法律来拯救自己的委托人可能在道德上是合理的。而贝勒斯就是个骗子,玛尔克姆在她较为冷静的时候也承认如此——而且,她确实也提醒过美高妇。以为要是他没有引起政府书记员们的额外工作,他本就应该在银行诈骗或者他的其他罪行上被判无罪、或者根本就不被指控,这是白日做梦。美高妇不是在履行"严格的……律师对委托人的职责"(页44)。

---

〔15〕 在下一章中,我将对这一权利的合理性提出质疑,不过无论合理与否,这一权利都并非法律过程所具有的保护真相的特色。

这些职责中并不包括伪证罪、破产诈骗、违反信托义务、指使他人作伪证和她所犯的其他罪行。

玛尔克姆的书轻视那些"仅仅"牵涉诈骗行为、而非暴力或者毒品交易的罪行,并且颠覆刑事司法制度的可信性,这些都在危害公众。贝勒斯,这个职业罪犯,几乎单人掀起了犯罪风潮,被玛尔克姆改头换面,成了一个招人喜爱的叛逆,成了一个现代的哈克·费恩。刑事司法制度则被重新描绘为一台压迫机器。在该书的结尾,贝勒斯成了罗宾汉,而美高妇成了圣女贞德。

第十一章

证据原则与对对抗式程序的批评性讨论

证据法是一组规则,用来判断:哪些信息、以什么方式,可以提交给受命解决事实争议的法律裁判机构。准确解决这类争议对一个经济上有效率的法律制度具有的重要性,已经有过许多详尽的讨论,[1]而相对于论述证据法的范围和重要性的文献而言,论述这些规则本身的经济学文献却尚且不足。[2]我希望在本章和接下来的一章表明,经济学,借助于研究审判以及主要是心理学取向的证据的经验性文献,也借助于贝叶斯定理、决策论(decision theory)的其他方面以及统计推断的原则,可以阐明一大批有关解决事实争议之法律方法的准确度和合法性(legitimacy)方面的问题。

---

[1] 比如,参见,Richard A. Posner, "An Economic Approach to Legal Procedure and Judicial Administration", 2 *Journal of Legal Studies* 399 (1973); Louis Kaplow, "Accuracy in Adjudication", in *The New Palgrave Dictionary of Economics and the Law*, vol. 1, p.1 (Peter Newman ed. 1998); Kaplow, "The Value of Accuracy in Adjudication: An Economic Analysis", 23 *Journal of Legal Studies* 307 (1994).

[2] 我在本章和下一章引用了许多这类文献。作为一个有用的参考书目,请参见,Jeffrey S. Parker and Bruce H. Kobayashi, "Evidence"(即将刊登在《法律经济学参考书目》(*Bibliography of Law and Economics*)中)。论及审前开示和审前程序(pretrial discovery and procedure)经济学的大量文献,多多少少与本章所讨论的一些问题相重叠。参见,Richard A. Posner, *Economics Analysis of Law*, ch. 21 (5th ed. 1998),以及书中所引的注释。

第十一章 证据原则与对对抗式程序的批评性讨论 351

如果要问的话,许多研究证据法的学者和相当多的法官都会说,[3]美国的在审判中发现事实的制度显然是低效无能的——甚至是可笑的无能,并且只能靠这一制度保护的非经济价值才能有所弥补。但是,这一估价的基础,是片面的分析和令人误解的奇闻逸事,[4]而奇闻逸事本身就是美国法律制度一个值得研究的特征——其所引发和激活的高度的公共监督——的产物。从尽管错误、但却颇为经常用以评判社会制度的乌托邦观点出发,我们的对抗制(adversarial system)既不廉价也没有高度的准确度,实在是太不完美了。对抗制可能并不次于其他可供选择的制度,包括为美国法律学界的某些人士所大加吹捧的、大陆法系的讯问制(inquisitorial system)。

证据可以从经济学的方向出发、通过多条进路而达致。其中最简单的一条,就是逐个琢磨各种各样的规则并考察它们具有的节约的特性。另一条就是从经济学理论推演出最佳的争议解决机制,然后将之与在这样那样的国家中运行的现实机制加以比较。第三条进路,就是着手研究那些论及理性考查的认识论和心理学的文献。[5]

---

[3] 一个经典的表述是,Marvin E. Frankel, "The Search for Truth: An Umpireal View", 123 *University of Pennsylvania Law Review* 1031 (1975).

[4] 体现在,Marc Galanter, " An Oil Strike in Hell: Contemporary Legends about the Civil Justice System," 40 *Arizona Law Review* 717 (1998), 以及最近关于陪审团裁决(jury award)的两个著名的研究,Deborah Jones Merritt and Kathryn Ann Barry, "Is the Tort System in Crisis? New empirical Evidence," 60 *Ohio State Law Journal* 315 (1999); Neil Vidmar Felicia Gross, and Mary Rose, "Jury Awards for Medical Malpractice and Post - Verdict Adjustments of Those Awards," 48 *DePaul Law Review* 265 (1998).

[5] 近来关于理性决策的一篇出色的论文是,David A. Schum, The Evidential Foundations of probabilistic Reasoning (1994). 特别是关于证据法的贝叶斯进路的正反两方面讨论,参见,Probability and Inference in the Law of Evidence: The Uses and Limits of Bayesianism (Peter Tiller and Eric D. Green eds. 1998). 在我的《法理学问题》一书中(页 203 - 219,1990 年),我讨论过一些涉及法律过程对于作出事实判断的作用的认识论问题,但是,我不再同意我在这一部分所说的任何事情,特别是我对陪审团制(jury system)的批评。

第四条进路的基础来自于现今广泛的经验研究文献,[6]关注在审判中判断事实使用的各式方法(尤其是陪审团,是这类文献的焦点)的实际操作情况。第五条进路探究的是,私人领域如何解决争议,因为私人的争议解决者比公共的争议解决者有更强的动机,使争议解决过程的净收益最大化。第六条进路是,考核证据法的所有可能的目标,并且设法确立应当赋予经济目标的份量。

最易于着手的是第二条进路。这条进路所涉及的是,如果我们是从新开始并试图设计出一个用于解决诉讼中的事实争议的、在最宽泛意义上经济有效的制度,那么我们将如何安排我们的考查。我提出了两条大致相当的路径。第一条路径,是将事实发现模拟为一个搜寻问题,就如同搜寻一个耐用消费品一样,[7]要正确的回答诸如 X 是否枪击了 Y 这类问题,也就相当于在两种牌子的洗碗机之间作一个效用最大化的选择。[8]证据的收集、过滤、排列、提出和(对于事实的审判者而言)权衡的过程,既授以收益也课以成本(社会的与私人的收益和成本是必须加以区分的,但稍后不迟)。收益是如果事实的审判者考虑了该证据、就能对该案件作出正确决定的概率

---

〔6〕 这些文献的出色例证是,Roselle L. Wissler, Alan J. Hart, and Michael J. Saks, "Decisionmaking about General Damages: A Comparison of Jurors, Judges, and Lawyers," 98 *Michigan Law Review* 751 (1999); Michael J. Saks, "What Do Jury Experiments Tell Us about How Juries (Should) Make Decisions?" 6 *Southern California Interdisciplinary Law Journal* 1 (1997); Richard Lempert, "Civil Juries and Complex Cases: Taking Stock after Twelve Years," in *Verdict: Assessing the Civil Jury System* 181 (Robert E. Litan ed. 1993); Donald Wittman, "Lay Juries versus Professional Arbitrators and the Arbitrator Selection Hypothesis" (University of California at Santa Cruz, Economics Department, unpublished, July 11, 2000).

〔7〕 比如,参见,Sridhar Moorthy, Brian T. Ratchford, and Debabrata Talukdar, "Consumer Information Search Revisited: Theory and Empirical Analysis," 23 *Journal of Consumer Research* 263 (1997); Asher Worlinsky, "Competition in a Market for Informed Expert's Services," 24 *RAND Journal of Economics* 380 (1993).

〔8〕 假设在法律的和消费者的例子中都是一个二元的选择,只是为了简便起见;并没有任何分析上的关连性得自这一假设。

(p)的正函数,也是该案件利益(stake)(S)的正函数。为了简便起见,假设收益就是这两项的乘积,即 pS,这里,p 是证据数量(x)的一个正函数;那么,对搜寻收益的完整表达式就是 $p(x)S$。如果有足够的证据,p 可以等于1,这就意味着,审判将必定会得出正确的结果。审判的成本(c)也是证据数量的一个正函数。

根据这些假设,在一个案件中,搜寻证据的净收益[$B(x)$]可以表达为:

(1) $B(x) = p(x)S - c(x)$

于是最佳的搜寻数量——最大化净收益的数量——满足的条件是:

(2) $p_x S = c_x$

这里下标表示导数。总之,搜寻应该达到一点,在这一点上,边际成本等于边际收益。案件的利益越高,收集证据的成本越低,证据对增加准确结果似然性的影响越大,在最佳点上的证据数量就越大。

要达到这一最佳点,只要满足如下条件就足够了:$p(x)$ 以一个递减的比率($p_{xx} < 0$)增加,并且,c_x 是非递减的($c_{xx} \geq 0$)。[9] 这两个条件是成立的。第一个条件意味着,随着收集到的证据增多,增加的证据对案件结果的影响将递减,尤其是当搜寻者首先是从最有证

---

[9] 第二个条件意味着,在搜寻证据方面不存在规模经济(economy of scale)。方程(1)在满足这两个条件下的一个简单变型是:
(1a) $B(x) = [x/(x+1)]S - cx$
这里 p 取特殊值 x/(x+1),而 c(x) 取特殊值 cx(固定成本[constant cost])。于是,最佳的证据数量(x^*)是:
(2b) $x^* = (S/x)^{1/2} - 1$
并且,案件标的与证据的单位成本的比值(ratio)越高,这个数量就越大。但是,要注意的是,随着比值的升高,该数量是以递减的比率增加的。
c_x 是非递减的这一条件不是严格必备的。只要其递减的速度小于搜寻收益递减的速度,即 $p_{xx}S < c_{xx}$,就足够了。

明力的证据开始搜寻时,——而只要收集该证据不需要花费特别大的代价,这就是一个理性的步骤。

为了将这一分析精练一些,可以假定,有 n 个可能的证据来源,它们彼此独立(也就是说,在一个来源中发现的有价值证据,并不能有助于搜寻者在其他来源中发现有价值的证据),并且每种来源都有产出有价值证据的已知概率(p),如果能从该来源收集到这一证据,该证据所具有的已知价值(V),以及为发现能否从中收获证据而探索该来源的成本(c)。于是,对于每个证据来源而言,从搜寻中都能获得预期的净利润:$pV-c$。如果我们要从中搜寻出一个最佳来源(比如,我们案件的最佳的专家证人,或者最佳的品格证人,或者就一般而言,在可供选择的证人或文件中搜寻一个证人或文件),而不是试图堆积证据,我们就必须继续搜寻所有未搜寻的来源,直到我们发现那个产出证据具有的价值大于($pV-c$)/p 的证据来源。[10]既然($pV-c$)/p 就等于 $V-c/p$,而且 $V>c/p(c>0)$,这就意味着,如果每个成功的搜寻都有同样的证据价值,那么就应该在第一次成功的地方停止搜寻。一旦搜寻失败,我们应该接着探索具有最高的 p(假定 V 和 c 不变)、最低的 c 或者最高的 V 的证据来源。

如果搜寻者不能预先判断哪个证据最可能硕果累累,那么他的搜寻程序就会类似于随机抽样,并且随着样本量增长,新增抽样对获得更准确结果的价值,会以一个递减的比率提高(粗略的说,准确度以样本量的平方根增长)。因而,搜寻的边际效用递减。事实上,正如我们将看到的,超过了某一点,边际效用会变为负值。与此同时,新增的搜寻成本不可能随着考查的拓宽而下降,而且实际上很可能随着起始线索的耗尽而升高。("不大可能")保值(hedging)的理由是双重的:一笔巨大的收集证据的先期投资也会产生一些线索,在一定时期内使搜寻者能够以低成本获得新增的证据;并且,当所有案件加

---

[10] 参见, Martin L. Weitzman, "Optimal Search for the Best Alternative," 47 *Econometrica* 641, 646 – 648 (1979).

总,搜寻证据的成本也许会随着所获证据数量的增加而降低,因为更为准确的事实发现增加了对不法行为的威慑,因而反过来又减少了案件的数量以及法律过程的总成本。

要看到事实发现的准确度是如何与威慑发生关联的,就要首先注意,惩罚的预期成本(EC)是:在一个人犯了罪的情况下惩罚的预期成本($EC_g = P_g S$,这里 P_g 是在被指控者有罪情况下受惩罚的概率,S 是刑罚)与在一个人没犯罪的情况下惩罚的预期成本($EC_i = P_i S$,这里 P_i 是在被指控者有罪的情况下受惩罚的概率,S 如前所述)两者之差。于是得到:$EC = P_g S - P_i S$,也就等价于 $EC = (P_g - P_i)S$。显然,如果惩罚是随机的,那么无论被指控者实际上是否有罪,惩罚概率都相同(就是说,如果 $P_g = P_i$ 的话),那么对于犯罪的预期惩罚成本就将是零。判断罪行的过程越准确,惩罚的随机性越小,法律的威慑作用就越大。[11]对此换种说法就是:判断罪行的更大准确度会增加无辜者的回报。

这一点并不限于刑法,而是适用于那些以威慑非法行为为目标的所有法律领域。这一点表明,证据方面的开支可以是多么出色的投资。但是,如果没有区分真正随机的惩罚和仅仅是有随机成分的惩罚,就会有夸大的危险。假定一个有犯罪记录的人,很可能因被指控的任何此后的犯罪而被定罪,尽管他并未犯有那一罪行。那么,这就会减少刑法对其此后不犯罪的威慑效果。但与此同时,这也会通过提高其(长期的)预期惩罚,增加对其初犯的威慑,并且也将促使有犯罪记录的人避开那些可能会令他被捕和错误指控的行为。因而,不准确会增加也会减少威慑。[12]不过,我的猜测是,在绝大多数案件中,甚至是在对那些没有再次以及此后犯罪的人定罪的案件中,后

---

〔11〕 Posner,前注〔1〕,页412.

〔12〕 关于司法裁判不准确如何会在实际上提高社会福利的其他例子,参见,Michael L. Davis, "The Value of Truth and Optimal Standards of Proof in Legal Disputes," 10 *Journal of Law, Economics, and Organization* 343 (1994).

一种效果是主要的。如果因为这类罪犯无论有罪与否都很易于定罪,法律实施者就会把他们的有限资源都集中在了这类罪犯身上,那么初犯的预期惩罚就会下降,因为当局在指控他们方面投入的资源相对较少。

威慑在证据的经济分析中扮演着一个醒目的(starring)角色,因为其把对准确度(而准确度是证据过程的核心)的关切同经济学家的法律概念(一种为有效行为创造激励的制度)联系起来了。由于审判中准确判断事实对于法律传递有效激励的效力非常重要,司法裁判的准确度也就既是一种道德和政治价值,又是一种经济价值。

证据搜寻的另一个可供模型化方式,源自我们熟悉的程序与过失的经济学模型的方式,[13]是将之作为一个成本最小化的过程。现在,用 p 表示得到一个错误而非正确的结果的概率,并用 pS 表示错误成本(以利益来衡量的错误概率)。假定, $p = 0.1$,就是说,平均起来,有 1/10 的案件决定不正确。那么,如果这些案件的平均利益是 100 000 美元,错误的预期成本就是 10 000 美元。明确地假定 pS 与错误的社会成本相等,那是太武断了。但是,认为一个错误结果的社会成本一般来说会随着与该案件利益相当的美元增长而增长,则是一个合理的猜测。我将马上对这一假设进行辩护和限定。

证明过程的社会目标,是要使错误的成本和避免错误的成本之和最小化,也就是说,要最小化

(3) $C(x) = p(x)S + c(x)$

对 $C(x)$ 求 x 的微分并使其结果等于零,形式运算得到,

(4) $-p_x S = c_x$

---

〔13〕参见,Posner,前注〔1〕,页 401(程序);William M. Landes and Richard A. Posner, *The Economic Structure of Tort Law* 58 – 60 (1987)(过失).

就是说,证据搜寻应该达到这样一点,在这一点上,得到的最后一个证据产生的是错误成本减少与收集该证据的成本相等。只要增加 x 对减少 pS 具有一个递减的影响,并且,如前所述,c_x 是非递减的,就可以达到这样一个最佳点。

在这一模型中特别强调的"成本",看来似乎是一个过于狭隘的概念,不适合用作在可供选择的证据规则中作出挑选的标准。但是,这取决于我们如何定义"成本"。在一个恰当的经济分析中,搜寻证据的成本不应该仅限于时间以及其他的直接成本。还应该包括间接成本,这些成本来自搜寻过程的激励作用。请考虑这样一个规则,[*]该规则限制使用如下证据:被告在导致原告起诉的事故发生后,修补了造成该事故的条件;该规则所担心的就是:准许这样的证据,会妨碍修理,进而会提高未来事件的风险以及由此而来的预期事故成本。

许多法律教授倾向于,通过援引证据法的多重目标[14]而不仅仅是事实发现的准确度这一个目标,来考虑证据规则的间接成本和间接收益。经济学家会同意,准确度(在方程式(1)到(4)中的 p)并不是惟一的目标。确实,还是根本不将之描述为一个目标、而是描述为用来判断证据搜寻净收益的诸多要素之一为好。证据学文献中讨论的其它目标,比如为争吵双方提供宣泄的途径、以一种为社区接受的方式解决争议、保障个体自由的利益以及保护其他价值(比如在事后修补[subsequent‑repair]的例子中就是如此),同样是最好别被当作明确的目标,而是作为在基本模型中影响一个或另一个成分的要素。不仅可以选择非经济关系进入经济分析的框架内;而且证据法基本的经济分析视角——法律致力于在审判的准确度和成本之间进

---

[*] 美国《联邦证据规则》第407条。——译者

[14] 比如,参见,Michael L. Seigel, "A Pragmatic Critique of Modern Evidence Scholarship," 88 *Northwestern University Law Review* 995 (1994),和其中所注的参考文献,包括劳伦斯·却伯(Laurence Tribe)和查尔斯·内森(Charles Nesson)的那些颇有影响力的论文。

行权衡——也是证据法的非经济学作品中的一个常见的、甚至是传统的主题。[15]这一经济学进路,更多的是用于提炼和扩充而非挑战法律专业人士的直觉。

新增的证据是如何将一个事实调查逐渐推进到一个准确结论的,我可以更精确些讨论。根据对贝叶斯定理的最为直观的描述,某个假设(假定 X 枪击了 Y)正确的后验发生比(posterior odds)(考虑了新证据 x 之后的发生比)等于:将前见发生比(prior odds)与概率(1)(如果假设为真,证据可能被观察到的概率)除以概率(2)(即使假设不为真,证据可能被观察到的概率)的比值相乘所得的积。于是,

(5) $\Omega(H\mid x) = Lx\Omega(H)$

这里 Ω 表示发生比,[16] H 表示假设,L(叫做"似然比[likelihood ratio]")表示 $p(x\mid H)/p(x\mid \overline{H})$。假定,新的证据是旁观者 Z 的证词:他看见了 X 枪击 Y。进一步假定,X 枪击了 Y 的前见发生比($\Omega[H]$)是 1:2,;同时,如果 X 确实枪击 Y、Z 会作证说自己看见了 X 枪击 Y 的概率是 0.8,而如果 X 实际上没有枪击 Y、Z 会作证说自己看见过 X 枪击 Y 的概率是 0.1,那么,似然比就是 8。因此,X 枪击了 Y 的后验发生比就是 4:1。

有几个限制条件应当加以留意。第一个是,案件的利益对于收集新增证据的社会收益而言,是一个并不完美的尺度。请想像一个

---

[15] 比如,参见,Jon O. Newman, "Rethinking Fairness: Perspectives on the Litigation Process," 94 *Yale Law Journal* 1643, 1647 – 1650 (1985).

[16] $\Omega(H\mid x) = p(H\mid x)/p(\overline{H}\mid x)$,并且 $\Omega(H) = p(H)/p(\overline{H})$。上标(-)的意思是"非"。所以,如果在正文的例子中,假使 X 确实枪击了 Y、Z 会作证说自己看见了 X 枪击 Y 的概率是 0.4,同时,假使 X 实际上没有枪击 Y、Z 仍然会作证说自己看见过 X 枪击 Y 的概率是 0.1,那么,X 枪击了 Y 的发生比就是 4:1(也就是说,等于 4)。如果(在 Z 作证以前)X 枪击了 Y 的概率是 0.1 并且 X 没有枪击 Y 的概率是 0.2,那么 X 枪击了 Y 的发生比(前见发生比)就是 1:2(或者说,是 0.5)。

关于制定法责任的争议,该制定法在争议产生后被废止了,但是,由于并没有被溯及既往地加以废止,因而仍然统治着这一争议。如果牵扯到的是一大笔钱,那么在证据收集方面,最佳的私人投资就会是非常大的,因为胜利会带来或保存雄厚的经济租(economic rent)。但正确决定得到的社会收益却可能是零(也可能不是零:任何在制定法下产生的争议——无论发生了什么事情——都能用准确的方法加以解决的这样一个预期,可以在该制定法生效时促成有效的行为,同时,尊重这一预期,对于在当前生效的制定法下促成有效行为而言,也是必需的)。一般的观点认为,在某些案件中,当事人可能会在证据搜寻方面投资不足,因为司法裁判的准确度增加了法律的威慑效果,因而会令非当事人得到收益;而在另一些案件中,当事人又会为了寻租的目的而在证据搜寻方面投资过大。但是,一般来说,利害关系越大,从社会和个人的角度来说,案件获得正确决定的意义就越重要。司法裁判的不准确会减少威慑,由此也会降低法律的遵守,因而案子越大,不准确所施加的社会成本就会越大。阻止因过失而造成的数十亿美元的原油泄漏,比阻止几百万美元的原油泄漏更为重要。

第二个限制条件在于,即使新证据的似然比很高,比如在我们举的枪击的那个例子中是 8,变更后验发生比即使有也不会是很大的社会价值。该价值将依赖于前见发生比和决定的规则。假定,X 枪击 Y 的前见发生比(作为先前提交的证据的一个结果)不是 1:2 而是 1:10,同时假定,要责成 X 对枪击负责,事实的审判者必须裁定:X 确实枪击 Y 的发生比至少是 1.01:1(优势标准)。那么,既然新证据没有把后验发生比提高到阈值之上(将前见发生比乘以似然比 8,得到的后验发生比只是 1:1.25),它就没有任何价值。如果由于前见发生比保持 1:2 不变,而事实的审判者要判 X 有罪必须使发生比至少达到 9:1(证据超越合理怀疑标准的一个可能的解释),那也同样是如此;因为后验发生比只是 4:1。

最后一个限制条件是,在证据投资会得到超出改变特定案件结果之外的收益。举一个简单的例子,比如,审判结果只取决于各方投资的比例。就是说,如果 A 的花费是 B 的两倍,A 就会打败 B;反之,B 就会赢了 A。那么,各方花费成比例的减少就不会改变结果。但是,这样却很可能会减少投资所产生的供裁判机构审议之信息的数量,并且这样做还会增加实际结果不同于预期结果的变数,也会由于降低了对审判结果准确度的信任而增加上诉的可能性。

我希望对人们越来越频繁地听到的那些对我国司法裁判对抗制的非议加以评价。证据搜寻的成本和收益以及由此而来的证据搜寻的最佳方式和数量,是随搜寻者类型的变化而变化的;而正是证据搜寻者的差异,也大体上区分了绝大多数英语世界中盛行的对抗制,以及在绝大多数其他国家、特别是欧洲大陆诸国和日本盛行的纠问制。

我们首先从职业法官是惟一搜寻者这种情况开始。这是一幅纠问制的讽刺画。尽管在开发证据方面,律师在纠问制中起的作用比他们在抗辩制中要小,但也并非微不足道;而且在各国之间也各不相同。但是,由于我想尽可能鲜明的对比这两套制度,我采取的态度是将它们推向极致,[17]因而不仅有意忽略律师在纠问制中作为证据搜寻者的角色,而且将陪审团审判作为对抗制中的惟一审判形式。

表面上看起来,法官-搜寻者因其挑选、训练和经验,会是一个极为有效的搜寻者。[18]但是,也可能并非如此。要评价法律的事实

---

[17] 事实调查的最最简单的例子,就是父母对自己的两个子女之间的争议的调查。边沁似乎认为这是思考法律证据制度的恰当模型,尽管它并不是一个可以被盲目追随的模型。参见,Jeremy Bentham, *Rationale of Judicial Evidence*, vol. 1, pp. 6 – 8(J.S.Mill ed. 1827). 一般地,参见,Laird C. Kirkpatrick, "Scholarly and Institutional Challenges to the Law of Evidence: From Bentham to the ADR Movement," 25 *Loyola of Los Angeles Law Review* 837 (1992). 关于证据问题的对抗式操作和纠问式操作之间区别的描述,参见 Mirjan R. Damaska, *Evidence Law Adrift* (1997); John H. Langbein, "The German Advantage in Civil Procedure," 52 *University of Chicago Law Review* 823 (1985); David Luban, *Lawyers and Justice: An Ethical Study* 93 – 103 (1988).

[18] 好像这一点是显然的,经常有人评论说,纠问式进路比抗式进路"更有效",比如,Craig M. Bradley, "The Convergence of the Continental and the Common Law Model of Criminal Procedure," 7 *Criminal Law Forum* 471 (1997).

第十一章 证据原则与对对抗式程序的批评性讨论 361

发现、进而要根据错误或出色的裁定来批评或称颂法官,是很难的,所以法官竭尽全力工作出色的激励也是有限的。而且,如果他的收入很高,搜寻成本就会非常之大。同时,搜寻数量会取决于法官和辅助司法人员(auxiliary judicial personnel)的数量,而司法人员的数量又是在不太考虑社会最佳搜寻数量的情况下确定的。再者,因为纠问制中的司法调查过程,就像美国的大陪审团程序,大体上都是秘密进行的,所以公众对法官的证据搜寻和他依其搜寻所得出的结论会缺乏信任。而这又会有一个危险,就是法官会在案件中得出"媚俗的"(popular)结果,而放弃正义。

在现代美国民事陪审团审判例证的对抗式过程中,[19] 证据搜寻是由对立双方的律师分别进行的,并且是呈交给一个非专家的、专案的(ad hoc)、*多头的裁判机构作出决定。但是,由于审判律师(trial lawyer)是直接或间接地根据其在审判中的成功来取酬的,所以他们有非常大的激励,去开发有利于自己委托人的证据和发现对手证据中的瑕疵;并且,如果是一个涉及到大笔货币利益的案件,他们获取和争夺证据的财力将非常充足。如果不准确决定的社会成本可以用利益大小来代表,那么在实际搜寻数量和社会最佳搜寻数量之间,就至少有一个粗略的线性关系。

推动证据搜寻的数量的,不只是案件的利益,还有证据的边际量对结果的可能影响。请回忆方程(2),其中一个证据的边际收益给定为 $p_x S$, p_x 是证据对审判得到正确结果这一概率的影响(不论是从社会立场,还是像这里一样——我们正在考虑的是律师的而非法官的激励——从私人立场来看)。该方程意味着,如果其他条件相同,

---

[19] 很少有民事案件经过了实际审判;大多数都是庭外和解的。但是,规划庭外和解的那些条款,依据的都是:如果经过审判,会是多长时间、多大成本、尤其是结果如何。

* " ad hoc "在这里即有特设、专门之意,也有临时、即应之意,因此翻译为"专案",或可两全。参见,《英汉法律大辞典》,李宗谔、潘慧仪(主编),法律出版社 1999 年版,页8。——译者

得到的证据越多,双方就越势均力敌。[20]由于双方更加势均力敌,新增证据对结果可能产生的影响也就更大,因而也就更可能向事实审判者提供。如果案件是一边倒的,那么即使新增证据本身被认定具有高度证明力,也可能不会对结果产生任何影响。

双方越是势均力敌,就有激励提供越多证据,这种激励有一个提高效率的趋势,但仅是趋势而已,不可能有更强的表达了。很容易想见,在一些案件中,因双方势均力敌而提交的那些新增证据并没有任何社会产出。假定,当事人 A 多举出一个证据,付出的成本是 x,可以增加的得到有利结果的概率是 1%。同时假定,他的对手 B 可以通过增加另一个有利于 B 的证据,抵销掉 A 获得的那 1% 的优势,付出的成本同样是 x。如果每个当事人都提出自己新增的证据,那就是投入 $2x$ 的成本,而没有任何预期结果上的改变。然而,这个例子多少有些不符合实际。如果 A 能预期到 B 的回应,A 就不会有激励提出新增证据。同意将新增证据排除在外会使 A 和 B 共同获益,而各方当事人限制证据的协议一般都会得到强制执行。如果律师真的是自己委托人的完美代理,这类协议本来会比实际情况更为普遍。

搜寻过程的竞争性特点、向未亲自参与证据收集的非职业法官实体(陪审团)提交结果,都使得难以将对抗制与纠问制放在一个统一体内。后者的模型是治安调查,而前者的模型是辩论。辩手的工具就是修辞的工具,是一套使人对涉及无可救药的不确定性的情形产生确信的技术,而不确定性虽然往往可以归因于听众的不懂世故,但更根本的原因是我们在第 10 章从一般意义上讨论过的、常被提及的"证词"的易错性。正如亚里斯多德——他比柏拉图更能宽宥不准确的推理——以降的那些修辞学理论家强调的,衡量修辞(他们叫做"伦理诉求"[ethical appeal])是否有效的重要维度,就是使说话者和他所说的话都值得信赖。市场调查(consumer research)的经济学再一

---

[20] 也可以参见, Avery Katz, "Judicial Decisionmaking and Litigation Expenditure," 8 *International Review of Law and Economics* 127 (1988).

次提供了有益的类比。[21]某些消费品在经济学上叫做"信用品"。如果消费者不能通过检查甚至使用而轻易判断一个物品的质量,以至于不得不"单凭信任"来把握它的质量,那么该物品就是一个信用品。

可信性在一个看重修辞的司法制度中的重要性,以及律师有不顾真相地提高其证人可信性的激励,解释了为什么对抗制将重点放在交叉询问(cross-examination)和反驳(rebuttal)上,为什么相应地怀疑传闻证据。传闻证据从功能上来定义,就是未经交叉询问的证词。对证人可以交叉询问,但对庭外的陈述人却不能,虽然证人正在重复的就是该陈述人的"证词"。

交叉询问的重要性经常遭人误解、其社会价值因此为人低估,是因为人们没有认识到交叉询问权(the right to cross-examine)具有威慑作用。由于交叉询问可以毁掉证人的可信性,所以在实践中很少使用,但也因此遭到了错误的诋毁。会被交叉询问毁掉可信性的证人,要么根本就不会被传招,要么就是在直接询问(direct examination)时就承认交叉询问者本打算喋喋不休地追问的那些事实,以摆脱交叉询问者如芒在背的叮咬。

对抗制使得诉讼当事人难以传达自己案件实力的信号。就像扑克牌玩家常常必须虚张声势、避免泄漏自己手实力而失去隐弊带来的战略优势一样,一个处于弱势的律师为了避免摊牌,就必须装作是处于强势。人们会想到某些律师专攻强势案件,聘得这些律师就会释放信号,表明此案件很强势,从而促成有利的和解协议(settlement)。这会是一个便宜而且可靠的传递信号的方法,但是似乎并不能广泛推行。

对抗制会显得比纠问制更缺少效率,仅仅是因为它包括两个或多个(敌对双方的律师)、而不是一个搜寻者(法官)。有重叠,因而增加了成本。而且由于搜寻者没有共同的利益,这一制度还需要用程

---

[21] 对于更完整的讨论,参见,Richard A. Posner, *Overcoming Law*, ch. 24 (1995).

序来防止隐藏和曲解证据。在许可的情况下，比如是在美国法律制度中，律师会帮助他们的证人把故事讲得让人觉得可信；律师们都懂得这对于伦理诉求的有效修辞的重要性。但是，这样的帮助并不完全是一件坏事。它可以提醒证人想起那些他可能已经忘记了的事实真相，帮助他以易于理解的形式将自己的回忆清楚明白地讲出来，并且向他表明如何按照证据规则来作证。

由于搜寻证据的私人收益多多少少会超过或者不及社会收益，因此从社会的角度来看，搜寻私人化（比如对抗制）得到的证据可能不是太多就是太少，正如我们已经看到的那样；相比之下，原则上——显然，这是一个非常大的限定——纠问制下的法官可以将证据搜寻一直进行到抵达边际成本曲线和边际收益曲线相交的那一点为止；而且他也能够正好就停在那里。但是，对抗制下的法官至少可以限制律师的搜寻数量，不仅是精简审前证据开示、设定较近的审判日期和限制审判的时间长度（这都是在我们的制度中法官被授权行使的手段），而且可以根据《联邦证据规则》第 403 条规则的授权，在审判中排除证据。正如我们将在下一章看到的，在所提交证据的证明价值被明显抵销、尤其是被其拖延或搅乱审判的作用抵销的情况下，该规则便授权法官排除这一证据。诚然，在援引第 403 条规则的动议提出之前，就已经在收集证据了。但是，如果当事人预见到法官会在审判中将之排除，他们就可能不收集这些证据。证据规则在限制因对抗制产生的外部成本（external cost）方面的功能，就是为什么证据规则在纠问制中不那么重要的一个原因。[22]

---

[22] 参见，Gordon Tulock, *Trials on Trial: The Pure Theory of Legal Procedure* 151 - 157 (1980); Franklin Steir, "What Can the American Adversary System Learn from an Inquisitorial System of Justice?" 76 *Judicature* 109 (1992); Konstantions D. Kerameus, "A Civilian Lawyer Looks at Common Law Procedure," 47 *Louisiana Law Review* 497, 500 (1987). 一个可供选择的进路是对证据征收调节("庇古主义的(Pigouvian)")税；但是从社会的立场来看，就不得不对那些当事人在证据方面投资不足的案件进行补贴。不幸的是，执行这一税收补贴方案所需要的信息，远比政府所能得到的信息为多。

这些规则并不能仅仅因为新增的证据搜寻会带来社会收益,就强迫当事人超出该案件对其的价值去搜寻证据。但是,这些规则可以在这一方向上对他们稍有点拨,正如在我们将在接触到那些支配着对法庭的呈证责任(the burden of producing evidence)规则时所看到的那样。

因为陪审团是一个专案裁判机构,所以在审判之初,大量时间都要花费在遴选陪审团成员上面。而且,由于陪审团缺少审判经验,所以还需要一位专业法官加以引导;同时,由于需要教育陪审员适应他们的工作,审判的步调也因此节奏缓慢。平均而言,联邦法院的民事陪审团审判比民事法官审判所花费的时间,要多出一倍以上。[23] 而这就意味着,采用陪审团并没有节省法官的时间;甚至还完全相反,即使因为法官未必要实际决定案件或书写司法意见,也算是有所抵偿。如果没有陪审团审判的话,那些通常都会引发争论的证据规则大多就没有必要;设计这些规则的目的主要是为了保护门外汉,以免他们由于缺乏经验而产生认知错误(cognitive errors)。因而,这些证据规则的制定和运用,也是陪审团审判的一个成本。

陪审团审判也放大了对立双方律师的能力差异;为了避免妨碍陪审团的决策,法官不能像在法官审判时那样,直接向证人发问或者提出辩论的界限,从而轻易地恢复平衡。这也并非全然是件坏事。其带来的结果是陪审团审判惩罚的差劲律师比非陪审团审判要多,而通过达尔文主义的方式,可以比法官审判更为促进律师质量的提高,因为法官审判中的法官总是试图弥补较弱律师的不足。而这一语境下的"质量",同样包括不择手段地精通尔虞我诈的修辞伎俩,这也例证了这一点:达尔文主义的过程未必是规范的。

最后,并且似乎最显著的是,陪审员的缺乏经验和天真质朴,看起来显然会减少判决结果符合案件事实真相的似然性。陪审员不仅要比专业法官耗费更多的信息成本,而且比那些"见多识广"的专业

---

〔23〕 Richard A. Posner, *The Federal Courts : Challenge and Reform* 193 n. 1 (1996).

法官更容易产生认知错觉和感情用事。但是,这只不过是这幅图景的一部分。与法官是主要或者惟一证据搜寻者的制度相比,对抗制过程的竞争特点能够给证据搜寻者(律师)以更大的激励努力搜寻证据。[24]竞争总是包含着双倍的努力,而产出的收益也通常都比抵偿的收益更多,而且在审判中可能的确就是如此。换句话说,对抗制比纠问制更大程度地依赖于市场,而作为大多数物品的生产者,市场又比政府更有效率。

作为杰出的纠问式进路的拥护者,兰贝因(Langbein)教授认为,对抗式进路在"结合责任与激励"和"毋庸置疑地预防官员偷懒"方面有很大的优势。但是,他提供了一个"直截了当的"对这一关切的回答:"司法事业必须被设计成一个为勤奋和卓越创造激励的样子。"[25]但是话好说事难做,而且实际上在美国政治文化中也可能不可行。[26]这方面的证据就是广为流传的对美国行政机构的不满。这些行政机构使用的就是类似于纠问制的方法和程序(专家裁判、没有陪审员、松懈的证据规则以及裁判机构在证据收集方面更多的控制)。

我们不应该停留在对市场配置资源的教条式的偏好之上,而必须具体考量,竞争如何才能有助于最佳的证据收集。要做到这一点,既可以是促使每一方都付出比纠问制下法官所投入的更大的努力,来发现证据,也可以是促使其付出更大的努力,去发现对方证据中的漏洞。[27]也不是所有情况都要更加努力,——而是,利益越大,双方越势均力敌,就越努力,因而在更全面、更小心地细查、整理和评价证

---

〔24〕 参见, Mathias Dewatripont and Jean Tirole, "Advocates," 107 *Journal of Political Economy* 1 (1999).

〔25〕 Langbein, 前注[17], 页848.

〔26〕 比如如下的讨论, John C. Reitz, "Why We Probably Cannot Adopt the German Advantage in Civil Procedure," 75 *Iowa Law Review* 987 (1990).

〔27〕 对后一观点的强调, 参见, Giuliana Palumbo, "Optimal 'Excessive' Litigation in Adversarial Systems" (Wkg. Paper No. 98 – 01, ECARE, Universit Libre de Bruxelles June, 1998).

据可能产生更大社会收益的那些案件中,努力也更大。而且,一般来说,客观上处于强势的当事人能用比对方当事人更低的成本获得有利于自己的那些证据。[28]于是,收集证据的竞争性制度将倾向于偏向那个会在无错世界(error-free world)中胜诉的当事人。[29]

对抗制还便利了从证据空缺处得出可靠的推断。[30]如果一个当事人本应该能够以低廉的成本得到有利于自己的证据,那么,他没能出示该证据这一情况,就会令事实的裁判者得出这样的推论:该证据并不存在,该当事人因此应该败诉。沉默成了一个信号。

比起平均水平(average)法官来,平均水平的陪审员可能在智慧上略逊一筹,而且也确实缺少司法裁判方面的经验,但是"三个臭皮匠,顶一个诸葛亮"——何况是6个、8个甚至12个缺少经验的臭皮匠,当他们把自己的记忆汇集到一起、深思熟虑斟酌出一个结果的时候,可能真的会比一个有经验的诸葛亮更高明。而且,法官也并非只是在主持审判;他还可以将案件从该陪审团那里移开:如果他觉得陪审团确实把事情搞糟了,那么,他可以授权一个新的审判,或者,如若证据是一边倒,他也可以不理陪审团裁决,而作出一个直接的事实裁决或判断(verdict or judgment)。12个臭皮匠实际上是13个诸葛亮。并且依据案件的不同类型,陪审团可能在社会背景、职业、教育、人生经历、种族、风俗和视野上,比法官更接近于证人和当事人。这使他

---

〔28〕 在理想情况下,对于应该败诉的一方当事人而言,提供有力证据的成本将是无穷大的。如果确实如此,在一个竞争性的证据收集体制下,当事人怀有说谎动机的这一事实,并不会导致错误的结果。参见,Chris William Sanchirico, "Games, Information, and Evidence Production: with Application to English Legal History," 2 *American Law and Economics Review* 342 (2000)。

〔29〕 Luke M. Froeb and Bruce H. Kobayashi, "Na? ve, Biased, Yet Bayesian: Can Juries Interpret Selectively Produced Evidence?" 12 *Journal of Law, Economics and Organization* 257 (1996). 还可以参见,Paul Migrom and John Roberts, "Relying on the Information of Interested Parties," 17 *Rand Journal of Economics* 18 (1986)。

〔30〕 参见,Hyun Song Shin, "Adversarial and Inquisitorial Procedures in Arbitration," 29 *RAND Journal of Economics* 378, 404 (1998)。

们比法官更容易理解证人和判断证人的可信性。在人身伤害侵权（personal - injury tort）案件和刑事案件中，最有可能是如此，而这两类案件合起来，就占了陪审团审判的绝大多数。[31]

同时，如果法官和陪审员一样容易犯我们在第 8 章有过预先安排讨论的那些认知错误，或者容易为情绪所左右（参见第 7 章），那么陪审团审判可能就会比法官审判更为准确，因为在法官审判中没有一个保护事实裁判者的看门人，来杜绝混淆的或过于偏颇的证据。要点在于，与其说我们需要证据规则是因为我们有陪审团，还不如说是因为我们没有一套机制对法官施加证据规则。这样就不得不需要一名预检法官（a screening judge），为审判法官排除非可采的证据；否则，让人觉得审判法官虽已察觉、却没法阻止那些非可采证据对其决定的影响，这会令其有失尊严。然而，或许审判法官就是没法排除这类证据的影响。的确，我们甚至不能肯定地说，法官就比陪审员更不容易产生认知错觉（尽管我将在稍后指出一些法官确实更不容易产生错觉的证据）。关于这类错觉的文献，提供了一些认为市场配置有助于消除或至少是减少错觉的依据，[32]但丝毫没有依据认为政府过程也有相同效果。[33]

---

〔31〕 最近几年能得到的（1996 年的州案件，1997 年的联邦案件）统计数字表明，美国陪审团案件中的 74% 为人身伤害侵权或刑事案件，供计算的数据来源为，Brian J. Ostrom and Neal B. Kauder, *Examining the Work of State Courts*, 1996: *A National Perspective from the Court Statistics Project* 25, 28 (1997); *Judicial Business of the United States Courts*: 1997 *Report of the Director of the Administrative Office of the United States Courts* 152 – 154, 359 – 361 (1997) (tables C – 4, T – 1). 不过，该评估所依据的州数字仅仅是一个近似值，因为并没有一个综合性的"人身伤害"的分类，因而我只能根据"汽车（侵权）"和"医疗事故"的数量加以估算。

〔32〕 例如，参见, Vernon L. Smith, "Rational Choice: The Contrast between Economics and Psychology," 99 *Journal of Political Economy* 877, (1991); Colin Camerer, "Individual Decision Making," in *The Handbook of Experimental Economics* 587, 674 – 675 (John H. Kagel and Alvin E. Roth eds. 1995).

〔33〕 参见, Chritine Jolls, Cass R. Sunstein, and Richard Thaler, "A Behavioral Approach to Law and Economics," 50 *Stanford Law Review* 1471, 1543 – 1545 (1998).

把住入口是一个抵御认知错觉的办法;另一个办法就是对抗过程本身。如果一方当事人的律师用"预先安排(framing)"来影响证人的证词,另一方的律师可以在交叉询问中重新安排(reframe)问题,抵销掉其对手预先安排产生的影响。而其另一个侧面就是:(带有陪审团的)对抗制可以在处理认知错觉方面比纠问制更出色。

而且,陪审员还拥有许多法官缺乏的新鲜感。法官可能已经麻木了,因而不大会留意一个新案件有哪些特殊之处。假定,由于主持过许多类似的案件,法官在一宗新案件的开始之初就计算出,被告有罪的发生比是 100:1。他就几乎没有激励密切注意审判中提交的证据,因为被告有罪的证据不会改变法官的判决,而被告无罪的证据,除非是极为有力,也不会促使法官的后验发生比进入宣告被告无罪之列。举个例子来说,如果在一个案件中,法官认定被告有罪的前见发生比是 100:1,证据所建立的被告无罪的似然比是 8:1,那么法官认定被告有罪的后验发生比仍将是 12.5:1。

所有这一切都是极为理性的。但是,一旦这一模式变得不言自明,诉讼当事人也就不再会有激励提出大量证据了(要看到这一点,只要想一想这个极端的例子:在证据提交之前,法官已经对案件的正确结果下定了决心,不可更改)。由于法官的前见(建立在当事人提交了大量证据的审判的基础之上)变得越来越不准确,最终诉讼过程的准确度也受到了严重的损害。这个问题又因确认偏见(confirmation bias)问题——以最符合其前见的方式解释证据——而更为恶化了。[34]法官任期终身、工资固定,而且不会因屈从偏见承担任何不利后果,这反而瓦解了其对偏见的抵抗力。在陪审制审判中,由强烈前见滋生的危险就不那么严重。

相应的一点是,法官根据经验可以找到决定的捷径,而初次加入这一过程的陪审员,可能会更仔细地考虑那些证据。法官灵机一动

---

[34] 参见,Matthew Rabin, "Psychology and Economics," 36 *Journal of Economic Literature* 11, 26 - 28 (1998),及其中的注释。

的决定(snap decision)可能会和陪审团更为深思熟虑的决定一样出色——但不一定更出色。

由于其对抗的特点和一次性提交证据的要求(陪审员不能无限期地待在一起,而法官却可以在一个无限期的时间里分阶段处理案件,并且可以在审判结束后的很长时间,再发布他的决定),[35] 美国的陪审团审判,比以治安调查为模型的纠问式程序,更容易受到公众的监督。这在一个不信任官员的文化中至关重要——因此大部分司法功能都授与了非官方人员:陪审员以及律师(尽管他们在代表政府出庭的时候,通常也是政府的雇员)。随着大量司法功能的私人化,法院必须的职业法官数量,就要比纠问制的司法部门少很多,[36] 而这一模式又正好迎合了不信任官员的公众。

另一个理解这一模式的办法是:由很少数量的法官来作出决定抬高了搜寻证据的成本,以至于证据搜寻的功能移交给了其他人:律师和陪审员;倘若法官的数量很多,而且法官搜寻证据也因此很廉价,就会被认为律师和陪审团是成本过于昂贵(相对于收益而言)的搜寻者了。与其他大多数同美国在其它方面非常类似的国家的人民相比,美国人更不信任官员,因此,这是我们保留对抗制的根本原因。英国似乎是一个反例。它也保留了对抗制,而英国老百姓尊重官员是非常有名的(虽然也在逐渐减少)。但是,就功能而言,英国的法律制度更接近的是欧洲大陆的而非美国的法律制度。[37]

而且,美国人不信任官员导致的结果是,大多数法官是选举产生

---

〔35〕 Damaska,前注〔17〕,第三章。其中强调说,对抗式审判比纠问式审判更为精简,而这恰恰归功于陪审团制度。在美国同在欧洲一样,法官审判从开始到结束总是趋向于持续更长的时间(尽管实际的审判时间要少得多),原因就在于,不必让陪审员聚在一起,法官可以中断审判而去忙其他的业务。

〔36〕 比如,律师和法官的数量比,美国是 54.59:1,法国是 6.07:1,德国是 6.86:1,瑞士是 2.86:1。参见,Richard A. Posner, *Law and Legal Theory in England and America* 28 (1996) (table 1.1)。

〔37〕 同上,页 20—36。

的,而不是任命的;并且使法官的工资水平始终要比这些最能干的法律人的机会成本低很多。并且因为这两个原因,人们对法官的质量也产生了疑问[38]并由此产生了一个恶性循环——如果你不喜欢陪审员的话,那就是恶性的。因为美国的法官得不到信任,所以他们就真的不如那些更尊重官员的文化中的法官让人相信。这反过来又缩小了法官与陪审员之间的能力差距(competence nap),也减少了陪审团审判相对于法官审判的错误成本。差距大为缩小的原因在于,在选举法官的时候,那些反复涉诉的当事人——比如保险公司和那些专业的出庭律师——比如侵权案件的原告律师,会有强烈的激励左右竞选,为支持其利益的法官出力。如果决定案件的责任由陪审团来分担,这些激励就会迟钝得多,司法的负面效应也会降低。陪审团制抵销了法官的偏见,也减少了贿赂法官的激励。[39]同样,陪审团制也抵消了政治偏见——一个潜在的、在法官选举制下尤其重要的要素。没有陪审团在座,法官就无法"指责"其他人;如果有陪审团在座,法官就可以将责任分摊开来。而且陪审员和法官不一样,并没有事业上的激励,通过作出裁决取悦于控制法官事业的那些人。

对陪审员能力的怀疑来自于这样一个假设:陪审员的组成是从外行人中随机抽取的样本。这个假设并不成立。在联邦和各州的法院系统中,潜在陪审员的名字都主要是从选民登记名单或实际选民名单中选出的,因而,那些缺乏公民责任感的人由于没有激励去注册投票,也就实际上丧失了担任陪审员的资格(但是,各州经常用其他

---

[38] 但是,根据这两个要素,要从工资的级别差(salary differential)中得出一个相反的推断,就不那么容易了。首先,如果法官的工资更高一些,结果可能是,政客们会有一个更大的动机把法官席位(judgeship)当作一个施恩赐惠的美差(patronage plums);法官席位对于政客的朋友或银行家、因而也就是对于政客更有价值。其次,法官的工资同军人的一样,是被垄断雇主(monopsony)所压低的。和美国的军人一样,美国的法官也只有一个雇主。因而,如果想成为一个联邦法官或者一个士兵,就没办法依靠预期雇主的竞争,获得相当于其中一个可选择的就业条件下能够享有的工资。

[39] Dewatripont and Tirole,前注[24],页30。

姓名资料来补充选民名单，比如领取执照的司机和纳税人的名单，他们都不一定为了公民责任而参与选举）。名字被选的那些人会收到要求履行陪审团义务的传票，但是大多数不负责任的接收者都不予理睬，也很少会受到任何追究。而后，作为给特定案件遴选陪审团这一过程的一部分，当法官向这些合作者发问时，潜在陪审员中不愿任职的人，就会编织各种理由，而且一般都会放走。而后，有因回避又将那些可能会偏袒一方或另一方当事人的陪审员分离出来，而无因回避还允许律师根据无需任何理由的直觉，剔除某些保留下来的候补陪审员。这些一路过关斩将的候选人，并非是联邦司法地区居民的随机样本，而是在能力、公民精神和责任感方面普遍超出常人；只是有些时候，无因回避往往被用于排除那些最有能力的候补陪审员——他们最可能看穿使其回避的那些律师所描述的案情。与那些传言相反，退休人士在陪审团的代表人数不是过多，而是不足。[40]但是，最忙的那些人也是如此，而且他们中的某些人本可能是一流的陪审员。

即使假定，陪审员总的说来与（美国的）法官一样，也能胜任事实争议的解决，我们也仍然会担心，怕他们没有动力去全力以赴。陪审团得出了"错误"的结果，不大会像法官那样，受到公共舆论的批评（尽管如此，正如我们所看到的，这可以是坏事，也可以是好事）；他们把陪审员工作干得再好，也没有什么事业上的奖励；而且，他们也没有任何金钱激励，去进行仔细的证据搜寻。然而，几乎所有与陪审员一起坐堂的法官，不论是否赞同他们的裁决，都对陪审员们的尽职尽责深有所感。部分的解说是我所提及的对责任心的预检。更为重要的，是陪审团审判中可以被称作是戏剧效果的东西。美国的司法制度一直在追求——显然已经取得了某些成功——营造一种氛围，在这种氛围中，陪审员沉浸在决策的戏剧效果，为作出一个无瑕的裁决而竭尽全力。从理性选择的立场来看，这同如下这个事实一样不足

---

〔40〕 Richard A. Posner, *Aging and Old Age* 152 (1995).

为奇:观众会被恐怖电影惊吓,即使人人都知道那是虚构的。

有关陪审团审判的疯狂实例广为流传:冗长拖沓、粗俗野蛮、无法无天、导致稀奇古怪的裁判以及其他的误审错判(miscarriage of justice),甚或是诸种弊端同时发作。这使一些观察家相信:美国制度非常没有效率。[41]但是,根据奇闻轶事来勾勒一个像美国这样辽阔、这样笼罩在媒体之中的国家的公共政策轮廓,总是暗藏危机的。美国的陪审团审判促进了公共评价——制度的错误更加难以藏身——这一事实,恰恰令这套制度看起来似乎比一个幕后运作的制度缺少效率。

为了清楚起见,我对比了诉讼中收集和评价证据的两个极端的制度——没有任何律师参与证明过程的纠问制和由陪审团审判的对抗制。实际的制度都是混合式的——律师在欧陆法律制度中也起作用,只有少量的美国案件由陪审团来决定,而且它们最出色的那些特点也是可以组合在一起的。在不放弃对抗制的情况下,原则上也可以废除陪审团。英国已经大体上废除了民事陪审团,不过英国的制度在其他方面,也与美国意义上的对抗制相去甚远。大多数案件都可以转入仲裁,其中几乎都是外行裁判者(lay judge),但不同于陪审员,他们都有专门的技能。大量建议的和某些已经实行的对抗制改革,以及纠问制的相应改革,[42]都一致作出了提高效率的承诺。以

---

[41] 从经济学角度对这一态度的探讨,参见,Gordon Tullock, "Defending the Napoleonic Code over the Common Law," 2 *Research in Law and Policy Studies* 2 (1988), and in Tullock, note 24 above, ch. 6.

[42] 比如,Palumbo, note 27 above, at 2, 19 - 20. 关于欧陆(纠问)制和英美(对抗)制之间的日益趋同,参见, *Criminal Justice in Europe: A Comparative Study* (Phil Fennell et al. eds. 1995); John D. Jackson, "Playing the Culture Card in Resisting Cross - Jurisdictional Transplants: A Comment on 'Legal Processes and National Culture,'" 5 *Cardozo Journal of International and Comparative Law* 51 (1997); Kerameus, 前注[24].

下便是为使陪审团审判更准确而设计的一些改革措施:[43]

1. 将民事陪审团(从当下联邦系统的 6 到 8 人)的规模恢复到传统上的 12 人,以便获得经验上的更大多样性、(这一点之所以重要在于,要判断与审判涉及的不确定性有关的概率,需要大量借助于裁判者的常识,而常识反过来又由人们的经历形成);以便利用关于集体判断优于个人判断的孔多塞陪审团定理(the Condorcet jury theorem);[44] 以便通过从社区中提取一个更大的、尽管仍然很小的样本,来减少结果的差异。[45]

2. 在高度复杂的诉讼中,对陪审员的教育水平有所限定。

3. 允许陪审员记笔记,向律师、证人和法官发问,阅读每天的审判记录,如果还有疑问,还可以传召证人,从而鼓励他们在证据搜寻

---

[43] 许多这方面的讨论参见,Saks,前注[7],and Lempert,前注[7],页 220-231,概述参见 American Bar Association, Section of Litigation, "Civil Trial Practice Standards" (Feb. 1998). 又参见 Michael Honig, "Jury Trial Innovations," *New York Law Journal*, Nov 9, 1998, p. 3.

[44] 比如,Bernard Grofman and Guillermo Owen, "Condorcet Models, Avenues for Future Research," in *Information Pooling and Group Decision Making* 93, 94 (Bernard Grofman and Guillermo Owen eds. 1986). 该定理要求:每个陪审员都作出一个独立的判断,每个人判断正确的概率都大于 0.5,并且——关键性的是——陪审团根据多数票得出结果。假定一个 12 人的陪审团中,每个成员判断正确的概率都是 0.6。那么,只有在 7 位成员都判断错误的情况下,陪审团才会得出错误的结论,并且这种情况的概率是 0.47,低于 1%。依据全体一致原则(a rule of unanimity),错误的概率会是 40%。但是,倘若陪审团经过了相互协商,那么毫无疑问的是,清楚有力的多数经常能够争取到反对者,从而得到全体一致的裁决。

[45] 对于更大的陪审团会增加准确度和较少分歧的证据,参见,Saks,前注[7],页 14-15, 42-43; Michael J. Saks and Mollie Weighner Marti, "A Meta-Analysis of the Effects of Jury Trial," 21 *Law and Human Behavior* 451 (1997). 某些非常大的案件,单个的陪审团、即使是 12 人的陪审团也不足以保证与标的相当的准确度。在集团诉讼中,总计达几亿美元标的的诉讼请求都可能合并为由单个陪审团来审判,这是大规模侵权的集团诉讼(mass-tort class actions)所面临的一个问题。解决方案就是从由不同陪审团独立审理的案件中抽取一个样本。参见,Michael J. Saks and Peter David Blanck, "Justice Improved: The Unrecognized Benefits of Aggregation and Sampling in the Trial of Mass Torts," 44 *Stanford Law Review* 815 (1992); In re Rhone-Poulenc Rorer, Inc., 51 F.3d 1293 (7th Cir. 1995).

过程中发挥更积极的作用。

4. 在审前、审中和结束时,对陪审员进行法律指导。

5. 向陪审员解释基本的证据规则,使他们不会从不给他们看证据中得出不恰当的负面推断(negative inference)。陪审员对证据规则的无知会使他们毫无根据地猜疑律师和证人的诚实,并且得出"证据不足"(missing evidence)的错误推断。[46]

6. 在指令中避免使用法律行话——这是一个很普遍的问题,以至于某些经验研究发现:"那些得到了指示的陪审员对于法律的把握,一点都不比未经指示的陪审员更好。"[47]

7. 改变证据规则,以对抗那些烦扰决策者的认知怪癖。

8. 尽可能地缩短审判时间,使陪审员不再体验信息过量之苦。

在证据法的经济分析中有两个要素要考量:准确度只是其中的一个,另一个是成本。但是,以上的绝大多数改革建议都几乎是无须付出成本的,还有一些,比如压缩审判时间,实际上还可以减少成本。看起来最花费成本的改革,就数增大陪审团的规模了。陪审团越大,让陪审员离开日常工作的机会成本也就越大,这既是因为需要的陪审员会更多,也是因为审判会更长,——因为陪审团的遴选会花费更长的时间,而且陪审团评议(jury deliberation)也会更拖延。也会发生更多的陪审团不能得出一致意见的情况,因而也会有更多的重审(retrial)。但是增加的成本,大可以因(为一个适度增大的陪审团所促进的)更准确的事实发现应产生的更大威慑力所抵消。如前所述,

---

[46] 对此的分析和例证,参见 Bruce A. Green, "The Whole Truth?': How Rules of Evidence Make Lawyers Deceitful," 25 *Loyola of Los Angeles Law Review* 699 (1992).

[47] Saks, 前注[7], 页 35; 又参见 Reid Hastie, David Schkade, and John Payne, "A Study of Juror and Jury Judgments in Civil Cases: Deciding Liability for Punitive Damages," 22 *Law and Human Behavior* 287, 304 (1998). 但是,这可能属于既无可救药又并不严重的一类问题。在律师向陪审团作结案陈词(closing argument)之前,指示就被确定了,而且也不允许律师向陪审团提出同指示不一致的法律意见(legal position)。因而实际上,是律师在指示陪审团,但他们是遵照法官所颁布的法律进行指示。

由此产生的结果是更少的不公行为、进而是更少的审判。而且,审判结果的可预测性越高,庭外和解率也就会越高。

我并不想在夸耀大规模陪审团方向走得过远。仲裁,作为一个私人创设和筹资的裁判方法,提供了一个尽管不可靠但仍很有价值的基准,可以评价公共裁判制度是否有效。仲裁很少包括 3 个以上的仲裁员,通常都只有一人。这暗示着,一个更大的陪审团的成本会超过我刚刚强调的那些收益。但是,这个暗示也是模糊不清的,因为选择仲裁的案件与法院裁判的案件有系统的不同。几乎所有的仲裁都是合同案件,案件的当事人在合同本身就已经达成一致:该合同引起的争议将由冲裁解决。而且,大概在绝大多数这类案件中,当事人并没有预期到,争议可能涉及的利益会大到需要不仅仅是一个简易的和非正式的决议过程。尽管许多数百万美元的合同都规定了仲裁,而且很少规定由三个以上仲裁员组成小组(panel),但是绝大多数的合同案件,即使利益很大,也仍然会根据合同语言来决定。仲裁案件都不涉及那类杂乱难缠的的事实争议——这类争议由一个大规模的事实裁决者组成专门小组/陪审团才能更好解决。因此,即使是在那些很大的案件中,增加仲裁员人数的收益可能也微乎其微。

陪审团审判设计中的另一个变量,是投票规则。传统的投票规则是全体一致(unanimity),但是某些州已经有所放宽。除去对那些无法达成一致的案件的影响——如果全体一致的要求只是为一个相对较小的绝对多数(supermajority)要求所取代(比如,通过 10:2 的表决来宣告有罪或者宣告无罪),那么这个影响也依然微乎其微——外,很难说这是不是一个好主意。[48]一方面,如果不要求必须全体一致的话,陪审团评议可能就会更为敷衍。另一方面,无原则的妥协

---

[48] 参见,Alvin K. Klevorick and Michael Rothschild, "A Model of the Jury Decision Process," 8 *Journal of Legal Studies* 141, 155 (1979); Edward P. Schwartz and Warren F. Schwartz, "Decisionmaking by Juries under Unanimity and Supermajority Voting Rules," 80 *Georgetown Law Journal* 775, 787 (1992).

第十一章 证据原则与对对抗式程序的批评性讨论

——这可能是确保全体一致所必需的,也可能会更少。

陪审团制的反对者可以指出两类真实的经检验据来支持他们的立场。首先,实检验据(experimental evidence)(但是,仅限于一项单一的研究)表明,法官比陪审员更少受制于后见之明的偏见。[49]其次,法官审判的有罪宣判率(conviction rate)比陪审团审判要低。这一点的重要意义在于这样一个事实:在绝大多数州的刑事案件中,是把审判交给一个法官还是交给一个陪审团,全然由被告来决定。如果比起法官来,陪审团是更不准确的罪行判断者,那么,清白的被告会选择交由法官审判,而不愿冒陪审团犯错的风险;同时,有罪的被告会选择交由陪审团审判,盼着陪审团能犯一个错误。因而在法官审判中,无罪释放率会更高——实际情况也确是如此。[50]

凯文·克勒蒙特(Kevin Clermont)和西奥多·艾森伯格(Theodore Eisenberg)也提出了一些民事案件方面的证据:在产品责任和医疗事故案件中,法官审判总是强烈地倾向于原告,而陪审团审判总是强烈地倾向于被告。[51]原告即使在一个强势案件中也会选择法官审判,这同刑事被告即使在一个强势案件中也会选择法官审判的根据是一样的。但令人不解的是:为什么民事案件的被告在弱势案件中,也不选择陪审团审判、进而为了获胜而盼着审判者出错。这些作者认为是被告律师相信了流行的误解,以为陪审团已经养成了支持原告的积习。一个可供选择的可能性与假定法官有更大准确度有关。说陪审团的准确度比法官小,等于是说,陪审团案件比非陪审团案件的结果变数(variance)更大。如果被告在案件中很弱,以至于没有任何现实的希望逃脱对原告负有的责任,这个变数就会让他受损。假使,法

---

[49] 参见,W. Kip Viscusi,"How Do Judges Think about Risk?" 17-20, 26 (即将发表在 *American Law and Economics Review*)。

[50] Gerald D. Gay et al., "Noisy Juries and the Choice of Trial Mode in a Sequential Signalling Game: Theory and Evidence," 20 *RAND Journal of Economics* 196 (1989).

[51] Kevin M. Clermont and Theodore Eisenberg, "Trial by Jury or Judge: Transcending Empiricism," 77 *Cornell Law Review* 1124, 1162-1166 (1992).

官可能判处的赔偿金的范围是1万到10万美元(平均数是55 000美元),但是对陪审团而言,同样的案件就可能是从0到11万美元(平均数相同)。因而,如果被告没有机会说服陪审团判处的赔偿金是0美元,那么他被陪审团审理的所失就会比被法官审理更多。陪审团的不准确在民事案件中可能不利于违法的被告,而在刑事案件中可能有利于犯罪的被告(正如此前段落所表明的),这是因为,在民事案件中由陪审团来决定制裁的幅度在刑事案件中是由法官决定的。

但是,当陪审团需要作出一个二阶决定(a binary decision)(比如,有罪还是无罪,担责还是免责),一个在案件中处于弱势的被告会倾向于选择陪审团审判,因为在这类案件中的变数减少了预期惩罚,可能只会对他有利。假设,所有法官都是中等的法官,并且中等的法官会宣判这个被告有罪。中等的陪审团也会宣判他有罪,但是有1/10的陪审团将会宣判他无罪。因而他最好还是选择陪审团审判。

我所说的"陪审团的不准确度"无须反映能力的差别。其可以仅仅反映变数方面的差异。变数来自于,陪审员的人数比法官的人数多很多,并且更为多种多样,因为陪审员缺少法官由于共同训练和使命而往往具有的统一见解和经验。不过,陪审员毫无疑问的会比法官稍微多一些目无法纪,因为他们还没有将守法的价值内化到与法官同样的程度。这就是为什么,我们的规则禁止向陪审团泄漏:侵权案件中的被告有责任保险。但是这一点只是有关事实发现能力问题的一个方面;倘若要得出任何自信的结论,认为美国的陪审团是一个不如美国法官、甚至欧洲法官准确的事实裁决者,则还需要更多的研究。但是,如果陪审团确实更不准确,那么它也就是更少效率的,至少在民事案件中是如此。显然,陪审团审判的直接成本要超过法官审判。只有将约翰·斯图亚特·密尔(John Stuart Mill)所谓的陪审团"公民教育"的基本原则,或者陪审团审判的某个其他的政治价值,赋予巨大的价值,增加的成本才可能被更大的收益所抵消,——刑事案件不在此列。在美国,对官员的不信任是太大了,以至于人民不愿意将他们的自由,完全委托给职业的法官。

最后一个对陪审团的担心，也就是人们对于将陪审团规模恢复到最初的12个成员这一建议的怀疑，来自于研究群体两极化（group polarization）的心理学文献。这类文献发现，与那些广为流传的对陪审团和其他委员会的直觉相反，这类群体往往会得出比群体中的平均成员更极端的结果；就是说，群体评议趋向于两极化。[52]人们提出了很多解释，但是没有一个博得完全的一致认可。恼人的是，没有一个解释（一个共同的解释是，选择极端立场的人都不同意更多的宣判有罪，并且这使中间派摇摆不定）认为，相比于由那些群体平均成员未经评议、自己决定而得出的结果，两极分化的结果更为理性。这意味着，12个臭皮匠根本就不可能比一个诸葛亮更出色——而且实际上只会更差，比如，无论是由于风险规避（risk aversion）还是其它什么要素，陪审团裁决的更大变数都被认为是不可欲的。

现在，除了对抗制与纠问制的优缺点外，我想转向证据法中的其它一些问题，从证明责任开始。证明责任有两个方面。第一个方面只在对抗制中重要，因为对抗制中的裁判机构并不参与证据搜寻。这就是向裁判机构提出证据的责任（义务）。这一证明责任不同于说服裁判机构一方应该赢得案件胜诉的责任。这两种责任交织在一起。首先，说服责任（burden of persuasion）通常决定哪一方当事人有呈证责任（the burden of production）。在普通的民事案件中，原告的证明责任是要表明，其立场更可能正确。换句话说，如果在审判结束时陪审团既不认为被告该赢，也不知道哪一方该赢——证据似乎是旗

---

[52] 比如参见，David G. Myers and Helmut Lamm, "The Group Polarization Phenomenon," 83 *Psychological Bulletin* 602（1976）; Markus Brauer, Charles M. Judd, and Melissa D. Ginter, "The Effects of Repeated Expressions on Attitude Polarization during Group Discussions," 68 *Journal of Personality and Docial Psychology* 1014（1995）; David Schklade, Cass R. Sunstein, and Daniel Kahnemann, "Deliberating about Dollars: The Severity Shift," 100. *Columbia Law Review* 1134（2000）; 比较，拉宾〔Rabin〕论确认偏见，——拉宾将之称为"同一证据的两极分化（same-evidence polarization）"，前引注〔34〕书，页26-28。

鼓相当,那么原告就要败诉。这就使未提出任何证据的原告极有可能败诉;因而,作为提起审判的先决条件,在要求被告提出任何证据之前,要求原告提出一经陪审团采信就可能获胜的证据,就是有道理的,可以作为一种节省裁判机构时间的办法(也是减少滥诉的办法)。[53] 这就假定了,原告获得这些证据的成本,不会不成比例地高于被告获得相反证据(假使有的话)的成本。而这一假定是合情合理的(reasonable)。现代审前要求开示对方当事人拥有的证据之程序,就使得证据搜寻的成本相当对称。

说服责任根据的是原告的主诉求(main claim),也是被告的积极抗辩(affirmative defenses),比如允诺(consent)、法定时效(statute of limitations)、怠于行使权利或履行义务(laches)、和解与清偿(accord and satisfaction)、丧失能力(incapacity)、优先权(preemption)以及既判力(res judicata);呈证责任也据此分配。要求原告预先提出证据,来反驳被告在特定案件中可能提出的、数量不定的辩护,是极没有效率的。这样一个要求,也迫使原告为自己进行被告一方的法律调查(legal research)。原告不得不鉴别和回应一些抗辩,这些抗辩被告可能并没有意识到,或者被告可能有很好的战术理由和证明理由而并不提出,或者被告仅仅因为他有一个明显具有决定性意义的抗辩,因而不必在其他抗辩上再浪费时间了。举例说来,如果法定时效仅仅在5%的案件中是一个可能有力的抗辩,那么,要求原告提出和证明其诉求是在时效以内的,在95%的案件中就是强加了没有相应收益的成本。这意味着,从经济学的立场来看,19世纪的、要求过失案件中的原告必须证明自己没有助成过失而且被告有过失的这一规则,只有具备下列两种情况中的一种,才是合理的:(1)助成过失在绝大多数案件中都是一个可能的抗辩;或(2)由于审前证据开示非常有限,要断定原告是否有过失,被告要花费的成本比原告多得多。

---

〔53〕 参见,Bruce L. Hay, "Allocating the Burden of Proof," 72 *Indiana Law Journal* 651 (1997).

有关呈证责任的规则的经济学原理进一步为麦克道尔·道格拉斯案规则(the *McDonnell Douglas* rule)阐明了。[54]该规则主要应用于劳动就业差别对待案件,它允许原告,比如说在一桩雇佣方面的种族差别对待案中,仅仅凭借他有资格从事该项工作、但该工作给了另一种族的什么人而没给他这一证据,就可以创设有表面证据的案件(*prima facie* case),进而否定被告提请适用简易裁判的动议。但是,该规则的应用还更为广泛:满足如上所述的呈证责任,就可以得出存在差别对待的推定。这意味着,如果被告提不出任何证据,原告就有权要求简易裁判。如果原告惟一的证据就是如上所述的那样,那么,其由于受到差别对待而失去工作机会的概率似乎并不会太高。但是,这么说就忽视了证据不足所具有的证明意义。如果被告毕竟作出了把工作给了原告以外的一个什么人的决定,而对自己这么做的理由又完全沉默,那么就会得出这样一个推论:这么做的理由,的确是差别对待。如果并非如此,他就应该能够并不费力的提出一些这方面的证据来。

如果被告打破了沉默,并且对自己的做法提出了一个非歧视性的理由(a noninvidious reason),而原告却不能提出证据质疑这个理由,那么,同样无需经过审判,原告就会败诉。但是,如果原告能够质疑被告给出的理由,案件就会提交给陪审团,麦克道尔·道格拉斯规则就会失效。陪审团如果不相信被告给出的理由,就会推定原告的确受到了差别对待;但陪审团不会如此。[55]陪审团也可以得出如下结论:即使并非差别对待,被告想要那么做并进而加以隐藏的原因,也造成了他的困窘。

麦克道尔·道格拉斯规则有时也被理解为,是"自由派"法官为了

---

[54] 参见,McDonnell Douglas Corp. v. Green, 411 U.S. 792 (1973);还可以参见,Furnco Construction Corp. v. Waters, 438 U.S. 567 (1978).

[55] 对于这一论题的全面讨论,参见,Fisher v. Vassar College, 114 F.3d 1332 (2d Cir. 1997) (en banc).

让原告在差别对待案件中更容易胜出而促成的。我的分析表明,该规则在成本最小化的中性意义上是合理的,尤其是在那些可以促使当事人在审前摊牌的案件中最小化审理成本。诚然,从被告审前沉默(这种沉默决定了判决将有利于能够提出必备的略有表面证据的案件的原告)得出的意义是麦克道尔·道格拉斯规则本身的一个产物。在不存在强制呈证(production-forcing)假定的情况下,从被告拒绝对其行为作出解释得出的自然推论是:被告不打算让原告为自己工作;让原告利用审前证据开示来发现,隐藏在原告所控被告的这一行为背后的,究竟是什么。进而,倘若被告可以更容易地解释和提出有关其决策过程的证据,那么根据比较成本优势(comparative cost advantage)这一中性标准来分配呈证责任,就可以证明这一假定的正当性。

让我们转而讨论说服责任。在典型的民事审判中,没有任何根据可以假定,甲种误差(弃真错误[false positives]——比如宣判无辜者有罪)通常会比乙种误差(取伪错误[false negatives]——比如错误地宣判无罪)施加的成本更高。因而,无论多么轻微,只要原告诉讼请求值得支持的概率超过了不值得支持的概率,就足以证明支持原告的陪审团裁判具有正当性。但是,由于对无辜被告施加刑事惩罚的成本,远远地大于有罪人又一次定罪而得到的社会收益,其中包括威慑的收益,以及在一定时期内——亦即犯罪的人因获罪而被监禁的时候——预防犯罪的收益,因而在刑事案件中,甲种误差就比乙种误差更严重,因而也就要对检方强加一个更重的说服责任,以此来更慎重的对其加以权衡。[56]

甲种误差和乙种误差之间的此消彼长,是证据法的一个显著特点。请考虑一下有关下列问题的一些争议:一个特定的列队辨认(lineup)是否具有过度"暗示性"。如果列队中的其他人与被告非常相像,那么造成甲种误差(错把被告定为罪犯)的机会就会降低到最

---

[56] Posner,前注[1],页408-415。

小,因为被告并不"突出"。但是,造成乙种误差(未把被告定为罪犯)的机会却会增加,因为这会更容易将被告混同于这一队列中的其他人。

理解刑事和民事的证明责任差别的另一个办法是,在司法的对抗制下、即在一个竞争性证据搜寻制度之下,参考刑事案件中检控方相对于私人的民事原告所固有的优势。政府有着巨大的检控资源。[57] 它可以随心所欲地在各个案件中分配这些资源:以全力打击任何拒绝认罪的被告这一恐吓迫使其作出有罪答辩,再以这些因此存储下来的资源,对偶尔会有的、真的诉诸审判权利的被告予以重击。这同如下的情形是一样的:资本市场的不平等进入会使掠夺性定价成为一个理性策略。[58] 最常见的情况就是这样,当被告无力承担辩护律师费而只能仰仗法庭指派的辩护律师——除死刑案件外,这些律师只能获得很少的财政支持——时,这个类比最为接近。即使少有的能够担负起辩护律师费的被告,通常也不可能敌过政府威胁要投入的并能够兑现的资源。证明罪行必须超越合理怀疑这一责任,是对当事人在收集和提出证据方面资源不平等的部分补偿(正如为贫穷的被告提供辩护律师一样)。在纠问制中,证据搜寻都是由一个大致没有偏私的法官来进行,因而在刑事案件中就不那么需要一个比在民事案件中更重的证明责任。

一个复杂的要素是,这两种制度中的检察官也可能是没有偏私的,因为不像私人律师,他们的收入并不直接与成功诉讼挂钩。但是经济理论以及常识和观察都表明:获胜的欲望——可以通过案件的

---

[57] 在百万人口以上的城市中,地方检察官办公室的平均预算都超过了 2500 万美元。Carol J. DeFrances and Greg W. Steadman, "Prosecutors in State Courts, 1996" 1 (U.S. Dept. of Justice, Bureau of Justice Statistics, NCJ 170092, July 1998). 负责检控绝大多数联邦刑事案件的美国检察官办公室(the offices of the U.S. Attorneys),每年为其拨款总计达 1 亿美元。*Budget of the United States Government*, *Fiscal Year* 1999, *Appendix* 594 (1998).

[58] 比如参见,Douglas G. Baird, Robert H. Gertner, and Randal C. Picker, *Game Theory and the Law* 183 – 184 (1994).

利害关系(大略是被告被判有罪时课处的刑罚)来衡量,是检控方的效用函数中最重要的函数变量(argument);进而,检察官也具有同那些私人律师一样的激励。担任检察官很少会是最终的工作;它只是一块垫脚石。未来的雇主会根据胜诉来衡量一个检察官,他会被视为自己胜诉率的函数,其胜诉率根据他为获胜而必须征服的对手来衡量,而通常都提起的罪行越严重,对手就越强大。

当被要求以有罪概率来表达超越合理怀疑的证明标准时,法官选择的数字通常都会在 0.75 – 0.95 之间(依法官个人而定),陪审团的量化情况也是一样。[59]似乎数字低得让人触目惊心:这意味着被判有罪的人中,多达 1/4 的人是无辜的。实际并非如此。犯罪率相对于检控资源而言越高,检察官筛选易胜案件就越彻底,而且往往是将那些易胜案件,从包括实际最可能有罪的嫌疑人在内的嫌疑人分布线索中提取出来。尽管除最富有的被告外,检察机关与被告之间的资源都是不平等的,但是,只要案件并非完全不利于被告,那么严格的说服责任以及其他刑事被告的程序优势,就会令将被告定罪非常困难,从而增加检察官力图擒获罪大恶极者的激励。如果由于检方的筛选,只有1%的无辜者被起诉,那么即使所有人都被定罪,也只有1%的人是无辜的。并且即便如此,也仍有夸大之处。并非所有受刑事起诉的人都会被定罪,而且一般来说,无辜被告比有罪被告更容易让事实的裁判者产生足够的怀疑,从而被宣判无罪。

严密的筛选不仅意味着,有罪的人没有受到刑事起诉,而且意味绝大多数被起诉而宣判无罪的人,实际上是有罪的。在前一个例子中,如果假定有 10% 的无罪宣判率,那么,如果无罪宣判的概率相对于无辜而言是随机的,就是 99% 被判无罪的被告实际上是有罪的;如果所有无罪被告都被判无罪,就是 90% 被判无罪的被告实际上是

---

[59] 参见,National Research Council, *The Evolving Role of Statistical Assessments as Evidence in the Courts* 201 – 204 (Stephen E. Fienberg ed. 1989); Joseph L. Gastwirth, *Statistical Reasoning in Law and Public*, vol. 2: Tort Law, Evidence, and Health 700 – 702 (1988).

有罪的。[60]这意味着,在犯罪率上升速度比检控资源上升速度更快、因而需要对起诉案件筛选更精细时,如果社会希望在无辜者获罪和有罪者脱罪之间保持某些平衡的话,法院或立法机关就会减少被告的程序优势。这一观点暗示了最高法院在20世纪70至80年代转而反对刑事被告权利的一个可能的非意识形态根据。要是这些权利依然完整保留下来的话,犯罪率在这段时间的增长(大大超过了检控机构数量的增长)[61]就必定会产生悖谬的效果:有罪被告更容易逃脱惩罚。这反过来又会减少惩罚的预期成本,因而犯罪率会更高,除非对(少数)被捕并被判有罪的罪犯加大惩罚力度,才能有所抵消。

对于犯罪率上升到削减被告程序权利这个问题,上一段中关于犯罪率比检控资源上升更快的假设,暗示了可替代的应对之策:增加检控预算。为此,法院可以坚持适用程序并废止立法机关对刑事惩罚强度的不合理(比如残忍的和异常的)增加,从而对立法机关施加压力。立法机关会被迫在提高检控预算和更高的犯罪率之间作出选择,而后者也会给法院施加新的压力,要求放松程序保障。正如我在《导言》中所指出的,法院不会选择同联邦和州的立法者玩这种勇敢者的游戏(game of chicken)。

---

[60] 假定在1万个被告中,有100个(1%)是无辜的。如果有1 000个(10%)被告被判无罪,并且不论是否有罪无罪宣判的概率都相同,那么,在这组1 000人中,1%是无辜的,因而99%是有罪的。如果所有这100个无辜者都被判无罪,那么被判无罪的被告中必定有900个人是有罪的(90%)。"陪审团在评价目击证人(eyewitness)的证词方面并不是特别的出色……如果他们很少撤回错误的有罪宣判,是因为他们很少有机会对无辜的被告进行判断。"Samuel R. Gross, "Loss of Innocence: Eyewitness Identification and Proof of Guilt," 16 *Journal of Legal Studies* 395, 432 (1987).

[61] 1960到1996年间,FBI编纂并在其年鉴(*Uniform Crime Reports*)中加以报告的"罪名索引"(crime index),几乎增长了7倍。同时期联邦刑事公诉增长了1/3(参见美国法院行政办公室主管的年度报告)。而对于州的刑事公诉,只有1977年的数据。在1977到1994年间,公诉的数量实际上是有一些下降(根据对州法院国家中心(the National Center for State Courts)的法院统计项目(Court Statistics Project)所作的估算),而同期的犯罪指数增长了1/3。

尽管民事案件的说服责任要低很多,并且大多数原告因资源(由于胜诉酬金[contingent fees])所限而无法完成,但是没有任何理由可以假定,受到不正确裁判的民事案件的比例比刑事案件更高。说服责任与双方之间错误分布的关联,比与错误数量的关联要大。不配胜诉的民事原告比不配胜诉的刑事检察官要多,而不配胜诉的民事被告比不配胜诉的刑事被告却要少得多。之所以可能绝大多数的民事或刑事案件都得到了正确的解决,仅仅在于,通常都能够比较容易的获得支持真相的、有说服力的证据。但是,因为选择效应(selection effect),全部的制度准确度就难以观察。程序制度作为一个整体,会比其中的审判要素更为准确,但也只有这些审判要素是可见的。比起机会均等的(toss-ups)案件,一边倒的(one-sided)案件更有可能在审判前就实现庭外和解,通常都不怎么公诸于众。[62]机会均等的案件在审判笔录(trial docket)中有非常多的体现,而庭审笔录是高度可见的。因而不支持辩诉交易(plea bargaining)的司法制度(比如德国),一定会显示出比美国的司法制度更大的准确度。越是不鼓励辩诉交易,审判中就越会混入更多的一边倒案件。

现在通常都接受了如下观点:既然所有的证据都是概率性的——并不存在形而上学意义上的确定性,就不应该仅仅是因为其准确度可以表达为明确的概率术语,比如在指纹和DNA证据的情况下,而将该证据排除。[63]但是法院并不愿意继续前进并且坚持:倘若民事案件中的说服责任比较适中,那么原告的基本证据为真的明确概率,只需要超过50%,哪怕只有一点点。假定,原告为一辆巴士所撞,并且知道,原告被撞的这条路上的巴士,51%归巴士公司A所有,49%归巴士公司B所有。原告对A公司提起了诉讼,并且要求根据这个惟一的统计数字作出判断;他没有呈递任何其他证据。如

---

[62] 参见,George L. Priest and Benjamin Klein, "The Selection of Disputes for Litigation," 13 *Journal of Legal Studies* 1 (1984).

[63] 比如参见,United States v. Hannigan, 27 F.3d 890, 893 n. 3 (3d Cir. 1994).

果被告也没有提出任何证据,陪审团就应该被允许作出支持原告的判断吗?[64]法律的答案是"否",[65]并且有非常之多的直觉诉求(intuitive appeal),以至于用案件中物证 A 的例子来反对使用贝叶斯定理,或者反对一般性地使用数学上的概率(甚或是任何概率理论),来引导和解释法律的事实发现。我们可以认为民事的说服责任,就是要求支持原告的后验发生比稍微超过1(如 1.048,也就是 51/49),因为相持不下就会有利于被告。如果我们根据陪审团在开始听取这一证据——在我们假设的案件中陪审团惟一听取的就是这一证据、就是每个公司在案发的这条路上所拥有巴士的百分比——时没有任何关于哪一方具有优势的念头这一推测,假定前见发生比为 1:1,那么,后验发生比就等于似然比。因此本案中的后验发生比是 1.048,而既然超过了 1,原告就应该胜诉——几乎没有任何法律职业者相信这种说法。

但是,造成不相信的原因,并不是或至少不应该是对数学上的概然性的怀疑,而是关于巴士所有权的统计数字是原告所能提交的惟一证据这个不言自明的假设。[66] 正是这一假设的难以置信,支持了原告应该败诉这一直觉。如果这个统计量是原告惟一的证据,那么

----

[64] 对于现代证据学文献中的这个最著名的陈词滥调(chestnut)的最全面的讨论,参见,Gary L. Wells,"Naked Statistical Evidence of Liability: Is Subjective Probability Enough?" 62 *Journal of Personality and Social Psychology* 739 (1992).

[65] See Richard W. Wright, "Causation, Responsibility, Risk, Probability, Naked Statistics, and Proof: Pruning the Bramble Bush by Clarifying the Concepts," 73 *Iowa Law Review* 1001, 1050-1051 (1988),及其所引的案例。正文中所假设的案例,脱胎自 Smith v. Rapid Transit, Inc., 58 N.E.2d 754 (Mass. 1945),在该案中,法庭坚持:"对于被告的巴士造成了事故这一命题,只有数学上的可能性稍作支持"是"不够的"。同上,页 755。Kaminsky v. Hertz Corp., 288 N.W.2d 426 (Mich. App. 1979),有时也被引用来反对 Smith,但这并非一个准确的阅读。除了相应的百分比 90% 和 10% 这个事实以外,仍然既有统计学的、也有非统计学的证据,指明了被告对造成事故的卡车拥有所有权(ownership)。

[66] 本案涉及的另一个问题,我将予以忽略(尽管在显示这个例子的拟制上是相关的):要赢得判决,原告必须证明的不止是该巴士的所有权——显然,它必须证明该事故是由于该巴士公司的过失造成的。

从中得出的推断,就并非是:有51%的概率,是A公司所属的巴士撞伤了原告;而是:要么原告经过调查发现,撞伤他的实际上是一辆B公司所属的巴士(并且让我们假定,对B公司的诉讼很难胜诉,因而不值得起诉),要么是他完全没有耐心进行调查。如果前一个推断是对的,原告显然应该败诉;而既然这一推断会是对的,原告被一辆归A所有的巴士撞伤的概率就不到51%。

即使第二个推断是对的(他没有耐心进行调查),他也应该败诉。除非原告以有效的证据搜寻表明,法院花费公共资源有理由能够收获一个重大的社会收益,否则就不应要求法院在任何一个案件中、花费任何稀缺的时间资源和付出任何努力。这一点也隐含在此前讨论的将呈证责任配置给原告而不是被告这一决定中。假定,要审理一桩没有任何油水的案件,也要花费法院系统1万美元。如果原本的实际情况是,巴士是B公司所属的,那么从阻止事故的立场来看,这一花费就毫无价值。对于法庭而言,要求原告进行某些预先的调查,以增加司法资源有价值付出的概率,是有意义的。如果弄清哪家巴士公司对原告受伤负有责任会有某些外部收益,也是如此;因为,法律可以强制原告比严格根据他自己的私人利益而可能进行的更为彻底的调查,从而增加弄清真相的概率。

但是,如果在案发的这条路上,A公司所属的巴士数量与B公司所属的巴士数量的比值,大大高于51/49,那么反对允许以"单独的"统计证据来完成原告的呈证责任的理由,也就被削弱了。法律承认这一点,不仅在明显的指纹和DNA证据的案件中,而且在对采纳诸如一个写好地址、盖有邮戳并且已经邮寄了的信件将会被送达收件人这类的假设中也承认这一点(这是纯粹的统计假设),因为其是在不考虑特殊情况(超出假设的必须满足的那些条件之外)的条件下同时还可以决定结果的情况下适用的。[67] 即使是在51/49的情况

---

[67] 参见,Richard D. Friedman, "Generalized Inferences, Individual Merits, and Jury Discretion," 66 *Boston University Law Review* 09, 515 (1986).

下,如果还有其他不利于 A 公司的证据,就有理由接纳这个统计证据,因为新增的证据即使并不有力,也会(而且确实是根据贝叶斯定理)影响事实裁决者的后验发生比。[68]

假定,双方当事人都进行了彻底的调查,却没能拿出有关该巴士所有权的任何新增证据。那么,就不再有根据怀疑原告真的认为一辆 B 公司所属的巴士撞伤了自己,也没有根据因原告没有作更多的调查而对其加以惩罚。但是不予受理的理由还是有的。审判这类案件的成本,可能会超过社会收益。如果审理了 1 000 个这类案件,我们可以认为会有 510 个正确的决定(也就是说,在这 510 个决定中,被告确实是加害人)和 490 个不正确的决定;同时,如果对所有案件都不予受理,可以认为会得到 490 个正确的决定和 510 个错误的决定。允许审理这 1 000 个案件会多得到 20 个正确决定,其社会收益——在对过失事故的更大威慑方面的收益——大概还达不到 1 000 个审判的社会成本。更坏的是,这些社会收益可能是负的。如果法律规定 A 公司的市场份额就足以归责,同时又没有任何其他证据可用,那么,激励 B 公司注意的因素就会骤降,因为大家都会知道,A 公司会对所有 B 公司引起的事故负责。[69]B 公司也就成功地外化了他的事故成本。

另一个关于统计证据的争点是,除非统计调查的结果在 5% 水平上统计显著——这意味着,即使正在试图检验的假设是错的,该调查能够得出这一结果的概率也不会大于 5%,那么,还是否应该在审

---

[68] Steven C. Salop, "Evaluating Uncertain Evidence with Sir Thomas Bayes: A Note for Teachers," *Journal of Economic Perspectives*, Summer 1987, p. 155.

[69] 参见, Eric B. Rasmusen, "Predictable and Unpredictable Error in Tort Awards: The Effect of Plaintiff Self-Selection and signaling," 15 *International Review of Law and Economics* 323 (1995).

判中赋予该结果以证明力(weight)。[70]这个5%检验是学术研究者运用的常规(convention)(正如我在第3章所做的、并且在第13章还要做的那样),尽管并未被研究共同体(research community)严格遵守。社会科学家常常报告一些仅仅有10%水平显著度的结果,同时,如果这些结果的显著度水平是2%或1%,这些科学家就会指出,这些结果比那些只在5%水平上显著的结果,更经得起考验(robust);比起仅仅是"显著"来,这样的结果是"高度显著"的。所以,5%标准也没什么稀奇;而且,要将未能达到5%这一显著度水平(significance level)的统计证据从审判中排除出去,也就意味着,目击证人的证词也不应是可采的;除非是,即使作证的事件未发生,仍会给出这一证词的概率也低于5%。

诚然,一个低显著度水平也许反映的,是统计评估方法不可靠、对被检验假设的描述不正确,或者是遗漏了有关变量(这些变量如果包括在内,就会推翻假设)。当具备了这些要素中的任何一个,同类的怀疑也会在巴士案中出现。但是,如果研究很可靠,而且也已经受住了对方专家的敲打,但就是显著度水平并没有达到常规要求的5%,那么,说社会科学家由于报告了确实没有达到常规标准要求的显著度水平的结果、因而违反了自己学科的规范,就不是一个很好的

---

[70] 这是对如下案件的通行的解释:Hazelwood School District v. United States, 433 U.S. 299, 311 n. 17 (1977), and Castaneda v. Partida, 430 U.S. 482, 496 n. 17 (1977), 如同如下作品中指出但并不赞同的那样,Thomas R. Ireland et al., *Expert Economic Testimony: Reference Guides for Judges and Attorneys* 237 (1998). 还可以参见, Alpo Petfoods Inc. v. Ralston Purina Co., 913 F.2d 958, 962 n. 4 (D.C. Cir. 1990); Ottaviani v. State University of New York, 875 F.2d 365, 372 (2d Cir. 1989); Ford v. Seabold, 841 F.2d 677, 684 (6th Cir. 1988). 但是这个解释是不正确的,正如如下作品所指出的,Orley Ashenfelter and Ronald Oaxaca, "The Economics of Discrimination: Economists Enter the Courtroom" 77 *American Economic Review Papers and Proceedings* 321, 323 (May 1987). 对于将显著度水平作为可采性(admissibility)的标准的批评,参见, Richard Lempert, "Statistics in the Courtroom: Building on Rubinfeld," 85 *Columbia Law Review* 1098, 1099 – 1103 (1985). 一般还可以参见, David L. Faigman et al., *Modern Scientific Evidence: The Law and Science of Expert Testimony*, vol. 1, pp. 118 – 121 (1997).

排除该证据的理由。反正,社会科学家不会违反那些规范;5%的常规标准也并不是那么严格遵守的。而且更重要的是,这一常规标准的根基是与诉讼不直接关连的一些要素,比如配给学术杂志版面的需要。[71]而且,有人担心,陪审员会被含有直接的概率评估(probability estimates)的证据弄得头昏眼花,因此会赋予这类证据的证明力比一个出色的贝叶斯主义者赋予的还要大;这种担心纯属杞人忧天;看起来,陪审团赋予这类证据的证明力比他们理应赋予的证明力还要小。[72]

但是,我们也不能忽略证明力较弱的统计证据的成本。作为证据提出的统计研究结果越不牢靠,审判中探查该研究案所必须花费的时间就越多。鉴于法官和陪审员理解和权衡统计证据都有难处,就有理由(类似于对待传闻证据的理由)排除那些有关专业人士(profession)不论是出于何种原因认为并不有力的统计证据。

概率的数学理论还具有一个引人争议的特征是乘积法则(the product rule):两个(或两个以上)的独立事件为真的概率,是每个事件为真的概率的乘积。比如,3次连续的公平投币,头面朝上的概率是$0.125(0.5 \times 0.5 \times 0.5)$。这导致了如下这一悖论:至少按字面理解时,对民事案件陪审团标准的证明责任指示,常常是意味着:即使原告的诉求合法有效的概率远远小于0.5,陪审团也应该裁决支持

---

[71] 在诊所式审判和其他社会实验方面的经济学文献中,也有类似的观点:坚持统计常规(随计选择、样本大小、显著度,等等)所得的收益必定会被成本所抵消掉。比如参见,Tomas Philipson, "The Evaluation of New Health Care Technology: The Labor Economics of Statistics," 76 *Journal of Econometrics* 375 (1997)。

[72] 参见,Brian C. Smith et al., "Jurors' Use of Probabilistic Evidence," 20 *Law and Human Behavior* 49 (1996). Wells, note 64 above,将之归因于认知怪癖,并建议可以通过重新描述(redescription)统计证据加以抵消。参见,同上,页748-750。对于亲子鉴定之诉(paternity suit)中,血液检验显示了原告确实是其父的99.8%的概率,他说道:"人们怀疑:如果专家重新组织证词说,'根据有99.8%的准确度的血液检验,我的结论是,被告是其父',而不是说,'根据血液检验,被告是其父的概率是99.8%',原告就会赢得这场诉讼。"同上,页749。

原告。[73]这是因为,根据指示,如果原告对其诉求中的每一个要素的证明都达到了优势证据,陪审团就应该判原告胜诉,即使这些要素都彼此独立,也就是说,它们的概率彼此无关。这就好像是在告诉陪审团:只要发现某一个要素的证明达到了证据优势,就应该假定该要素确实得到了证明。换句话说,这是要让这些陪审员成为蹩脚的数学家!给定如下这一简单案件:原告要证明自己的案件(C),只要证明两个要素(A 和 B);同时:说服责任是证明达到证据优势,而且这两个要素彼此独立、概率相等。于是可以得到:$p(C) = p(A) \times p(B)$,且 $p(A) = p(B)$。于是,要让原告实际上承担说服责任($p(C) > 0.5$),陪审团就必须发现 $p(A) = p(B) > 0.707$——也就是说,每一个要素的概率都超过 0.707,而不是像其受到的指示那样,是 0.5。如果抛开关于概率相等的武断假设,那么,陪审团就必须发现其中一个或另一个要素具有更高的概率。比如,如果陪审团发现 $p(A)$ 是 0.6,那么,要得出原告承担了其说服责任的结论,就必须发现 $p(B) \geq 0.834$。

但是,或许这一指示另有其实际功能:对陪审团指出,由数个推论构成的链条不可能强于其中最弱的一个环节。尽管原告确实证明了被告有过失,但是如果被告的过失造成原告所诉称之伤害的概率只有 0.5 甚或更少,那么,原告也仍然应该败诉;因为因果关系(causation)是过失侵权的一个基本要素。而且,正如这个例子所显示的,原告诉求中所包含的要素数量,除非有纯粹的正式要求,很少多于两个,并且这两个要素也很少是彼此独立的。

最为重要的是,评价原告案情的现实性基准(benchmark),并非是虚无假设(null hypothesis),而是被告的案情。假定,在一个案件中,原告案中有两个要素——有人打了他,这个人是被告的手下,两

---

[73] 参见,Ronald J. Allen, "A Reconceptualization of Civil Trials," 66 *Boston University Law Review* 401 (1986), and "The Nature of Juridical Proof," 13 *Cardozo Law Review* 373, 409 – 420 (1991).

第十一章 证据原则与对对抗式程序的批评性讨论 393

者是彼此独立的;陪审团将第一个要素的概率估作0.6,将第二个要素的概率估作0.7,得到0.42的联合概率(joint probability)。依然没有回答的问题是:到底发生了什么？是原告捏造了自己的诉求吗？还是他确实被伤害了,只是加害人另有其人？如果加害人不是被告的手下,他的身份又是什么？琢磨了这些问题,陪审团就会理性地得出结论:原告的故事,即使有一些让人起疑的地方,也比被告所讲的另一个故事(也可能被告什么故事都没讲)可信,因而原告应该胜诉。这就是休谟反对奇迹的核心理由。毫无疑问,自然规律不可能用来解释那些被宣称为奇迹的现象,而自然规律在这些情况下不适用则更不可能。换言之,更大的可能性在于,那些所谓奇迹的证人要么是在说谎,要么是弄错了。[74]正如我们可能会指出的,自然主义者就曾经用优势证据证明了他们的主张。

在休谟的例子中只有两个概率:所谓的奇迹要么是奇迹,要么不是。在法律案件中,原告会讲一个故事(这个故事如果为真,原告就应该胜诉),被告会讲另一个、不太可能的故事,但也可能还有一些其他的可能的故事。如果,原告的故事为真的概率是0.42,被告的故事为真的概率是0.30,所有其他故事为真的概率为0.28,那么,原告就应该败诉,因为他没能证明,他的故事更可能是真的。

但是,要点在于,概率理论并不禁止从联合概率向个体概率(individual probability)逆推。在考虑了所有可选择的情况之后,陪审团会完全相信,打伤原告的,就是被告的手下。比如,陪审团将联合概率估定为0.7。对此,如果有人向陪审团的成员指出,根据对个体概

---

[74] 这一论证与休谟对证词的不信任(参见第10章)的关连性在于,如果证词总是值得相信的,那么他的这一论证就不成立。但是,认识到证人常常出错并不需要对证词有效性的哲学怀疑,根据我在第10章注[1]中所引的科蒂的书中所解释的理由,哲学的怀疑很可能被放错了地方。William Kruskal,"Miracles and Statistics: The Casual Assumption of Independence,"83 *Journal of the American Statistical Association* 929 (1988). 文中强调了,奇迹的各种各样证人所提供的证词是否彼此独立,对于适当评价休谟的主题很重要,即在证词彼此独立的情况下,它的可信性可能会增强。

率所作 0.7 和 0.6 的估定,他们不可能前后一致的得出这一结论,这很快就会让他们重新计算这些个体概率。他们会这样说:"在我们将这个案件作为整体加以考虑之前,我们没法知道,究竟有多少可能原告确实被打伤了以及打伤他的人确实是被告的手下。"

而且这个讨论也涉及到对贝叶斯定理的非议:该定理没有考虑到如下事实——与假设有关的证据的证明力和完整性、而不仅仅是我们跟人打赌时对假设估计的正确性,对于人们的判断非常重要。[75]实际上,无力的证据和不完整的证据,确实会影响到人们愿意把某个假设认作正确的可能性。比如在巴士案中,如果没有其他超出统计数字之外的证据,将原告为 A 公司所属的巴士撞伤的可能性定为 51:49,就是草率的。因为,由于原告没能提出任何其他证据,所以可以得出如下推论:实际上是 B 公司的巴士撞了原告,原告也知道,而他起诉 A 公司的原因仅仅在于对 B 公司诉讼很难胜。并非只有赌徒才思考概率。一个非赌徒在面对是否接受手术的决定时,也会对手术成功的概率感兴趣。或许,这个例子也表明:我们在某种意义上都是赌徒。

贝叶斯定理对于思考证据法的重要意义,主要在于提醒:评估概率是一个有用的、也是一个理性的处理不确定性的办法;一个人应该随着新信息的注入,将自己的估算不断更新;新信息对一个人最终结论的影响,取决于他的前见,也就是说,取决于他考虑证据之前所估算的概率。最后一点意味着,把"偏见作为免除候选陪审员和撤换法官的根据,是一种可能的方法。就理想情况而言,我们都希望事实裁判者根据 1:1 的前见发生比得出原告或检察官[76]的案情更有道

---

[75] 例如,参见,L. Jonathan Cohen, "The Role of Evidential Weight in Criminal Proof," in *Probability and Inference in the Law of Evidence: The Uses and Limits of Bayesianism*, note 7 above, at 113.

[76] 我并不认为,"无罪假定"(presumption of innocence)要求刑事案件的法官或陪审团倾向于支持被告的前见发生比。这一假定的重要意义在于,要求检察官承担一个严格的说服责任,也就是说,在于将后验发生比抬高。

第十一章 证据原则与对对抗式程序的批评性讨论 395

理。对这一态度的实质背离,不论朝向哪一边,都标志着事实的裁判者怀有偏见,并且由此导致前文讨论的不良后果:在一个由法官而非陪审团担任决策者的制度中,法官都怀有强烈的前见。固然最明显的偏见,是法官或陪审团不但有关于案件正确结果的前见确信,而且还死坚持这个确信——也就是说,拒绝根据证据更新自己的确信;但是,即使法官或陪审员有一个"开放的头脑",愿意根据提交给法庭的证据来校正自己对概率的评估,也仍然不是回应偏见指控的万全之策。任何一个理性人都会这么做(因而我刚刚讲的偏见中"最明显的"情形,其实是一种非理性偏见)。即使一个法官是贝叶斯主义者,他的前见发生比仍然会对他的后验发生比产生影响,因而(至少在一个势均力敌的案件中——这是对于此前所解释的理由的一个重要限定)也会影响他的决定。

这一讨论意味着,纠问制比对抗制更少牵扯到偏见问题。如果是由法官来主导证据搜寻,那么,由于律师在证据搜寻过程的作用相对较小,如下这些问题就不那么严重了:法官强烈的(即便准确的)前见将妨碍律师的证据搜寻、从而由于减少了其得到的信息流量而最终使得他的前见变得不那么准确了。

我们应该区分两类前见确信:一类是关于案件恰当结果的前见确信,另一类是法官和陪审员不可避免地也是正当地带入事实发现过程的前见确信:也就是构成"常识"的那部分前见——比如证人为了使自己看上去品行端正,可能会隐匿证据。理想的事实裁决者,不是一块白板(tabula rasa);他只是保留了对如下问题的判断:在这个具体案件中,是原告还是被告应该胜诉。不过,即便不偏不倚的意思具体是最好没有关于案件结果的前见确信(也就是,在听取本案证据之前具有的确信),也仍然会有不利的一面:无知和缺乏经验。这个问题在陪审团审判的案件中尤为严重。陪审团制的优势,是集中了这些人具有的各种各样的经验和视角,这也至少部分抵偿了陪审员缺少的裁判经验。当双方的律师任意(正如他们实际所为的那样)运用无因回避来排除那些似乎倾向于支持对方的陪审员的时候,陪审团认识上的多样性就被削弱了。[77]如果陪审团制不是殚精竭虑地寻找那些前见发生比为1:1的陪审员,而是形成均势的陪审团,使组成它的陪审员具有支持(或反对)原告的均等但却相反的发生比,那么也可以促进陪审团评议。但是,这似乎又并不可行。另一个可供选择的方法是,减少无因回避的数量,并且增加陪审团的规模。

迄今为止,我的讨论都限于事实问题,也就是说,限于具有"于何时、何地,何人对何人做了何事"特点的问题。一提到解决法律问题,法官,无论是初审法官还是上诉法官,显然都具有相对于陪审团的比较优势。但是,事实问题和法律问题之间的界限并不总是那么清楚。过失是一个法律概念;但是,被告人是否有过失这一问题,到底是一个法律上的问题,还是一个事实上的问题呢?通常给出的答案都是要么两者兼有、要么两者皆无,或许最好将之描述为:是一个法律和事实的"混合"问题,或是一个关于将法律概念适用于一组事实的问题。与之相反,我相信,这是一个纯粹的事实问题,因而,法律将这一问题留给陪审团处理,使其同其他陪审团所作的事实判断一样服从审查,是很正确的。当用汉德公式的术语(参见第1章)来表达过失概念时,最容易看清楚这一点。换句话说,如果 $B < PL$(避免这一事故的责任[成本],小于这一事故的成本[L 表示损失]折以[乘以]不承担避免责任的情况下这一事件发生的概率),那么被告就是有过失的。适用这一公式所需的每一个判断,在性质上都是与事实有关的而非与法律有关的判断:估算 B、P 和 L,将 P 和 L 相乘,判断 PL 是否大于 B。这些判断中的任何一个都不需要法律知识(正如要求陪审团决定什么是过失时那样);这些判断一经作出,也就回答了被告是否有过失这一问题。我相信、但是不试图在此处论证:大多数其他涉及将法律标准正确地适用于案件事实的问题(律师称之为"事实

---

[77] Edward P. Schwartz and Warren F. Schwartz, "The Challenge of Peremptory Challenges," 12 *Journal of Law, Economics, and Organization* 325 (1996).

与法律的混合问题"或"最终事实问题"),比如占有、自愿和诚信,都同样可以分解为纯粹的事实问题。

第十二章

证据规则

《联邦证据规则》于1975年由国会颁布,并从颁布之日起就不断进行修订(最近一次修订是在1998年),同《证据规则咨询委员会注释》(the Notes of the Advisory Committee on the Rules of Evidence)一起,构成了一个简明而权威的现代证据法指南。我将把这些规则作为以下讨论证据法的骨架,而跳过那些不太重要或不太有疑问的条款。除了这些忽略外,非常重要的一点是,这些正式的证据规则只构成证据法的一部分。某些最为重要的证据规则,因为限于特定的实体法领域,而被划归为这些实体法而非证据法的一部分。侵权法上的例子是:事实自证(res ipsa loquitur)原则、对于机会丧失给予损害赔偿的救济(省去了棘手的证明问题)以及(为了同样目的)在诸被告均有过失但是无法确定各自对于损害发生的原因力时的责任分担规则。合同法上的例子是:违约案件的审判的言词证据(parol evidence)、"书面文件"(four corners)规则以及欺诈的制定法规则,这些规则全都是为了减少棘手的可信性问题而设计的。同样影响证明过程的,还有惩罚伪证的法律(也被划入刑法而非证据法)以及有关时效的制定法(减少了在审判中必须就有关很久以前发生的事件的问题作出回答的可能性)。在如今的刑事审判中特别重要的是,联邦量刑指南对量刑法官的指示:在被告作证的情况下,如果法官断定被告作了伪证,就要(以妨害司法)对之施以额外的惩罚。

这些嵌在侵权法及合同法、对伪证和妨害司法施加刑事制裁、以及时效的制定法之中与证据有关的规则，都附带地表明，法律对于法官和陪审团在解决可信性问题方面的能力，并非全然天真。正如法律意识到的那样，在大多数案件中，没有完全可靠的方法，可以判断一个证人的作证是否真实可靠。正如我在第 10 章所指出的，在一个人能够创造诚实的外表的意义上，证人可能是一个出色的演员；在一个人能够编造出似是而非又内在一致的故事的意义上，证人可能是一个出色的说谎者；也可能，证人既是出色的演员又是出色的说谎者。

我从第 103 条第（a）款开始我的讨论。该条款特别规定："除非（该裁定针对的一方）当事人的实体权利（substantial right）受到了不利影响"，不得以采纳或排除证据的裁定（ruling），作为提请新的审判或是上诉要求撤销原判的根据。换句话说，无害之错会被忽略。无害之错原则并不限于有关证据的裁定，但是，部分是由于这些裁定在审判中非常频繁，因此这些裁定就成为最经常得到无害之错之处置。而且更为重要的是，对无害（harmlessness）的判断，取决于有关事实审判者之理解力的设定。

无害之错在刑事上诉审中扮演了特别重要的角色，而刑事上诉审正是我探讨的焦点。由于绝大多数刑事被告并不自己雇请律师，所以即使撤销原判的概率微乎其微，他们也会就其定罪或量刑的判决提起上诉；尽管上诉的预期收益可能微乎其微，但预期成本是零。因此，微小的错误在刑事上诉审中会格外凸显，而这正清楚地显示了需要无害之错原则，以阻止那些只有成本、没有收益的发回重审（remand）。但是，尽管无害之错原则很符合常识（和经济学的），该原则却常常会赋予检察官不应得的、至少是意料之外的优势。[1] 该规则表现出有利于检察官的偏见，由于上诉审法院（appellate court）没有

---

[1] 作为一个实践问题，只有检察官从刑事案件的这一规则中获益，因而由检察官提起的上诉很少。

亲历初审(尤其是,观察不到陪审团的工作),因而缺少有用的信息来估定错误影响初审结果的可能性。上诉审法院必然是根据平均水平的陪审团来估定错误的可能影响;但是,检察官或许知道,听取自己对被告的检控的特定陪审团具有一个高于平均水平的宣告无罪的倾向,因而,如果他要确保得到有罪判决,就不得不操纵陪审团的情绪。因而一个在上诉审法院看来无害的错误,已经是有害的了。而且,它要求一个训练有素的法官,在他认为被告有罪、但也承认若非初审的错误被告本会被宣告无罪并依法有权得到重审的情况下,也要投票推翻那个有罪判决。

以上的分析可以表达为如下形式。把 p 作为有罪判决的概率;把 a 作为对有罪判决维持原判的概率(假设检察官不会提起上诉,而在每一件作出有罪判决的案件中被告都会提起上诉),于是 $(1-a)$ 就是推翻原判的概率;把 b 作为有罪判决对于检察官或者有持控方观点的法官产生的收益;把 c 作为审判对于检察官的成本(为了简单起见,假设就被告提起的上诉进行辩解的成本对其而言是零——实际上该成本相对于审判成本而言,通常相当低);把 x 作为涉及违反有利于辩方的程序规则和证据规则的一套策略;[2] 把 y 作为得出有罪判决的其他投入(input)。x 和 y 增加,有罪判决的概率 p 就增加;同时,x 的增加还会引起维持有罪判决的概率 a 降低,y 的增加还会引起 c 的增加。

如果检察官运用了 x 种,那么就有如下 3 种可能的结果:得以维持的有罪判决;被撤销原判、发回重审的有罪判决(在这种情况下,我们可以假定:在 $x=0$ 的条件下,重审中的变量就如同第一次审判一样);无罪判决(这一结果不会给检察官任何利润,只会给他留下以 c

---

[2] 或许,这样的策略中最为常见的,就是诱导(而非实际地要求——那会成为可撤销的错误(reversible error))陪审官从被告没能出庭作证得出被告有罪的推断。但是,这一"诋毁(abuse)"是保留不得强迫自证其罪特权(the privilege against being forced to incriminate oneself)(正如我们即将看到的,这一特权并不容易根据经济学的或者其它的理由获得正当性)的一个副产品。

表示的净损失)。因此,检察官运用 x 所能得到的净期待利润(G)就是其在这三种情况下所得的利润之和即:在维持有罪判决的情况下的利润$[p(x,y)b - c(x,y)]$;在撤销有罪判决、重新审判的情况下的利润$[p(x,y)(p(y)b - c(y))]$——重审的结果可能是无罪判决也可能是有罪判决;以及在无罪判决的情况下的利润$[0 - c(x,y)]$之和;其中第一种情况下所得利润要乘以维持原判的概率(a),第二种情况下所得利润要乘以撤销原判的概率$(1 - a)$。由此得到,

(1)　　$G = a(x)p(x,y)b - c(x,y) + p(x,y)[1 - a(x)][p(y)b - c(y)] - c(x,y)$*

(撤销原判发回重审这一情形中的 p 和 c 并未表示为 x 的函数,这是因为在该情形中,假定 $x = 0$。)

　　x(滥权策略[abusive tactics])对 G 的影响是复杂的。一方面,它通过增加有罪判决的概率而提高了 G,但另一方面,又通过增加撤销有罪判决的概率和增加检察官的成本而降低了 G。于是净效果是 G 增加这种可能性,就不能排除,而且,如果我们考虑到 x 对于 y 的可替代性(违反程序规则和证据规则可以替代谋取有罪判决的其它投入)的话,还增加了。在这种情况下,运用滥权策略的作用,虽然会如前所述,是减少维持有罪判决的概率、从而增加不得不承担二次审判成本($c(y)$)的可能性,但是也会减少初次审判的成本。这再一次说明了,为什么我们相信:如果由于无害之错规则,滥权策略在减少维持被告有罪判决的概率方面作用很低,那么无害之错规则就会鼓励检方去蓄意犯错。如果 x 对于 y 的替代作用很大,也就是说,如果滥权策略是合法的法庭辩论策略的一个既廉价又有效的替

---

* 原文如此。但是按照波斯纳法官前文的描述,应该是:
$G = a(x)[p(x,y)b - c(x,y)] + p(x,y)[1 - a(x)][p(y)b - c(y)] - c(x,y)$。——译者

代,就尤其可能如此。

即使无害之错这一原则致使检察官蓄意犯错,但如果检察官只是在面临陪审团不理性地倾向于作出无罪判决的情况下,才犯这类错误,那么该原则也仍然可能有效。如果上诉审法院全知全能,那么该原则的确会带来这样的结果。在这种情况下,当且仅当被告实际上确实有罪,上诉审法院才会原谅检方的错误。但是,如果上诉审法院没有能力辨别被告是否有罪——如果上诉审法院知道的只是:如果没有错误,一个平均水平的陪审团是否会判被告有罪——那么,检察官就有激励使用蓄意之错,判无辜的人有罪。这个激励有多大,没有人知道;它取决于纯粹的事业进取心在检察官的效用函数中所占的比重。为了安全可靠起见,人们会希望修改无害之错原则,把检察官所犯的或者诱发的蓄意之错排除于无害之错原则之外,并使之成为自动撤销原判的理由。

《联邦证据规则》第105条要求法官指示陪审团限制考量就一个目的(或反对一方当事人)可采、而就另一个目的不可采的证据。该规则的假定是:尽管陪团听了不可采证据,但是如果法官指示他们予以忽略,他们就能够做到。这一假定并非总能得到兑现。比如,如果一个供述(confession)是否可采性有争议,就必须在陪审团不在场的情况下进行听审(第104条第(c)款)这一争议,因为,倘若裁定该供述不可采,就不可能指望陪审员在决定被告是否有罪时会在思想中将之排除在外。但是一般而言,限制性指示都被视为灵丹妙药,不仅第105条规则涉及的情况是如此,而且在"治救"(cure)对不可采证据的错误采纳或冒失采纳时也是如此:法官叫陪审团将之忽略。

经检验据,以及常识,表明法院夸大了限制性指示的功效。[3]一个限制性指示极有可能是完全无效的,除非法官能够解释,为什

---

[3] 参见,Michael J. Saks, "What Do Jury Experiments Tell Us about How Juries (Should) Make Decisions?" 6 *Southern California Interdisciplinary Journal* 1, 26(1997),及该处所援引的相关著作。

么,这类证据,同某些传闻证据一样,不具有证明力(probative)。如果这类证据具有证明力(或者具有动人的感染力),〔4〕尽管是不可采的,那么,即使法官解释了限制性指示的根据,该指示也似乎更可能吸引陪审员注意该证据,而不是将之忽略。〔5〕因此,律师常常会不要求法官作出限制性指示,尽管他有权要求。同样值得注意的是,在刑事审判中,限制性指示的这些似是而非又疑点重重的功效,是如何同无害之错原则一起,鼓励检察官们在担心可能得出无罪判决时采用滥权策略的。因为,进行不当盘问或者不当评论的最可能的后果,既不是审判无效(mistrial)也不是撤销原判,最多就是一个软弱无力的限制性指示。

诚然,相信(belief)和接受(acceptance)是有区别的。相信是不知不觉的,所以当一个人已经相信了一件事之后,不给他一个不可信的理由而让他不再相信这件事,是没有用的;这也是对限制性指示持怀疑论的基础。而反怀疑论者则会指出,一个人是可以拒绝根据相信来行动的。你可以相信被告有罪却又接受他应该被判无罪的结论,因为你对被告有罪的相信还没有达到确信(certitude)的必要程度。〔6〕换句话说,说服责任更应该被认为涉及的是接受而不是相信。前见发生比、后验发生比、特定证据构成的似然比,都是有关相信的问题;而后验发生比会让原告还是被告胜诉,则是一个有关接受的问题。并且这一区别也是陪审员能够理解的。

用以上的观点来给限制性指示平反,是有问题的:在陪审团评议

---

〔4〕 标准的例子就是,令人毛骨悚然的谋杀案被害人的照片。有关这类照片对陪审团在考虑一个逻辑清楚的罪与非罪的问题时所造成的影响,参见,Kevin S. Douglas, David R. Lyons, and James R. P. Ogloff,"The Impact of Graphic Photographic Evidence on Mock Jurors Decisions in a Murder Trial: Probative or Prejudicial?" 21 *Law and Human Behavior* 485 (1997).

〔5〕 有关证据,参见,Kerri L. Pickel,"Inducing Jurors to Disregard Inadmissible Evidence: A Legal Explanation Does Not Help," 19 *Law and Human Behavior* 407, 422 – 423 (1995).

〔6〕 参见,L. Jonathan Cohen, *An Essay on Belief and Acceptance* 117 – 125 (1992).

的时候,要他们不考虑那些在他们听审后又要求他们忽略不计的不可采的证据,是太难了,即使他们想不予考虑,想把判断仅仅建立在可采证据之上,也很难。假使陪审员都是明确的贝叶斯主义者,并且对每一个证据都计算了似然比,那么他们或许可以忽略那些他们听审后又要求予以忽略的证据。实际上陪审员并不是按照贝叶斯主义者的方式行事,而是代之以直觉;而且也没法指望他们根据少于他所听审的证据来判断后验发生比,关键就在于:后验发生比的基础是相信而非接受。

在指出限制性指示的无效性时,法官总是倾向于作如下的回答:陪审团制预先假定的就是陪审员会服从法官的指示。[7]据此,这些法官的意思似乎是:如果承认这个预设不正确,那么陪审制也就不得不被抛弃。这是不对的。陪审制预先假定的,是陪审员会在某种程度上服从法官为指引他们而规定的规则,而不是100%的服从。在生活的任何地方,绝对服从规则都很少达到,对于一个只有微弱服从激励的特设机构而言,就更不可能了,因为无论陪审员干好干坏,都不会有奖惩。甚至我们不清楚,陪审员是否非常注意对立于不考虑具体证据之指示的有关这一法律的指示。然而正如我们在此前所看到的,这一注意的欠缺,并不会致命地颠覆陪审团制的合理性。

联邦证据规则对关连性(relevance)的定义是:"具有任何使对诉讼判定有重要影响的某一事实的存在,比没有该证据的情况下具有

---

[7] "我们的审判理论依赖于陪审团遵从法官指示的能力。"(Opper v. United States, 348 U.S.84,95[1954])"我们的宪法性的陪审团审判制度所基于的一个至关重要的假设(是):陪审员在小心地遵从指示。"(Francis v.Franklin,471 U.S.307,325 n.9 (1985))"我们的法理学中的一个核心假设是:陪审团遵从他们所得到的指示。"(United States v.Castillo, 140 F.3d 874,888 [10th Cir.1998])并非所有的法官都在自欺欺人。比如,勒尼德·汉德将限制性指示称作"推荐给陪审团的智力训练,这种训练不仅超越了陪审团的能力,而且也超越了任何其他人的能力。"(Nash v. United States, 54 F.2d 1006, 1007[2d Cir. 1932])法院偶尔也会承认限制性指示的无效性。比如,参见, Bruton v.United States, 391 U.S. 123 (1968)(法院撤销了有罪判决,因为在这一判决中,陪审团被允许考虑一个共同被告所作的牵扯到另一被告的供述)。

更大或更小概率的倾向。"(第401条)

这类规则使得有关的证据可采、无关的证据不可采(第402条),但是,"如果其不公成见、混淆争点或者误导陪审团的危险大大超过了其证明价值,或是出于对不当迟延、浪费时间或是对累积证据的赘述这类情况的考虑",也可能排除有关的证据(第403条)。这些规则都具有经济学上的道理。用贝叶斯的术语来说,如果证据的似然比不是1,证据就有关;如果是1,就无关。[8]根据这一定义,无关证据的社会收益是零,尽管其可能会通过使陪审团陷入误解和偏见,带来私人利益。

第401条的《咨询委员会注释》指出,即使证据涉及的是并无争议的事实,也还是可能有关的,因为其可以有助于使事实变得更为清楚,——进而有助于确立正确的似然比。如果一个有关的事实不清楚,即使没有争议,陪审团也没法计算出其恰当的似然比。借助于信号理论(signaling theory),可以得出一个相应的观点:一定数量的冗余可能增加而不是减少交流的可理解性。[9]

就需要清楚的比较收益和成本这一点而言,第403条规则是证据法经济分析的核心部分,大体如同汉德公式在侵权法的经济分析中处于核心地位一样。该规则为决定证据法中最为常见的问题——是采纳还是排除证据,提出了一个成本-收益分析的公式。该规则同第11章的方程(4)($-p_x S = c_x$)——用于求取最佳证据量的经济学公式——的关系,就如同汉德公式同求取最佳注意的经济学公

---

[8] 参见, Richard Lempert, "Modeling Relevance," 75 *Michigan Law Review* 1021 (1977).

[9] David. A. Schum, *The Evidential Foundations of Probabilistic Reasoning*, 443 (1994).

式($-p_x L = c_x$)的关系一样。[10]在第403条规则中隐含的成本－收益分析公式,也可以用于评价那些特定的证据规则,[11]恰如汉德公式在法律的经济分析中,被用作评价侵权法中的那些特定规则的标准一样。诚然,第403条规则的确是人为压了秤(place a thumb on the scale)("大大压了"[*substantially* outweighed]),但为了防止法官接管陪审团发现事实的任务(手段是排除大多数有利于法官认为应当败诉的一方的证据),这也许确有必要。

　　第403条规则本来可以更细致一些。该规则混合了三个截然不同的据以排除有关证据的根据:(1)情绪性(这是"不公成见"和"误导陪审团"的一个根源),(2)认知超载("混淆"以及其他形式的"误导陪审团")和(3)"浪费时间"(这看起来同"不当迟延"和"累积证据的赘述"是一个意思)。初看起来,与前两个根据联系的是事实审判者的认知局限,因而定位于证据对于判断真相的收益;而后一个则定位于证据的成本,也就是第11章的方程(1)到方程(4)的右半边。但是这样看并不准确。首先,应该区分两种不同类型的认知局限。第一种类型在第8章已经谈到,通常被称为"有限理性",它产生于这样一个事实:人们不可能零成本地收集和分析信息,因而会遇到超载问题。这一类型的认知局限与理性是完全一致的,因为理性并没有预设零成本地获得和处理信息。但是,第二种类型的认知局限则属于认知幻觉(cognitive illusion)和情绪分散(emotional distraction)的范畴,

---

[10] 我将D表示为L,将A表示为c,以强调求取最佳注意量的公式就是方程(4)的变形,参见William M. Landes and Richard A. Posner, *The Economic Structure of Tort Law* 60 (1987) (eq.3.9). 对第403条的成本－收益解释,参见,Louis Kaplow, Note, "The Theoretical Foundation of the Hearsay Rules," 93 *Harvard Law Review* 1786, 1789 (1980). 还可以参见,Thomas Gibbons and Allan C. Hutchinson, "The Practice and Theory of Evidence Law – A Note," 2 *International Review of Law and Economics* 119 (1982).

[11] 这在本质上是边沁的进路。他认为,不应该有什么证据规则,但在特定的案件中应该允许法官基于"烦恼(vexation)、昂贵(expense)和迟延(delay)"的理由排除某项特定证据。Jeremy Bentham, *Rationale of Judicial Evidence* vol.1, p.1(J.S.Mill ed.182).

即非理性思考的范畴,我们在第 8 章也有所讨论。根据(1)(也就是我所称的情绪性)相当于第二种类型的认知局限,而根据(2)(认知超载)相当于第一种类型的认知局限。要增大和纠正陪审团的认知能力可能需要既耗时而又无效的努力,阻止陪审团接触证据是一种可供选择的方法。

对第 403 条规则(以及一般的证据规则)的功能,还有另外一种思考方式,就是将之作为对陪审团缺少克服认知局限之激励的一个矫正,使之"努力思考"那些要求其予以解决的问题。陪审员没有任何金钱上激励来谨慎小心地做事;许多证据又会让他们的工作变得更为困难,因此需要他们在毫无补偿的情况下付出智识上的更大努力,这些证据规则正是通过滤掉这样的证据材料,减少了陪审员的成本,因而增大了他们的产出。

根据(2)与根据(3)(浪费时间)也有相互作用:对于事实审判者而言,重复和拖延不仅更难得出一个正确判断,而且会增加审判的直接成本。随着提出的证据越来越多,即使这些额外的证据有关,也仍然可能既是一种浪费——获得更大精确性的收益逐渐减少而相应成本并未减少,也是一种干扰——实际上减少了准确度。这一点意味着:在绝大多数案件中,陪审团审判的最佳时间长度是相当短的,因为额外证据的收益可能会以加速度下降,而成本却不变——在诉讼当事人越来越远离主题的情况下,成本甚至是不断上升的。

我们可以修改方程(1),以允许证据的数量(x)对真实结果的概率同时具有积极和消极两方面的影响,从而对这一观点进行进一步的探究。于是得到:

(2) $\qquad B(x) = p\,(b_1 x - b_2 x^2)\, S - c(x)$

这里,b_1 用以衡量一个单位的 x 对于审判准确度增加的影响,b_2 用于衡量一个单位的 x 由于造成对陪审团的混淆和认知超载所引起的对于审判准确度减少的影响。方程(2)中假定,后一种影响伴随着证据数量的增加而以加速度增加(因此是 x 的平方)。依 b_1 和 b_2 的值,在某一点后,新增的证据实际上会减少审判的准确度,并且进而减少审判的有效性,即使这些额外的证据并不耗费成本。换句话说,混淆和认知超载可以视为是证据的间接成本,会随着证据数量的增加而增加,由此,第 11 章中的方程(1)的最后一项[$c(x)$],就可以近似地表示为($c_d x + c_i x^2$),其中 c_d 表示证据的直接成本,c_i 表示证据的间接成本。

但是,必须将完成证明拼图所必需的证据同冗赘的证据区分开来。一个昂贵的"额外"证据也可能合理的,因为该证据同其他证据一起令人信服地重构了真相。

需要注意,通过排除无关证据、以及虽然有关但总的来说毫无用处的证据,第 402 条和第 403 条规则究竟是如何抵消了某些案件当事人在证据上过量投资(从社会角度来看)激励。我们应该预期这些规则在大额案件中会最多被援引,因为在这类案件中,过量投资的风险最大。

《联邦证据规则》第 4 章以后的那些规则,是对第 403 条这一一般性原则在经常性问题方面的具体化。其中的第 1 条,也就是第 404 条规则,将用个人品格表明其在诉讼涉及的场合下大概会"依其品格"(in character)行事的证据排除于可采证据之外(当然还有各种各样的例外)。[12] 这一规则的主要意义,就在于排除关于刑事被告有犯罪记录这方面的证据,除非,正如我们即将看到的,是被告本人作的证。这类证据是有关的,因为一个过去犯过罪的人,就以他的行为说明了,他在服从刑法方面有低于常人水平的倾向。但是这类证据只有很微弱的证明力,这主要是因为:惯犯(repeat offender)比初犯受到的惩罚要严厉得多,这就部分地抵消了他们的旧罪或新罪所显示的更大的犯罪倾向。如果对累犯(recidivist)的惩罚足够严厉,那么二

---

[12] 这些规则中的绝大多数都包含例外;这一限定应该始终牢记,笔者不再予以重复。

次犯罪或者再次犯罪的倾向,或许就会减少到和初次犯罪同样的水平。

但是,对这一证据种类的主要关注点,并不在于其欠缺证明价值。陪审团赋予这类证据以过大的证明力是危险的,而可能更为危险的是:陪审团会相信,既然被告是犯罪阶层中的一员,而且大概还犯过其他尚未受到惩罚的罪行,所以,即使被告在这次使他蒙受审判的特定罪行中是无辜的,那也没有什么关系;从而依据很少的证据就作出了有罪判决。

不过,第404条排除规则还多少有些漏洞。首先,先前犯罪的证据可以用于证明倾向以外的其他事实,比如说动机(motive)、并非错误(absence of mistake)或者做案手法(*modus operandi*)(参见,第404条第(b)款)。举个例子来说,如果被告是因谋杀那个造成其先前判有罪的证人而受审,那么对于证明被告人犯下当前罪行的动机而言,该有罪判决就具有可采性。另外还有一个一般性的例外,允许将先前的罪行采纳为证据:被告被指控犯有强奸或未成年人性骚扰罪,并且其先前的罪行涉及同样的行为。[13] 该例外或许包含着一个经济学上的基本原理——在性骚扰案件中体现得尤为明显,该原理与第404条第(b)款中动机上的例外密切相关。绝大多数人都没有性骚扰未成年人的嗜好。因而,当两个可能的骚扰者中,只有一个有这类性骚扰史,该历史就构成了一个动机,将两个犯罪嫌疑人区分开来;而且也允许采纳先前的罪行作为证据来证明这一动机。与骚扰者不同,一个小偷除非是有盗窃癖,否则不会有盗窃的嗜好。盗窃仅仅是其谋取金钱的手段,而且有很多替代手段。因此,被控犯有盗窃罪的被告此前也犯过盗窃罪这一事实,并不能表明他就"喜欢"盗窃,因而不能提供他犯下当前被指控的盗窃罪的动机。

有人争辩说:一个理性的陪审员,如果意识到不可将先前的罪行采纳为证据,因而知道自己不会去查询究竟被告是一个累犯还是一

---

[13] Fed. R. Evid. 413, 414; cf. Fed. R. Evid. 415.

个初犯,那么他就会假定被告的确是一个累犯的概率是大于 0 小于 1 的某个值,从而会低估累犯有罪的可能而高估初犯有罪的可能。[14]这个关于陪审员行为方式的假定极不现实,作者也没有提出任何证据来证明这个假定是正确的。他们的一个较好的见解是:如果先前的罪行可以作为证据自由采纳,陪审员也高度倾向于将累犯定罪,而不管证据是否显示其有罪,那么,威摄性就会被破坏。累犯对惩罚的预期成本会下降,因为成本不是惩罚概率本身的函数了,而是,正如我前面提到的,假定有罪的惩罚概率与假定无罪的惩罚概率之差的函数。(但是,由于有一个对成为累犯的额外抑制作用,其对威慑性的破坏作用也可以得到一定程度的弥补。)初犯对惩罚的预期成本也会降低。假定,检察官根据预算约束来行事,并且,正如第 11 章所暗示的,希望在该约束之下,最大化以刑期衡量的有罪判决。那么,检察官会发现,不论有罪与否,要给一个累犯定罪都非常容易,这样也就削弱了其给初犯定罪的激励。

排除品格证据的最重要例外见于第 609 条,涉及的是这类证据在交叉询问中的运用。如果被告在 10 年前曾因涉嫌欺诈或其他欺骗行为而被判有罪,那么检察官(或者原告——该规则既可以用于刑事案件,也可以用于民事案件;不仅可以用于当事人,还可以用于所有证人)就有权在交叉询问中运用该有罪判决来"质疑"被告的证词。而且 10 年以内的任何其他重罪判决,如果法官认定其证明价值超过了其引起偏见的效果,也都可以用于这一目的。

该规则的理由在于,一个在藐视过刑法的人,不可能严肃对待其保证诚实作证的宣誓。可能的确是如此;但是,要说与一个认为自己可以通过说谎得到无罪判决的初犯相比,一个累犯更不可能严肃对待自己的宣誓,就不那么确定了。[15]也就是说,没有任何根据可以

---

[14] 参见,Joel Schrag and Suzanne Scotchmer, "Crime and Prejudice: The Use of Character Evidence in Criminal Trials," 10 *Journal of Law, Economics, and Organization* 319 (1994).

[15] 如果被告是无辜的,他大概就会诚实地作证了。

假定，累犯比初犯更可能说谎；两者都是罪犯，并且罪犯说谎的动机似乎与是第一次犯罪还是多次犯罪没什么关系。可能的情况是：被告若是被判有罪所面对的惩罚越重，他就越有可能说谎，尽管这一点与被告是否累犯只有松散的关联（表现在累犯受到的惩罚般。如果确实如此，那么与之有关的数据就是被告面对的惩罚，而不是他本人是否累犯。平衡起来，允许将先前的罪行作为证据用于交叉询问，有可能没有任何增强准确度上的收益。但是，却会有成本——同允许将先前的罪行作为证据用以证明犯罪倾向的成本是一样的。尽管被告有权要求限制使用的法官指示，但不能指望陪审团对于被告先前罪行这一证据的考量会仅仅限于被告的可信性。由于减少了累犯作证后会被宣告无罪的概率，也由于因此而抑制了累犯的作证——这其实会导致极为相同的后果，因为陪审团往往会从被告没有作证而推断其有罪（而这再次表明，任何限制性指示都没用）——这一规则破坏了对累犯的威慑作用。

第407条规则将如下情况排除出了证据之列：在作为原告诉求基础的意外事故或其他事件发生后，被告采取了补救措施。我在前一章提到过这一规则，并且暗示：其目的在于鼓励这类补救措施。我在这里重提该规则的目的是要考虑另外一种可能：这一规则的设计是为了防止"后见之明的偏见"（hindsight bias）——在展望时杳无可能的事情，在回顾时就会显得势所必然。

如果这确实是该规则的目的，那么我怀疑这一规则是否还有必要。后见之明的偏见是我们都明白的认知错觉，比如像现在常说的"事后诸葛"（the wisdom of hindsight）就是一例。此外，"咄咄怪事"（freak accident）的概念也都是耳熟能详，其中隐藏的意思就是，这些事故可能是发生概率非常低的。人们也许会预期被告的律师能够向陪审团说清,尽管事故的确发生了,但是其发生的概率是微乎其微的。[16]而且,后见之明的偏见也常常是理性的,比如一个事故的发生也就意味着,假设的概率是真实的;因而,后见之明的偏见也就常常根本不是错觉。[17]

就算是有实检验据表明,陪审团为了后见之明偏见这一非理性形式的支配,[18]这类证据也很有限,而且也是无力的——尽管并不是因为这类证据的实验基础都是虚拟陪审团(mock jury)的。尽管虚拟陪审团的行为无法自动地外推为现实的陪审团,但是一个设计用来测试差异(比如对注意的事前判断和事后判断之间的差异)的实验,也不会因为实验情形和真实世界情形有所不同而归于无效。[19]谁若是因为实验对象不是现实的陪审团,因此拒绝接受对后见之明的偏见的研究,他就要给出理由,说明为什么认为虽然虚拟陪审团表现了后见之明的偏见,现实的陪审团却不会;而这个理由会是什么,也决不是显而易见的。这些研究存在的问题在于,都太特殊、太不具有一般性了。无论是在苏珊·拉宾(Susan LaBine)与格雷·拉宾(Gary LaBine)的著作中,还是在卡明(Kamin)和瑞克林斯基(Rachlinski)的

---

[16] 通过强调人类事务中偶然性的作用以及由此产生的众多现象的概率性特点,后见之明的偏见可以被减少甚至消除,有关这一点的实检验据,参见,David Wasserman, Richard O. Lempert, and Reid Hastie, "Hindsight and Causality," 17 *Personality and Social Psychology Bulletin* 30 (1991).

[17] 参见,Mark Kelman, "Behavioral Economics as Part of a Rhetorical Duet: A Response to Jolls, Sunstein, and Thaler," 50 *Stanford Law Review* 1577, 1583 - 1584 (1998); Mark Kelman, David Elliot, and Hilary Folger, "Decomposing Hindsight Bias" 3 - 4 (即将发表在 *Journal of Risk and Uncertainty*).

[18] 参见,Susan J. LaBine and Gary LaBine, "Determinations of Negligence and the Hindsight Bias," 20 *Law and Human Behavior* 501 (1996); Kim A. Kamin and Jeffrey J. Rachlinski, "Ex Post ≠ Ex Ante: Determining Liability in Hindsight," 19 *Law and Human Behavior* 89 (1995). 相反,在一个以州法官为实验对象的实验研究中,体现出的后见之明的偏见要比以上的研究少得多。参见,W. Kip Viscusi, "How Do Judges Think about Risk? 1 American Law and Economics Review 26 (1999).

[19] Saks, 前注[3],页8。

著作中,都没有给陪审团关于证明责任的指示,都没有实际评议,而且可能都支持了依据事后处境来归责——这不是因为陪审员的后见之明的偏见,而是因为他们对责任的主观观点(许多陪审员大概都相信:那些引起事故的人无论是不是有过错,都应该出钱赔偿)。[20] 也有实检验据表明,陪审团评议增加了陪审团判决的准确度。[21] 而且,在卡明和瑞克林斯基的研究中,提醒陪审团注意后见之明偏见的指示没有任何效果;这一事实支持了如下猜想:看似后见之明偏见的那些东西,实际上只是主观标准的差异。当然,这一观点并不能给陪审团的支持者以多大安慰,因为这意味着陪审团违反了法律;而且这类违法就像认知幻觉一样,一定会合法地产生不良后果。

一个更为广泛的问题是:认知幻觉是否严重颠覆了审判中事实发现程序的准确度;如果确实如此,那么要是法官也像陪审员一样或几乎一样受制于认知幻觉,我们还能怎么办。对此,我的看法是:如果由此产生的偏见(the resulting bias)这一趋势为人所知,那么就可以通过调整法律程序的其他特征予以抵消。比如,我们假定:陪审团往往对有罪被告有作出无罪判决的倾向,而法官既没有对有罪被告作出无罪判决的倾向,也没有对无辜被告作出有罪判决的倾向。那么,正如我们在上文看到的,无罪被告就会趋向于放弃陪审团审判的权利;因而我们需要的只是或主要是为那些确实有罪的被告而操心。我们可以增加对"承担责任"的奖励,以此来阻止被告行使陪审制审判的权利;根据联邦量刑指南,承担责任本质上是对有罪答辩并因之

---

[20] 参见,LaBine and LaBine,前注[18],页512;Kamin and Rachlinski,前注[18],页100-101;Kelman,前注[17],页1584。因此第411条规则将被告具有责任保险排除出了证据之列。

[21] 比如参见,Reid Hastie, David Schkade, and John Payne, "A Study of Juror and Jury Judgments in Civil Cases: Deciding Liability for Punitive Damages," 22 *Law and Human Behavior* 287, 305 – 306(1998); Gail S. Goodman et al., "Face – to – Face Confrontation: Effects of Closed – Circuit Technology on Children's Eyewitness Testimony and Jurors' Decisions," 22 *Law and Human Behavior* 165, 200 (1998).

放弃所有审判权利的人的一个减刑情节。提高对有罪答辩的奖励,并不需要对有罪答辩的被告减少刑罚,从而破坏威慑作用;对那些不作有罪答辩的被告增加刑罚,同样可以达到这一目的。

传闻证据,又叫二手证据,是指并非目击证人所说的、用以建构法庭外陈述人所言为真的证据。有人会认为,规定传闻证据可采性的规则就是第403条规则的一个注脚;但其实不然,由于这些规则的复杂性,传闻证据在《联邦证据规则》中被作为专章予以规定(第8章)。更为激进的是,有人甚至会怀疑,传闻证据规则是否有存在的理由。该规则要排除那些并不产生间接成本的证据(比如事后补救的证据)的惟一理由就是,陪审团是毫无经验的事实裁判者,他们会赋予这些证据过大的证明力,哪怕法官已经作出了限制性指示或者其他引导。但是,许多关于人们在其私人生活中和在其事业上所作所为的"证据",都是传闻,因而人们会认为陪审员在筛选和衡量传闻证据方面是有经验的。正如我在第10章强调的,从法官或者陪审团的立场出发,案件中的所有证据都是二手的。

虽然如此,鉴于第403条规则规定的"浪费时间"的因素,或者更确切地说,鉴于审判过程的成本,传闻证据规则或许还是可以获得正当性的。与纠问制下的司法部门不同,陪审团并不从事积极的证据搜寻,所以无法在继续搜寻证据的收益大于成本的那一点上,终止证明过程。传闻证据规则排除了不计其数的一般来说明显含混不清的证据,因而有助于帮助陪审团实现这一点。[22] 该规则的许多例外,都允许将同第一手证据同样有证明价值的传闻作为证据,一个很好的例证就是不利于证人金钱或惩罚利益的陈述——一种除非为真否则不可能作出的陈述。传闻证据规则也可以理解为是同第402条和第403条规则的配合,用以抵消那些在某些案件中对证据进行过量投资的激励。然而,最好也许是抛弃反对传闻证据的绝对规则,这个

---

[22] 从一个广泛的经济学视角进行讨论的相反观点,参见,Kaplow,前注[10],页1794—1803。

规则有如此多的破例，就好像一片可以随便捏的瑞士奶酪，而赞同第403条规则的灵活标准。那么，某些特别的传闻证据被排除，原因就不是因为它们是传闻，而是因为在这种情况下，其证明价值抵不上采纳和评价这些证据所必须付出的时间和认知努力。[23]

证据规则的第501条涉及的是"特权"，即一方当事人根据一般情况下与影响准确度无关的理由而排除证据的权利。该规则没有列举联邦诉讼中承认的特权，只规定说，特权的存在应该受到联邦的、适当条件下州的普通法的支配，除非为制定法或宪法所取代。我将对那些较为重要的特权进行考察。首先要考察的是两个婚姻特权。作证特权(*testimonial* privilege)适用于所有婚前和婚后的交谈，因为公开泄漏交谈的内容会对婚姻产生破坏；不过，只有要求配偶出庭作证的情况下才可以援引这一特权。我将要集中讨论的是婚内交谈特权，夫妻都可以援引，但是仅限于婚后的交谈。与关于事后补救措施的规则一样，其基本根据都是间接成本。某人配偶关于某人犯了罪的供述，本来是有很高证明力的有罪证据，但是由于担心会造成配偶互不信任而妨害婚姻关系，而被排除出证据之列。这个担心能否成立，很值得怀疑。实际上，这一特权会促使一些人为了获得优势证明，同一个其原本不会与之结合的人结合，而这样缔结的婚姻，不可能稳固。更为重要的是，由于降低了已婚者的犯罪成本，这一特权是在鼓励(尽管无疑是非常微弱的)这些人去犯罪；而配偶犯罪，是一件特别动摇婚姻基础的事情。要是这一特权只限于民事案件，支持这一特权的论证可能会更有力些。

即使婚姻特权的收益微乎其微，但是放弃有价值证据的成本也可能微乎其微，因此总的来说，废除这一特权也就没有什么收益可言。因为，如果废除了这一特权而且这一点众所周知，配偶相互间就更不可能作出有伤害力的坦白了；因而废除这一特权也不会创造丰

---

[23] 本质上对于这一立场的倡导，参见，Richard D. Friedman, "Truth and Its Rivals in the Law of Hearsay and Confrontation," 49 *Hastings Law Journal* 545, 550–560 (1998).

富的有价证据。这同第407条规则形成了鲜明对照。允许在审判中把事后补救作为证据加以提出,会减少进行这类补救的激励,但是并不会接近消灭这类激励,因为补救的收益会转移未来的责任。实际上,这些收益或许已经大到了有理由废除这一规则的程度。但是我的观点只是说,废除这一规则会生成某些证据。向配偶坦白不法行为的收益,比采取措施避免否则完全可能产生的未来责任所得到的收益要小得多,因此废除婚姻特权的结果,也许就是压根不再向配偶坦白。

最为重要的证明特权,是律师-委托人特权:不能强迫律师泄漏其委托人在他们职业关系期间对其所作的陈述。我将集中考察,对于在诉讼期间或诉讼筹划中所作的陈述、而非对于在征求所筹划行动的法律建议期间所作的陈述,这一特权是如何适用的。[24] 同对配偶的供述的情况一样,律师的供述可能是有很高证明力的有罪证据。排除这类证据的基本根据在于,如果当事人无法完全信任自己的律师,对抗式过程就无法良好运转。同事后补救规则和婚姻特权一样,要评价这一基本根据,我们必须考虑的是,废除律师-委托人特权的结果会是什么。一个结果就是,使委托人更加警惕自己对律师说的话。于是,强迫传召律师作为对委托人不利的证人,并不会得到多少有价值的证据。因此,除非认为"冷却"(chilling)律师-委托人之间的谈话是一种公共利益,否则废除这一特权的收益依然微乎其微。另一个废除律师-委托人特权的结果是,潜在的诉讼当事人会在至少是学习基础法律方面加大投资,以便他们可以同自己的律师进行损害性坦白风险最小的交谈。废除这一特权或许因此会增加了法学院的招生规模。

第三个后果是,由于担心从自己的委托人那里得到损害性坦白,律师就也许未能从坦白中引出委托人没有意识到的、但证明其案件

---

[24] 着重于对适用于这两类陈述的不同考虑,参见,Louis Kaplow and Steven Shavell, "Legal Advice about Information to Present in Litigation: Its Effects and Social Desirability," 102 *Harvard Law Review* 565 (1989).

有道理的信息。[25]第四个后果、大概也是最为重要的一个后果是,废除这一特权会阻碍司法过程并干扰陪审团。同一个人会既作为自己当事人的代言人,又作为不利于自己当事人的证人——那样的话,只要当事人发现自己向目前雇请的律师作出了损害性坦白,就必须立刻更换律师。他甚至必须不止一次地更换律师,因为他会依次向每个新雇请的律师都讲一遍自己的故事。

如果有权援引证明特权的人不了解这些特权,或者不会因废除这些特权而受到丝毫影响,那么对这些特权的支持就会大为削弱。[26]在这一限定的情形下,废除特权不会对创造证据有任何阻碍作用,因而废除特权只会有收益而没有成本。律师－委托人特权是众所周知的,但是请想想心理医生－患者特权。显然,绝大多数人都并不知道还有这样的特权[27]——而且,即使会有少数人知道这一特权、并且不顾精神疾病在我们社会中一直都是个的污点而有意识地咨询心理医生,其中又有多少人会受到威慑,因为害怕心理医生有一天会作为不利于他的证人被传召?[28]

我一直在强调,废除特权规则只会造成证据产量的不足,这一观点也适用于备受批评的、排除非法搜查或逮捕所获得的证据的规则。一般说来,这类证据都有很高的证明力,有时甚至是根本性的,而且将之排除似乎也并不是对警察不当操作的恰当惩戒。而批评该规则的绝大多数人,都并没有论辩应该宽容这些不当操作,还是应该将之定义为正当操作;他们都仅仅是提倡用不会涉及排除非法调查之毒

---

[25] 对于这一点的强调,参见,Ronald J. Allen et al., "A Positive Theory of the Attorney – Client Privilege and the Work Product Doctrine," 19 *Journal of Legal Studies* 359 (1990).

[26] 参见, American Bar Association, Section of Litigation, "Civil Trial Practice Standards" 100–102(Feb. 1998).

[27] Daniel W. Shuman and Myron S. Weiner, "The Privilege Study: An Empirical Examination of the Psychotherapist – Patient Privilege," 60 *North Carolina Law Review* 893, 925 (1982).

[28] 会有一些;如果咨询不会危及其诉讼时机的话,引起诉讼的争议所造成的内心痛苦,会令一个人去咨询心理医生。

果的其他惩戒予以替代。但是,如果替代的惩戒在威慑不当操行方面是有效的,就不会有任何毒果,因而从司法裁判的准确度这一立场来看,也不会有任何收益。这些批评家应该倡导的是:应重新定义搜查是否违法的判断标准,特别是,只要证明的收益没有等于或大于搜查给被害人带来的成本,该搜查就应该被认定为违法;或者说,对于违法搜查的惟一惩戒应该是提起损害赔偿之诉。实际上,后一种进路是要求警察从被害人那"认购"(buy)自己"违法"调查的毒果,——当证明的收益超过了给该调查受害人带来的成本时,他们大体上就会这样做。这样被排除的证据也就会比有排除规则的情况下为少。

最受争议的一个证据特权,是反对强迫自证其罪这一宪法特权。关切用刑讯逼供榨取供述是可以理解的,也可以给出经济学上的基本根据,但是这类关切可以通过禁止刑讯逼供——包括刑讯逼供的弱化形式,比如轮番审问和"疲劳讯问"——和惩罚藐视法庭——对拒绝作证的独有惩戒——(无论是处以罚金、监禁还是处以剥夺辩护权)来予以缓解。

这一特权使法院拒绝了那些证明力很高的证据,而这一特权的收益却非常难以说清。一个论据是"支持政府不干涉人民的强大政策,……除非有足够证据支持可能的理由,否则政府不应该通过强制出庭和强制披露(可能导致有罪判决)扰乱个人的宁静。显然,如果个人的宁静是受保护的,政府就必须从个人以外的其他来源得到具有表面证据的案件所需的证据。"[29] 但是,同此前讨论的将举证责任赋予原告而非被告的论据类似,这一论据也可以这样来调整:一旦政府从独立的来源收集了足够的起诉证据,就剥夺这一特权,并且限制政府要求嫌疑人回答提问的时间。[30]

---

[29] John Henry Wigmore, *Evidence in Trials at Common Law*, vol. 8, § 2251, p. 317 (John T. McNaughton 1961 修订). 麦克诺登(McNaughton)对于支持这一特权的论证的全部讨论堪为典范。参见,前引书,页 295–318。

[30] 我并未考虑因在非诉场合,比如在国会委员会前的听证,主张这一特权而出现的截然不同的问题。

提出废除该特权问题的一个方式是采用事前的视角来追问：如果这一特权保护的仅仅是（或者主要是）有罪的人，那么，在无知之幕（the veil of ignorance）背后选择、因此不知道自己将会成为犯罪的受害者还是罪犯（或者是被错误起诉的无辜者）的人们，究竟会支持还是会拒绝这一特权。既然社区中只有不多的一部分人将会成为罪犯或犯罪嫌疑人，既然废除这一特权对于罪犯而言惟一的成本就是使他们更难逃避罪有应得的惩罚，支持废除这一特权的呼声可能是压倒性的。

上一段一开始就放宽了这一隐含的假定：只有作出损害性坦白的人才是有罪的。一个无辜的人可能被怀疑犯了罪，也会说一些话可能被用来编织怀疑之网而把他箍得更紧；或者他也许只是脸上的表情让人生疑。废除这一特权可能导致错误定罪的危险越大，支持这一特权的理由就越强。这一点涉及到因放弃证据特权之权利而产生的一个难解的问题。假定：只有实际有罪的人才会作出这类损害性坦白；反对强迫自证其罪的特权（以及律师－委托人特权和婚姻特权）使被告能够避免或隐藏损害性坦白。那么，无辜者就会总是放弃特权，以表明自己无辜。[31] 任何人不放弃特权的，认定其有罪。就是可以的。这一点的依据在于，陪审员常常从被告拒绝出庭作证而推定其有罪，即使已经告知他们不能从这一拒绝中得出任何有罪推论。但是，如果无辜者放弃特权也有成本，那么拒绝放弃特权就不能被可靠地推断为有罪的标志。如果希望陪审员认真对待这一原则，即不能从拒绝放弃反对强迫自证其罪的特权推出有罪判决，法官就必须想出一个可信的解释，好让陪审团明白，为什么一个无辜者也会担心作证的后果。我不敢肯定地说，真的有一个可信的解释；陪审团认定坦白的无辜者为有罪的危险，也许只是理论上可能，而不是真实的危险。

---

〔31〕 一般地，参见，Daniel R. Fischel, "Lawyers and Confidentiality," 65 *University of Chicago Law Review* 1 (1998).

刑事被告关于是否作证、是否放弃自己反对强迫自证其罪特权的决定,可以表示为如下的模型:

(3) $p = p_1 x_1 + (1-t)p_2 + tp_3 tx_2$

这里,p 表示被告被发认定有罪的概率;p_1 表示案件(x_1)中其他证据产生的有罪概率;p_2 表示如果被告不出庭作证,陪审团会推定其有罪的概率;p_3 表示如果他出庭作证,陪审团会推定其有罪的概率(以 x_2 表示被告所作的证词);t 表示是否作证的决定,如果被告作证,t 的值为1,如果不作证,t 的值为0。如果被告作证,那么方程(3)右边的中间一项就可以被划去,但是如果他的证词于己不利,那么第三项(简化为 $p_3 x_2$)就是正值,同时如果他拒绝作证,第三项就没有了,但第二项变为正值。因此,是否作证的决定就依赖于拒绝作证情况下的中间一项同作证情况下的第三项之间的比较。

这一进路可以将任何案件模型化,在这些案件中,因为缺乏证据必须进行推断。比如上一章讨论的麦克道尔·道格拉斯案的情况和假设的巴士案,以及统计证据具有显著度水平较低的情况。比如,在巴士案中,p 表示伤害原告的巴士所有者是被告 A 公司的概率;如果惟一的证据就是巴士属于 A 公司的百分比,并且如果这意味着原告扣下了该巴士实际属于 B 公司的证据(也就是说,如果 $t=0$),那么 p_2 表示的就是对 p 的(负)影响(contribution);如果原告在纯粹的统计数字之外,又提交了有关所有权的额外证据(x_2),那么 p_3 表示的就是对 p 的影响。

塞德曼(Seidmann)和斯坦(Stein)为反对强迫自证其罪特权提出了一个新鲜的论证。[32]他们指出,一方面,这一特权给有罪被告提供了一个选择:要么出庭作证和说谎,要么保持沉默。如果第二种意

---

[32] Daniel J. Seidmann and Stein, "The Right to Silence Helps the Innocent: A Came-Theoretic Analysis of the Fifth Amendment Privilege"(即将刊登于《哈佛法律评论》).

见因废除特权而动摇,有罪被告就要更多地出庭作证,更多地说谎。既然绝大多数刑事被告都有罪,绝大多数作证的刑事被告都在说谎,那么这就使无辜的被告更不容易被人相信;事实审判者也会认为被告的证词不诚实。

《联邦证据规则》的第 5 章和第 7 章中,包含了许多涉及证人特别是专家证人(第 7 章)的规定。最为重要的规定是第 602 条,该规则规定非专家证人应局限于从第一手知识出发进行作证;以及第 702 条,该规则允许专家证人对其专长领域内的问题"以意见的形式"进行作证。[33] 所谓意见,是一种从第一手知识和背景知识共同得出的推断。如果一个人看见了乌云并且给出了即将下雨的意见,那么这个意见就体现了对云的观察同有关天气征兆背景知识的综合判断。一个人是某一领域的专家,也就意味着他可以凭借渊博的背景知识提供意见,而这些意见如果是出于外行人之口,就会成为不负责任的猜测。

由于现代诉讼引发的许多问题都具有技术复杂性,所以要向专门化的而非(大体上)全能型的法院发展,对专家证人的巨大依赖或许是惟一可供选择的办法,当然法院的专门化运动也会有其自身的问题。[34] 但是对于专家证人的使用,一直有相当多的不满来源。这些不满有两个彼此关联的主要来源。第一个来源是,由于专家证人是当事人分别出资聘请的,所以人们会担心,谁雇了他们,他们就会成为谁的同党("枪手"[hired guns]),不再是公正无私、因而可以假定为诚实可靠的证人。这显然并没有将专家证人同大量其他类型的、以前因为这个理由完全不准作证的那些证人、尤其是当事人自己截然分开。而第二个不满的来源是,人们担心,专家证人比外行证人更

---

〔33〕 第 701 条规则只允许外行证人提出非常有限的意见证词。

〔34〕 具体讨论,参见 Richard A. Posner, *The Federal Courts: Challenge and Reform*, ch.8(1996). 但是,非常重要的一点在于,要认识到:专门法院对于我们已然觉察到的使用专家证人的问题,的确是一种可能的解决办法。

容易误导法官和陪审团,因为要通过交叉询问来挑他们的毛病更难;他们可以通过晦涩的行话将自己隐藏在高深莫测的专家技术之后。即使专家证人的意见在交叉询问中被对方律师凭借己方专家的精心筹备而推翻,陪审团也可能由于并未充分理解交叉询问中的问答,没有意识到那个专家的证言已经被推翻了。同顾虑可理解性(intelligibility)密切相关的一个次要顾虑在于,对立的专家证人之间常常只是互相抵销。预期结果没有任何变化,因而使用专家证人只会制造成本,并无任何收益。

但是,倘若——这是我将随后讨论的一个极为重要的限定——专家是在一个对基本的实质性和方法论前提达成了多数意见的领域内作证,这些顾虑似乎就都不特别的严重。

对于第一个顾虑:不再公正无私,有五点需要明确:

1.由于与绝大多数外行证人不同,绝大多数专家证人都是重复博弈者(repeat player),所以他们对于创造和保护自己诚实、胜任的声誉都一个有金钱利益。对一个证人的任何公开的司法批评(在司法意见中,无论是否正式发表,甚或是在审判或者其他听证的记录中),往往都会损害此专家作为证人的职业生涯,有时甚至是致命的,因为以后交叉询问该专家时就可能提出这一批评。[35]而且,许多专家证人都受雇于咨询公司,而咨询公司的法人声誉会因为任何一个雇员的错误而受损。并且教授们如果因为不认真或者不诚实作证而被曝光,也会付出学术声誉(他们对此非常看重,否则他们就不是学者)受损的巨大的非金钱成本。

这一讨论并不能为党派性(partisanship)的关切提供一个全面答

---

〔35〕 "在被报道的案件中,赞许的提名对于法庭的[亦即作证的]经济学家而言,是一个现实的利益;同时,不利的提名则是一个很大的成本。" Thomas R. Ireland, Walter D. Johnson, and Paul C. Taylor, "Economic Science and Hedonic Damage Analysis in Light of Daubert v. Merrell Dow," 10 *Journal of Forensic Economics* 139, 156 (1997). 作为一个"不利的提名"的例子,参见, In re Brand Name Prescription Drugs Antitrust Litigation, 1996 WL 351178 (N.D. Ill. June 24, 1996).

案,因为有动机取悦委托人、以便在今后仍会被雇佣的人,也都是重复博弈者。由于禁止向专家证人支付胜诉酬金的,因而一次性的专家证人不会因为提供不诚实的或者偏向的证词而有任何的损失或者收益。

2.有学术出版记录的专家证人由于如下事实而能够"保持诚实":如果他在作证时努力否定自己的学术作品,很容易遭到毁灭性的交叉询问。这意味着,只要专家证人没有学术出版记录或者是就其从未公开发表意见的问题作证,就应注意。不仅这样的专家不太可能诚实作证,而且律师选择了这样的专家证人也意味着,这个律师没法找到一个真正精通专业的人士愿意作证支持其委托人的立场。

3.由于美国诉讼体制具有对抗性的特点,而且要求专家证人在审前证据开示过程中并因此在审判开始前,披露自己的证据,所以说专家证据会经受严格、挑剔的仔细审查。[36]这至少会阻挡某些不负责任的专家证词。就经济学而言,重复以前学术研究的传统相对较弱,[37]一个为了诉讼目的进行的研究就可能受到比学术研究、甚至比发表于匿名评审的杂志上的学术研究更为细致的严格审查。

4.如果一个专家证人的证词没有达到其专业领域的方法论标准,那么该证词就不具有可采性。[38]对于法官而言,这是件比判断

---

[36] 在交叉询问中等候专家证人的是什么? 作为一个例子,请参见,Stan V. Smith, "Pseudo – Economists – The New Junk Scientists," 47 *Federation of Insurance and Corporate Counsel Quarterly* 95 (1996).

[37] 这可能就是为什么学术研究人员都采用5%的显著度水平、而不是10%或者20%的原因。研究重复的频次越少,让这些研究服从于严格的显著度检验的内在纪律就越重要。参见,menLempert,前注[8],页1099.

[38] 比如参见,Kumho Tire Co v. Carmichael, 119 S. Ct. 1167(1999);Daubert v. Merrell Dow Pharmaceuticals, Inc., 509 U.S. 579 (1993); Navarro v. Fuji Heavy Industries, Ltd., 117 F.3d 1027, 1031 (7$_{th}$ Cir.1997);People Who Care v.Rockford Board of Education,111 F.3d 528, 537 (7th Cir.1997); Rosen v.Ciba – Geigy Corp., 78 F.3d 316, 318 – 319 (7th Cir. 1996); David L. Faigman et al., *Modern Scientific Evidence: The Law and Science of Expert Testimony* vol.1, pp.2 – 45(1997).

证据是否可靠更为容易的事情。这一规则所起的作用是充当打击"劣质科学"(junk science)的过滤器。正如我们在上文所看到的,对于统计证据而言,这一过滤器的网眼或许实际上是太过精细了。请注意,过滤器的存在不仅会排除低于专业水平的专家证词,而且会对这类证词的准备产生威慑,因为这些专家会担心,一旦其证据被作为"劣质科学"加以排除,自己的声誉就会受到损害。

5. 作为上一点的延续,请考虑这样一个事实:今天,由于绝大多数司法裁决都上了网,对专家证人的任何司法批评都可能在极短时间内成为诉讼共同体中的的公共知识,并被用来质疑该专家未来提出的任何证词。这一前景使得专家证人具有非常大的激励,避免提出证词时出错、过火和有过度的党派性。这也还应为那些常受嘲讽的"职业"专家证人恢复名誉。"职业"专家证人的作证越多(更确切地说,他越是经常期望在未来作为专家证人作证),他不招惹司法批评以维持完美声誉的利害关系也就越大,因而其证词也就越可信。一个在成百上千个案件中作证而没受到任何司法批评并且还期望在更多案件中作证的"职业"证人,尤其可能是一个可靠的证人。这是因为,他在此前的案件中经受住了对手的打击,因而积累了相当大的声誉资本;如果他在当下的案件中作证不诚实,这一大笔声誉资本就会受到损害。

如果市场激励能够保证专家完全诚实作证,被告律师就主张常常会根本不援引专家证词,因为他们会发现,难以找出一位愿意反驳原告方专家观点的知名专家。[39] 因而,应当预见,案件涉及的科学"越模糊",双方就会越频繁地提出专家证人。

使用专家证人的第二个顾虑——已采证据的可理解性——具有毋庸置疑的优点,但是其优点也没有优点直觉感受到的那么大。因为,这一顾虑忽略了激励的效果。一个不能令法庭理解自己的证人,

---

[39] 参见,Deanne M. Short and Edward L. Sattler, "The Market for Expert Witnesses," 22 *Journal of Economics* 87, 89 (1996).

不可能有说服力。在陪审团审判中这是尤为重要的考虑因素,因为陪审员更看重清晰表达而不是身份(credential)。[40]如果专家证词在陪审团审判中比在法官审判中更为清楚,陪审团也会和法官一样理解专家证词,尽管就平均值而言法官要比陪审员更聪明。

对不可理解性的批评,这并非一个完整的答案。许多领域都太技术化了,以至于期望平均水平的陪审员或法官能够理解对这些领域内专家所作研究的所有批评是不现实的。这就是为什么,证据的技术复杂性并不是一个反对使用陪审团的有力论证。研究发现,当专家证词非常复杂的时候,陪审员会赋予身份很大的证明力,这就提示了部分的解决办法。[41]这样行为是理性的。专家的身份越高,其提供低于可接受专业标准的证据而会失去的潜在声誉也就越大。

处理不可理解性难题的另一个办法,是更为频繁的指定那些法庭指定专家。《联邦证据规则》第706条明确授权联邦法官指定专家证人,但很少有谁行使。[42]拒绝行使这一权力的通常理由是,法官无法知道自己是否选择了一个真正的中立者作为法庭专家。克服这一理由只要从选择仲裁员的一般方法中借用一二就可以:双方当事人各选择一名仲裁员,这两位仲裁员再选择一个中立仲裁人,一般都由这个中立者来投决定性的一票。与此同理,双方当事人聘请的专家也可以协议选择一个中立的专家,由法庭指定,或者和当事人聘请

---

[40] 参见, Daniel W. Shuman, Anthony Champagne, and Elizabeth Whitaker, "Juror Assessments of the Believability of Expert Witnesses: A Literature Review," 36 *Jurimetrics Journal* 371, 379 (1996).

[41] Joel Cooper, Elizabeth A. Bennett, and Holly L. Sukel find in their article "Complex Scientific Testimony: How Do Jurors Make Decisions?" 20 *Law and Human Behavior* 379, 391–392 (1996).

[42] 参见, Joe S. Cecil and Thomas E. Willging, *Court - Appointed Experts: Defining the Role of Experts Appointed under Federal Rule of Evidence* 706 (1993); Faigman et al., note 69 above, at 43–44.

的专家一起、或者独自出庭作证。[43]该专家的中立性就会令其观点对陪审团有决定性证明力。陪审员是否理解了该中立专家的意思都已无关紧要;该专家的结论就是可信的,因为他是中立的,因为他是专家。许多事情都可以在不理解的情况下理性地加以确信。人们并不知道飞机为什么会在空中飞,但是可以理性地确信,航空旅行是安全的。[44]

有关专家证词的第三个顾虑,也就是对立的专家证人常常互相抵销,在当事人聘请的专家选出了一个中立专家作为惟一的专家证人的情况下也就消除了。但这是一个真实的顾虑么?因为看起来,如果对立的专家在任何时候都互相抵销,那么当事人为了减少诉讼费用,就会同意不传招他们了。互相抵销的情况偶尔会发生,但并不经常,可能是因为,如果一方律师这样暗示,就会被理解为是在发出这样一个信号:他认为己方的专家没有对方的专家可信。而且,还有选择偏差在起作用;抵销的现象只有在审判时才能观察到,而且许多案件也许都可以庭外和解(或者不是一开始就提起诉讼),因为当事人咨询的专家会让他们相信:没什么可审的。

使用专家证人最成问题的领域,是那些无充分基础保持证人诚实的领域。这曾经一度是,而且在某种程度上现在依然是,有关反垄断经济学的处境。一个极为值得尊敬的经济学家可能是反垄断的"鹰派",而另一个同样值得尊敬的经济学家却可能会是"鸽派"。他们每人都有一长串著名的学术作品,同其系统性亲原告(或亲被告)的证词完全一致。因此法官或陪审团几乎没有依据在两者之间作出选择,特别是由于每个证人也许都是在从各自的前提出发、以无懈可

---

[43] 对于这一提议,参见 Daniel L. Rubinfeld, "Econometrics in the Courtroom," 85 *Columbia Law Review* 1048, 1096 (1985). 至少有一个判例运用了这一程序的一个变形,Leesona Corp. v. Varta Batteries, Inc., 522 F. Supp. 1304, 1312 (S.D.N.Y. 1981). 另参见,American Bar Association, 前注[77], 页 246。

[44] 这个例子体现了 Coady 的如下观点:证词可以是真实知识的来源,参见第 10 章。

击的逻辑进行推理的——而这些前提对于一位外行的听众又都是那么言之成理。而且可能也没有具有贴切专长的中立者,在这种情况下,法庭指定的专家必然是某一方的同党。对这一难题,本人亦苦无良策。

有关专家证人的文献根本没有讨论专家证据的一个主要社会成本:学术研究人员、特别是终身任期的研究人员偏离学术研究而出庭作证。尽管由于作证使大学教师接触到了一些否则的话无法得到的数据,偶尔也会带来学术上的收获,但是因需求教授担任专家证人,美国大学的净产出(质量乘以数量)却不可能更大。如果学术薪金同大学教师的社会边际产品相等,那么大学教师由从事研究偏向提供证词,就不会减少社会福利。不过,如果学术研究产出的社会利润没有为研究者获得,如果这一剩余又少于大学教师出庭作证创造的剩余,那么,雇佣大学教师出庭作证的做法就确实会施加了社会成本。

第二个"如果"尤为可能。准确的司法裁判创造的社会收益(强化了对不法行为的威慑作用的),并没有为专家证人以收费而全部获取,因为律师不会为专家证人给社区的其他成员带来了收益而向专家证人付费。此外,得到额外收入的机会也会吸引有能力的人进入到学术界,而不是选择某些其他职业。不过这是一个不太有力的观点。教授们的兼职机会也许会使大学能够向教师支付更低一些的薪水,因而也许不会影响大学教师的供给。而且,相对于研究产出的价值而言,提供证词的机会在学术圈子中是随机分配的,因此,即使兼职收入的主要影响不能为较低的学术研究薪金所抵偿,影响可能也只是改变大学教师在各个专业领域内的分配,而与社会产品无关。

假使专家作证的问题就此打住,那么我们应该考虑的就是如何能够予之完善。我曾建议,应该更多地运用以挑选中立仲裁员的方式挑选的法庭指定专家。我也提到,以司法批评作为一种方法向犯错误的专家施加声誉成本。尽管有一个危险:这类批评可能会是愚昧无知的表现,不过,这对该专家声誉的损害会比较小。在他下一次作证的时候,如果这个批评在交叉询问中被抛出来针对他,他就有机会设法反驳。并且他的律师也许能够说服法官,在这个新的案件中防止在交叉询问中使用先前法官的批评意见,理由是这一司法批评的证明价值相对于其引起偏见影响微乎其微。

要改善专家证据的质量,还有两个进一步的措施值得考虑。第一个措施是要求每个职业协会(专家证人都是基于其成员资格从中选出的)都要保存一个登记簿:记载该协会成员的所有作证表现。这个登记簿应该包含每个成员证词的摘要,以及审理本案的法官或者诉讼相对方的律师或专家对其证词的任何批评。这样就促使行业监督其成员,是否在作证的努力中坚守了高标准的正直和注意。可以建立相应的程序,使这些成员能够质疑对登记簿中不准确的地方,并且,在经过这样的检验之后,这个登记簿可以为法庭采用。

我提出这些建议,并不是要呼吁什么利他主义。每个协会,也就是说每个协会的成员(确切地说,成员中的大多数),都将从维护其登记簿中获益。这个登记簿的作用在于,能够防止人们雇用那些被协会宣布为声誉不佳的业内成员作为专家证人,而这一作用又会增加该协会的声望。这也会增加声誉卓著的协会成员的咨询收入,因为这减少了声誉不佳的业内成员的竞争力。因此,维护这样一个登记簿的激励同任何其他形式的职业自律是一样的:减少因一个业内成员的不良行为给其他成员带来的外部成本。

第二个措施是,可以要求传唤某一专家担任证人的律师披露,在确定此人之前,其所接触的、作为潜在证人的所有专家的名字。这会使陪审团警惕"选购证人"的问题。假定,原告方的律师雇用的都是他会见的第一位经济学家、农艺师、物理学家、医师,等等,而被告的律师雇用的都是他会见的第20位专家。那么,从这一模式得到的一个合理的推论就是,被告在本案中的处境要比原告不利。这就相当于对一个假设进行了20次统计检验,然后报告说:只有一次满足了所检验的假设(也就是说在5%水平上显著)。

第五编

经验主义

第十三章

计算,尤其是计算引证

定量研究文献(quantitative scholarship)的匮乏,已经成为了包括法律的经济分析在内的法律研究的一个严重缺陷。当既无法通过无论是人为的还是自然的实验来检验假设,也无法严格参照统计推断的惯例来估量结果的时候,就会臆测横生而知识凋零。这并不是说,非定量的法律制度经验研究毫无价值;最近这些年,在这一脉中已经做了许多有价值的工作。[1]许多从法律经济分析的角度对法律规则的研究,在精神上是经验主义的,也是非定量的。[2]也有相当数量的法律研究是定量研究,其中大部分依据的都是如今非常充足的有关提起和判决的案件的数据;我本人就作过一些这样的工作。[3]在第3章,我还介绍了经济平等同政治和法律正义之间关系的定量研究。还有一个根据统计数据检验边沁-贝克尔犯罪模型(参见第

---

[1] 一个例证就是罗伯特·埃利克森(Robert Ellickson)所作的关于规范引导的行为 (norm-guided behavior)的脍炙人口的田野研究,参见我在第9章引用过的:*Order without Law: How Neighbors Settle Disputes* (1991).

[2] 例如,参见,William M. Landes and Richard A. Posner, *The Economic Structure of Tort Law* (1987).

[3] 例如,参见,Richard A. Posner, *The Federal Courts: Challenge and Reform*, pts. 2-3 (1996); Posner, "Explaining the Variance in the Number of Tort Suits across U.S. States and between the United States and England," 26 *Journal of Legal Studies* 477 (1997).

1章)的详尽文献。[4]行为主义的法律经济学就其重点而言显然是经验主义的——这一标志是其优势所在,尽管有人,正如我在第8章所作的那样,对其某些方法和结论提出了质疑。法律社会学家也作了大量有价值的经验研究工作,其中许多都是定量的。[5]但是,法律领域中定量经验研究的数量,就比例而言,不仅与其他法律研究的数量相比微乎其微,而且与定量方法为阐明那些迄今为止仍很棘手的问题所提供的机会相比,也是微乎其微。让我来举一个例子。

就所服务的人口数和法官席位的数量而言,美国第九巡回上诉法院,是迄今为止最大的联邦上诉法院:法官席位有28个,相比之下,第二大巡回法院(第五巡回上诉法院)的法官席位只有17个。该法院也是一个备受争议的法院,在某些方面被认为是最为反复无常的联邦上诉法院。批评家们常常把第九巡回上诉法院的问题归结为规模太大,而且目前国会正在酝酿一场运动,要将之一分为二,大概是作为一个更大的巡回区边界重组计划的一部分。国会设立了一个联邦上诉法院重构委员会(Commission on Structural Alternatives for the Federal Courts of Appeals)来研究分割和重组等相关问题,而且虽然该委员会表示反对分割,[6]这一问题仍在继续恶化。

有两个理论上的理由,认为在其他条件相同的情况下,一个像第九巡回法院那样庞大的法院的表现,不如一个较小的法院出色。第一个理由是,任期终身制和司法补偿机制实际上使联邦法官不会因通常的激励而努力和出色地工作,如果这些联邦法官能够"忠于职守",主要原因是司法规矩和司法约束这些非正式规范;而非正式规

---

[4] 这一文献的摘要,参见,Isaac Ehrlich,"Crime, Punishment, and the Market for Offenses," *Journal of Economic Perspectives*, Winter 1996, pp. 43, 55–63; D. J. Pyle,"The Economic Approach to Crime and Punishment," 6 *Journal of Interdisciplinary Studies* 1, 4–8 (1995).

[5] 对于这一文献的简要评论,参见我的:*The Problematics of Moral and Legal Theory* 213–215 (1999).

[6] Commission on Structural Alternatives for the Federal Courts of Appeals, *Final Report* (Dec. 1998).

范,我们从第 9 章的分析可以知道,实施的群体越小才越有效。第二个理由是,第九巡回法院的庞大规模已经导致该法院,根据国会的授权,采取了一个缩减的满席听审(en banc)程序。被接受重新听审的满席听审案件,被分派给由 11 名法官组成的合议庭,包括巡回法院首席法官加上从其余在职法官中随机选出的 10 名法官。由于,对于这个满席听审的合议庭而言,随机选出的只是该法院全体在编法官人数的一小部分,所以,由 3 名决定是蔑视巡回法院的先例或是以其它方式公开表示异议的法官组成的合议庭,就有一个逃离满席听审的合理预期。因为,即使寻求重新审理的满席听审提出来并被批准了,抽签的运气也还是可能导致满席听审的合议庭依然为早先的合议庭成员或他们的同党所主宰。

易于导致司法不负责任的这些因素是否会有损于第九巡回法院的审判质量,是一个需要经验研究的问题,最近,该法院的一个法官尝试着回答了这一问题。[7]费瑞斯(Farris)法官承认,在 1995－1997 年间,最高法院推翻了 48 个而只维持了 7 个第九巡回法院的决定,比任何其他联邦上诉法院在此期间的推翻原判率(reversal rate)都高,[8]但是他随即指出:最高法院"维系了第九巡回法院 1996 年的案子中 99.7％的终局效力"。[9]就评价第九巡回法院这一立场而言,这两组统计数字都毫无意义。第一组数字无意义的原因在于,正如费瑞斯法官指出的,最高法院推翻的原判往往涉及的是不同意见而非对错误的纠正;而第二组无意义(与第一组有关)的原因在于,除了一个很小的百分比外,最高法院既没有能力也没有激励来评价任何联邦上诉法院的决定。所以费瑞斯法官对于支持或是反对其所在

〔7〕 参见,Jerome Farris, "The Ninth Circuit – Most Maligned Circuit in the Country – Fact of Fiction?" 58 *Ohio State Law Journal* 1465 (1997). 还可以参见,Marybeth Herald, "Reversed, Vacated and Split: The Supreme Court, the Ninth Circuit, and Congress," 77 *Oregon Law Review* 405 (1998).

〔8〕 Farris,前注〔7〕,页 1465 和注〔2〕。

〔9〕 同上注,页 1465。这位法官并没有解释,为什么他只限于比较 1996 年。

法院都无所建树,并且随后在其论文中,他反而削弱了自己的第九巡回法院做得相当出色这一结论,因为他拒绝承认如下这一理由:第九巡回法院的决定如此经常地被推翻,是因为其比最高法院更自由派。[10] 倘若这是个理由的话,那么,它就会使如下假设更为有力:最高法院推翻原判的比率与司法质量的判断毫不相干;那么,推翻原判比率之所以不同的理由就在于与最高法院的政治立场是否一致。

所以费瑞斯法官的经验研究不会有什么结果,但是他讨论的问题依然十分重要。让我们来尝试另一条可供选择的经验主义进路,其基础建立在如下事实之上:最高法院的推翻原判有两种不同的类型。较为常见的一种类型是,最高法院批准了调卷令(certiorari),*并且接受案件的完整的要点摘录(briefing)和口头辩论,然后作出最终的决定。不太常见的那种类型是:最高法院批准了调卷令,然后简易地推翻原判,并不进行要点摘录和口头辩论。第二种类型的推翻原判可以恰当地描述为对下级法院的一种谴责:下级法院在这个问题上犯的错误如此明显,以至于根本不需要以要点摘录和辩论来澄清这一问题。

那么,就让我们进一步追问:如果仅仅考察简易推翻原判的比率,那么同其他联邦上诉法院相比,第九巡回法院的表现究竟怎样。这项比较的分母,是前一年为美国法院行政总署(Administrative Office of the U.S. Courts)分类为"有关实质争议(on the merits)"的结案(termination)的总数,因为绝大多数符合进一步考察条件的案件都是从这一总数中选取的(其他的绝大多数案件都是庭外和解、撤诉、因过于琐屑而不予受理或者并入了其他案件)。表 13.1 所列的是 1985 – 1997 年间的数据。

---

〔10〕 同上注,页 1471。

* 调卷令(certiorari):在下级法院的判决受到异议时,向下级法院发出的要求他呈上案件的记录,以便上级法院审查下级法院所作判决的令状或命令。——译者

表 13.1 最高法院简易推翻原判,各巡回法院,1985－1997

巡回法院	推翻原判数	实质争议结案数	推翻原判的百分比
第九	15	48 669	0.030820
第六	7	28 714	0.024378
第十	4	16 712	0.023935
第八	4	22 957	0.017424
第十一	4	33 400	0.011976
第五	2	39 278	0.005092
第二	1	19 732	0.005068
第三	1	21 869	0.004573
第四	1	29 218	0.003423
第七	0	18 662	0
哥伦比亚特区	0	9 748	0
第一	0	9 425	0
总数	39	298 384	

正如批评第九巡回法院的人们预计的那样,也正如我在这部分讨论开始时所引用的那些简单理论观点表明的那样,第九巡回法院为最高法院简易推翻原判的比率是最高的。即便我们用作分母的不是实质争议的结案总数而是最高法院批准调卷令的案件总数,也是一样。就简易推翻原判的百分比而言,第九巡回法院是4.98%,而第二高的第六巡回法院是4.05%。但是,这些统计数字到底有多大的置信度,则部分上依赖于第九巡回法院同其他巡回法院在简易推翻原判方面的差异是否在统计上显著。表13.2给出了答案:其中的粗体数字,表示在常规要求的5%水平上统计显著。

表 13.2　各巡回法院间最高法院简易推翻原判率差异的显著度水平，1985－1997

巡回法院	第九	第六	第十	第八	第十一
第九					
第六	0.403				
第十	0.368	0.023			
第八	0.744	0.417	0.340		
第十一	0.942	0.741	0.629	0.304	
第五	0.997	0.949	0.868	0.809	0.676
第二	0.994	0.934	0.854	0.780	0.622
第三	0.996	0.946	0.869	0.809	0.674
第四	0.998	0.967	0.864	0.865	0.785
第七	0.999	0.989	0.947	0.943	0.934
哥伦比亚特区	0.999	0.983	0.935	0.922	0.892
第一	0.999	0.983	0.934	0.920	0.889

表 13.2 显示出，除了第六、第十、第八和第十一巡回法院以外，第九巡回法院同其他巡回法院的简易推翻原判率差异都在统计上显著，同时，第六巡回法院的简易推翻原判率的统计显著度，又比除其他三个巡回法院外的所有巡回法院都高。所以，在第九巡回法院具有简易推翻原判的最差记录的同时，运用对统计显著度的常规检验（参见第 11 章），不可能拒绝如下推断：第九巡回法院比那三个亚军巡回法院"更差"应归因于偶然性。当把分母换成另外一个数字（申请批准调卷令的申请书的数字）的时候，第九巡回法院同除第八、第十和第十一巡回法院外的其他所有巡回法院在简易推翻原判率方面的差异也在统计上显著，这就再一次说明了，第九巡回法院同这些巡回法院没有明显的分别。

但是，现在让我们来展开分析，对另一种类型的推翻原判、亦即非简易推翻原判进行考察。正如前面所解释的，非简易推翻原判并不是一个有力的质量变量，但是也许有某个质量维度。相应的统计数字列在表13.3中。

表13.3 最高法院非简易推翻原判,各巡回法院,1985–1997

巡回法院	推翻原判数[a]	实质争议结案数	推翻原判的百分比
哥伦比亚特区	42	9 748	0.430858
第九	142	48 669	0.291767
第二	51	19 732	0.258463
第八	53	22 957	0.230866
第十	36	16 712	0.215414
第七	38	18 662	0.203622
第六	54	28 714	0.188062
第三	40	21 869	0.182907
第一	16	9 425	0.169761
第四	49	29 218	0.167705
第五	61	39 278	0.155303
第十一	42	33 400	0.125749
总数	624	298 384	

a. 包括部分上推翻原判

这里,第九巡回法院降到了哥伦比亚特区巡回法院之后,列第二位。但是哥伦比亚特区巡回法院的高推翻原判率,无疑反映的是该法院有密度更高的具有全国重要性的案件;第九巡回法院则没有类似的借口为其高推翻原判率开脱。但是,在统计上,第九巡回法院同第二、第八和第十巡回法院在推翻原判率方面的差异并不显著,这也再次表明,支持第九巡回法院的批评家的那些证据是站不住脚的。

现在假定我们考察的只是那些全体一致的非简易推翻原判,从而排除了那些在最高法院推翻原判的决定中意识形态可能起了重要作用的案件。为最高法院以全体一致意见推翻的下级法院的决定,即使经过了完整的要点摘录和口头辩论,也可能是明显错误的,而非仅仅反映了政治分歧。表 13.4 给出了不同上诉法院的数字。第九巡回法院再次拔得头筹,而且这一次高于所有其他巡回法院的差额在统计上显著。

表 13.4 最高法院全体一致的非简易推翻原判,各巡回法院,1985-1997

巡回法院	推翻原判数	实质争议结案数	推翻原判的百分比
第九	38	48 669	0.078078
第十	11	16 712	0.065821
哥伦比亚特区	6	9 748	0.061551
第七	11	18 662	0.058943
第六	15	28 714	0.052239
第八	11	22 957	0.047916
第三	10	21 869	0.045727
第五	14	39 278	0.035643
第四	10	29 218	0.034225
第一	3	9 425	0.031830
第二	6	19 732	0.030407
第十一	10	33 400	0.029940
总数	145	298 384	0.048595

从 13.1 到 13.4 的列表并不是结论性的,但是这些列表为我们提供了一些根据,使我们确信:第九巡回法院的批评者的确是看到了

一些问题。[11]

更为一般的兴趣的是:这些数据暗示了简易推翻原判与巡回法院规模之间有关系。当我们把表 13.1 中所列的简易推翻原判的百分比对每个巡回法院的法官人数做回归时,相关性(correlation)为正,并且在 5% 水平上显著(t 值是 2.23),调整的确定系数是 0.27。*法官席位变量的系数暗示,上诉法院法官席位每增加一个,简易推翻原判的百分比就会增加 0.00168 个百分点,这个变化尽管很小但也绝非微不足道,因为第四巡回法院的简易推翻原判的百分比只有 0.0034 个百分点,更何况还有三个巡回法院的简易推翻原判的百分比为零。这暗示着,司法质量控制的难题,恰如理论所预见的,确实是随着法院的规模而增加的。即使我们改变这一检验,比较每个巡回法院简易推翻原判与批准调卷令的案件数量——与此相对的是实质争议结案总数,这个暗示也仍然存在。简易推翻原判的百分比与法官席位数仍然正相关;这一相关性在 4% 水平上统计显著(t = 2.33),调整的确定系数是 0.29。最后,如果将全体一致的非简单推翻原判的百分比对法官的数量回归(表 13.4),还是会得到一个正相关:在 7% 水平上显著(t = 2.07,调整的确定系数是 0.23);如果,依照法院规模对司法表现的影响很可能随规模扩大而增加这一理论,自变量是法官席位的平方,那么,显著度水平就会增长到 4% (t = 2.33,调整的确定系数是 0.29)。

一个"自然"实验为如下观点提供了进一步的证据:法官席位数的增加与司法质量的降低是相关的,后者表现为最高法院的简易推

---

[11] 这一问题的其他统计证据,可以在最近的对在各联邦上诉法院代理案件的律师所进行的调查中发现。在这些有经验的诉讼参加人中,25% 的人声称他们常常难以预测在第九巡回法院的上诉结果,而这一比例比所有其他上诉法院的都高。"Survey of Appellate Counsel," in *Working Papers of the Commission on Structural Alternatives for the Federal Courts of Appeals* 79 (Federal Judicial Center, July 1998.)

* 对于"相关性"、"正相关"、以及后文出现的"负相关(negative correlation)",参见,李沛良:《社会研究的统计应用》,社会科学文献出版社 2001 年版,页 68 – 71。——译者

翻原判的数量。在1981年,当时有26个法官席位——几乎同今天的第九巡回法院同样多——的第五巡回法院,被分割为两个规模大体相当的法院(第五巡回法院与第十一巡回法院)。1997年全年,这两个被分割的法院的简易推翻原判率之和是0.000146;分割前的五年中,第五巡回法院的推翻原判率是0.000597。这个差异在统计上显著。

更有启发性的,是运用引证分析(citation analysis)、特别是以计算"其他法院"引证的形式,讨论有关一般的法院规模问题和有关特定的第九巡回法院的绩效问题。我将在本章第二部分以更大篇幅讨论引证分析;眼下只要说如下这一点就够了:度量法官或者法院决定质量的一个尺度,是其决定为那些并无因遵循先例之要求而负服从其之义务的法院的引用频次(frequency)。在联邦上诉法院,这个评价方法很容易通过审核其他联邦上诉法院对要考虑的上诉法官或者上诉法院的引证来实现,并且可以摆正如下事实:法院越大,引用该法院决定的"其他法院"的法官越少。运用这一方法,威廉·兰迪斯(William Landes)、劳伦斯·莱希格(Lawrence Lessig)和迈克尔·索洛明(Michael Solimine)得出:就决定的质量而言,第九巡回法院在13个巡回法院中排第11位;而联邦巡回法院(Federal Circuit)排位最末,原因可能在于其高度专门化的司法管辖。在地区巡回法院中,第九巡回法院在12个巡回法院中排第11位(第12位是第六巡回法院)。甚至华盛顿特区巡回法院(排第10位),这个尽管比最高法院为小、但同样是专门化的巡回法院,也排在了第九巡回法院的前面。[12]

还是使用引证分析,让我回到更具有一般性的问题:一个法院的法官数量对于该法院产出质量的影响。一个较早的对联邦上诉法院

---

[12] William M. Landes, Lawrence Lessig, and Michael E. Solimine, "Judicial Influence: A Citation Analysis of Federal Courts of Appeals Judges," 27 *Journal of Legal Studies* 271, 318 (表5) (1998). 又参见,前引书,页277(表1) 332。但是,该研究使用的是一个稍微不同的样本,使第九巡回法院得到了其他法院引证的平均数。参见,前引书,页331(表A4)。我在本章的其他地方将这一研究称作"LLS"。

的研究发现,随着法院所属法官的数量上升,以其他法院的引证来衡量的产出就下降了。[13] 并且,将 LLS 研究中的其他法院的引证数据对每个巡回法院的法官席位数回归,可以得到一个几乎达到了 95% 置信度水平的统计显著度的负相关。[14] 这是一个额外的证据,证明上诉审法院(appellate court)的法官数量增加会降低该法院决定的质量,该证据于是暗示了,第九巡回法院的问题可能是体制性的(systemic),而不应归因于任命过程的偶发事故。

一个更为系统区分两种假设——第九巡回法院相对于其他巡回法院的差劲表现,是应归因于其规模,还是归因于无关因素,比如委任质量——的尝试体现在表 13.5 中。将最高法院简易推翻原判率对一些潜在的解释变量(不仅是法官席位数和法官席位数的平方这些我们感兴趣的特定变量)回归,并且对每个巡回法院的虚拟变量(表示由于巡回法院的其他特点而引起的质量影响)回归。[15]

---

[13] *The Federal Courts: Challenge and Reform*,前注[23],页 235-236 和表 7.7。

[14] 统计量 t 的值是 -2.091,调整的确定系数是 0.25。

[15] 对那些没有被简易推翻原判的巡回法院的巡回法院虚拟(dummy)被省略了。表中未能给出第二巡回法院的虚拟变量的标准误(standard error),是因为统计方案(Stata version 5)中的一个莫名其妙的小故障。每一年被视为对每个巡回法院的一个单独的观察(observation),因而观察的总数是 156。

表 13.5 最高法院简易推翻的每个实质争议结案数对法官席位变量、巡回法院虚拟变量和其他变量的逆正函回归(probit regression)，[*] 1985—1997

变量	系数	标准差	P值
法官席位变量	4.9040	3.0353	0.106
法官席位的平方变量	-0.1888	0.1126	0.094
第二巡回法院虚拟变量	4.5805		
第三巡回法院虚拟变量	4.2690	0.2984	0.000
第四巡回法院虚拟变量	4.7963	0.4858	0.000
第五巡回法院虚拟变量	5.8646	1.3437	0.000
第六巡回法院虚拟变量	6.2084	0.7008	0.000
第八巡回法院虚拟变量	5.7619	1.0033	0.000
第九巡回法院虚拟变量	46.4215	23.8682	0.052
第十巡回法院虚拟变量	5.9558	0.5556	0.000
第十一巡回法院虚拟变量	4.6442	0.6972	0.000
实质争议结案数	0.0009	0.0007	0.197
登记的调卷令申请	-0.0015	0.0018	0.399
批准的调卷令申请	0.0963	0.0372	0.010
常量	-40.0116	20.7634	0.054
观察的总数	156		
对数拟然比	-51.1906		
伪决定系数	0.375		

法官席位变量的系数在 95% 置信度水平上不显著，而在(或者非常接近)90% 置信度水平上显著。[16] 但是，这些系数意味着，规模对于简易推翻原判率的正向效果，最高可以达到 12.98，这就暗示

---

[*] 逆正函回归，参见，李沛良：《社会研究的统计应用》，社会科学文献出版社 2001 年版，页 315。——译者

[16] 在只有 80% 的置信度水平上，对两个法官席位变量都是零这一假设的 F 检验拒绝了这一假设。

出,第九巡回法院出奇的高简易推翻原判率并非来自其出奇的庞大规模。尽管是实验性的,我仍然得出了如下结论:(1)增加法官席位往往降低法院产出的质量;(2)第九巡回法院被最高法院推翻原判率之所以出奇的高,(a)大概不是一个统计上的偶然,(b)也不简单是该巡回法院的法官数量庞大的产物。

司法裁决(法律制度的核心实践活动)和法律研究都是有大量引证的活动。我希望在本章的其余部分表明,通过充分利用引证索引中包含的丰富数据,我们可以检验有关法律制度的经济学假设,改进我们有关司法裁决和法律文献的知识,最后达成法律事业中这两部分的共同改进。我们已经看到了,引证分析是怎样有助于回答法院规模与其产出质量之间的关系这一问题的。

计算引证——主要是法律案件中对其他法律案件的引证和学术杂志中对学术著作的引证——已经成为法律、经济学、社会学(特别是科学社会学)和学术管理的经验研究的一个重要方法。由于计算机化的发展,这一方法有了极大的进展。[17]当然,某种特定的研究易于从事这一事实,并不能解释,为什么有人想要从事这项研究。低

---

[17] 自然科学(《科学引证索引[Science Citation Index]》)、社会科学(《社会科学引证索引[Social Sciences Citation Index]》)和人文学科(《人文科学引证索引[Arts and Humanities Citation Index]》)的计算机化数据库已经由科学信息研究所(ISI)出版发行。此外,还有关于法律的计算机化数据库。西方出版公司(West publishing Company)拥有司法意见和法律论文的出色的计算机化数据库。最初的法律引证服务,《谢巴德引证[Shepard's Citation]》,实际上是 ISI 引证的灵感来源。Laura M. Baird and Charles Oppenheim, "Do Citations Matter?" 20 *Journal of Information Science* 2, 3 (1994). 亦参见, Fred R. Shapiro, "Origins of Bibliometrics, Citation Indexing, and Citation Analysis: The Neglected Legal Literature," 43 *Journal of American Society for Information Science* 337 (1992). 万维网也是引证分析的潜在的数据资源;例如 Alta Vista 和 Google 之类的搜索引擎可以用来计算指定的个体、书籍或者论文的"点击率(hits)"。参见, William M. Landes and Richard A. Posner, "Citations, Age, Fame, and the Web," 29 *Journal of Legal Studies* 319 (2000); Marcy Neth, "Citation Analysis and the Web," 17 *Art Documentation* 29 (1998).

成本仍不足以解释;还必须有收益——无论如何,采取一种而放弃另一种研究方法的机会成本都是不低的。引证分析的增长,主要是因为它为那些非常难于进行定量研究的现象提供了一种定量分析的方法,诸如声誉、影响、威望(prestige)、名望(celebrity)、基于先例的决定(decision according to precedent)、学术产出的质量、杂志质量以及学者、法官、法院和大学院系的生产力等现象。[18]

引证分析并非天然是经济学的。它是一系列学科都可用的一种经验主义方法学。但是我们将会看到,一个经济学框架会促使其运用更为精确。的确,经济学家发展出的人力资本模型,对于使用引证分析来比较和评价无论是法官还是学者的个体表现,都是不可或缺的。

引证就是提及以前的作品,出版的,未出版的,或者仅仅是某一作者名下或其他人名下的。引证在许多文件形式(电子的和印刷的)中都很显著,包括专利、报纸与杂志文章、学术杂志与学术书籍,以及——判例法制度中,比如美国和英国制度中的——司法意见。如果引证是随机的,研究引证惯例(citation practice)就没有意义;事实上,就不会有引证的惯例。但是,如果引用不是毫无成本的——有如何发现引证的麻烦,也有因误引或者未引而遭受批评的可能性——随机引证就会是令人吃惊的,并且也有证据证明引证不是随机的。值得注意的是,引证数已经成为获得较高学术荣誉(比如自然科学中的

---

[18] 时至今日,引证分析的文献已经很广,我就不再尝试详尽无遗地引证了。其先驱是科学社会学家。例如,参见,Robert K. Merton, *The Sociology of Science: Theoretical and Empirical Investigations*, pt. 5 (Norman W. Storer ed. 1973). 很不幸,像一本书一样长的讨论,现在已经过时了,参见,Eugene Garfield, *Citation Indexing – Its Theory and Application in Science, Technology, and Humanities* (1979),但在下面这篇文字中有所更新,Garfield, "From Citation Indexes to Informetrics: Is the Tail Now Wagging the Dog?" 48 *Libri* 67 (1998). 在前注中引用的 Baird 和 Oppenheim 的论文,提出了该领域的一个出色的一般性看法;对于科学引证,参见,Dirk Schoonbaert and Gilbert Roelants, "Citation Analysis for Measuring the Value of Scientific Publications: Quality Assessment Tool or Comedy of Errors?" 1 *Tropical Medicine and International Health* 739 (1996).

诺贝尔奖)的可靠预测器。[19]

引用的若干原因闪现在我的头脑之中。第一个原因在历史编纂学中占有优势地位,就是要鉴别信息的来源,以便读者可以核实引用作品陈述事实的精确性。[20]第二个原因与前一个原因密切相关,是要通过注释来合成一个信息体,也就是将读者导向一个如果他有兴趣就可以发现这些信息的地方。让我们把这两个引用的原因并成一个:"信息"。我强调的是,"信息"要作宽泛理解,就像接受思想、论点以及事实那样。信息引证的动机只是为了回应对信息的需求。

下一个引用的原因被我叫做"优先"(priority),是承认引用作品使用的思想、论点或(在专利申请中引证"先有技术"(prior art)的情况下)技术的作者身份,来表明服从任何反剽窃的适用规范。在科学和社会科学领域,法律部分除外,大多数引证都是"优先"引证。严格地讲,优先引证是信息引证的一个子集;优先是提出论点、发现思想、发明产品或工艺的优先。但是鉴于作者是在没有激励的情况下作出信息引证的,只是为了使自己的作品对读者更有价值,所以,在反剽窃规范的约束下,他是勉强作出优先引证的(除非是对他自己!)。

---

〔19〕 参见如下作品的注释, Gregory J. Feist, "Quantity, Quality, and Depth of Research as Influences on Scientific Eminence: Is Quantity Most Important?" 10 *Creativity Research Journal* 325, 326 (1997), 以及 Blaise Cronin and Taylor Graham, *The Citation Process: The Role and Significance of Citations in Scientific Communication* 27 (1984); 比较, C. Y. K. So, "Citation Rankings versus Expert Judgment in Evaluating Communication Scholars: Effects of Research Specialty Size and Individual Prominence," 41 *Scientometrics* 325 (1998); Paul R. McAllister, Richard C. Anderson, and Francis Narin, "Comparison of Peer and Citation Assessment of the Influence of Scientific Journals," 31 *Journal of the American Society for Information Science* 147 (1980). 正如本章稍后所指出的,对杰出法官的引证研究得出的结果同司法声誉的更为常见的、定性上的标记是一致的。

〔20〕 "历史学的脚注所列举的并非那些伟大的作者——他们支持一个特定的陈述或者他们的话为某个作者创造性的改用,而是一些文件——它们中的许多或者大多数根本不是文本(literary text),但是提供了其主要的成分。" Anthony Grafton, *The Footnote: A Curious History* 33 (1997).

绝大多数自我引证(self‑citations),要么是为了通过注释引入包含在引证者的其他作品中的信息,要么是为了建立自己较早作品对其他作者的较晚作品的优先权。对引证分析的一种担心在于,随着引证分析变得更为常见,引证行为会成为一种策略,于是作者会更多地引证自己,以增加其引证数。但是,这类精心策划是不能成功的,因为在计算一个人的作品引证时,要排除自我引证很容易。互惠引用(reciprocal citing)是更为严重的问题。人们可以设想,在学术盟友之间会有非正式的交易,通过大量互相引用来彼此抬高声誉。并且确有一些这类的证据:杂志编辑在他们编辑的杂志中采用的那些引证,如果他们不是编辑的话,就不会采用——引证只是为了增加出版的可能性。[21]

另一个常见的引用原因,是要指出作者不同意的作品或者个人。这类引证("否定引证"[negative citation])的动机并不在于反剽窃规范,而在于建立引证者作品之语境的需要。不引自己的反对者,就像是评论一本书的时候,没有指出该书及其作者的名字一样。

引用的另一个原因,在法律和其他"威权主义"制度——比如,等级制的教会和极权主义国家(想想在纳粹德国时期对《我的奋斗[Mein Kampf]》的引证,还可以想想社会主义国家对马恩著作的引证)——中尤其重要,目的在于给引用作品中的陈述提供权威基础。我将之称做"权威"引用("authority" citing)。在判例法制度中,以前决定的案件为在当下的案件中得出某一特定结果,提供了一个独立于分析功效的原因,并且对这一先例的引证也是对该权威的援引。即使在该引证是在试图区分或否定该先例的时候,也是如此。这类引证的动机在于,不得不偏离或放弃这一先前案件的权威,以便得到

---

[21] 参见, Lydia L. Lange and P. A. Frensch, "Gaining Scientific Recognition by Position: Does Editorship Increase Citation Rates?" 44 *Scientometrics* 459 (1999); Richard A. Wright, "The Effect of Editorial Appointments on the Citations of Sociology Journal Editors, 1970–1989, 25 *American Sociologist* 40 (1994).

想得到的当下案件的结果。但是,许多司法决定与其说起到与权威有关的作用,还不如说起到信息的作用;它们是作为对法律教义、雄辩的论证、相关思想或政策的有力表达之速记而引用的。很少有司法引证是"优先"引证,因为在司法判决中并没有任何反剽窃规范。在这方面,法律中的情形类似于在创造性被定义为原创性之前的文学中的情形。[22]

引用的最后一个原因,我称之为"名望"(celebratory)引用,位于信息引用和权威引用之间。促使人们引证被引作品的特点,是该作品的威望或者声誉。[23]通过将这些知名作品同引证者自己的作品联系在一起,就提高了引证者自己作品的可信性。(请注意这种形式的引证同"证词"的说服之间的关系,对此参见第10章的讨论)。

这样,引证可以表示:一个对于优先或影响的承认,一个有用的信息来源,一个分歧的焦点,一个对支配性权威或者被引作品及其作者的威望的承认。引用原因的异质性使得难以用引证来衡量影响或质量。要看清这一点,就要区别引用的原因和引用的动机。[24]许多自我引证的动机来自于自我强化的欲望,或者纯粹是来自于懒惰——一个人引用自己作品的发现成本,要比引用他人作品的发现成本为少。引证他人作品的某些动机来自于取悦于被引作品作者的欲望,这类作者可能处于某个有助于引证者事业的位置上或是被引作品的某个潜在杂志评审人。还有一些引证他人作品,动机或者来自于虔诚,或者来自于感激,或者来自于表现博学多才的欲求。我在前

---

[22] 参见,Richard A. Posner, *Law and Literature* 389 – 405 (revised and enlarged ed. 1998)。

[23] 这可以类比于对产品的名望背书(celebrity endorsements),参见,Jagdish Agrawal and Wagner A. Kamakura, "The Economic Worth of Celebrity Endorsers: An Event Study Analysis," 59 *Journal of Marketing* 56 (1995)。

[24] 少有的对于引用动机的研究,参见,Peiling Wang and Marilyn Domas White, "A Qualitative Study of Scholars' Citation Behavior," 33 *Proceedings of the 59th ASIS Annual Meeting* 255 (1995)。

面还提到过互惠引证的可能性。可以想见,在一个高度竞争的学术领域,年轻学者尤其可能不愿引用自己的同侪,而宁愿引证那些不再同其竞争的死者。由于错误引用的成本通常很低(主要的成本是,遭到诸如错引或未发现最适于引用的作品之类的批评),所以有许多粗心大意的引用;因而引证的定量研究必定要包含许多"噪音"。但是数据的不完美没什么新奇;没必要(正如我们将看到的)废止有益的统计分析;而且对不负责任的引用也有一些竞争性约束,因为与之竞争的学者都有激励来揭露这类行为。

即使所有引者都小心谨慎和毫无差错,甚至在删除像自我引证这类明显失真的信息来源之后,引证的异质性也会令简单加总变得容易造成误导。举个例子来说,我们假定,某学术部门依据某学者的学术著述被引数量决定是否给其终身教职的一个因素。进而假定,终身教职的首要评判标准是原创性。被考虑的个人可能获得了一大堆的引证,但是如果这些引证绝大部分在性质上都是信息引证(或许他写了一系列综述文章,为以前的作品提供了便利的摘要),清点他的被引证数对于他是否合适授予终身教职而言,就造成了一个令人误导的印象。

这种情况要比大量的否定引证某人作品的可能性是一个更大的失真来源。无足轻重的作品更可能被忽略,而不是被引用。一个否定引证常常显示出某一作品给批评家留下了深刻印象,或许是因为它对既定的思考方式形成了有力的挑战。

引证在质量上和种类上都是异质性的。比起在学术引证中引证某学者的作品,报纸引证该学者更好地表现了其作品具有大众吸引力,但是学术引证更好地表现了一部作品具有的学术品格。某一引证是著名学者作出的,或者是出现在一本高质量的杂志上,比起不著名的学者和不著名的杂志,都更好地体现了被引作品的质量。对于权威案件,同一法院或是下级法院的引证(对它们来说这个被引案件是权威性的),相对于上级法院或同级法院引证此案(因为遵循先例,并不要求这些法院必须服从、区分或以其它方式参考这一被引案件),前者只是尊重或关心被引案例及其作者的一个较弱的信号。

而且,引证某学术作品或司法意见的数量,可能反映的是一些完全偶然的因素(adventitious factors),特别是潜在引者的规模和特定学科的引用惯例;[25]这些偶然因素可能使跨领域的和(由于杂志数量的增长)跨时间的比较变得毫无意义。甚至只是在一个领域内,专业化程度的差异也能够搅乱引证比较;在其他条件不变的情况下,较为专业化的作品常常比较为一般化的作品(比如综述文章)更少被引用——潜在的受众更少。同样,比起实质性作品(substantive works),方法论方面的文章和涉及程序问题的司法意见,往往引用更为频繁,因为这些作品具有更广泛的适用领域。

被引作品的创作年份不同也给比较制造了困扰。作品越老,积累引证的时间必然就越长,但是引证的数量往往会逐步降低,因为人们的兴趣离开了被引作品的主题,或者是因为出现了更新换代的替代品。因为,同有形资本(physical capital)储备一样,学术活动或者司法活动创造的知识资本(knowledge capital)储备也都是耐用品,都会贬值。在解释一个作品的被引数量时有一个更大的难题,就是难以在如下的两类作品之间作出经验区分:一类是因其已然完全贬值而不再被引用,另一类作品则因其影响深远,以致于如今谈论其思想时已经无需再引证该思想首次出现的作品,甚至常常无需提及作者的名字(相对论,或者进化论,或者消费者剩余的概念)。[26]对亚当·斯密或者杰罗米·边沁的著述计算引证一定会导致低估其影响,而且边沁的情况还有另外的原因:在他有生之年只出版了很少一部分作品,

---

[25] "那些在脚注中显示自己学问的博学的学者们(或对或错的同一个较为古老的日耳曼传统联系在一起),几乎并不记录那些作用于其身的强大的智识影响。那些表面上随便的学者(必定是在剑桥牛津训练出来的),认为名字之外的引证是迂腐的表现,他们连名字都宁愿拼错。"George J. Stigler and Claire Friedland, "The Citation Practices of Doctorates in Economics," 83 *Journal of Political Economy* 477, 485 (1975).

[26] "革新者的作品是被其他人所公认和使用的。当我们根本不再引用的时候,或许影响是最为强大的。"同上注,页486。

他的影响大部分是来自与那些成为其追随者的私人交往,并且通过这些人的著述传播开来。[27] 因而引证分析,唉,也就无法回答我们在本书第1章讨论的边沁的影响这个难题。

与此有关的一点是,引证率(citation rates)的差异可能放大了,因为引用者的信息成本会随着一部作品被引次数的增多而下降。[28] 一部作品越是经常被引,就变得越为人们熟悉,相比于那些不常被引因而不大为人所知的作品,也就减少了回忆和查找的成本。这是一种网络外部性(network externality),类似于拥有的订户越多,电话服务就越有价值,或者类似于知道的人越多,一个新词就越有价值。

理解这一点的另一种方法是把引者当作竞争性"品牌"的购买者,并且,既然不用向被引作品的作者支付任何引证版税(citation royalty),所以品牌越是知名,引用该品牌就越是比引用其它替代品更为廉价。约翰·罗尔斯的初始位置(original position)和无知之幕(veil of ignorance)就是标准的这类引证,尽管约翰·哈桑尼(John Harsanyi)更早就解释过这些概念。[29] 哈桑尼不如罗尔斯有名气,因而引他就"贵了点"。引用更有名气的作品无论对于引者还是其受众而言,成本都更低:引证人们熟知的作品会传递更多的信息。因而生硬地比较对罗尔斯和对哈萨伊的引证数量,就会夸大相对的质量、原创性甚或这两位理论家的影响。

---

[27] 使用引证分析来测量智识影响这个难题,在如下作品中有很出色的讨论:Harriet Zuckerman, "Citation Analysis and the Complex Problem of Intellectual Influence," 12 *Scientometrics* 329 (1987).

[28] 比较,Moshe Adler, "Stardom and Talent," 75 *American Economic Review* 208 (1985).

[29] 在我看来这是公认的,虽然有点勉强,参见 John Rawls, *A Theory of Justice* 118 n. 11 (1971), 引 John C. Harsanyi, "Cardinal Utility in Welfare Economics and in the Theory of Risk – Taking, 61 *Journal of Political Economy* 434 (1953).

由于上述原因以及其他一些原因，[30] 要列出被引最多的法官或者被引最多的学者并且认为这样就开发了有意义的数据,是荒谬的。但是,这并没有致使引证分析是荒谬的。引证分析的批评家经常未能注意的是,如果数据误差相对于有意思的变量(比如研究质量或影响)是随机分布的,倘使数据样本很大,那么这些误差就不会导致研究结论失效。[31] 与此有关的一点是,均等地使两组比较的数据都产生偏差(bias)的那些误差,并不会使比较本身产生偏差。[32] 举例来说,如果问题是:某个特定的学者或者杂志在 1999 年是否比在

---

[30] Anthony J. Chapman, "Assessing Research: Citation – Count Shortcomings," *The Psychologist: Bulletin of the British Psychological Society* 336, 339 – 341 (1989),列出了运用 ISI(参见前注[17])出版的引证数据来评估研究的质量和影响会遇到的 25 个难题。我讨论了该文中的那些主要的难题,但是列出所有 25 个难题或许也是有益的。查普曼用的词是,"Some journals not considered"; "Exclusion of citations in books"; "Bias toward applied research"; "Psychology is in [both] the SCI [*Science Citation Index*] and SSCI [*Social Sciences Citation Index*]"; "Referencing [i.e., citing] conventions"; "Inclusion of letters, abstracts, book reviews"; "Prestige of publication outlets"; "One 'citation' even if there is repeated reference to the work"; "First – authors only [i.e., only the name of the first – listed author to a coauthored work is indexed]"; "Cross – disciplinary comparisons; and psychology's multi – dimensionality"; "Comparisons of individuals; and 'straight' *versus* 'complete' counts"; "Social factors influence choice"; "'Stars' are overwhelming"; "Name – initial homographs"; "Bias against some married women [if they have published under more than one name]"; "Bias against newcomers"; "Few to cite in a narrow speciality; and self – citations"; "One person – several alphabetical entries"; "Human errors at ISI"; "Obliteration by incorporation"; "Methods/recipe papers – spuriously inflated citations?"; "Citation does not necessarily denote approval"; "Citation without knowledge"; "Quantity is not quality"; "Citations reflect existing recognition."还可以参见,Cronin and Graham, 前注[19],页 63 – 73; Michael H. MacRoberts and Barbara R. MacRoberts, "Quantitative Measures of Communication in Science: A Study of the Formal Leve," 16 *Social Studies of Science* 151 (1986). 查普曼承认,对引证分析的某些批评或许是由于一部分学者的酸葡萄心理:这些学者发现自己被引用的不多。Chapman,同上,页 342。

[31] Stephen M. Stigler, "Precise Measurement in the Face of Error: A Comment," 17 *Social Studies of Science* 332 (1987).

[32] 同上注,页 333。

1989年被引用次数更多,那么,会令每一年的数字都失真的那些误差中,就有许多都可以因对这一比较毫无影响而予以忽略。所有这些观点都并未否认,在引证的合并、修正和解释的方法中,细心(care)具有非常重要的意义。在解释迄今为止出现的引证分析的两个主要用途——作为管理工具的引证分析和作为假设检验手段的引证分析——的过程中,我将举例说明那些关键调整。[33]

当一个企业生产的商品是在一个明显的市场出售时,评价该企业的产出是直接的,而且一般来说也能够确定该企业的雇员和其他供应者对该产出的贡献。但是,并非所有企业都是如此。两个显著的例外是研究型大学和上诉审法院。这两类企业的主要产出都是未出售的出版物。有些人认为,这在某种程度上预先排除了以市场术语来分析这些机构之产出的可能性。[34]经济学家会倾向于不赞同这一观点。经济学家往往相信,大学教师和法官在基本的品味和动力上同其他人并无大的差别,而且大学和法院也同样受到要求活动经济有效的预算约束的限制。正如我们在本章开头部分看到的,对于学术的和司法的生产力有过很多讨论,不同学者、学术院系、法院和法官之间的比较也有过尝试。难题在于度量,而不是基本的激励和约束。如果这个问题可以解决,教授和法官的市场就可以吸收进通常的劳动力市场。引证分析可以为求得此解作出显著的贡献,而且这对于这类市场中的有效操作以及理解这类市场的运作都非常重要。

联邦政府在最近15年一直在鼓励其研究实验室更多关注具有商业用途的研究。这一政策变化起作用了么?一个关于政府专利的

---

[33] 我并没有讨论为发展对引证内容分析的客观尺度而做的那些努力。例如,参见,John Swales, "Citation Analysis and Discourse Analysis," 7 *Applied Linguistics* 39 (1993).

[34] 对于这一立场的有力陈述,参见,John O'Neill, *The Market: Ethics, Knowledge and Politics* 155–157 (1998).

研究发现,私人专利中确实更频繁地引用了政府研究。[35] 专利局(The Patent Office)有严格的关于引用所谓的"先有技术"的要求,这就让人们有理由相信,专利引证计算可以为了解被引发明的效用提供有意义的、尽管并不完全可靠的信息。[36] 将这一方法用于评价学术的或者其它的研究方案,是直截了当的事。[37]

将一个联邦上诉法院决定的数字同其他上诉法院引证这些决定的数字加权(weighting),就得出了一个衡量司法产出的尺度(正如我们已经看到的),可以用来比较不同法院的生产力。[38] 只要该尺度将未发表的、不能作为先例援引的决定——即使这些未发表的决定是现代上诉审法院的一个重要部分——算作是零,它就不可能是一个完整的尺度。即使未发表的决定并没有创造一个可援引的先例,但也解决了纠纷,做了有益的事情。但是,还是应该可以进行一些调整,从而得出一个全部生产力的数字。并且,当将生产力对不同法院的不同生产函数回归时,要提出改进的建议,正如我在稍后要做的,

---

[35] 参见, Adam B. Jaffe, Michael S. Fogarty, and Bruce A. Banks, "Evidence from Patents and Patent Citations on the Impact of NASA and Other Federal Labs on Commercial Innovation," 46 *Journal of Industrial Economics* 183 (1998). 作者引用了一些此前的有关专利引证的研究。前引书,页185。

[36] 作者尽力核实了这些引证的准确度,并且发现,其中75%是有意义的,其余则基本上是噪音。前引书,页202。贝尔德(Baird)和奥本海姆(Oppenheim)估计,至少有20%的引证是错误的。前注[17],页7。

[37] 例如,参见, A. J. Nederhof and E. Van Wijk, "Profiling Institutes: Identifying High Research Performance and Social Relevance in the Social and Behavioral Sciences," 44 *Scientometrics* 487 (1999); Lawrence D. Brown, "Influential Accounting Articles, Individuals, Ph.D. Granting Institutions and Faculties: A Citational Analysis," 21 *Accounting, Organizations and Society* 723 (1996); Charles Oppenheim, "The Correlation between Citation Counts and the 1992 Research Assessment Exercise Ratings for British Research in Genetics, Anatomy and Archeology," 53 *Journal of Documentation* 477 (1997).

[38] 参见, *The Federal Courts: Challenge and Reform*, note 3 above, at 234; Mitu Gulati and C. M. A. McCauliff, "On *Not* Making Law," *Law and Contemporary Problems*, Summer 1998, pp. 157, 198 – 200, 202.

就变得可能了。

一个更为大胆的将引证作为司法管理工具的用法是,根据其他法院对上诉审法官的司法意见的引证数字给上诉审法官"评级"。LLS 研究就是用这种方法排出了联邦上诉审法官的次序。[39]这里有一些可比性的问题;法官是在不同的时间被任命的,其就职的法院工作量也不同,而且法官的数量和案件的数量都是随着时间的推移而变化的。作者试图通过将其他法院的引证对一些变量回归来克服这些难题,这些变量除了法官本身外,还包括法官的工龄(length of service)、所在法院的工作量、法官任命日期以及其他预期会影响一个平均水平的法官会得到的引证数量的因素。于是这个法官变量的系数就表明了,究竟有多少其他法院的引证应该归于该法官的个人特点,而不是归于那些非特定法官的、影响引证的因素。

既然这些因素不可能被完全控制(特别是,法院工作量构成不同会影响潜在的引证次数,因为案件的数量在不同案件类型中并不恒定),那么这一研究得出的排序至多只能是对样本中法官的相对质量(或影响、声誉——我们还没完全弄清楚所度量的到底是什么)的一个大致指南。尽管如此,比起评价上诉审法官的纯粹定性研究,这也许确为一种改进。正如此前我在关于第九巡回法院的讨论中暗示的,对所有的法院都可以这样评价。

用引证分析给学者排序比给法官排序更为常见,[40]而且在研

---

[39] 参见前引注[12]。对于与之多少有些相似的、不过是对最高法院法官的研究,参见,Montgomery N. Kosma, "Measuring the Influence of Supreme Court Justices," 27 *Journal of Legal Studies* 333 (1998).

[40] 例如,参见,Fred R. Shapiro, "The Most-Cited Legal Scholars," 29 *Journal of Legal Studies* 409 (2000); B.K.Sen, "Ranking of Scientists - A New Approach," 54 *Journal of Documentation* 622 (1998); Michael E. Gordon and Julia E. Purvis, "Journal Publication Records as a Measure of Research Performance in Industrial Relations," 45 *Industrial and Labor Relations Review* 194 (1991); Marshall H. Medoff, "The Ranking of Economists," 20 *Journal of Economic Education* 405 (1989).

究型大学里,这样的分析如今是一个相当广泛使用的、关于教员聘用和晋升问题的管理工具。[41]这是引证分析的天然使用,因为这类大学中教员的主要产出就是发表的研究,而且研究论文被引越多,它就可能越有影响、越重要。可比性问题也必须克服;点数工龄相差悬殊的竞争对象之引证并认为这样可以作出有意义的比较,是荒谬可笑的,除非是年轻的(不一定是在年龄方面,也可以是在进入学术界的时间长短方面)比年长的或许有更多的引证。但是,与为比较不同法官的产出而必须作出的调整相类似的调整,应该是可行的,而这些调整,引证分析就成了聘任、晋升和薪水决定的一个合理的客观基础。在高等院校的管理者被迫为其人事决定而在法院对有关种族、性别或其他歧视性差别对待的指控进行抗辩的时代,对这类决定的客观基础之需要尤其重要。

引证分析可以类似地用来评价学术杂志和学术出版社的影响(并因此可以假定为评价其质量)。[42]杂志的"影响因子"(impact factor)(按照惯例,是用对在第[$t-1$]年和第[$t-2$]年发表于该杂志上

---

[41] 例如,参见,Philip Howard Gray, "Using Science Citation Analysis to Evaluate Administrative Accountability in Salary Variance," 38 *American Psychologist* 116 (1983).

[42] 例如,参见,Geoffrey M. Hodgson and Harry Rothman, "The Editors and Authors of Economics Journals: A Case of Institutional Oligopoly?" 109 *Economic Journal* F165 (1999); Alireza Tahai and G. Wayne Kelly, "An Alternative View of Citation Patterns of Quantitative Literature Cited by Business and Economic Researchers," 27 *Journal of Economic Education* 263 (1996); S. J. Leibowitz and J. P. Palmer, "Assessing the Relative Impacts of Economics Journals," 22 *Journal of Economic Literature* 77 (1984). 用影响因子来加权引证,似乎是双倍计算,因为引证已经被用于加权该杂志了,而且如果该杂志被引用得很多,人们也会认为这就意味着杂志中所引的文章也会被其后的杂志所引用。但是并不必然如此。假定,A 的一篇文章被 B 的一篇发表在被大量引用(因而可以归于高质量)的杂志 X 上的文章所引用。可以认为,B 的文章比其发表在一个低质量的杂志上被引用得更为频繁,但是引用 B 的文章的那些文章并不必然引用 B 所引的那些文章。不过,倘使 B 的文章刊登在了一个高质量的杂志上,B 引用了 A 这一事实仍是支持 A 的一个标志。但是,我们应当注意影响因子这一尺度遭到了如下批评:"完全忽略了杂志的档案影响,对那些天生更为短命的、或者更多是与有关当下问题的辩论而非研究相联的出版物给予了过大的加权。"Stephen M. Stigler, "Citation Patterns in the Journals of Statistics and Probability," 9 *Statistical Science* 94, 98(1994). 一个显著的例子,参见,John P. Perdew and Frank J. Tipler, "Ranking the Physics Departments: Use Citation Analysis," *Physics Today*, Oct. 1996, pp. 15, 97.

的那些论文在第[t]年的引证数除以被引论文数所得的商)可以用于加权学者的引证:将对其作品的引证数乘以发表被引论文之杂志的影响因子。[43]目标在于客观地校正杂志间的差异、以及引证、质量差异。调整了影响的引证不仅可以用于学者个人的排序,而且可以用于院系的排序。[44]

引证在学者排序上的实际效用并不限于学术管理。正如我已经明确表示过的,在教师声称受到了受聘大学的差别对待的情况下,引证分析还可以用来帮助确定:所谓的差别对待是歧视性的,还是因为原告缺少学术上的优异。[45]

引证分析在学术研究中的运用同引证分析在学术管理或者司法管理中的运用,只有概念上的分别,而在实践上是互有重叠的。我在此前所引的专利研究既可以用来评价政府的研究政策,也可以用来检验关于技术转让经济学的假设。[46]对司法引证作法的研究既可以用来评价法院和法官,也可以用来检验关于司法行为的假设和解释司法生产力的差异。

我们需要一些模型为使用引用分析的研究指明方向,我这就提

---

[43] 对于这一程序的批评性讨论,参见,Editorial,"Citation Data: The Wrong Impact?" 1 *Nature Neuroscience* 641 (1998).

[44] 例如,参见,Raymond P. H. Fishe,"What Are the Research Standards for Full Professor of Finance?" 63 *Journal of Finance* 1073, 1077 (1998); Richard Dusansky and Clayton J. Vernon,"Rankings of U.S. Economics Departments," *Journal of Economic Perspectives*, Winter 1998, p. 157.

[45] 引证分析被用于这一目的案例包括:Tagatz v. Marquette University, 861 F.2d 1040,1042 (7th Cir. 1988); Weinstein v. University of Illinois, 811 F.2d 1091, 1093 (7th Cir. 1987); Demuren v. Old Dominion University, 33 F. Supp. 2d 469, 481 (E.D. Va. 1999), and Fisher v. Vassar College, 852 F. Supp. 1193, 1199 – 2001 (S.D.N.Y. 1992), overruled on other grounds, 70 F.3d 1420 (2d Cir. 1995), modified, 114 F.3d 1332 (2d Cir. 1997) (en banc).

[46] 参见,Jaffe, Fogarty, and Banks, note 27 above, at 202 – 203; also Adam B. Jaffe, Manuel Trajtenberg, and Rebecca Henderson,"Geographic Localization of Knowledge Spillovers as Evidenced by Patent Citations," 108 *Quarterly Journal of Economics* 577 (1993).

出3个:人力资本模型、声誉模型和信息模型。第一个模型是最有用的,原因很快就会清楚,我先来尽可能简短地讨论另外两个模型。在声誉模型中,[47]重点建立在这样一个事实之上:声誉是"享誉者"(reputers)为增进本人私利、比如节约信息成本的利益而给予的某种事物。正如我在此前所提示的,这可以产生一个"明星"效应,借此,质量上的微小差异可以形成收益上的、或者在目前情况下就是引证上的巨大差异。[48]通过将网上对首屈一指的学者的"点击率"和报纸对这些学者的引证同学术杂志对这些学者的引证相比较,[49]我和兰迪斯发现名人比学者有更大的明星效应。我们推测,这是一个有关市场的范围的函数。一般公众对法律的兴趣相当有限,因而对于法律学者产出的公共要求,也很容易为一小撮个人能力很高的人物所满足。学术共同体对法律文献有着更为广泛的兴趣,因而重视更多学者的产出。

在信息模型中,引证被构想为创建一个信息储备。分析者可以用这一模型来阐明诸如信息的地理性传播问题,比如我前面所引的专利研究,也可以阐明储备贬值率,例如作为被引作品的一般性、因而也就是对变化环境的适应性的一个函数。一个与之有关的、就特点而言是社会学的而非经济学的进路,则寻求通过鉴别交叉引用的

---

〔47〕 例如,参见,Richard A. Posner, *Cardozo: A Study in Reputation*, ch. 4 (1990).

〔48〕 比较,Sherwin Rosen, "The Economics of Superstars," 71 *American Economic Review* 845 (1981). 默顿从本质上描述了这一效应,将之称为"马太效应"(Matthew Effect). Robert K. Merton, "The Matthew Effect in Science," 159 *Science* 56 (1968). 他论辩说,学者把作者的声誉当作过滤设备,因而会倾向于频繁的引用更为著名的作者,而高于较著名作者的作品质量和不大著名作者的作品质量间的任何实际差别。一个相关的发现是,在校正了其他差异之后,那些使用"匿名"评审("blind" refereeing)(也就是说,没有对评审员披露作者的名字)的杂志要比无匿名评审的杂志更为频繁地被引用。David N. Laband, "A Citation Analysis of the Impact of Blinded Peer Review," 272 *JAMA* (*Journal of the American Medical Association*) 147 (1994).

〔49〕 Landes and Posner,前注〔17〕。

格局来划分思想学派的界限。[50]

在用于劳动力经济学(labor economics)的标准人力资本模型中，收入是作为该工人人力资本投资(亦即他的收入能力)的一个函数。作为在职训练和经验的结果,该工人人力资本的存储在其工作生涯的开始阶段一直增长。但是同其他资本一样,人力资本也会贬值。最后,当新的投资随着工人接近退休而降低到替代水平(replacement level)以下的时候,该工人的人力资本的总储备就会下降。因为,工人的剩余工作生涯越短,工人同其雇主可以用于收回任何新投资之成本的时间就越少。

于是,收入(E)和工作年数(时间，t)的关系就可以表示为 $E(t) = a + b_1 t - b_2 t_2$。其中，$E(t)$作为时间(从刚开始工作到退休的年数)的函数表示年度收入；a是一个独立于人力资本投资的收入项,并且假定不随时间变化而变化；b_1表示因人力资本投资引起的年度收入增加；$-b_2$表示因个人人力资本储备贬值造成的年度收入减少。收入的峰年(t^*)可以通过求$E(t)$对t的微分并令结果为零而得到(假定满足求最大值的其他条件)。经过这一步骤就得到 $t^* = b_1/b_2$。个人收入随人力资本投资增长(b_1)越多,同时工龄(也就是退休的迫近)在减少个人收入方面的作用——由于工龄造成人力资本的贬值,从而导致工人在替换人力资本上的投资减少——(b_2)越小,个人达到其收入峰年的时间就越晚。如果用$E(t)$的自然对数来替换$E(t)$,那么系数(b_1和b_2)就可以解释为增长率。

人力资本引证分析对标准模型的变形,是用引证来代替收入。对那些收入同产出没有很好联系的活动而言,这是一个适当的调整。联邦司法部提供了一个绝好的例子。所有同等级的法官(地区法官,巡回法官,等等)薪水都相同,而不考虑工作的年数、被推翻的原判率、出版司法意见的数量或其它可能为私人雇主用来判断工人边际

---

[50] 例如,参见,Stigler and Friedland,前注[25]。

产品的任何因素。

同样,在许多大学中,教员们的基本工资也总是步伐一致,而且即使在步伐不一致的时候,薪水的差别也总是远比任何对不同教员学术产出之差异的合理估计为小。[51] 一个可能的解释是,一个大学教师的全部收入中也包括名气(fame),[52] 因而不同教师的收入是随着教师的质量或他们作品的差异变化的。科学与技术的区分决定了这一点。"科学的目的在于增加知识储备,而技术的目标是要获取可以从其知识获得的私人租金。"[53] 由于科学家的目标实现取决于完全披露,而完全披露就阻碍了租金的获取,所以科学必须设计一个替代性的补偿办法。"优先规则是一种对科学家支付报酬的特定形式。"[54] 这有助于我们理解,为什么对优先的承认是学术文献的规范——并且承认优先的通常形式就是引证,尽管引证也承认了其他形式的学术贡献。

引证代替收入的经济学模型认识到,收入的变化(variance)并非仅仅是工龄和人力资本投资的一个函数。我用 a 来表示的那个变量描绘了影响产出的其他因素,包括诸如智识、判断和写作技巧这些只是松散地(有时根本不)与训练或其他形式的人力资本投资相联系的质量变量。回想一下,在 LLS 的不同巡回法院司法引证研究中,人

---

[51] 然而,也有证据表明,对一个大学教师作品的引证的次数是其薪水的显著预兆。例如,参见, Raymond D. Sauer, "Estimates of the Returns to Quality and Coauthorship in Economic Academia," 96 *Journal of Political Economy* 855 (1988); Arthur M. Diamond, Jr., "What Is a Citation Worth?" 21 *Journal of Human Resources* 200 (1986). 这大概是因为,学者的名望与学者产出的价值是正相关的。

[52] 参见, Paula E. Stephan, "The Economics of Science," 34 *Journal of Economic Literature* 1199, 1206 (1996). 经济学家方面的这一猜测在经验上的证据体现在, David M. Levy, "The Market for Fame and Fortune," 20 *History of Political Economy* 615 (1988).

[53] Partha Dasgupta and Paul A. David, "Information Disclosure and the Economics of Technology," in *Arrow and the Ascent of Modern Economic Theory* 519, 529 (George R. Feiwel ed. 1987)(省略了脚注)。

[54] 同上注,页531。

力资本模型被用来预测法官产出的差异,那些遗留的(无法解释的)差异,被用来给法官排序,也就是来确定 a 所表示的法官们的相对禀赋。

求 a 的一个替代方法是,将引证比较限于在相同时期、相同法院任职的法官——这就消除了因工作量构成或者被引作品日期的差异而要作的调整,或者限于年龄相仿或工龄相近的学者。我已经用这一更为粗略的调整方法来核实本杰明·卡多佐和勒尼德·汉德相对于他们在纽约州上诉法院和联邦最高法院的同事(对卡多佐)和在联邦第二巡回上诉法院的同事(对汉德)而言出众的质量和影响。[55] 但是,要作出更为广泛的比较,人力资本模型必不可少,因为这一模型能够校正法官或学者在生命周期中定位的不同。

我们不必将 a 视为一个黑匣子;LLS 试图根据诸如自我引证、法官所在法院具有的专门司法管辖权的程度(专门司法管辖权往往会减少其他法院的引证次数)、以及法官是否毕业于顶级法学院、法官因接受任命而被他人评价时是否得到了来自美国律师协会的好评、或者他们以前有无司法经验,来解释联邦上诉法院法官的排序。[56] 除了最后一个,所有这些因素都被认为同法官的排序具有统计上的显著关系,而且该显著关系与我们预计的方向是相同的。

LLS 研究的一个可能会令人惊奇的发现是,自我引证增加了其他法院引证自我引用的法官的次数。但是作者解释说,自我引用意味着法官在写作司法意见的过程中有较深介入;同把引证留给自己法律助手的法官相比,记住并且引用自己先前司法意见的法官一般来说会更多参与写作司法意见的过程。

这项研究没有发现种族或性别对司法引证的次数有任何影响。

---

〔55〕 Posner,前注〔47〕,页 83 – 90; Richard A. Posner, *Aging and Old Age* 188 – 192 (1995). 还可以参见,Henry T. Greely, "Quantitative Analysis of a Judicial Career: A Case Study of Judge John Minor Wisdom," 53 *Washington and Lee Law Review* 99, 133 – 150 (1996).

〔56〕 Landes, Lessig, and Solimine,前注〔12〕,页 320 – 324。

第十三章 计算,尤其是计算引证 *461*

相反,最近的一项关于法学杂志对法律学者引证的研究倒是发现,在校正了其他因素比如领域和工龄之后,女性或者少数族裔的成员与较低的被引频次相联系。这暗示着,在法学院的教员聘任中十分普遍的积极补偿行动,正如反对者争论的,致使聘任了一些不大合格的少数族裔和女性候选人(以他们受聘后的学术产出来衡量)。事实上,这项研究发现,对犹太男子有显著的差别对待,在其他条件相同的情况下犹太男子被引频次比其他法律学者要高得多。[57]当然,犹太男子可能就是比其他群体出色。对差别对待的更严格检验会是比较一下边际的犹太男子的被引次数与边际的其他群体成员的被引次数;如果前一个数字更高,也就意味着聘任更多的犹太人将会提高对该教师群体的引证次数,那么这也就成了差别对待的证据。

另一项对于法律学术机构的研究发现,在以引证衡量的研究产出与优先聘任自己的或其它法学院毕业生之间,有一个负相关。[58]而且另一项研究还发现(尽管依据的是一个非常小的样本),学术和教学在学术生产中是纯互补品而不是替代品,因此增加了我们对法律学术的生产功能的了解。[59]一项调查了上诉法院生产功能的对联邦上诉法院引证产出的研究发现,[60]法院中多数派意见的数量和长度越大,脚注和异议意见的数量越小,其他法院引证该法院的次数就越多。司法意见中的脚注往往会把读者搞糊涂,而异议意见又

---

[57] Deborah Jones Merritt, "Scholarly Influence in a Diverse Legal Academy: Race, Sex, and Citation Counts," 29 *Journal of Legal Studies* 345 (2000). 但是,这并非是梅里特对自己数据的解释。一个不同的研究,也是用了引证作为质量的替代,发现了经济学院系对妇女的差别对待。Van W. Kolpin and Larry D. Singell, Jr., "The Gender Composition and Scholarly Performane of Economics Departments: A Test for Employment Discrimination," 49 *Industrial and Labor Relations Review* 408 (1996).

[58] Theodore Eisenberg and Martin T. Wells, "Inbreeding in Law School Hiring: Assessing the Performance of Faculty Hired from Within", 29 *Journal of Legal Studies* 369 (2000).

[59] James Lindgren and Allison Nagelberg, "The False Conflict between Scholarship and Teaching"(Northwestern University Law School, unpublished, n.d.).

[60] Posner, *The Federal Courts: Challenge and Reform*, 同注[3],页234–236。

是对多数派意见的颠覆,因为它不仅标志着法官没有达成全体一致,而且还对多数派本希望悄悄过去的结果表达了批评。这项研究还发现,以引证衡量的产出随着在该法院就职的法官数量上升而下降,这同我在本章呈现的其他证据是一致的。

LLS 研究限于在相同法院系统的法官(也考虑到了专业化方面的某些差异),而我的研究则限于相同法院的法官或相同系统的法院(再一次研究了联邦上诉法院)。当把对异质性法院的引证加总时,引证总数对于衡量影响仍然是有意义的,但对于衡量质量不再有意义。对于学术引证的研究也同样如此。比较法律学者之间的全部学术引证[61]是衡量影响的一个有效的尺度,但却无法作为衡量质量的有效尺度,因为不同领域的引证差异也许反映的是各领域大小不同以及不同领域中杂志数量也不同,甚至反映的是引证惯例,而不是可见的质量差别。但是把学术引证随时间(*over time*)按领域的加总,是一个列出不同领域,比如(法律领域的)经济分析、女权主义法理学以及教义分析的升降图表的有效方法。[62]在这方面,如果人们感兴趣的是不同领域的相对规模,那么比较不同领域之间的引证是很有意义的。

把司法意见总体当作资本储备来处理,招来了对先例贬值的关注,这是兰迪斯和我最初对法律引证进行经济学研究的主题。[63]这里,与实物资本的类比是相当接近的。与可以适用于不同作业的机

---

[61] As in Shapiro,前注[40]。

[62] 参见,William M. Landes and Richard A. Posner, "The Influence of Economics on Law: A Quantitative Study," 36 *Journal of Law and Economics* 385 (1993). 我们在该项研究中得出的结论是,"经济学对法律的影响至少在整个 20 世纪 80 年代是持续增长的(谈 90 年代还为时尚早[这篇文章发表在 1993 年——译者]),尽管增长率已经比 80 年代中期变慢了;经济学对法律影响的增长超过了任何其他交叉学科或非传统的法律进路;而且相对于一般的交叉学科的进路和特定的经济学的进路,(法学文献的)传统进路——我们称之为'教义分析'——在这段时间内一直是在下降的。"

[63] William M. Landes and Richard A. Posner, "Legal Precedent: A Theoretical and Empirical Analysis," 19 *Journal of Law and Economics* 249 (1976).

器相比,专门化的机器被认为会更快淘汰,因为后者不大能适应情况的变化。同样的,先例越是具有一般性,贬值速度可能就越慢。并且正如(在其他条件相同的情况下)人们可以预见一台坚固的机器的贬值速度比易碎的机器要慢,所以法院越是有权威(比如,最高法院相对于一个下级法院),其生产的先例的贬值速度可能就越慢。[64]我们也可以预见,法律变化的比率越大,贬值的比率就会越高——我在比较英国和美国的案例时发现的就是如此。[65]而且,法律上的一个大变化,比如埃利铁路公司诉汤普金斯案的决定废除了普遍适用的联邦普通法,[66]也可能对废弃先例产生戏剧性的影响。[67]

引证的存续时间也与学术(包括法学)研究和司法行为有关。在其他条件相同的情况下,学科(或学科分支,比如法律的经济分析、批判法学或女权主义法理学)在持续产生新的研究、以新发现代替此前发现的意义上越是进步,学术作品和学术杂志引证的半衰期(half-life)(或其他衡量衰退的尺度)就越短,但该学科出版渠道的数量和规模的增长速度越快,半衰期就越长。后者效果不大明显的原因在于,假设存在某种程度的引证迟延(部分原因在于"马太效应":[68]新杂志在获得声誉之前,不会像老杂志一样多的被引用)致使新发行的文章不会被立刻引用,那么出版渠道的迅速扩展就会导致较老的文章有更多的机会被引用。[69]

人力资本的净贬值不仅是贬值率的函数,而且是新投资率的函数。该比率的下跌不仅因为预期回报因退休而缩减,而且还因为老

---

〔64〕 这两个假设都得到了前注所引研究的支持。

〔65〕 Richard A. Posner, *Law and Legal Theory in England and America* 84–87 (1996).

〔66〕 Erie R.R. v. Tompkins, 304 U.S. 64 (1938).

〔67〕 William M. Landes and Richard A. Posner, "Legal Change, Judicial Behavior, and the Diversity Jurisdiction," 9 *Journal of Legal Studies* 367 (1980).

〔68〕 参见,前注〔48〕。

〔69〕 Helmut A. Abt, "Why Some Papers Have Long Citation Lifetimes," 395 *Nature* 756 (1998).

化过程。我们从第4章得知：审判在普通法国家是一个著名的老人职业，比如英国和美国。部分的原因在于，这是这些国家填补法官席位采用了侧面进入方法：进入的平均年龄越老，职业的平均年龄就必定越老。而另一个可能性是，在一个严重依赖先例——向后看的决策模式——的司法制度中，老化所损失的能力会比诸如在数学这样强调处理抽象模型的职业中更少。[70] 这一假设可以通过把引证同其决定被引的法官的年龄联系在一起来加以检验；我就作了这样的工作，并且几乎没有发现80岁之前有老化效应的证据。[71]

---

[70] 心理学家区分了"液态智力"（fluid intelligence）和"晶态智力"（crystallized intelligence）；前者是指处理抽象符号的能力，后者是指从长期形成的知识基础、比如一个人语言方面的知识出发来工作的能力。

[71] Posner, *Aging and Old Age*, 前注[52], 页182-196。

致 谢

我感谢以下人士给与我的非常有益的研究帮助:Susan Burgess, Schan Duff, France Jaffe, Eugene Kontorovich, Gene Lee, Bruce McKee, 和 Anup Malani。对于我收入的组成本书的绝大多数论文的早期草稿,我大大受惠于以下人士的有益评论:Lawrence Lessig, Martha Nussbaum, Eric Posner, 和 Cass Sunstein。对于个别的一些论文,我也得到了以下人士的许多非常有益的评论:Ronald Allen, Albert Alschuler, Jack Balkin, Susan Bandes, Gary Becker, Andrew Daughety, Neil Duxbury, Robert Ellickson, Richard Epstein, Stanley Fish, Gertrud Fremling, Richard Friedman, Joseph Gastwirth, Richard Helmholz, Laura Kalman, Bruce Kobyashi, Larry Kramer, William Landes, Brian Leiter, Frank Michelman, Peter Newman, Eric Rasmusen, Jennifer Reinganum, Richard Rorty, Carol Rose, Michael Saks, Erich Schanze, Steven Shavell, Stephen Stigler, Geoffrey Stone, David Strauss, 和 David Wilson。我还要特别向 Gertrud Fremling 和 Eric Rasmusen 致谢,他们各和我共同创作了一篇论文,我分别在第 8 章和第 10 章(在其中一些地方是逐字逐句地)对其进行援引;我对这两篇论文作了修订,以使其适应现有的这本书,而他们并不对这些修订负有责任。

我简要地说明一下各章的出处。导论部分的来自短文《法律理论》(*Legal Theory*),该短文是为《大不列颠百科全书》(*Encyclopedia Britannica*)作的准备;部分的来自对下文的评论,Mark Tushnet, *Taking the Constitution away from the Courts* (1999),以如下题目发

表:"Appeal and Consent", *New Republic*, August 16, 1999, p.36;部分的来自我对下文的评论, Jeremy Waldron, *Law and Disagreement* (1999), 100, *Columbia Law Review* 582(2000)。第 1 章依据的是于 1998 年 1 月 6 日在芝加哥大学法学院发表的科斯演讲(Coase Lecture),以如下题目发表:"Values and Consequences: An Introduction to Economic Analysis of Law," *Chicago Lectures and Law and Economics* 189 (Eric A. Posner ed. 2000);部分依据的是我于 1998 年 3 月 2 日对伦敦大学学院(University College London)边沁俱乐部所作的院长演说(Presidential Address),以如下题目发表,"Bentham's Influence on the Law and Economics Movement," 51 *Current Legal Problems* 425 (1998);部分依据的是我于 1999 年 9 月 14 日在乔治·梅森大学法学院(George Mason University School of Law)所作的著名的经济学与法律系列演讲中的一个。第 2 章的根据是为 Lee Bollinger 和 Geoffrey Stone 编辑的文集所准备的一篇短文(尚未发表),纪念最高法院的第一个伟大的言论自由的决定:Schenck v. United States, 249 U.S. 47(1919)。第 3 章大部分来自我的文章, "Equality, Wealth, and Political Stability," 13 *Journal of Law, Economics, and Organization* 334(1997),这篇文章依据的又是我于 1996 年 3 月 27 日在巴黎的 UNESCO 讨论会上所作的主题是"Qui Sommes – Nous?"(我们是谁?)的演讲;还依据了我的文章:"Cost – Benefit Analysis: Definition, Justification, and Comments on Conference Papers," 29 *Journal of Legal Studies* 1153 (2000)。

第 4 章依据的是我的论文"Past-Dependency, Pragmatism, and Critique of History in Adjudication and Legal Scholarship,"这篇论文是我为 1999 年 11 月 5、6 日在斯坦福大学举行的有关往昔依赖(Past Dependency)研讨会准备的,发表在 *University of Chicago Law Review* 573 (2000)。第 5 章部分上依据的是该论文;部分上依据的是对下文的评论:Bruce Ackerman, *We the People*, vol.2: *Transformations* (1998),以如下题目发表, "This Magic Moment," *New Republic*, April 6, 1998, p.32;部分上依据的是我对下文的评论:Paul W. Kahn, *The Cultural*

Study of Law: *Reconstructing Legal Scholarship* (1999), 以如下题目发表:"Cultural Studies and the Law," *Raritan*, Fall 1999, p.42。第 6 章依据的是我于 1999 年 6 月 25 日在马尔堡费力普斯大学(Philips - Universitat)所作的萨维尼纪念馆落成演讲的演讲:"Savigny, Holmes and the Law and Economics of Possession,"并发表于 86 *Virginia Law Review* 535 (2000)。

第 7 章主要来自我于 1998 年 5 月 23 日在芝加哥大学和 DePaul 大学发起的有关情感与法律的讨论会上所作的如下论文:"Emotion versus Emotionalism in Law,"发表于 *The Passions of Law* 309 (Susan Bandes ed. 2000);第 7 章还来自如下论文:"Social Norms, Social Meaning, and Economic Analysis of Law: A Comment," 27 *Journal of Legal Studies* 553 (1998)。第 8 章也是来自该评论,但主要依据的是我的如下论文:"Rational Choice, Behavioral Economics and the Law," 50 *Stanford Law Review* 551 (1998),以及我同 Gertrud M. Fremling 合作的未发表的论文:"Market Signaling of Personal Characteristics"(November 2000)。第 9 章依据的是我的如下文章:"Social Norms and the Law: An Economic Approach," 87 *American Economic Review Papers and Proceedings* 365 (May 1997);还依据了与我共同创作的文章:"Creating and Enforcing Norms, with Special Reference to Sanctions," 19 *International Review of law and Economics* 369 (1999);还依据了在为庆祝加里·贝克尔 65 岁寿辰、由 Fraser 研究所发起并于 1995 年 12 月 1 日和 2 日举行的有关社会行为的经济分析的座谈会上所作的演讲:"Comment on Laurence R. Iannaccone, 'Religion, Values, and Behavioral Constraint'"。

第 10 章依据的是如下文章的主体部分:"In the Fraud Archives," *New Republic*, April 19, 1999, p.29,该文是我对下文的评论:Janet Malcolm, *The Crime of Sheila McGough* (1999)。第 11 章和第 12 章依据的是我的如下文章:"A Economic Approach to the Law of Evidence," 51 *Stanford Law Review* 1477(1999)。第 13 章依据的是我的综述文

章:"A Economic Analysis of the Use of Citations Analysis in the Law," 2 *American Law and Economics Review*, 381 (2000),以及我的论文,"Is the Ninth Circuit Too Large? A Statistical Study of Judicial Quality," 29 *Journal of Legal Studies* 711(2000)。

为本书的目的,所有此前发表的文字都经过了修改,而且常常是大幅度的修改。

索 引

Abortion, 堕胎, 254 – 256
Abrams v. United States, 艾布拉姆斯诉美国案, 66, 70, 86
Acceptance of responsibility, 责任接受 as basis for sentencing reduction, 作为减刑的基础, 237, 394
Ackerman, Bruce, 布鲁斯·阿克曼, 170 – 182, 186
Addiction, 上瘾: versus habit, 上瘾对习惯, 272 – 273; as rational behavior, 作为理性行为的上瘾, 261 – 62
Adkins v. Children's Hospital, 艾德金斯诉儿童医院案, 172, 176 – 177
Adler, Matthew D., 122, 128, 131 – 133
Allen, Ronald J., 347 注, 397 注
Altruism, 利他主义, 113, 27, 262, 265 – 270, 278 – 280; parental, 父母的, 291 – 293
American Booksellers Ass'n, Inc. v. Hudnut, 美国书商联合会诉哈德纳特案, 77 注
Analogy 相似性、类比, historical, 历史的相似性, 151, 163 – 164

Anderson, Elizabeth, 安德森·伊丽莎白, 254 – 256
Anthropology of law, 法律人类学, 182 – 192
Antigone, 《安提格涅》, 136 – 137
Antitrust, 反托拉斯, 39
Arbitration, 仲裁, 360, 405
Aristotle, 亚里士多德, 189, 226 – 227
Arkansas Educational Television Comm'n v. Forbes, 阿肯色州教育电视委员会诉福布斯案, 68 – 69, 72
Arlen, Jennifer, 256 注
Ashenfelter, Orley, 373 注
Authorship, 作者身份, 44 – 46, 参见, Personality, 个性
Availability heuristic, 有效启示, 12, 注 69, 127, 243 – 244, 246, 256 – 257, 284

Baby selling, 婴儿出售, 46 – 47
Balkin, Jack, 182 注
Bankruptcy, 破产, 36 – 37
Bayes' theorem, 贝叶斯定理, 14, 343 –

345, 370 – 372, 376 – 378, 385 – 386
Beccaria, Cesare, 切萨雷·贝卡利亚, 54
Becker, Gary S., 加里·S·贝克尔, 31, 34, 51 – 61, 260 – 261
Behavioral economics and behavioral law and economics. 行为主义经济学和行为主义法律经济学, 参见 Behavioralism, 行为主义
Behavioralism, 行为主义, 252 页以下; experimental evidence, 实检验据, 280, 393; selection effects in, 行为主义中的选择作用, 280 – 282; undertheorization of, 行为主义的理论化不足, 264 – 265
Bentham, Jeremy, 杰罗米·边沁, 3, 31 – 34, 51 – 61, 95, 426 – 427; on evidence, 论证据, 345, 387 注
Bias, as ground for excusing jury or recusing judge, 偏见, 作为免除陪审员和撤换法官的理由, 377 – 378
Bilson, John F. O., 108 注
Blackmail, 敲诈, 234
Blackmun, Harry, 哈里·布莱克门, 245
Blackstone, William, 威廉·布莱克斯东, 58, 152 – 153
Blasi, Vincent, 82 注
Bork, Robert H., 15 注
Brandenburg v. Ohio, 70 注
Broome, John, 约翰·布鲁默, 122, 126 – 127, 133 – 135
Brown v. Board of Education, 布朗诉教育委员会案, 8, 24 – 25, 176

Bruton v. United States, 285 注
Buckley v. Valeo, 89 – 92 注
Burden of proof, 举证责任, 363 – 378, 398; civil versus criminal, 民事举证责任对刑事举证责任, 366 – 370; burden of production versus burden of persuasion, 呈证责任对说服责任 363 – 370

Calabresi, Guido, 吉多·卡拉布雷西, 50, 59 – 60, 158
Campaign Finance, 竞选筹款, 26, 89 – 92
Cantwell v. Connecticut, 87 注
Capital punishment, 极刑、死刑, 237 – 238, 245 – 248, 280 – 81
Cardozo, Benjamin N., 本杰明·N·卡多佐, 436
Castaneda v. Partida, 373 注
Causation, 因果关系, 24 – 25, 32 – 33, 164
Chapman, Anthony C., 427 注
Citations analysis, 引证分析, 418 – 440; criticisms of, 对引证分析的批评, 424 – 428; economic models of, 引证分析的经济学模型; impact factor, 影响因子, 432; as measure of influence, 作为度量影响尺度的引证分析, 426 – 427; judicial citations, 司法引证, 418 – 420, 424, 436 – 437; as method of judicial evaluation, 作为司法评价方法的引证分析, 418 – 420, 436 –

437; of legal scholarship, 法学文献的引证分析, 437–438; of patents, 专利的引证分析, 429, 433; scholarly citations, 学术引证, 421–429, 431–440; types of citation and motives for citing, 引证类型与引用动机, 44, 422–425

Clermont, Kevin M., 凯文·M·克勒蒙特, 361

Coady, C. A. J., 146注, 319注, 321注, 376注

Coase, Ronald H., 罗纳德·H·科斯, 6, 34, 41, 99注, 256注, 283

Coase theorem, 科斯定理。参见, Coase, Ronald, 罗纳德·科斯

Codification, 法典化, 59 194–197, 219

Cohen, Joshua, 63注

Collingwood, R. G., 146注

Common law, 普通法, 54, 58, 99–101。又参见, Possession, 占有

Condorcet theorem, 孔多塞定理, 358

Confidence men, 骗子手, 322–335

Confirmation bias, 确认偏见, 354, 363注

Constitution, Article V, 宪法, 宪法第5条, 170–182

Constitutional law, 宪法性法律, 153–155, 158, 309; amendments to, 对宪法性法律的修改, 170–182; criminal procedure, 刑事程序, 368–369; effects of, 15–27. 参见, Constitution, 宪法; Free speech, 言论自由; Originalism 原旨主义

Constitutional theory, 宪法理论, 8–10, 15–27

Continental legal system, 大陆法系, 165. 又参见, Evidence, 证据, Anglo-American and Continental law of compared, 英美法和大陆法的比较; Savigny, Friedrich Carl von, 弗里德里希·卡尔·冯·萨维尼

Contracts, as sources of norms, 作为规范来源的合同, 304

Copyright, 版权, 参见, Authorship, 作者身份

Cost-benefit analysis, 成本收益分析, 67–68, 121–141; defined, 121, 对成本收益分析的定义; Federal Rule of Evidence 403 as requiring, 作为要求的联邦证据规则第403条, 386–387; of health and safety regulations, 健康与安全管制的成本收益分析, 126–130, 133

Courts, 法院: federal courts of appeals, 联邦上诉法院, 412–420; size as bearing on performance, 与表现有关的规模, 417–420; U.S. Court of Appeals for the Ninth Circuit, 美国第九巡回上诉法院, 412–420. 又参见, Constitutional law, 宪法性法律; Judges, 法官; Judicial Administration, 司法管理

Credence goods, 信用品, 44, 348

Credibility, 可信性, courtroom determinations of, 对可信性的法庭判断, 329,

331-332
Crime, 犯罪: cold-blooded, 冷血犯罪, 230-232; con games and con artists, 骗局和骗子大师, 322-335; crimes of passion, 激情犯罪, 230, 233; economic theory of, 有关犯罪的经济学理论, 52-54, 411-412; hate crime, 仇恨犯罪, 226, 231-236; homophobic, 憎恶同性恋的犯罪, 233-234; and rationality of criminals, 犯罪与罪犯的理性, 280-281

Criminal justice, 刑事司法, 322-335; prosecutors' incentives, 检察官的动机, 366-368, 381-383, 391

Criminal law, 刑法, 38; and emotion, 犯罪与情感, 230以下; foundations of, 刑法的基础, 236-237, 242-243; role of morality in, 道德在刑法中的作用, 236-237

Criminal procedure, 刑事程序, 366-370, 377注, 389-392; harmless-error rule, 无害之错规则, 381-383. 又参见, Self-incrimination, 自证其罪

Criminal punishment, 刑事惩罚, 390-391; and accuracy in factfinding, 刑事惩罚与事实发现的准确度, 340-341; role of remorse in, 悔改之意在刑事惩罚中的作用, 237-238; shaming penalties, 蒙羞刑, 238-241; role of vengeance in, 复仇在刑事惩罚中的作用, 247-249. 又参见, Capital punishment, 死刑

Criminology, 犯罪学, 52-54
Critical legal studies, 批判法学, 13
Critical race theory, 批判种族理论, 14
Cross-examination, 交叉询问, 348
Cultural studies, 文化研究, 182
Cy pres doctrine, 近似规则教义, 159

Damaska, Mirjan R., 354注
David, Paul A., 保罗·A·戴维, 156
Decision making, 决策。参见, Cost-benefit analysis, 成本收益分析; Rational choice, 理性选择
Decision theory, 337注
Defamation, 侮辱, 303
Democracy, media voter model of, 民主, 民主的中间投票者模型, 104-105
Deregulation, 去管制化, 39-40
Deterrence, relevance to of accuracy in factfinding, 威慑, 与事实发现的准确度的相关性, 340-341, 371
Dictator game, 独裁者游戏, 278-280
Discounting, 贴现, 281. 又参见, Hyperbolic discounting 双曲线的贴现
Discovery before trial, 审前证据开示, 349, 364
Distribution of income and wealth, 收入和财富的分配, 99页以下; and democracy, 收入和财富的分配与民主, 104-106; versus income level, 收入和财富的分配对收入水平, 108-121; international comparisons, 不同国家之间的比较, 103-104; measurement

and determinants of, 收入和财富的分配的度量与决定因素, 103 – 115; political consequences of, 收入和财富分配的政治后果, 107 – 121; U.S., 美国的收入和财富分配 103 – 104, 109 – 110

Distributive justice, 分配正义, 99 – 102, 121 – 122

Dr. Miles Medical Co. v. John D. Park & Sons Co., 米尔斯医学公司诉约翰·帕克和桑斯公司案, 39

Dworkin, Ronald, 罗纳德·德沃金, 154 – 155, 158, 160 – 161, 168 注, 184

Eckert v. Long Island R.R., 艾柯特诉长岛铁路公司案 40 – 41

Economics, 经济学: economic models of citations, 引证的经济学模型, 433 – 436; empathetic character of, 经济学的移情特点, 244 – 245; of free speech, 自由言论的经济学 62ff; nonmarket, 非市场, 55 – 56, 60; of possession, 占有的经济学, 207 – 219; of religion, 宗教的经济学, 307 – 315; welfare economics (normative economics), 福利经济学（规范经济学）, 57 – 58, 95 – 102, 121 – 141. 又参见, Behavioralism, 行为主义; Cost – benefit analysis, 成本收益分析; Law and economics, 法律经济学; Value of life 生命的价值

Education in Third World, 第三世界的教育, 137 – 138

Efficiency, 效率. 参见, Pareto efficiency, 帕累托效率, Wealth maximization 财富最大化

Eisenberg, Theodore, 西奥多·艾森伯格, 361

Ellickson, Robert C., 297 注, 411 注

Elster, Jon, 228 注

Eminent domain, 征用权, 50 – 51

Emotion, 情感, 225 页以下, 297 – 298; cognitive theory of, 情感的认知理论, 226 – 229; versus emotionalism, 情感对情感主义, 228 – 229, 242, 249; in litigation, 诉讼中的情感, 226

Empathy, 移情, 113, 243 – 244

Employment, mandatory terms of, 雇用, 雇用的强制条款, 282 – 283

Endowment effect, 持有效应, 12, 270 – 275, 277 – 278, 282 – 283

England, legal and political system of, 英国, 英国的法律和政治制度, 189 – 190, 355 – 356

Environmental values, 环境的价值, 132 – 133, 141

Envy, 忌妒, 112 – 115, 131, 262 注 266; versus emulation, 忌妒对好胜, 113

Epistemology, 认识论: belief versus acceptance, 确信对接受, 384 – 385; and religion, 认识论与宗教 310 – 314, skeptical, 怀疑主义的认识论, 319 – 322. 又参见, Probability, 概率;

Testimony,证词;Truth,真相
Epstein, Richard A.,197注
Equality,平等,112. 参见,Distribution of income and wealth,收入和财富的分配
Erie R. R. v. Tompkins,埃利铁路公司诉汤普金斯案,439
ERISA (Employee Retirement Income Security Act),雇员退休收入保障法,47-50
Error, type I versus type II,误差,甲种误差对乙种误差,366
Eskridge, William N., Jr.,威廉·N·埃斯科利奇,26
Evidence,证据:admissibility,可采性,383-384;Anglo-American and Continental law of compared,英美法和大陆法的证据比较,337, 345-358, 367, 370, 378, 440;character(including prior crimes),品格证据(包括前见犯罪),389-392;costs of,证据的成本,341-343, 387-389;economic model of,证据的经济学模型,338-348;hearsay,传闻证据,394-395;illegally seized,非法取得的证据,397-398;inference from missing,基于缺乏证据的推论 365-366;law of,证据法,337, 342-343, 380-381;prejudicial,引起偏见的证据,384-387;rules of,证据规则,245-249, 349-350, 359;statistical,统计学证据,370-378, 400;of subsequent repairs,事后补救的证据,342-343, 392-393, 396. 又参见,Federal Rules of Evidence,联邦证据规则;Privilege,特权

Expert witnesses,专家证人,401-408;court-appointed,法庭指定的专家证人,405;"professional,""职业的"专家证人,404

Fact, question of, versus question of law,事实,事实问题,事实问题对法律问题,379
Fairness,公平,262-263, 284-286;evolutionary theory of,公平的进化论 265-270. 又参见,Ultimatum game 最后通牒游戏
Fallon, Richard H., Jr.,168注
Family,家庭 302. 又参见,Guilt,罪恶,Shame,羞耻
Fankhauser, Samuel,萨谬尔·方克豪泽尔 135
Farnsworth, Ward,瓦尔德·方斯沃斯,283-284
Farris, Jerome,杰罗姆·费瑞斯,413
Federal Rules of Evidence,联邦证据规则,380;Rule 103(a),第 103 条第(a)款,381;Rule 105,第 105 条,383-384;Rule 401,第 401 条,386;Rule 402,第 402 条,386, 389, 395;Rule 403,第 403 条,349, 386-389, 394-395;Rule404,第 404 条,389-391;Rule 407,第 407 条,392-393,

396; Rules 413 through 415 第413到 415条; 390注; Rule 602, 第602条, 401; Rule 702, 第702条, 401; Rule 706, 第706条, 405

Feminist jurisprudence, 女权主义法理学, 7–8, 13–14, 77–80

Field, David Dudley, 戴维·杜德雷·菲尔德59

Fifth Amendment, 宪法第5修正案. 参见, Self-incrimination, 自证其罪

First Amendment, 宪法第1修正案. 参见, Free speech, 言论自由

Fischel, Daniel R., 399注

Fish, Stanley, 斯坦利·费希, 83–84

Foucault, Michel, 米歇尔·福柯 147, 183

Frank, Robert H., 罗伯特·弗兰克 122, 130–131

Fraud, 欺诈, 322–335

Free speech, 言论自由, 62页以下, 137; and campaign finance, 自由言论与竞选筹款, 89–92; commercial, 商业的自由言论 85; different types of, 不同类型的自由言论 74–76; fighting words, 挑衅性言辞, 87; flag burning, 焚烧国旗, 74; harm versus offensiveness, 伤害对不快 67, 69–70, 72–73, 77–80; hate speech, 仇恨演说 73–74, 87–89; heckler's veto, 激烈质问者的否决权, 87; instrumental versus intrinsic value of, 自由言论的工具性价值对内在性价值, 62–63; on the Internet, 92–94 因特网上的自由言论; and property, 自由言论与财产, 88–89; public forum, 公共论坛 71–72; subsidies of, 自由言论的津贴, 80–81, 90

Fremling, Gertrud M., 273注, 443

Friedman, Richard D., 395注

Genealogy, 谱系, 181, 183

Global warming, 全球变暖, 135

Government, 政府. 参见, Democracy, 民主; Politics, 政治

Griswold v. Connecticut, 格利斯沃德诉康涅迪格州案, 153, 172–173, 176

Gross, Samuel R., 368注

Group polarization, 群体两极分化, 362–363

Gruber, Jonathan, 乔纳森·古贝尔, 282

Guilt, as enforcer of norms, 罪恶感, 作为规范的执行者, 291–294, 302

Habit, 习惯, 272–273, 293

Hahn, Robert W., 罗伯特·哈恩, 122, 123–125

Hale, Robert, 罗伯特·黑尔, 34

Hand, Learned, 勒尼德·汉德, 15, 65注 379, 386–387

Hand formula, 汉德公式, 37–38, 65注, 379, 386–387

Harmless error, 无害之错, 381–384

Harsanyi, John C., 约翰·C·哈萨伊, 427

Haslem v. Lockwood, 哈斯勒姆诉洛克

伍德案,217
Hate crimes. 仇恨犯罪,参见,Crime,犯罪
Hazelwood School District v. United States, 373 注
Hindsight bias,后见之明的偏见,12, 263 注 284, 361, 392-393
History 历史: causation in, 历史因果论, 32-33; historical school of jurisprudence, 历史法学派 193-221; laws of, 历史规律, 164; legal, 法律史学, 6-7, 146-147, 153 页以下; Nietzsche's theory of, 尼采关于历史的理论, 145-152, 181-182; normative force of in law, 历史在法律中的规范性力量, 159-160; truth in, 历史中的真理, 145 页以下。又参见, Historiography 历史编纂
Holmes, Oliver Wendell, Jr., 奥利弗·温德尔·霍姆斯, 54, 59-60, 63-67, 70, 84-86, 149 注, 165, 191, 221; critique of historical school of jurisprudence, 对历史法学派的批判, 193-194, 198-200, 205; moral skepticism, 道德怀疑主义, 206; The Common Law,《普通法》, 198-199, 221; theory of possession, 占有理论, 198-200, 204-207
Honor, code of, 荣誉, 荣誉法典。参见, Vengeance, 复仇
Human capital, 人力资本, 48-49, 60, 434-436, 439-440

Hume, David, 大卫·休谟 33; on miracles, 休谟论奇迹, 321, 376; on religion, 休谟论宗教, 307, 315
Hustler magazine, Inc. v. Falwell, 84 注
Huxley, Aldous, 阿尔道斯·赫胥黎, 97-98
Hyperbolic discounting, 双曲线的贴现, 259-260, 280-281

Income: level versus distribution, 收入: 收入水平对收入分配, 108-121; relative, 相对收入, 130-131
Influence, 影响, 32-33。又参见, Citations analysis 引证分析
Information, costs of, 信息, 信息成本, 44, 84-85, 129, 433-434。又参见, Analogy, 相似性、类比; Precedent, 先例
Issacharoff, Samuel, 萨谬尔·伊塞卡洛夫, 274

Jolls, Christine, 克里斯汀·卓尔斯, 252, 256 页以下
Judges, 法官: age of, 法官的年龄, 164-165, 440; emotions of, 法官的情感, 228-229, 241-249; norms of judicial behavior, 司法行为的规范, 290-291, 412; productivity of, 法官的生产力, 418-420, 429-431, 437-440; recusal on grounds of bias, 因偏见而撤换法官, 377-378; salaries of, 355 注。又参见, Judicial administra-

tion 司法管理

Judicial administration, 司法管理, 411 – 420, 424, 436 – 440

Judicial review, 司法审查, 15 – 27. 又参见, Constitutional law, 宪法性法律

Juries, 陪审员: accuracy of, 陪审员的准确度, 361 – 363; Condorcet jury theorem, 孔多塞陪审员定理, 358; expert witnesses in jury trials, 陪审团审判中的专家证人, 404 – 405; impartiality of, 陪审员的不偏不倚 378; jury instructions, 陪审团指示, 359; 374 – 376, 384 – 386; optimal size of, 陪审员的最优规模, 358 – 360, 362 – 363, 378; how selected, 如何选任陪审员, 356 – 357; voting rule, 投票规则, 360 – 361; 又参见, Federal Rules of Evidence, 联邦证据规则

Jurisprudence, 法理学, 2. 又参见, Savigny, Friedrich Carl von, 弗里德里希·卡尔·冯·萨维尼

Jury, 陪审团, 157, 159, 346 – 363

Just compensation, 公正补偿, 50 – 51

Kahan, Dan M., 231 注. 238 注

Kahn, Paul W., 保罗·康恩 159, 182 – 192

Kalman, Laura, 劳拉·卡尔曼, 155

Kamin, Kim A., 基姆·A·卡明, 392 注, 393

Kamindky v. Hertz Corp., 370 注

Kant, Immanuel, 伊曼努尔·康德, 113, 183 – 184

Kaplow, Louis. 387 注

Kelman, Mark, 393 注

Knight, Frank, 弗兰克·奈特, 55

Knowledge, 知识. 参见, Epistemology, 认识论; Truth, 真相

Kornhauser, Lewis A., 刘易斯·A·康豪塞, 122, 125 – 126

Kuran, Timur, 提莫·库仁, 253 – 254, 302

Kuznets, Simon, 西蒙·库兹奈茨, 104

Labine, Susan J, and Gary, 苏珊·拉宾, 格雷·拉宾, 392 注, 393

Landes, William M., 威廉·M·兰德斯, 418 – 419, 430, 433, 436 – 437, 438 注, 439

Landmark – preservation laws, 路标保留法令 50 – 51

Langbein. John H., 约翰·H·兰贝因, 351

Law, 法律: citations analysis in, 法律中的引证分析, 418 – 440; cultural studies of, 法律的文化研究, 182 – 192; emotion in 法律中的情感, (参见, Emotion, 情感); empirical studies of, 法律的经验研究, 411 – 440; of evidence, 证据法, 337, 342 – 343, 380 – 381; of finders, 关于发现者的法律, 210 – 212, 218; German, 日尔曼法(参见, Continental legal systems, 大陆法系; Savigny, Friedrich Carl von,

弗里德里希·卡尔·冯·萨维尼);
ideology of,法律的意识形态,183 –
192; landlord – tenant,关于房东 – 承
租人的法律,202 – 203, 213 – 214;
natural,自然法,199; and norms,法
律与规范,288 – 289; 293 – 294, 302
– 306; origins of in revenge,法律在
报复中的起源,297; Roman,罗马
法,195 – 197, 199, 220. 又参见,
Constitutional law,大陆法; Criminal
law,刑法; Possession 占有法; Privilege,特权

Law and economics,法律经济学,4 – 6,
13, 31 以下,99 – 101, 438. 又参
见,Behavioralism 行为主义

Law and literature,法律与文学,12 – 13,
190 – 191

Law and society movement,法律与社会
运动,11

Lawyers, limit of duties of toward their
clients,律师,律师对委托人的责任
限制,334 – 335

Legal ethics,法律职业道德,334 – 335

Legal history,法律史. 参见,History, legal,历史,法律史

Legal realism,法律现实主义,3, 58

Legal theory,法律理论: defined, 对法律
理论的定义 1 – 4; Kahn's critique of,
康恩对法律理论的批判,183 – 184

Legislation,立法,19 – 24

Leibowitz, S. J.,156 注

Lessig, Lawrence,劳伦斯·莱希格,418

– 419, 430, 436 – 437

Liberalism,自由主义,105 – 106; welfare
– state,福利国家,105 – 106

Liberty,自由,105 – 106, 108; measures
of,自由的量度,115. 又参见,Liberalism,自由主义; Mill, John Stuart,约
翰·司徒加特·密尔

Lineup, suggestive,列队,暗示性的列
队,366

Litigation,诉讼: economic model of (see,
Evidence, economic model of,),诉讼
的经济学模型(参见,证据,证据的
经济学模型); settlement of,诉讼的
庭外和解,249 – 251, 283 – 284, 369
– 370

Lochner v. New York,洛克纳诉纽约
案,172 – 173, 176 – 177

Loewenstein, George,乔治·列奥温斯
坦,274

Lofgren, Charles A.,167 注

Louisville Joint Stock Land Bank v. Radford,路易斯维勒股份地产银行诉莱
德福特案 172

Lucker, Kristin,克里斯廷·露科尔,
254, 256

Maine, Henry,亨利·梅因,199

Malcolm, Janet, *The Crime of Sheila
McGough*,珍妮特·玛尔克姆,《希拉
·美高妇之罪》,322 – 335

Margolis, Stephen E.,156 注

Matthew Effect,马太效应,433 注,439

McDonnell Douglas Corp. v. Green, 麦克道尔·道格拉斯公司诉格林, 363 – 364, 400
McNaughton, John T., 398 注
McNeill, William H., 33, 威廉姆·麦克内尔
Mediation, 调解, 249 – 251
Melnick, R. Shep, 123 注
Mercy, 怜悯, 247 – 248. 又参见, Empathy 移情; Victim impact statements, 受害人影响陈述
Merton, Robert K., 433 注
Michelman, Frank I., 弗兰克·I·迈尔克曼, 155
Mill, John Stuart, 约翰·司图加特·密尔, 63, 66 注, 69, 73, 78 – 79, 107, 362
Morality, 道德: emotivist theory of, 道德的情感主义理论, 242 – 243; expressive theory of, 道德的表达理论, 236 – 237; moral luck, 268 注

Negligence, fact or law? 过失, 事实还是法律? 379. 又参见, Tort law 侵权法
Negotiation, 谈判, 284 – 285. 又参见, Mediation, 调解
New Deal, 罗斯福新政, 172 – 178, 180
Nietzsche, Friedrich, 弗利德里克·尼采, 145 页以下, 181 – 182, 314
Norms, 规范: creation and alteration of, 规范的创设与改造, 299 – 306; defined, 对规范的定义, 288 – 289; effect of education on, 教育对规范的作用, 304 – 305; effect of religious pluralism versus religious establishment on, 宗教多元主义对规范的作用对宗教确认对规范的作用 299, 307, 314 – 315; enforcement of, 规范的执行, 291; of judicial behavior, 司法行为规范, 290 – 291; ostracism as sanction for violating, 作为对违反规范的制裁的放逐, 298; in relation to laws, 规范与法律的关系, 288 – 289, 293 – 294, 302 – 306; social versus private value of, 宗教的社会价值对私人价值 289, 292 – 293, 305 – 306
Nussbaum, Martha C., 马莎·C·努斯鲍姆, 122, 136 – 138, 231 注

Oaxaca, Ronald, 373 注
Originalism, 原旨主义, 9, 155, 162 – 163, 167 – 169
Orwell, George, Nineteen Eighty – Four, 乔治·奥威尔, 《1984》, 321 注
Ostracism, 放逐 298, 308

Pareto efficiency, 帕累托效率 100 – 101, 134
Path dependence, 路径依赖, 156 – 159, 301
Pierce, Charles Sanders, 66 注
Peltzman, Sam, 萨姆·帕尔兹曼 114
Pension law. 养老金法, 参见, ERISA 雇员退休收入保障法

Peremptory challenges, 无因回避, 378
Perjury, 伪证, 329, 380
Perry Education Ass'n v. Perry Local Educators' Ass'n, 71 注
Personality, economic theory of, 个性, 关于个性的经济学理论, 41–46
Philosophy, law and, 哲学, 法律与哲学, 10
Pigou, A. C., A·C·庇古, 55, 57–58
Planned Parenthood of Southeastern Pennsylvania v. Casey, 192 注
Plea bargaining, 辩诉交易, 369–370
Plessy v. Ferguson, 普莱西诉弗格森案, 173, 176
Political stability, 政治稳定, 102–121; defined, 对政治稳定的定义, 102–103; measures of, 政治稳定的量度, 115
Political theory, 政治理论, 9–10; Bruce Ackerman's, 布鲁斯·阿克曼的政治理论, 172. 又参见, Campaign finance, 竞选筹款; Political stability, 政治稳定
Politics, 政治: cost-benefit analysis and, 成本收益分析与政治, 124; of environmentalism, 环境保护主义的政治, 141; identity, 身份政治 122, 187; political equality, 政治平等, 112; 又参见, Antigone, 《安提戈涅》; Campaign finance, 竞选筹款
Population policy, 人口政策, 134–135
Pornography, 色情作品, 77–80

Posadas de Puerto Rico Associates v. Tourism Co. of Puerto Rico, 76 波萨多案
Posner, Eric A., 艾瑞克·波斯纳 122, 128, 131–133
Possession: adverse, 占有, 对抗性占有, 214–216; of art, 对艺术品的占有, 217–218; economic theory of, 占有的经济学理论, 207–219; law and economics of, 占有的法律经济学, 198–221
Postmodernist legal studies, 后现代主义法学研究, 13–14
Poverty, 贫穷, 109–110
Pragmatism, 实用主义, 165, 168 注, 169, 198
Precedent, decision according, 先例, 依先例决定, 151, 158, 163–165, 438–440. 又参见, Analogy 相似性、类比
Preference formation and change, 偏好的形成与改变, 271
Presumption of innocence, 377 注
Privacy, 私隐, 239, 305
Privilege, 特权: in law of evidence, 证据法中的特权, 395–401; lawyer-client, 律师-客户特权, 396–397; marital, 夫妻特权, 395–396; psychotherapist-client, 心理医生-患者特权, 397. 又参见, Self-incrimination, 自证其罪
Probability, mathematical theory of, 概

率,概率的数学理论,370－378.又参见,Bayes' theorem,贝叶斯定理
Product rule,乘积法则,374－377
Proof beyond a reasonable doubt,超越合理怀疑的证明.参见,Burden of proof,证明责任,civil versus criminal,民事证明责任对刑事证明责任
Property: economic theory of,财产,财产的经济学理论,207－219; feudal,封建财产,203; and free speech,财产与自由言论,88－89; irrational fears and,不理性的恐惧与财产,128; rights,产权,114－115.又参见,Possession 占有
Psychology,心理学: cognitive,认知心理学,11－12,14,123,127－128,225页以下,353－354,362－363,374注,387－388; fluid versus crystallized intelligence,流质的智识和结晶的智识,440注.又参见,Behavioralism,行为主义; Emotion,情感
Public choice,公共选择,9

Rabban, David M., 66注
Rabin, Matthew,迈泽鲁·拉宾 256注,260,263注,354注,363注
Rachlinski, Jeffrey J.,杰弗里·J·瑞克林斯基 392注,393
Rasmusen, Eric A.,埃里克·A·拉斯缪森,290注,443
Rational choice,理性选择,138－139; behavioralist critique of,行为主义者对理性选择的批判,252页以下; economic conception of,理性选择的经济学观念,252－255; and emotion,理性选择与情感,225－229.又参见, Cost－benefit analysis,成本收益分析; Information, costs of,信息,信息成本
Rationality,理性: of addiction,上瘾的理性,261－262; bounded,有限理性,257－259,387; of choice to have an abortion,选择堕胎的理性,254－256; of endowment effect,持有效应的理性,270－271; of ethnic hatred,种族仇恨的理性,253－254; and evolution,理性与进化,265－270; irrationality,不理性,128,257－261; rational man versus behavioral man,理性人对行为主义的人,263; of religious belief,宗教信仰的理性,310－314;又参见, Bayes' theorem,贝叶斯定理; Probability,概率
Rawls, John,约翰·罗尔斯,20,113－114,427
Relevance,有关,386
Religion,宗教,33; and crime,宗教与犯罪,314－315; economic analysis of,宗教的经济学分析,307－315; and norms,宗教与规范,299,307－309,314－315; rationality of religious beliefs,宗教信仰的理性,310－314
Retaliation.,报仇,参见, Vengeance,复仇

Revenge,报复. 参见,Vengeance,复仇
Richardson, Henry, 亨利·理查德森, 121-122, 138-140
Robbins, Lionel, 56 注
Robson, Arthur J., 228 注
Roe v. Wade, 罗伊诉韦德案, 26, 172-173, 176
Rorty, Richard, 理查德·罗蒂, 182
Rosenberg, Gerald N., 杰拉德·N·罗森伯格, 26 注, 184
Rubinfeld, Daniel L., 405 注
Rule of law, 法治, 183, 185-192, 290
Rules versus standards, 规则对标准, 219-220

Sandel, Michael, 迈克·桑德尔, 46-47
Savigny, Friedrich Carl von, 弗里德里希·卡尔·冯·萨维尼 152, 153 注, 193-221; theory of possession, 占有理论, 198-207
Scalia, Antonin, 安东宁·斯戈利亚, 168
Scanlon, Thomas, 63 注
Schenck v. United States, 申克诉美国案, 64-66, 70, 72
Schmitt, Carl, 卡尔·施密特, 240
Search, optimal, 搜寻, 最优搜寻, 338-340. 又参见, Evidence, economic model of, 证据, 证据的经济学模型
Search and seizure, 搜查和逮捕. 参加, Evidence, illegally seized, 证据, 非法取得的证据
Seidmann, Daniel J., 400 注

Self, multiple selves, 自我, 多重自我, 260, 281
Self-incrimination, privilege against compulsory, 自证其罪, 反对强迫自证其罪的特权, 334, 382 注, 398-401
Sen, Amartya, 阿玛提亚·森, 95, 110 注, 121, 123, 140-141, 271
Settlement, 庭外和解. 参见, Litigation, 诉讼
Shame: 羞耻, as enforcer of norms, 作为规范的执行者, 291-299, 302; and criminal punishment, 羞耻与刑罚, 238-241; versus guilt, 羞耻对罪恶, 291. 又参见, Criminal punishment, 刑事惩罚, shaming penalties 蒙羞刑
Signaling theory, 信号理论, 254-255, 269, 273-279, 348, 399-400
Singer, Peter, 皮特·辛格, 98
Smith v. Rapid Transit, Inc., 370 注
Smith, Adam, 亚当·斯密, 33; on religion, 亚当·斯密论宗教, 307, 314-315
Social norms, 社会规范. See Norms, 规范
Sociology, 社会学, 55, 434; of law, 法律社会学, 10-11, 412
Solimine, Michael E., 迈克尔·E·索洛明, 418-419, 430, 436-437
Spendthrift trusts, 禁治产人信托 36
Stare decisis, 遵循先例. 参见, Precedent, 先例
Statistics; significance tests, 统计学, 显

著度检验,373-374,403注;use of in evidence,统计学在证据中的应用,370-378

Stein, Alex, 400注

Strauss, David A., 15注

Sunstein, Cass R.,卡斯·R·桑斯登,122-123,127-128,133,155,252,256页以下

Superstar phenomenon,明星现象,102,433

Supreme Court, U.S. 最高法院,美国最高法院,190; reversals by,最高法院推翻原判,413-420. 又参见,Constitutional law,宪法性法律

Surrogate motherhood,代孕母亲

Taxation, 105注

Testimony; courtroom,证词,法庭证词,320, 322, 327-329, 331-332; as epistemological category,作为认识论范畴的证词,86, 312, 319-322, 374注

Thaler, Richard,理查德·泰勒,252, 256页以下

Tocqueville, Alexis de,亚历克西斯·德·托克维尔,113-1144

Tort law,侵权法,37-38, 40-41, 59-60, 284, 364; right of privacy,私隐权,42. 又参见,Hand formula,汉德公式

Trademark,商标,42

Tragedy,悲剧,136-137

Trials, by judge and jury compared,审判,法官审判和陪审团审判的比较,353-356. 又参见,Evidence,证据; Federal Rules of Evidence,联邦证据规则; Litigation,诉讼

Truth,真相、真理,85-86, 166; legal system's determinations of,法律制度对真相的确定,322-335. 又参见, History,历史

Tullock, Gordon, 349注, 357注

Tushnet, Mark,马克·图希内特,15注,16-17

Ultimatum game,最后通牒游戏,268-270, 278-280

United States v. Curtiss-Wright Export Corp., 167注

United States v. Dennis,美国诉丹尼斯案,65注, 70注, 72, 75

United States v. Lallemand, 235注

Utilitarianism,功利主义,53-59, 96-99, 134-135. 又参见,Wealth maximization,财富最大化

Utility, average versus total,效用,平均效用对总体效用,134; economic concept of,效用的经济学概念,96-97

Value of life,生命的价值,125-126; to elderly,生命对年长者的价值 129-130

Vengeance,复仇,247-249, 280, 296-297, 301, 306. 又参见,Fairness 公平

Victim impact statements,受害人影响陈述,245-248,256-257
Viscusi, W. Kip,基普·W·威斯库希 122,128-130,133
Voting,投票,258-259,266

Waldron, Jeremy,杰罗米·沃尔德隆,15注,19-24
Weakness of will,意志薄弱,259-260
Wealth maximization,财富最大化,98-102,121,123
Weber, Max,麦克斯·韦伯,3,148,220

Wechsler, Herbert,赫伯特·韦希斯勒,8-9
Welfare economics,福利经济学.参见,under Economics,经济学类的福利经济学
Wells, Gary L.,370注,374注
White, James Boyd,182注
Wicksteed, Philip H.,菲利普·维克斯蒂德,56
Wisconsin v. Mitchell,234-235注
Wittgenstein, Ludwig,路德维希·维特根斯坦,320

图书在版编目(CIP)数据

法律理论的前沿/(美)波斯纳著;武欣,凌斌译.
北京:中国政法大学出版社,2002.10
ISBN 7 - 5620 - 2286 - 0

Ⅰ.法... Ⅱ.①波...②武...③凌... Ⅲ.法的理论—美国 Ⅳ.D971.2
中国版本图书馆 CIP 数据核字(2002)第 082957 号

书　　名	法律理论的前沿
出版发行	中国政法大学出版社
出 版 人	李传敢
经　　销	全国各地新华书店
承　　印	清华大学印刷厂
开　　本	880×1230　1/32
印　　张	16.25
字　　数	430 千字
版　　本	2003 年 1 月第 1 版　2003 年 1 月第 1 次印刷
印　　数	0 001～5 000
书　　号	ISBN 7 - 5620 - 2286 - 0/D·2246
定　　价	36.00 元
社　　址	北京市海淀区西土城路 25 号　邮政编码　100088
电　　话	(010)62229563　(010)62229278　(010)62229803
电子信箱	zf5620@263.net
网　　址	http://www.cupl.edu.cn/cbs/index.htm

☆☆☆☆☆

声　明　1.版权所有,侵权必究。
　　　　2.如发现缺页、倒装问题,请与出版社联系调换。